知的財産法

第2版

愛知靖之・前田　健
金子敏哉・青木大也

YUHIKAKU

第 2 版はしがき

　本書の初版が刊行されてから早 5 年が経過しようとしている。この間も，度重なる法改正や重要裁判例の登場など，知的財産法をめぐる動きはますます活発化している。

　法改正について主な内容に絞っても，柔軟な権利制限規定の整備・教育の情報化への対応・アーカイブの利活用促進に関する権利制限規定の整備などを目的とした平成 30 年著作権法改正，同年に発効した CPTPP（TPP11）へ対応するために行われた著作物の保護期間の延長や著作権等侵害罪の一部非親告罪化などを内容とする著作権法改正・新規性喪失の例外期間の延長などを行った特許法改正・損害賠償に関する商標法改正，限定提供データの不正取得等に対する民事措置の創設などを行った平成 30 年不正競争防止法改正，損害賠償額算定方法の見直し・査証制度の創設を行った令和元年特許法改正，保護対象の拡充・損害賠償額算定方法の見直しなどを目的とした令和元年意匠法改正，通常使用権の許諾制限の撤廃などを内容とする令和元年商標法改正，インターネット上の海賊版対策の強化（リーチサイト対策・侵害コンテンツのダウンロード違法化）や写り込みに係る権利制限規定の対象範囲の拡大などを図る令和 2 年著作権法改正，第三者意見募集制度の導入や訂正審判等における通常実施権者の承諾要件の見直しなどを目的とする令和 3 年特許法改正，海外からの模倣品流入に対する規制強化などを行った令和 3 年商標法・意匠法改正，図書館関係の権利制限規定の見直しなどを内容とする令和 3 年著作権法改正，更に未施行ではあるが民事訴訟手続の IT 化等を目的とする令和 4 年民事訴訟法改正に伴う特許法・著作権法等の改正など，極めて多数に亘る。

　また，最判令和元・8・27 集民 262 号 51 頁〔アレルギー性眼疾患治療薬〕，最判令和 2・7・21 民集 74 巻 4 号 1407 頁〔Twitter リツイート〕，最判令和 4・10・24 令 3(受)1112〔音楽教室〕，知財高判平成 30・4・13 判時 2427 号 91 頁〔ピリミジン誘導体大合議〕，知財高判令和元・6・7 判時 2430 号 34 頁〔二酸化炭素含有粘性組成物大合議〕，知財高判令和 2・2・28 判時 2464 号 61 頁〔美容器大合議〕，知財高判令和 4・10・20 令 2(ネ)10024〔椅子式マッサージ

i

第2版はしがき

機大合議〕など，重要裁判例も数多く登場している。

本書は，これら最新の動向をできる限り反映させるとともに，実務上も重要性を増している種苗法や地理的表示法の概要を第7編に新たに盛り込んだ。そのほか，改めて本書全体を見直し，より理解が深まるよう加筆修正を行っている。このように大幅な内容の充実を図りつつも，「知的財産法を構成する主要法分野の全てを一冊のテキストで，しかもできるだけコンパクトに提供しよう」という本書のコンセプトに違わないよう，可能な限りページ数の増加を抑えるべくコンパクトな記述を心がけた。また，裁判例を引用する際に，初版では判例百選の見出し番号を併記していたところ，第2版では，本書の姉妹本と位置付けられる『知財判例コレクション』（有斐閣，2021年）の見出し番号に変更している。両者を対比させることで，より効果的に学習を進めることができるよう配慮した結果である。

なお，第2版で扱う知的財産各法の記述は，本文中に別途記載がない限り，2022年12月末日時点の法令に基づいている。

最後になったが，改訂に当たっては，有斐閣法律編集局書籍編集部 中野亜樹氏に，引き続き数々のご助力を頂いた。本書が第2版の刊行を迎えることができたのも，中野氏の的確なアドバイスと叱咤激励の賜物である。厚くお礼申し上げる。

2023年1月

著 者 一 同

初版はしがき

　本書は，知的財産法を本格的に学ぶ法学部生や法科大学院生を主な読者と想定して執筆された教科書である。

　したがって，初学者を対象とする入門書とは異なり，必ずしも，具体例を用いた懇切丁寧な解説やイラスト・図表を多用した説明は十分には行われていない。これは，法科大学院における法曹養成教育をも念頭に置きつつ，少なくともその準備段階で必須となる学習水準に到達できる内容を盛り込みつつも，知的財産法を構成する主要法分野の全てを一冊のテキストで，しかもできるだけコンパクトに提供しようと苦心した結果でもある。

　本書は，このような方針を基本にしつつも，初めて知的財産法を学ぶ人にも理解してもらいやすくするために，以下のような工夫をしている。第1に，条文を見れば分かる内容などは適宜省略しつつも，制度趣旨や基本概念の説明を疎かにせず，各制度・規範の背景にある考え方を十分に学ぶことができるようにしている。第2に，知的財産法総論において知的財産法全体の見取り図を提供するとともに，特許法以下各法の記述においても，他法との比較を随所で行い，常に，全体での位置づけを意識しながら学習できるよう配慮している。第3に，判例・学説の網羅的な紹介を避けるとともに，過度に発展的・応用的な論点には深入りせず，発展的な内容は学習上必要と思われる主要論点に絞って，主にコラム欄で解説している。コラム欄では，問題背景や考え方が分かれる理由などに重きを置いて発展的内容を記述している。また，本文での解説を前提に，近時，注目を集めている最新の議論・法改正の動向などを紹介するコラムもある。第4に，本書をコンパクトに収めるため，裁判例について逐一詳細な事実関係の説明や判旨の紹介を行うことは避けつつも，最重要判例など学習上必要不可欠となる情報は，できるだけ本書のみで習得できるようにしている。裁判例の詳細は，本文に明記している判例百選の解説を参照頂くほか，本書と同じ共著者が編集する判例集が公刊予定であるので，そちらも是非ご参照願いたい。

　このような工夫を行うことで，本書は，個別論点に関する断片的知識の習得

にとどまることなく，知的財産各法あるいは知的財産法全体の体系の中で，個別の問題がどのような位置づけにあり，相互にどのように関連しているかを常に意識しながら学習できるよう配慮している。

本書は，著者4人による共著であり，執筆分担は別途記載している通りである。しかし，本書の完成に至るまでに，長時間にわたる編集会議を何度も繰り返し，毎回，各執筆担当部分に対して，研究会さながらの議論を戦わせながらまとめたものである。執筆担当者の個性や持ち味が発揮された部分も随所に見られるものの，全体の整合性の維持に特に留意したことは言うまでもない。

知的財産法に関しては，技術の進歩・多様化により次々と新たな法的課題が生み出されている。本書が，このような現代的課題に取り組むに当たっての一助となれば幸いである。

なお，本書で扱う知的財産各法及び民法等に関する記述は，2018年1月1日時点で施行されている法令に基づいている。

最後に，本書の構想段階から長期にわたり，編集会議における筆者達の時として大きく脱線する議論に辛抱強くお付き合い頂き，数々のご助力を頂いた有斐閣法律編集局書籍編集部一村大輔氏，細部にわたる原稿チェックなどの労をおとり頂いた同編集部中野亜樹氏に深謝申し上げる。また，本書の刊行に際しては，髙野慧太神戸大学大学院法学研究科助教に本書の全ての部分に目を通して頂き内容面・形式面について貴重なアドバイスを頂戴したほか，横溝大名古屋大学大学院法学研究科教授には第8編の記述内容についてご確認頂き貴重なご意見を賜った。先生方のご協力に対し，ここに厚くお礼申し上げる。

2018年3月

著 者 一 同

目　次

第1編　知的財産法総説

第*1*章　知的財産法の意義————————2

第1節　知的財産法の意義と存在理由·················2

1 知的財産法とは　*2*

2 知的財産法の存在理由　*2*

(1) 自然権論・権利論（2）　(2) インセンティブ論・帰結主義的正当化論（3）　(3) 情報保護と情報利用の調和（5）　(4) 知的財産法の正当化を巡る現代的課題（5）

第2節　知的財産権の特質——所有権との比較·············6

1 知的財産権と所有権の相違　*6*

2 知的財産権による保護と所有権による保護　*7*

第*2*章　知的財産法の全体像————————9

第1節　知的財産法を構成する法分野···················9

1 各法の概要　*9*

2 各法の分類　*10*

第2節　知的財産法と他法の関係·····················*11*

1 憲　　法　*11*

2 民　　法　*11*

3 行政法・民事訴訟法　*12*

4 独占禁止法　*13*

v

第2編 特許法

第1章 特許法総説 ——————————————————— 18

第1節 特許法の意義と機能 ································18

(1) 特許法の目的と機能（18） (2) 創作のインセンティブ付与の手段として特許法の特徴と問題（19） (3) 累積的な技術の進歩と特許制度（20）

第2節 特許法の特徴 ································20

1 特許法の概要 20

(1) 登録による権利の発生（20） (2) 権利の内容と制限（21） (3) 特許にかかわる機関等（22） (4) 特許法の歴史（22）

2 特許請求の範囲（クレーム）と明細書 23

(1) 制度の概略（23） (2) 多項制（23） (3) クレームと明細書の発明の詳細な説明との関係（24）

第3節 特許法の国際的側面 ································26

第2章 特許要件 ——————————————————— 28

第1節 総　説 ································28

第2節 発　明 ································29

1 総　説 29

2 「発明」該当性 30

(1) 技術的思想の創作（30） (2) 自然法則の利用（31） (3)「発明」該当性判断の具体例（33）

3 発明の種類と分類 36

(1) 発明の基本的な分類（36） (2) 様々な発明（36）

第3節 産業上の利用可能性 ································38

1 総　説 38

目　次

　2　医療行為に係る発明と産業上の利用可能性　*39*

第4節　新　規　性……………………………………………*40*

　1　総　　説　*40*

　2　公知・公然実施・刊行物記載　*42*

　　　(1) 公知（*42*）　(2) 公然実施（公用）（*42*）　(3) 刊行物記載（文献公知）
　　　（*43*）

　3　新規性判断の方法　*44*

　　　(1) 引用発明の認定に必要な開示の程度（*44*）　(2) 発明の同一性（*45*）

　4　拡大先願（公知の擬制）　*46*

　　　(1) 制度趣旨（*46*）　(2) 要件と効果（*47*）

　5　新規性喪失の例外　*47*

　　　(1) 制度趣旨（*47*）　(2) 要件と効果（*48*）

第5節　進　歩　性……………………………………………*48*

　1　総　　説　*48*

　　　(1) 趣旨（*48*）　(2) 進歩性判断の枠組み（*49*）

　2　一致点と相違点の認定　*50*

　3　相違点の判断（容易想到性）　*51*

　　　(1) 容易想到性判断の方法（*51*）　(2) 動機づけ（*51*）　(3) 予測できない
　　　顕著な効果と阻害要因（*54*）

第6節　記載要件……………………………………………*56*

　1　明確性要件・簡潔性要件　*56*

　　　(1) 明確性要件（*56*）　(2) 簡潔性要件（*57*）

　2　開示要件（実施可能要件・サポート要件）　*57*

　　　(1) 実施可能要件（*57*）　(2) サポート要件（*58*）

　3　その他の記載要件　*60*

　4　単一性要件　*60*

第7節　先　　願……………………………………………*60*

vii

目　次

第8節　特許を受けることができない発明 ·································· 61

第3章　権利の主体 ——————————————— 63

第1節　総　　説 ··· 63

1 総　　説　*63*

2 外 国 人　*64*

第2節　発 明 者 ··· 64

第3節　特許を受ける権利 ··· 65

1 特許を受ける権利　*65*

2 特許を受ける権利の移転　*65*

3 担保の設定　*66*

4 特許を受ける権利の共有　*66*

5 仮専用実施権・仮通常実施権　*67*

第4節　冒認出願 ··· 68

1 冒認出願　*68*

2 真の権利者の移転登録請求権　*69*

　　(1) 真の権利者の移転登録請求権（*69*）　(2) 移転前の善意実施者の保護
（*69*）

第5節　職務発明 ··· 70

1 総　　説　*70*

2 職務発明の要件　*71*

　　(1) 従業者等がした発明（*71*）　(2) その性質上使用者等の業務範囲に属
する発明（*72*）　(3) 発明をするに至った行為が使用者等における従業者
等の現在又は過去の職務に属する発明（*72*）

3 職務発明の効果　*73*

　　(1) 使用者等の法定実施権（*73*）　(2) 勤務規則による特許を受ける権利

viii

の取得等（73）　(3)　相当の利益を受ける権利（75）

第4章　出願手続・審査・査定 ——————————— 79

第1節　総　　説 ·· 79

第2節　出願手続 ··· 80

1 出願書類　*80*

2 出願公開　*81*

(1)　出願公開（81）　(2)　補償金請求権（82）

第3節　審　　査 ·· 83

1 方式審査　*83*

2 審査請求　*84*

3 実体審査　*84*

4 特許査定・登録　*86*

第4節　補　　正 ·· 86

1 総　　説　*86*

2 明細書，特許請求の範囲，図面の補正に係る制限　*87*

(1)　時期的制限（87）　(2)　内容的制限（87）　(3)　要件違反の補正の却下（89）

第5節　特殊な出願 ·· 89

1 出願の分割　*89*

2 出願の変更　*90*

3 国内優先権制度　*91*

4 パリ条約による優先権制度　*91*

第5章　審判・異議申立て・審決等取消訴訟 ————— 93

第1節　総　　説 ·· 93

ix

目　次

第2節　審　　判 …………………………………………………94

1　総　　説　*94*

2　拒絶査定不服審判　*95*

　(1) 意義（*95*）　(2) 手続（*95*）　(3) 審決（*96*）

3　訂正審判　*96*

　(1) 意義（*96*）　(2) 手続（*97*）　(3) 審決（*98*）　(4) 無効審判等との関係による請求時期の制限（*98*）

4　無効審判　*98*

　(1) 意義（*98*）　(2) 手続（*99*）　(3) 訂正請求（*101*）　(4) 審決予告（*101*）　(5) 審決（*101*）

第3節　特許異議の申立て ……………………………………*102*

1　意　　義　*102*

2　手　　続　*103*

3　決　　定　*104*

第4節　審決等取消訴訟 …………………………………………*104*

1　総　　説　*104*

2　当　事　者　*105*

3　審理範囲の制限　*106*

4　判決とその拘束力　*107*

第6章　特許権の効力 ──────────── *108*

第1節　特許権の効力 ……………………………………………*108*

1　総　　説　*108*

2　業として　*108*

3　実　　施　*109*

　(1) 物の発明の実施（*109*）　(2)（単純）方法の発明の実施（*110*）

(3) 物を生産する方法の発明の実施（*110*）

4 利用関係・抵触関係　*110*

第2節　特許発明の技術的範囲 ………………………………… *111*

1 クレーム解釈　*111*

(1) 総説（*111*）　(2) 特許発明の技術的範囲確定と発明の要旨認定（*113*）　(3) 機能的クレームの解釈（*114*）　(4) プロダクト・バイ・プロセス・クレームの解釈（*115*）

2 均 等 論　*118*

(1) 総説（*118*）　(2) 適用要件（*119*）

第3節　間接侵害 ………………………………………………… *122*

1 総　　説　*122*

2 直接侵害との関係　*124*

3 間接侵害の類型　*125*

(1) 専用品型間接侵害（101条1号・4号）（*125*）　(2) 多機能型間接侵害（101条2号・5号）（*126*）　(3) 侵害物の譲渡等・輸出のための所持（101条3号・6号）（*128*）

第4節　特許権の制限 …………………………………………… *128*

1 消　　尽　*128*

(1) 消尽論（*128*）　(2) 消尽の要件と効果（*129*）　(3) 消尽の範囲（*131*）　(4) 並行輸入（国際消尽）（*133*）

2 特許権の効力が及ばない範囲　*135*

(1) 試験・研究のための実施（69条1項）（*135*）　(2) 効力の及ばない物（69条2項）（*137*）　(3) 調剤行為（69条3項）（*137*）　(4) その他（*137*）

3 法定実施権　*138*

(1) 先使用権（*138*）　(2) その他の法定実施権（中用権，その他）（*141*）

第5節　特許権の発生と消滅 …………………………………… *141*

1 総　　説　*141*

2 存続期間 *142*

3 存続期間の延長 *142*

第7章 権利の侵害と救済────────*145*

第1節 総　説……………………………………………………*145*

1 総　説 *145*

2 権利侵害の要件 *146*

第2節 特許権侵害訴訟に関する特別の規定………………*147*

1 総　説 *147*

2 無効の抗弁 *148*

(1) 無効の抗弁（*148*）　(2) 訂正の再抗弁（*148*）　(3) 無効審決等の確定による再審と平成23年改正（*149*）

第3節 民事上の救済………………………………………………*150*

1 差止請求権 *150*

2 損害賠償請求権 *152*

(1) 総説（*152*）　(2) 故意・過失（*153*）　(3) 損害とその額（*153*）

3 不当利得返還請求権 *163*

第4節 刑　事　罰…………………………………………………*163*

第8章 権利の活用と実施権────────*164*

第1節 総　説……………………………………………………*164*

1 権利の活用 *164*

2 実　施　権 *165*

第2節 特許権の移転，担保権の設定………………………*165*

1 権利の移転 *165*

2 担保権の設定，信託 *166*

目　次

3 特許権の放棄等　*167*

第3節　共　　有 ……………………………………………………… *167*

1 共有者間の権利関係　*167*

2 共有特許権の侵害に対する救済　*169*

第4節　専用実施権 ……………………………………………………… *169*

1 効力，成立・消滅　*169*

2 範囲の制限と契約上の義務　*170*

3 特許権者との関係　*171*

4 専用実施権の侵害者に対する権利行使　*172*

第5節　許諾による通常実施権 ………………………………………… *172*

1 効力，成立・消滅　*172*

2 範囲の制限と契約上の義務　*173*

3 特許権者との関係　*174*

4 特許権の譲受人等との関係　*175*

　　(1) 従前の状況と平成23年改正（*175*）　(2) 実施許諾契約上の債権債務
　　関係の取扱い（*176*）

5 独占的通常実施権　*177*

第6節　許諾によらない通常実施権 …………………………………… *179*

1 裁定実施権　*179*

　　(1) 概要（*179*）　(2) 不実施の場合の裁定実施権（83条以下）（*180*）　(3)
　　利用発明に係る裁定実施権（92条）（*180*）　(4) 公共の利益のための裁定
　　実施権（93条）（*180*）

2 法定実施権　*180*

第3編　著作権法

第**1**章　著作権法総説 ——————————————————— *182*

第1節　著作権法の意義と機能··182

1 著作権法の概要　*182*

2 著作権保護の目的と正当化根拠　*183*

3 著作権法の歴史　*184*

第2節　著作権法の特徴··184

1 特許法との相違点　*184*

(1) 登録によらない権利（無方式主義と依拠）（*184*）　(2) 権利の内容と制限（*185*）

2 著作権制度にかかわる主体　*186*

第3節　著作権法の国際的側面··187

第*2*章　著　作　物 ────────────────── 189

第1節　総　　説··189

1 著　作　物　*189*

2 著作物の種類　*189*

3 保護を受けない著作物　*190*

第2節　著作物性の要件··190

1 思想又は感情　*190*

2 表現したもの　*192*

(1) 表現したもの（*192*）　(2) アイデア・表現二分論（*192*）

3 創　作　性　*194*

4 文芸，学術，美術又は音楽の範囲に属する　*197*

(1) 総説（*197*）　(2) 応用美術（*197*）　(3) 文芸・学術・美術又は音楽の範囲の要件の意義（*200*）

第3節　特殊な著作物··201

1 二次的著作物　*201*

(1) 概要（*201*） (2) 二次的著作物を巡る権利関係（*201*） (3) 二次的著作物の成立要件（*202*）

2 編集著作物・データベースの著作物　*203*

(1) 編集著作物（*203*） (2) データベースの著作物（*204*） (3) 選択・配列の対象としての「素材」等（*204*）

第*3*章　権利の主体——————————206

第1節　総　　説 ·······206

第2節　著　作　者 ·······207

1 著作者の認定　*207*

2 著作者の推定　*208*

第3節　共同著作 ·······208

1 総　　説　*208*

2 要　　件　*209*

(1) 2人以上の者の創作行為（*209*） (2) 共同性（*209*） (3) 分離利用不可能性（*210*）

第4節　職務著作 ·······211

1 総　　説　*211*

2 要　　件　*212*

(1) 法人等の発意（*212*） (2) 法人等の業務に従事する者（*212*） (3) 職務上作成される著作物（*213*） (4) 公表名義（*213*） (5) 別段の定め（*214*）

第5節　映画の著作物の取扱い ·······215

1 映画の著作物の著作者　*215*

2 映画の著作物の著作権者　*216*

(1) 総説（*216*） (2) 要件（*216*） (3) 効果（*216*）

xv

第4章 著作権の効力と制限 ———————————————— 218

第1節 総 説 ……………………………………………………………218

第2節 著作権に含まれる権利（支分権）……………………………219

1 総 説 *219*

(1) 支分権の束としての著作権（*219*） (2) 各支分権の分類（*219*）
(3) 著作物の保護範囲（依拠と類似性）（*221*）

2 著作物の複製（21条） *221*

3 著作物の公衆への提示（22条～25条） *222*

(1) 上演権・演奏権（22条），口述権（24条）（*222*） (2) 上映権（22条の2）（*223*） (3) 公衆送信権・公衆伝達権（23条）（*224*） (4) 展示権（25条）（*226*）

4 公衆への譲渡・貸与等（26条～26条の3） *227*

(1) 譲渡権（26条の2）（*227*） (2) 貸与権（26条の3）（*228*） (3) 頒布権（26条）（*229*）

5 二次的著作物の創作と利用（27条・28条） *232*

(1) 翻訳権・翻案権等（27条）（*232*） (2) 二次的著作物の利用に関する原著作者の権利（28条）（*233*）

第3節 著作権の制限 ……………………………………………………234

1 総 説 *234*

2 私的使用のための複製（30条） *235*

(1) 意義（*235*） (2) 要件（*235*） (3) 例外（*237*） (4) 私的録音・録画補償金（3項）（*240*）

3 付随的利用・非享受利用等（30条の2～30条の4） *241*

(1) 付随対象著作物の利用（30条の2）（*241*） (2) 検討の過程における利用（30条の3）（*241*） (3) 非享受利用（30条の4）（*242*）

4 図書館等における複製等（31条） *243*

5 引用（32条） *245*

(1) 意義（245）　(2) 要件（246）　(3) その他の問題（248）

6 教育のための複製等（33条〜36条）　249

(1) 学校その他の教育機関における複製等（35条）（249）　(2) 試験問題としての複製等（36条）（250）

7 障害者のための複製等（37条〜37条の2）　251

8 営利を目的としない上演等（38条）　251

9 報道等のための利用（39条〜41条）　252

10 公的機関の活動に関する利用（42条〜43条）　253

11 放送事業者等による一時的固定（44条）　254

12 美術・写真著作物の原作品等の利用等（45条〜47条の2）　254

(1) 美術・写真著作物の原作品等の利用（254）　(2) 美術の著作物等の譲渡等の申出に伴う複製等（47条の2）（256）

13 プログラムのインストール・バックアップ等（47条の3）　256

14 電子計算機における付随的・軽微利用（47条の4・47条の5）　256

15 権利制限の補完規定　257

(1) 翻訳，翻案等による利用（47条の6）（257）　(2) 複製権の制限により作成された複製物の譲渡（47条の7）（257）　(3) 出所の明示（48条）（258）　(4) 複製物の目的外使用等（49条）（258）

第4節　保護期間 259

1 原　　則　259

(1) 保護期間の制度趣旨（259）　(2) 保護期間の算定（259）

2 例　　外　260

(1) 無名・変名の著作物（52条）（260）　(2) 団体名義の著作物（53条）（261）　(3) 映画の著作物（54条）（261）　(4) 継続的刊行物・逐次刊行物の公表時（56条）（262）

第5章　著作者人格権 264

第1節　総　　説 264

xvii

1 総　説　*264*

2 著作者の同意　*265*

第2節　公　表　権 ··· *266*

1 総　説　*266*

2 内　容　*266*

(1)「著作物でまだ公表されていないもの」(*266*)　(2) 公衆への提供・提示 (*267*)

3 例　外　*267*

(1) 同意の推定 (*267*)　(2) 情報公開法等との関係 (*267*)

第3節　氏名表示権 ··· *268*

1 総　説　*268*

2 内　容　*268*

3 例　外　*269*

(1) 既存の著作者名の表示 (*269*)　(2) 著作者名の表示の省略 (*269*)
(3) 情報公開法等との関係 (*269*)

第4節　同一性保持権 ··· *272*

1 総　説　*272*

2 内　容　*272*

(1) 題号 (*272*)　(2)「意に反して」(*272*)　(3)「改変」(*272*)

3 例　外　*275*

(1) 学校教育の観点からの制限 (*275*)　(2) 建築物に係る制限 (*275*)
(3) プログラムの著作物に係る制限 (*276*)　(4)「やむを得ないと認められる改変」に係る制限 (*276*)

第5節　著作者の名誉又は声望を害する方法による著作物の利用 ··· *277*

第6節　著作者人格権侵害の救済 ·································· *277*

第7節　著作者の死後における人格的利益の保護 ·················· *278*

1 総　説　*278*

2 内　容　*278*

3 救　済　*279*

第6章　著作隣接権 ————————— *280*

第1節　総　説 ················· *280*

1 制度の概要　*280*

(1) 制度の趣旨（*280*）　(2) 制度の枠組み（*281*）

2 権利保護の要件・保護期間　*282*

第2節　実演家の権利 ················· *282*

1 意　義　*282*

2 権利の内容　*283*

(1) 総説（*283*）　(2) 実演家人格権（*284*）

第3節　レコード製作者の権利 ················· *285*

1 意　義　*285*

2 権利の内容　*285*

第4節　放送事業者の権利 ················· *286*

第5節　有線放送事業者の権利 ················· *287*

第7章　権利の侵害と救済 ————————— *289*

第1節　権利侵害の要件 ················· *289*

1 総　説　*289*

2 依　拠　*290*

(1) 総説（*290*）　(2) 依拠の主張立証責任と認定手法（*291*）

3 類似性　*291*

(1) 総説（*291*）　(2) 判断基準（*292*）

4 **みなし侵害行為（113条）**　*294*

(1) 総説（*294*）　(2) 頒布目的での侵害品の輸入（1項1号）（*294*）　(3) 侵害品の頒布・所持・輸出等（1項2号）（*294*）　(4) リーチサイト・リーチアプリ（2項・3項・4項）（*295*）　(5) 違法作成プログラムの業務上の使用（5項）（*296*）　(6) 技術的利用制限手段の回避行為等（6項・7項）（*296*）　(7) 権利管理情報の付加・除去・改変（8項）（*297*）　(8) 国外頒布目的商業用レコードの輸入・頒布・所持（10項）（*298*）　(9) 著作者の名誉・声望を害する利用（11項）（*298*）

5 **侵害の主体**　*298*

(1) 総説（*298*）　(2) 主体の認定（侵害主体論）（*299*）　(3) 間接侵害（教唆・幇助への差止め）（*302*）

第2節　民事上の救済 ………………………………………………… *303*

1 **総　　説**　*303*

2 **差止請求権**　*304*

3 **損害賠償請求権**　*305*

(1) 総説（*305*）　(2) 故意・過失（*305*）　(3) 損害（*306*）

4 **不当利得返還請求権**　*308*

第3節　刑　事　罰 …………………………………………………… *310*

第*8*章　権利の活用 ──────────────── *313*

第1節　総　　説 …………………………………………………… *313*

第2節　著作権の譲渡等 …………………………………………… *314*

1 **譲　　渡**　*314*

(1) 総説（*314*）　(2) 一部譲渡（*314*）　(3) 譲渡の範囲（*315*）

2 **信　　託**　*316*

3 **担　保　権**　*316*

第3節　著作物の利用許諾，出版権················317

1 利用許諾　*317*

(1) 総説（*317*）　(2) 利用許諾の範囲（*317*）　(3) 利用許諾の当事者と第三者の関係（*319*）

2 出　版　権　*320*

(1) 総説（*320*）　(2) 出版権の内容（*321*）　(3) 著作者の人格的利益保護（*321*）

第4節　著作権の共有・共同著作物の著作者人格権················322

1 著作権の共有　*322*

(1) 総説（*322*）　(2) 共有著作権の行使（*322*）　(3) 共有著作権の持分権の処分（*324*）

2 共同著作物の著作者人格権　*324*

(1) 権利の一体的行使の原則（*324*）　(2) 信義に反した合意の拒絶（*324*）

第5節　著作権の取引の円滑化················325

1 著作権の集中管理　*325*

(1) 総説（*325*）　(2) 著作権等管理事業法（*326*）

2 裁定による著作物の利用　*326*

3 登　　録　*327*

第4編　意　匠　法

第1章　意匠法総説————————330

第1節　意匠法の意義と機能················330

第2節　意匠法の特徴················330

1 特許法類似の制度　*330*

2 他の知的財産法との関係　*331*

xxi

目　次

第2章　意匠の登録要件────333

第1節　総　　説────333

第2節　意　　匠────334

1 意匠の定義　*334*

2 物品の意匠　*334*

    (1) 物品性（*334*）　(2)「形状，模様若しくは色彩若しくはこれらの結合」
（形状等）（*335*）　(3) 視覚性（*336*）　(4) 美感（*336*）

3 建築物の意匠　*336*

4 画像の意匠　*337*

5 部分意匠　*338*

第3節　工業上の利用可能性────338

第4節　新　規　性────339

1 新　規　性　*339*

2 拡大先願　*339*

第5節　創作非容易性────340

1 創作非容易性　*340*

2 公知意匠に類似する意匠（3条1項3号）との関係　*341*

第6節　不登録事由────341

第3章　意匠権に関する手続────343

第1節　出願手続────343

1 意匠登録出願　*343*

2 審査・査定・登録　*344*

第2節　審判・審決取消訴訟────346

1 審　　判　*346*

xxii

2 審決取消訴訟 *347*

第4章 権利の効力と活用 ─────────── *348*

第1節 意匠権の効力と活用 ················ *348*

1 総　　説 *348*

2 存続期間 *348*

第2節 権利侵害の要件 ···················· *349*

1 直接侵害 *349*

2 利用関係 *349*

3 間接侵害 *350*

第3節 意匠権の制限 ···················· *351*

第4節 意匠権侵害に対する救済 ············ *351*

第5章 同一性・類似性 ─────────── *353*

第1節 総　　説 ························· *353*

1 総　　説 *353*

2 意匠の類似に係る3つの立場 *354*

第2節 物品の類似 ······················ *354*

第3節 形状等の類似 ···················· *355*

1 判断基準 *355*

2 実　　例 *355*

第4節 部分意匠の取扱い ················ *356*

第5編　商　標　法

第1章　商標法総説 ————————————— 360

第1節　商標法の意義と機能 ·······················360

1 商標法の目的　*360*

2 商標の機能　*361*

(1) 商標の3つの機能（*361*）　(2) サーチコスト理論（*362*）

第2節　商標法の特徴 ····························363

1 登録主義と使用主義　*363*

2 商標法の基本構造　*363*

第3節　商標法の国際的側面 ························364

第2章　商標の登録要件 ————————————— 365

第1節　総　　説 ······························365

第2節　商　　標 ······························366

1 商標の定義　*366*

2 標　　章　*366*

3 商標の使用主体　*367*

4 商品・役務　*367*

5 商標の使用（2条3項）　*368*

(1) 商品についての使用（*368*）　(2) 役務についての使用（*368*）　(3) その他（*369*）

第3節　積極的登録要件 ·························370

1 自己使用の意思　*370*

2 識別力・独占適応性　*371*

(1) 普通名称（3条1項1号）（*371*）　(2) 慣用商標（3条1項2号）（*372*）

xxiv

（3）記述的商標（3条1項3号）（372）　（4）ありふれた氏・名称（3条1項4号）（375）　（5）極めて簡単でかつありふれた標章（3条1項5号）（375）　（6）その他識別力を欠く商標（3条1項6号）（375）　（7）使用による識別力の獲得（3条2項）（376）

第4節　商標登録を受けることができない商標……………………378

1　総　説　378

2　公的団体等の標章と同一又は類似の商標（4条1項1号〜6号・9号）　378

（1）4条1項1号〜6号（378）　（2）博覧会の賞と同一又は類似の標章を有する標章（4条1項9号）（379）

3　公序良俗に反する商標（4条1項7号）　379

（1）総説（379）　（2）国際信義に反する商標（380）　（3）出願主体に着目した公序良俗違反（380）

4　他人の肖像，氏名等を含む商標（4条1項8号）　381

（1）総説（381）　（2）著名性（381）　（3）他人の承諾（382）

5　出所の混同を生ずるおそれのある商標（4条1項10号〜15号）　382

（1）周知商標と類似する商標（4条1項10号）（382）　（2）先願の登録商標と類似する商標（4条1項11号）（383）　（3）登録防護標章と同一の商標（4条1項12号）（384）　（4）種苗法による登録品種と同一又は類似の商標（4条1項14号）（384）　（5）混同を生ずるおそれがある商標（4条1項15号）（385）

6　品質の誤認を生ずるおそれのある商標（4条1項16号）　386

7　ぶどう酒又は蒸留酒の産地を表示する標章を有する商標（4条1項17号）　387

8　商品等が当然備える特徴のみからなる商標（4条1項18号）　387

9　周知又は著名な商標であって不正目的で使用されるもの（4条1項19号）　388

（1）総説（388）　（2）不正の目的（388）　（3）周知性・著名性（389）

第3章　商標権に関する手続───────────390

第1節　出願手続……………………………………………………………………390

1　商標登録出願　*390*

(1) 出願書類 (*390*)　(2) 商標登録出願により生じた権利 (*391*)

2　金銭的請求権等と出願公開　*391*

3　審査・査定・登録　*392*

第2節　審判等・審決取消訴訟………………………………………………………393

1　審判等　*393*

(1) 総説 (*393*)　(2) 不使用取消審判 (*394*)　(3) 不正使用取消審判等 (*396*)

2　審決取消訴訟　*396*

第4章　権利の効力と活用 ————————————— *398*

第1節　商標権の効力…………………………………………………………………398

1　総説　*398*

2　存続期間と更新　*399*

第2節　権利侵害の要件………………………………………………………………400

1　直接侵害　*400*

2　間接侵害　*400*

第3節　商標権の制限…………………………………………………………………400

1　商標法26条による効力制限　*400*

(1) 自己の肖像・氏名・名称等の表示 (26条1項1号) (*400*)　(2) 普通名称・記述的商標 (26条1項2号・3号) (*401*)　(3) 慣用表示 (26条1項4号) (*401*)　(4) 商品等が当然に備える特徴 (26条1項5号) (*402*)　(5) 出所識別表示として使用されていない商標 (26条1項6号) (*402*)

2　先使用権　*403*

(1) 総説 (*403*)　(2) 周知性 (*404*)

3 無効の抗弁　*405*

4 権利濫用の抗弁　*406*

5 真正商品の流通（商標機能論）　*407*

 (1) 総説（*407*）　(2) 商品の改変等（*408*）　(3) ライセンス契約違反（*410*）　(4) 並行輸入（*411*）

6 その他の抗弁　*412*

 (1) 不使用の抗弁（*412*）　(2) 登録商標使用の抗弁（*413*）

第4節　商標権侵害に対する救済 ……………………………………*414*

1 総　　説　*414*

2 差止め　*414*

3 損害賠償　*415*

第5章　同一性・類似性 ——————————————*417*

第1節　総　　説 ………………………………………………………*417*

第2節　商標の類似性 …………………………………………………*418*

1 類似性の判断基準　*418*

2 類似性判断と取引の実情　*419*

 (1) 裁判例の動向（*419*）　(2) 学説による評価（*420*）

3 類似性の判断手法　*421*

第3節　商品・役務の類似性 …………………………………………*423*

第6編　不正競争防止法

第1章　不正競争防止法総説 ——————————————*426*

第1節　不正競争防止法の概要 ………………………………………*426*

1 総　　説　*426*

2 不正競争防止法の特徴　*427*

(1) 不正競争行為の限定列挙（*427*）　(2) 競争法における不競法の特徴
（*427*）　(3) 知的財産法における不競法の特徴（行為規制法）（*428*）

第2節　不正競争行為に対する法的手段·······················*429*

1 民事上の救済（差止め・損害賠償）　*429*

(1) 不正競争防止法上の規定（*429*）　(2)「営業上の利益」（*429*）

2 刑　事　罰　*430*

第*2*章　他人の商品等表示の不正使用————*431*

第1節　周知表示の使用による混同の惹起·······················*431*

1 趣　　旨　*431*

2 要　　件　*432*

(1) 商品等表示（*432*）　(2) 他人性（*434*）　(3) 周知性（*435*）　(4) 同一
性・類似性（*436*）　(5) 商品等表示の使用行為等（*437*）　(6) 出所の混同
のおそれ（*437*）

3 適用除外等　*438*

(1) 普通名称等の使用（19条1項1号）（*438*）　(2) 自己の氏名の使用（19
条1項2号）（*439*）　(3) 先使用（19条1項3号）（*439*）　(4) 真正商品
の転売・並行輸入（*440*）　(5) 登録商標の使用の抗弁（*440*）

4 請求権者　*441*

第2節　著名表示の冒用·······················*442*

1 趣　　旨　*442*

2 要件，適用除外等　*442*

(1) 著名性（*443*）　(2) 類似性（*444*）　(3) 自己の商品等表示としての使
用（*444*）　(4) 請求権者（*445*）　(5) 適用除外等（*445*）

第*3*章　他人の商品形態を模倣した商品の譲渡等————*446*

目　次

第1節　趣　　旨 …………………………………………………………………… *446*

第2節　要　　件 …………………………………………………………………… *447*

1 他人の商品の形態　*447*

(1) 商品の形態（*447*）　(2) 他人性（*448*）　(3) 商品の機能確保のために不可欠な形態（*448*）

2 模　　倣　*449*

(1) 総説（*449*）　(2) 依拠性（*449*）　(3) 実質的同一性（*449*）

3 譲渡等する行為　*451*

第3節　適用除外 ……………………………………………………………………… *451*

1 3年の保護期間　*451*

(1) 趣旨（*451*）　(2) 保護の終期の起算点（*452*）　(3) 保護の始期（*452*）

2 模倣品の善意取得者　*452*

第4節　請求権者 ……………………………………………………………………… *453*

第*4*章　営業秘密の不正取得・使用・開示 ───── *455*

第1節　総　　説 …………………………………………………………………… *455*

1 趣　　旨　*455*

2 特許法による保護との関係　*456*

第2節　営業秘密 ……………………………………………………………………… *457*

1 総　　説　*457*

2 秘密管理性　*457*

(1) 趣旨（*457*）　(2) 要件（*458*）

3 有　用　性　*458*

4 非公知性　*459*

第3節　規制される行為類型 ………………………………………………………… *460*

1 総　　説　*460*

xxix

2 営業秘密の不正取得とその後の不正利用　*460*

3 正当に取得された営業秘密の不正利用　*461*

(1) 趣旨（*461*）　(2) 規制の対象となる行為（*461*）　(3) 企業と従業者を巡る問題（*462*）

4 技術上の秘密についての不正使用行為によって生じた物の譲渡等　*462*

第4節　適用除外 ……………………………………………………………*463*

1 取引行為に際して善意無重過失の者の保護　*463*

2 消滅時効後の2条1項10号該当行為　*463*

第5節　消滅時効 ………………………………………………………………*464*

第5章　その他の不正競争行為 ──────────────── *465*

第1節　限定提供データの不正取得・使用・開示 …………………*465*

1 趣　旨　*465*

2 限定提供データ　*466*

3 規制対象となる行為　*466*

第2節　技術的制限手段の迂回装置の提供等 …………………………*467*

1 趣　旨　*467*

2 技術的制限手段　*468*

3 規制対象となる行為　*468*

第3節　ドメイン名の不正取得等 ……………………………………… *469*

1 趣　旨　*469*

2 規制対象となる行為　*470*

第4節　品質等誤認表示 ……………………………………………………*471*

1 趣　旨　*471*

2 規制対象となる行為　*471*

(1) 原産地，品質等（*471*）　(2) 誤認させるような表示（*472*）　(3) 請求

xxx

権者（473）

第5節　虚偽事実告知等による競業者の信用毀損 ……………473

1 趣　　旨　473

2 規制対象となる行為　473

3 権利侵害警告　474

第6節　代理人等による商標の無断使用 ………………………475

第7編　不法行為法・種苗法等による保護

第1節　不法行為法による知的財産の保護 ………………………478

1 総　　説　478

2 不法行為が認められた事例　479

第2節　パブリシティ権 ………………………………………480

1 法的性質　480

2 侵害判断の基準　481

3 その他の問題　482

第3節　種　苗　法 ……………………………………………482

1 権利の客体と権利取得手続　482

2 権利の効力　483

第4節　地理的表示法 …………………………………………485

第8編　知的財産の国際的保護

第1節　知的財産保護の国際的な枠組み …………………………488

1 「属地主義の原則」　488

2 条約による国際的な知的財産権保護の枠組み　489

第2節 知的財産紛争に関する国際裁判管轄と準拠法…………*490*

1 総 説 *490*

2 国際裁判管轄 *491*

3 準 拠 法 *492*

事項索引（*495*）
判例索引（*506*）

目　次

Column

第 1 編　知的財産法総説

第*2*章

Ⅰ2-1　知的財産権訴訟の管轄　*12*

Ⅰ2-2　独占禁止法21条　*14*

第 2 編　特　許　法

第*1*章

Ⅱ1-1　秘密特許制度　*21*

第*2*章

Ⅱ2-1　「発明未完成」について　*35*

Ⅱ2-2　用途発明の新規性　*45*

Ⅱ2-3　選択発明・数値限定発明の進歩性　*55*

Ⅱ2-4　記載要件相互の関係について　*59*

第*3*章

Ⅱ3-1　職務発明，特に相当の利益の請求を巡る改正の流れ　*75*

第*4*章

Ⅱ4-1　実用新案と無審査主義　*85*

第*6*章

Ⅱ6-1　直接侵害への複数人の関与　*123*

Ⅱ6-2　多機能型間接侵害の要件論　*126*

Ⅱ6-3　後発医薬品と試験・研究　*136*

Ⅱ6-4　先行処分がある場合の医薬品の延長登録　*143*

第*7*章

Ⅱ7-1　差止請求権の制限を巡る議論　*151*

Ⅱ7-2　実施料相当額の損害　*155*

Ⅱ7-3　部分実施等と特許法102条1項1号　*157*

第*8*章

Ⅱ8-1　不争義務　*174*

第 3 編　著作権法

第*2*章

Ⅲ2-1　創作性＝表現の選択の幅説　*195*

xxxiii

目 次

Ⅲ2-2 タイプフェイス，建築，設計図の著作物性　*200*

第3章

Ⅲ3-1 未編集のフィルムの取扱い　*217*

第4章

Ⅲ4-1 公衆概念と支分権　*220*

Ⅲ4-2 コンテンツの流通を巡る諸問題　*230*

Ⅲ4-3 自炊代行　*236*

Ⅲ4-4 戦時加算・相互主義　*262*

第5章

Ⅲ5-1 最判令和2・7・21民集74巻4号1407頁〔Twitterリツイート上告審〕〈判コレ105〉の検討　*269*

Ⅲ5-2 最判平成13・2・13民集55巻1号87頁〔ときめきメモリアル〕〈判コレ108〉の検討　*274*

第7章

Ⅲ7-1 「表現形式上の本質的特徴」の意義と全体比較論　*293*

Ⅲ7-2 規範的行為主体の認定についての裁判例と学説の展開　*300*

Ⅲ7-3 プロバイダ責任制限法と著作権侵害　*308*

第8章

Ⅲ8-1 権利者不明著作物（孤児著作物）問題　*326*

第5編　商　標　法

第2章

Ⅴ2-1 団体商標・地域団体商標　*377*

Ⅴ2-2 防護標章登録　*384*

第4章

Ⅴ4-1 「商標的使用」　*403*

第5章

Ⅴ5-1 「類似性」と「混同のおそれ」　*422*

凡　例

1　法令名

法令名の略語は原則として有斐閣『六法全書』の例に依った。主なものは以下のとおり。

特許	特許法
著作	著作権法
意匠	意匠法
商標	商標法
不正競争	不正競争防止法
新案	実用新案法
憲	憲法
行訴	行政事件訴訟法
刑	刑法
民	民法
民訴	民事訴訟法
独禁	私的独占の禁止及び公正取引の確保に関する法律
薬機法	医薬品，医療機器等の品質，有効性及び安全性の確保等に関する法律
景表法	不当景品類及び不当表示防止法

なお，各編においては，その編名と同じ法律名は省略し，条文番号のみ掲げた（例えば，第2編（特許法）では，特許法については条文番号のみ掲げた）。

2　判　決

大判	大審院判決
最（大）判	最高裁（大法廷）判決
知財高判（決）	知的財産高等裁判所判決（決定）
高判（決）	高等裁判所判決（決定）
高＊＊支判（決）	高等裁判所＊＊支部判決（決定）
地判（決）	地方裁判所判決（決定）
地＊＊支判（決）	地方裁判所＊＊支部判決（決定）

3 文献略語

民(刑)集	大審院民事(刑事)判例集，最高裁判所民事(刑事)判例集
知財集	知的財産権関係民事・行政裁判例集
無体集	無体財産権関係民事・行政裁判例集
刑録	大審院刑事判決録
集民	最高裁判所裁判集民事
下民(刑)集	下級裁判所民事(刑事)裁判例集
判時	判例時報
判タ	判例タイムズ
金判	金融・商事判例
判コレ	愛知靖之ほか『知財判例コレクション』（有斐閣，2021 年）

執筆者紹介

愛 知 靖 之（えち・やすゆき）

京都大学大学院法学研究科教授

《第1編，第2編第6章第1節〜第3節，第3編第4章第3節・第4節，同第6章，同第7章第1節**1**〜**4**，第5編第3章・第4章，第7編，第8編》

前 田　　健（まえだ・たけし）

神戸大学大学院法学研究科教授

《第2編第1章・第2章，同第6章第4節・第5節，第3編第7章第1節**5**・第2節・第3節，同第8章，第5編第1章・第2章》

金 子 敏 哉（かねこ・としや）

明治大学法学部教授

《第2編第7章・第8章，第3編第1章・第2章，同第4章第1節・第2節，第5編第5章，第6編第1章・第2章》

青 木 大 也（あおき・ひろや）

大阪大学大学院法学研究科准教授

《第2編第3章〜第5章，第3編第3章・第5章，第4編，第6編第3章〜第5章》

第1編
知的財産法総説

第1章

知的財産法の意義

第1節　知的財産法の意義と存在理由
第2節　知的財産権の特質——所有権との比較

第1節　知的財産法の意義と存在理由

1 知的財産法とは

　知的財産法とは，人間の知的・精神的創作活動の成果や営業上の標識（商品名や商品のロゴなど）という財産的価値のある情報を無断利用（模倣）から保護する法のことをいい，特許法・著作権法・意匠法・商標法など多くの法律で構成されている。また，知的財産法で保護される特許権・著作権・意匠権・商標権などの権利は**知的財産権**と呼ばれている。

　知的財産法は，情報の利用行為を規制するために，情報をあたかも有体物と同様の保護客体として措定しそこに排他権・独占権を付与する（権利付与法。⇒第2章），あるいは，端的に一定の行為を規制する（行為規制法。⇒第2章）という方法で法的保護を与えている。

2 知的財産法の存在理由

(1) 自然権論・権利論

　それでは，なぜ法によって情報の利用行為を規制する必要があるのだろうか。いい換えれば，知的財産法の存在理由とは何なのだろうか。知的財産法制度の正当化根拠論としては，大きく自然権論・権利論とインセンティブ論・帰結主

義的正当化論という2つの立場がある。

　まず，**自然権論**と呼ばれる考え方は，人は自ら行った創作活動・知的労働の成果について，労働の対価としてその成果を排他的に支配する自然権を当然にもつというものである。近時は更に，創作活動を行った者が，報酬としてその知的労働の成果を割り当てられるというのが憲法上の財産権の根幹であり，知的財産権もこのような憲法上の基本権として保護されなければならないという考え方も登場している（**権利論**）。いずれも，権利の保護それ自体を法目的とするという意味では，共通の思想に立脚している。

(2) インセンティブ論・帰結主義的正当化論

　他方，我が国で主流となっているのは，権利保護をあくまで情報創作のインセンティブ付与などという法目的のための手段と位置づける帰結主義の考え方であり，**インセンティブ論**と呼ばれることもある。

　情報は，物理的占有を観念できる有体物とは異なる無体物であり，複数の者が同時に利用することが可能である（消費の非競合性）。それゆえ，情報が公開された後は，その利用を容易かつ大量に行うことが可能であり，情報創作者がこれを人為的に排除することは困難である（消費の非排除性）。情報（無体物）が有するこのような公共財的性格ゆえに，その模倣が容易となるのである。もっとも，他人の技術や作品の模倣は，それ自体が新たな技術の進歩や文化の発展に寄与する側面があるため常に規制すべきものではなく，模倣（フリーライド）は原則自由である。しかしながら，模倣が一切禁じられないとすると，創作者とは異なる者が，情報創作費用・開発費用が転嫁されていない分安価で，オリジナルと品質の大きく異ならない製品や作品を流通させることができる。このような競合品の流通により，創作者は創作費用・開発費用を回収することが困難となるため，創作インセンティブが減退する。その結果として，社会は情報の過少生産状態に陥りかねない。

　もちろん，作品が世に出ることで自身が受ける評判や，商品・サービスの提供により獲得する信用，あるいは他者に先んじて市場に新製品を流通させることにより得られる「市場先行の利益」なども創作インセンティブとして一定程度の寄与はする。しかし，医薬品開発や映画製作など技術の開発や作品の創作

には莫大なコストとリスクを要する場合があり，事実として存在するインセンティブのみでは創作誘因に不足が生じる。

あるいは，他者による情報の無断利用を排斥するためには，情報を秘匿するという手段も有効ではある。しかし，例えば新しい医薬品を市場に流通させる場合に，その医薬品の組成・化学構造という重要な情報の秘密状態を完全に維持することは不可能に近い。また，情報が秘匿されたままだと，同一の情報創作・技術開発に対する重複投資が生じかねない。反対に，情報が秘匿されず公開されれば，公開された情報（技術・作品）を基にした新たな情報（技術・作品）の創作が促進される。技術や文化は先人が生み出したものを土台に段階的に発展していく性質をもつものなのである。

そこで，知的財産法は，情報の無断利用（模倣）行為を禁止して，創作者に超過利潤の獲得を認めて創作・開発費用の回収を容易にすることで，創作インセンティブを保障すると同時に，情報の公開も促している。このように，インセンティブ論においては，社会全体の厚生を増大させるために法により人為的に創設されたのが知的財産権だと考えられている。すなわち，知的財産権の創設は，あくまで創作インセンティブを保障し，社会における情報の豊富化を達成するという目的のための手段と位置づけられる。

更に，商品・サービスの提供を通じて信用を形成・維持するために，商品・サービスの出所を明らかにし，自己の商品・サービスを他者のものから区別する標識・表示（Apple 社のロゴなど）が使用されることがある。しかし，この表示を他者が無断で使用し，これまで築き上げてきた信用にただ乗りされてしまうと，信用の維持・活用が妨げられる。このような状態は，需要者が商品・サービスの出所を混同したり，商品・サービスの探索コスト（サーチコスト）を増大させたりもする。このように，信用蓄積に対するインセンティブの保障に加えて，需要者保護という目的から，標識・表示という情報に対する無断利用が禁止される。この点に，商標法等に固有の意義がある（⇒第5編第1章，第6編第1章）。

模倣（フリーライド）を原則自由としつつ，以上のような目的に資する場合に限って情報利用に対する規制が認められるのである。

(3) 情報保護と情報利用の調和

　このように，インセンティブ論においては，知的財産法の法目的は権利の保護それ自体ではなく社会全体の利益の増進である。そうすると，知的財産権保護・情報保護を強化し過ぎることにより，かえって社会全体の利益が損なわれるという事態は許されないことになる。他方，自然権論でも，無制限な権利保護強化が許容されるわけではない。とりわけ，知的財産権を憲法上の基本権と位置づける立場においては，常に他の基本権との衡量が必要となる。

　前述のように，既存の情報（技術・作品）へのアクセスと利用を許容することが新たな情報（技術・作品）の創作を促進させる側面があるし，情報利用それ自体が憲法的価値（表現の自由，学問の自由など）を伴う場合もある。したがって，知的財産法は，情報の公開・開示を条件に権利を付与するとともに，特定の情報の利用に関して一定の範囲・要件の下で保護を与えることにより，権利保護を図りつつも，他方で情報のアクセス・利用に対する過度の制約を防止している。創作者に独占させるべき情報と自由利用を保障すべき情報を峻別し，その線引きを明文で社会に告知することにより，情報利用が萎縮するのを防止しているのである。知的財産法は，特定の情報の排他的保護を定めるのみならず，権利の及ばない情報の自由利用をも積極的に保障することで，情報保護の利益と情報利用の利益を調和させ，もって社会全体の利益・厚生の増大を図っているということができる。

(4) 知的財産法の正当化を巡る現代的課題

　もっとも，現行の知的財産法制度が創作インセンティブの保障に寄与しているという点については，アメリカを中心に実証研究に基づく懐疑的な見方がある。知的財産法制度の維持にも莫大なコストがかかるし，他者の情報を利用しようとする者にも権利処理のコストを負担させることになる。後者のコストについては，とりわけ，1つの製品に多数の特許権が成立している場合（このような状況は**特許の藪**ともいわれる）や，権利者不明の作品（**孤児著作物**とも呼ばれる（⇒ **Column Ⅲ8-1** 「権利者不明著作物（孤児著作物）問題」））を利用する場合など，負担するコストが膨大なものになりうる。知的財産法制度を維持することで発生するこのようなコストを上回るだけの便益が果たして社会にもたらされてい

第1編　第1章　知的財産法の意義

るといえるのかが，問い直されているのである。

　知的財産法制度の社会的便益を増大させるためには，現行制度がもつ構造的
な課題を明らかにし，制度を是正することが必要であり，そのための不断の努
力が求められる。しかし，情報技術の急速な発展により知的財産法制度を取り
巻く環境が劇的に変化する中，現行制度をベースラインとしつつ問題が生じた
部分のみを随時是正していく個別対応では，もはや迅速かつ的確な対策は困難
となりつつある。（もちろん条約等による制約はあるものの）知的財産法制度の将
来像を見据えた抜本的な制度変革を検討する時期にさしかかっているといえよ
う。

第2節　知的財産権の特質——所有権との比較

1 知的財産権と所有権の相違

　前述のように，知的財産権の客体は財産的情報という無体物であり，物理的
占有を観念することができない。

　これに対して，民法で保護される所有権の客体は有体物である（民85条）。
有体物は物理的占有の対象となり，ある者が有体物を利用している間，他者は
当該有体物を重ねて利用することはできない。他者による有体物の無断利用は，
同時に所有権者による当該有体物の利用（使用・収益・処分。民206条）を妨害
することになる。無断利用を排斥しなければ，所有権者自身による利用を確保
し，物に対する支配を維持することはできないのである。そこで，所有権者自
身による物の支配を維持するために，所有権侵害に対しては返還請求権・妨害
排除請求権・妨害予防請求権が認められている。

　他方，繰り返し述べているように，無体物は複数人による重畳利用が可能で
あるため，他者による無断利用があったとしても，情報創作者自身による利用
が妨害されることはない。知的財産法においても侵害停止請求権・侵害予防請
求権という差止請求権が認められており（特許100条，著作112条など），これら
は物権的請求権に類似してはいるものの，その権利の性質は，自己利用の確
保・物に対する支配の維持を目的とする物権的請求権とは異なる。知的財産法

6

上の差止請求権等は，第1節で述べた政策的理由から他者による情報の無断利用を排斥するために，法技術として物権的請求権類似の構成を借用しているに過ぎない。したがって，差止請求権を法定することは必然的なものではなく，法目的を達成するのに必要十分なのであれば報酬請求権のみを与えるということもありうる（実際に，著作権法などにおいては報酬請求権のみが付与される場合もある。著作93条の2第2項・94条の2など）。

また，有体物を対象とする所有権は，その目的物が存在する限り，権利も永久に存在する。所有権は特定の物の物理的な使用・収益に係る権利であるので，所有権が永続しても，一般的には他者の自由に対する過度の制約とはならない。

これに対して，特許権・著作権などは，創作インセンティブを保障するために情報の利用それ自体を禁止する権利であるところ，これが永続すれば既存情報を利用したさらなる産業の発達・文化の発展が阻害されかねず，かえって社会全体の利益を損なうことになる。そこで，創作インセンティブとして必要な限度をこえた長期にわたる情報独占は認められず，権利に一定の存続期間が設けられている（特許67条，著作51条など）。

このように所有権は有体物を対象とする以上，その権利の外延が一義的に明確であるのに対し，無体物を保護対象とする知的財産権では権利の外延がもともと不明確であり，権利が及ぶ範囲をいかに確定するのかが重要な問題となる。

2 知的財産権による保護と所有権による保護

以上のように，知的財産権と所有権は別個の権利である。財産的情報が化体した有体物については，この両者の権利を観念することができるものの，あくまで知的財産権は財産的情報（無体物）のみを対象とし，所有権は有体物のみを対象とする。例えば，書店で書籍を購入すれば，書籍の所有権を取得することはできるが，書籍に化体した情報（著作物）に対する著作権まで取得するわけではない。したがって，著作者に無断で書籍の内容をそのままインターネットにアップロードすれば著作権侵害となる。所有権を無体物（有体物に化体した情報）にまで及ぼすことはできないのである。知的財産権が存続期間満了により消滅した後に，情報の無断利用に対して所有権を行使することも許されない。さもなければ，無体物を対象とする知的財産権について存続期間を定めた意義

が没却されることになる。

　最高裁も，中国唐代の書家顔真卿の書（「顔真卿自書建中告身帖」）を所蔵する美術館が，この書を撮影した写真乾板から写真の複製を行い，これを掲載した書籍の発行を行った出版社に対し，所有権侵害を理由に書籍の販売差止め等を求めた事案（最判昭和59・1・20民集38巻1号1頁〔顔真卿〕〈判コレ1〉）において，次のように述べている。「美術の著作物の原作品は，それ自体有体物であるが，同時に無体物である美術の著作物を体現しているものというべきところ，所有権は有体物をその客体とする権利であるから，美術の著作物の原作品に対する所有権は，その有体物の面に対する排他的支配権能であるにとどまり，無体物である美術の著作物自体を直接排他的に支配する権能ではないと解するのが相当である」。

　また，競走馬の名称の無断利用行為に対する差止めと損害賠償が問題となった事案で，「競走馬の名称等の使用につき，法令等の根拠もなく競走馬の所有者に対し排他的な使用権等を認めることは相当ではな」いと述べ，いわゆる「物のパブリシティ権」を否定した最高裁判決もある（最判平成16・2・13民集58巻2号311頁〔ギャロップレーサー〕〈判コレ205〉。⇒第7編第1節**7**）。

　なお，博物館・美術館は，来館者に対し観覧料の支払や写真撮影禁止を要求している。この点について，前掲〔顔真卿〕は，「原作品の有体物の面に対する所有権に縁由するもの」，「所有権者が無体物である著作物を体現している有体物としての原作品を所有していることから生じる反射的効果」と述べている。しかし，これらは原作品の所有権に直接に由来するものというよりも，博物館・美術館という敷地・建物の所有権等の管理権に基づき，そこへの立入りを許容し，作品へのアクセスを認める際の対価・条件といえよう。

第2章

知的財産法の全体像

第1節　知的財産法を構成する法分野
第2節　知的財産法と他法の関係

第1節　知的財産法を構成する法分野

1 各法の概要

　知的財産法は，財産的情報を保護する多くの法から構成されている。例えば，「発明」（技術的なアイデアのうち高度のもの）を保護する**特許法**，「考案」（同じく技術的なアイデアであるが高度でないものも含む）を保護する**実用新案法**，「意匠」（工業製品のデザイン）を保護する**意匠法**，「商標」（商品・サービスに付されたマーク）を保護する**商標法**がある。これら4法は，いずれも「産業の発達」に寄与することを目的とした法である（特許1条，新案1条，意匠1条，商標1条参照）ことから，**産業財産権法**と呼ばれる。

　更に，産業財産権法の周縁には同じく産業に関連する法として，植物の新品種を保護する**種苗法**や半導体集積回路の回路配置（半導体チップのレイアウト）を保護する**半導体集積回路の回路配置に関する法律**（半導体チップの小型化・省電力化を達成するためには電子回路のレイアウトを工夫することが重要となり，このようなレイアウトの創作に対するインセンティブを保障するために保護を与える）なども存在する。

　また，**不正競争防止法**は，商品・営業の表示や商品の形態，営業秘密など様々な情報に係る行為を規制しているが，その多くは産業に関連する情報であ

9

る。

以上のような産業に関連する法に対して,「著作物」(小説・音楽・絵画など人の思想・感情が表現された作品) を保護する**著作権法**は,「文化の発展」に寄与することを目的としている (著作1条)。もっとも,著作権法もプログラムを保護対象に含めている (著作10条1項9号) ほか,近時は経済のソフト化やコンテンツの制作・流通が重要な産業分野を占めるようになるなど,著作権法と産業の関連性は強くなっている。

なお,知的財産の創造・保護・活用をより一層促進するとともに,これを支える人的基盤を充実させることにより我が国の社会・経済全体の更なる活性化を図るべく「知的財産戦略大綱」が平成14年に策定されている。これを受けて,上述の「知的財産法」とは異なるが,知的財産法政策の基本的な指針を定めた**知的財産基本法**が制定された。この法律に基づき設置された「知的財産戦略本部」は,毎年度「知的財産推進計画」を作成し,関係省庁が戦略大綱の具体的実施に向けて省庁横断的に連携・協力する体制を整えようとしている。

2 各法の分類

以上の知的財産各法のうち,特許法・実用新案法・意匠法・著作権法など,人間の精神的創作活動による成果を保護する法を**創作法**,商標法,不正競争防止法のうち商品・営業の表示を保護する部分や会社法8条・商法12条等の商号に関する規律のように営業上の標識やそれに化体する営業上の信用を保護する法を**標識法**と呼ぶことがある。

また,不正競争防止法以外の各法は財産的情報に対し排他権を付与し,あたかも「物権」のように扱うことで,譲渡・相続・担保権設定等を可能としており,**権利付与法**とも呼ばれる。これにより,情報を資産化し,取引の対象とすることが可能となり,円滑な投下資本の回収が容易となるとともに,技術等の移転も促進される。これに対して,不正競争防止法は,排他権付与ではなく,一定の行為を公正競争を害する不正な行為として列挙し,これを規制する (差止め・損害賠償・刑事罰) という手法をとっており,**行為規制法**とも呼ばれる。

第2節　知的財産法と他法の関係

1 憲　法

　知的財産権は憲法29条の財産権の1つに位置づけられるのが一般的である。他方，とりわけ著作権法のように情報利用に対する規制を行う知的財産法は，情報を利用した表現活動に制約を加えるという意味では，表現の自由・学問の自由など憲法上の基本権に対する制約規範でもある。知的財産権侵害は刑事罰の対象ともなるところ，その構成要件は民事上の権利侵害要件とほぼ同一となっている。侵害の成否の判断は時に非常に困難・不明確となる（著作権侵害や商標権侵害における「類似性」要件や効力制限規定・権利制限規定該当性（著作32条の引用等）など）ところ，このようなケースが刑事罰の適用対象となることは，表現の自由などに対する過度の萎縮をもたらしかねない。

　知的財産各法の解釈・適用においても，情報利用が憲法的価値を伴うことを意識し，創作インセンティブの保障に代表される知的財産権保護の公共的利益との適切な衡量を行う必要がある。

2 民　法

　財産法としての性格が強い知的財産法は，民法との関係が特に深い。第1章第2節でみたように，無体物を保護対象とする知的財産法と有体物を保護対象とする民法の物権法は類似の制度をとっており，共有規定（民249条以下）など民法の規定が準用される（民264条）こともあるほか，ライセンス契約は債権法と密接にかかわる。更に，知的財産権侵害は不法行為を構成し，これによる損害賠償請求権の根拠規定は民法709条である（但し，知的財産各法には，特許102条・著作114条などのように損害額の算定に関する特則が設けられている）。

　このように，知的財産法理論が民法理論から受ける影響は大きいといえるだろうが，有体物と無体物という保護対象の根本的な相違が，知的財産法理論・体系の独自性を基礎づけている。

第1編　第2章　知的財産法の全体像

3 行政法・民事訴訟法

　産業財産権法（特許法・実用新案法・意匠法・商標法）をはじめとして，知的財産法の中には，権利の発生等に行政庁の行政処分を要する旨定めているものがあり，この点で，所有権など一般的な私権とは異なる性質を有している。このような行政処分に関する手続やこれに対して不服を申し立てる行政訴訟（審決等取消訴訟など。⇒第2編第5章第4節）等には，行政手続法・行政事件訴訟法等が適用される（但し，知的財産各法に特則がある）。

　他方，知的財産権侵害訴訟は民事訴訟であり，その手続は当然に民事訴訟法の適用を受ける。また，特許庁における手続においても，準司法手続に属するものに対しては民事訴訟法が準用されている（特許 151 条など）。

> **Column I 2-1　知的財産権訴訟の管轄**
>
> 　「特許権，実用新案権，回路配置利用権又はプログラムの著作物についての著作者の権利に関する訴え」は，原則として，東京地方裁判所と大阪地方裁判所の専属管轄となる（両地裁には知的財産権の専門部が設置されている）。また，これらの地方裁判所からの控訴事件は東京高等裁判所の専属管轄となる（民訴 6 条）。この種の訴えに対して判断を行うには，高度に専門技術的な知見が必要となる。そこで，事件を限られた裁判所に集中させることにより，裁判官に専門的知識を習得させ，事件処理の充実・効率化を図るために，このような専属管轄が定められている。したがって，これらの訴えであっても，専門技術的事項を欠く場合などには，訴訟の全部又は一部を，民事訴訟の一般規定により管轄権を有する地方裁判所等や大阪高等裁判所に移送することができる（民訴 20 条の 2）。また，これらの訴えほど専門技術性が高くはないものの，これに準じる意匠権や商標権，著作者の権利（プログラム著作物を除く）などに関する訴えについては東京地裁と大阪地裁に競合管轄が認められている（民訴 6 条の 2）。審決等取消訴訟も専門技術性が高いため，東京高裁の専属管轄とされている（特許 178 条 1 項など）。
>
> 　このように一定の知的財産権訴訟については，東京高裁が専属管轄を有するところ，平成 17 年，東京高裁の特別の支部として**知的財産高等裁判所**（知財高裁）が設置され，事件を専門的に取り扱うこととなった（知財高裁 2 条 2 号）。裁判所の専門的事件処理体制の一層の強化や判断の早期統一を図るのがその目的である。
>
> 　また，「特許権，実用新案権，回路配置利用権又はプログラムの著作物についての著作者の権利に関する訴え」の第 1 審・控訴審，更に審決等取消訴訟に

関しては，5人の裁判官による合議体での審理制度が設けられている（民訴269条の2・310条の2，特許182条の2，新案47条2項）。このうち，知財高裁において5人の裁判官が合議を行う事件は「大合議事件」と呼ばれ，同裁判所の特別部が担当する。大合議の目的は知財高裁内での判断の統一にあるとされている。大合議事件の一覧はまとめて，本書末尾の判例索引に掲載している。

　なお，裁判官が専門技術的な事件を迅速かつ適切に処理することを担保する制度として，裁判官を補佐し，その指示の下で専門的知識を用いて審理に必要な調査等を行う調査官制度（裁57条，民訴92条の8・92条の9）や，裁判官が専門家から専門的知見に基づく説明を聞くことができる専門委員制度（民訴92条の2以下）が導入されている。

4 独占禁止法

　第1章でみたように，知的財産法は情報の無断利用を禁じている。すなわち，情報創作者に，情報利用の独占を認めているわけである。しかしながら，特定の技術（発明）や著作物の利用独占は，直ちに独占禁止法で禁じられる「市場の独占」をもたらすわけではない。むしろ，知的財産法制度は，情報創作・技術開発とその取引を促進することで，新たな情報・技術市場の形成や既存市場における競争単位の増加など，情報・技術市場における競争を促進するとともに，当該情報・技術を用いた新たな商品・サービスの登場を促すことにより商品・サービス市場における競争促進効果ももつ。他方，他者の情報の無断利用（模倣）のうち一定の不当な行為を禁止することにより，情報創作・技術開発における競争秩序の維持にも寄与している。

　また，独占禁止法も，情報創作・技術開発競争に対する制限行為等を規制することにより，情報創作・技術開発を促している。知的財産権者が，他者による情報・技術の利用を拒絶したり，利用許諾を行うにあたり許諾を受ける者（ライセンシー）の研究開発や商品・サービスの提供など事業活動に拘束・制限を加えたりすると，その態様や内容によっては，競争に悪影響を及ぼす場合があるとして，独占禁止法による一定の規制が行われることになる。このような規制により情報・技術市場や商品・サービス市場での競争が維持されることで，新たな情報創作・技術開発が促されることになる。

　以上のように，知的財産法と独占禁止法は，情報創作・技術開発を促進させ

第1編　第2章　知的財産法の全体像

ることにより，産業・文化の発展を図り，もって一般消費者の利益の確保・国民経済の健全な発達を促すという共通の目的をもった相互補完関係にあるといえる。

Column I 2-2　独占禁止法 21 条

　知的財産法と独占禁止法が本文で述べたような相互補完関係にあることを前提に，知的財産権行使に対する独占禁止法の適用のあり方を定めたのが独占禁止法 21 条である。同条によれば，「この法律の規定は，著作権法，特許法，実用新案法，意匠法又は商標法による権利の行使と認められる行為にはこれを適用しない」。「権利の行使と認められる行為」についてのみ独占禁止法の適用が除外されるのである。

　したがって，①およそ「権利の行使」とはみられない行為には独占禁止法の適用が許される。ここで「権利の行使」とは，例えば，知的財産権侵害訴訟の提起・遂行及び警告，ライセンス拒絶，ライセンスに際して，違反が知的財産権侵害を構成するような制限・義務・条件を課す行為などがこれにあたる。例えば，実施態様の制限（販売のみを許容するなど）・場所の制限・期間の制限など実施権の範囲に制限を付して，特許発明の実施につきライセンスを付与する行為は「権利の行使」とみられる。しかし，ライセンシーに対して原材料の購入先を制限する行為や，権利の有効性について争わない義務（不争義務）を課す行為は，違反が特許権侵害を構成しないがゆえに「権利の行使」とはみられない（⇒第2編第8章第5節**2**）。このように，「権利の行使」とは，その行為に従わないことが知的財産権侵害を構成することとなる当該行為のことをいうと考えられている。

　但し，②外形上「権利の行使」とみられる行為であったとしても，行為の目的，態様，競争に与える影響の大きさを勘案した上で，知的財産権保護制度の趣旨を逸脱し，又は制度の目的に反すると認められる場合には，21 条の「権利の行使と認められる行為」とは評価されず，独占禁止法の適用が許される。例えば，独占禁止法違反を構成する合意や拘束に違反した取引先に対する制裁として，知的財産権侵害訴訟を提起する行為がこれにあたる。

　①と②の判断に基づき形式的・実質的にも知的財産法上の「権利の行使と認められる行為」と評価された場合には，独占禁止法は適用されない。但し，このことは 21 条の有無にかかわらず認められる当然の理であって，同条は確認規定に過ぎない。したがって，同条に列挙されていない半導体集積回路配置法や種苗法に基づく権利行使も同じ扱いを受ける。更に，不正競争防止法は権利付与法ではないものの，差止請求権・損害賠償請求権行使などについて同様の扱いを受けると解してよいだろう。

　なお，①と②によって「独占禁止法の適用が許される」と判断されても，こ

のことは，直ちに行為が独占禁止法違反となることを意味するわけではなく，違反の有無は別途独占禁止法上の各要件を充足するかという独占禁止法固有の判断によって決まる点には注意を要する。

　以上の考え方を基礎に，知的財産のうち技術に関するものを対象とし，技術の利用に係る制限行為に対する独占禁止法適用のあり方を包括的・具体的に明らかにした「知的財産の利用に関する独占禁止法上の指針」（平成 28 年 1 月 21 日改訂）が公正取引委員会によって公表されている。同指針は，近時国際的に議論されている FRAND 宣言をした標準規格必須特許の権利者による特許権行使についても扱っている（⇒ Column Ⅱ 7-1 「差止請求権の制限を巡る議論」）。

　なお，東京地判令和 2・7・22 平 29(ワ)40337〔情報記憶装置第 1 審〕は，特許権行使等の目的・必要性・合理性・態様・当該行為による競争制限の程度などの諸事情に照らし，特許権行使が，競争者に対する取引妨害（一般指定 14 項）に該当するなど，公正な競争を阻害するおそれがある場合には，その権利行使が，特許法の目的・特許制度の趣旨を逸脱するものとして，権利の濫用に当たる場合があり得ると判示し，本件における差止請求権・損害賠償請求権行使を権利濫用とした。これに対し，知財高判令和 4・3・29 令 2(ネ)10057〔同控訴審〕は，本件特許権に基づく差止請求権・損害賠償請求権行使は，競争者に対する取引妨害として独占禁止法に抵触するものではなく，特許法の目的である「産業の発達」を阻害したり特許制度の趣旨を逸脱するものではないとして，権利濫用には該当しないと判示している。

第2編
特 許 法

第1章 特許法総説

第1節　特許法の意義と機能
第2節　特許法の特徴
第3節　特許法の国際的側面

第1節　特許法の意義と機能

(1) 特許法の目的と機能

　特許法は発明を保護の対象とし，発明をした者に対して，発明を他者が無断で利用することを禁止することができる排他権としての特許権を与える法律である。しかし，発明を保護すること自体は，特許法の目的を実現するための手段に過ぎない。特許法1条によれば，その目的は「発明の保護及び利用を図ることにより，発明を奨励し，もって産業の発達に寄与すること」にある。特許法の究極の目的は「産業の発達」であり，より直接的には「発明を奨励」することである。

　発明の創出を市場に任せずそれに対して国家が「奨励」という形で介入すべきなのは，発明が創出されることによる便益を発明者は全て享受できるわけではないので（これを「外部性」があるという），市場に任せたのみでは，発明という財の供給が過少になると考えられているからである。国家が，発明をした者に対してその発明の利用を独占できる地位を付与することで，発明者は外部性を内部化し，インセンティブの不足を解消できるのである。このような意味で，特許法の主たる目的は，発明を奨励すること，すなわち，発明者に創作のインセンティブを与えることであると説明される（**インセンティブ論**）。

(2)　創作のインセンティブ付与の手段としての特許法の特徴と問題

　しかしながら，特許権がなければ発明者に十分な創作のインセンティブが常に確保されないわけではない。発明者は，市場先行の利益，技術情報の秘匿，あるいは営業秘密の法的保護（⇒第6編第4章）という形でも，独占を一定程度築き上げることが可能であり，それにより創作のインセンティブが十分となる場合もある。また，国家は研究開発に対する直接的な資金援助を，科学研究費補助金，国公私立大学への補助金などの形で行っており，特に基礎研究に対しては，特許制度とは異なる形での創作のインセンティブを確保する手段が講じられている。

　特許法は，これらの他の創作のインセンティブを確保する手段と比べたときに，次のような特徴を有している。第一に，特許権は，その発明の利用行為に対する排他的な禁止権という形で与えられ，結果として特許権者はその発明の市場を独占する地位を得るという点である。独占があるとき，その価格は競争状態よりも高くなる結果として，一部の利用者は発明が利用できなくなる。この独占によってこそ，特許権者は創作のインセンティブを確保できるが，一方で，利用者のアクセスは制限される。この**インセンティブとアクセスのトレードオフ**が特許制度には存在する。例えば，ある医薬品を1つの企業が独占しているために価格が上昇し，貧しい人々に行きわたらないといった問題が，独占によるアクセスの制限の典型的な例である。

　ある技術を特定の主体のみが独占していることは，1つの製品をつくるのに数百から数千の特許技術がかかわるような，**特許の藪**ともいわれる特許権が錯綜した状態があるときには，別の問題ももたらす。相互に交渉が困難な権利者が多数いることによって，技術の利用が妨げられることは**アンチコモンズの悲劇**と呼ばれ，問題視されている。

　第二に，特許権は有限の存続期間を有し，発明の内容は公開されるということである。上記のように，インセンティブとアクセスの調整は特許法が解決しなければならない課題であるが，その対策の1つとして，特許法は，存続期間を設け，発明を公開させることで発明の迂回を可能にし，アクセスの制限を緩和することによる調整を図っているのである。

(3) 累積的な技術の進歩と特許制度

インセンティブとアクセスのトレードオフは，発明を単に利用する場合だけではなくて，既存の発明を改良して新たな発明を行う場面においても問題になる。発明とは常に先人の成果を基礎にして積み重ねられていくものである。

そもそも特許法においては，発明は公開され，その改良の研究・開発も自由である（69条1項参照）。しかし，改良発明を実際に利用することは，同時にある特許発明の利用にあたる場合もあり（72条参照），その場合は当該特許権者と改良発明の特許権者の双方の同意がないとその発明は利用することができない。また，既存の特許発明が研究開発の手段そのものになっている場合には，既存の発明の特許権者の承諾がないと，研究開発自体ができない場合もある（⇒いわゆるリサーチ・ツールについては，第6章第4節**2**(1)）。

このように技術が発展を継続するには既存の発明の特許権者と改良発明の特許権者間の合意ができる環境が重要である。しかし，現実には両者の間の交渉を期待できない場合も多く，法が適切に権利の範囲を調整することなどにより問題を解決することが期待されている。特許法において，どのような発明が独占の対象となるのかという特許要件の問題，ある発明に関してどこまでが保護されるのかという保護範囲・保護の限界の問題（開示要件，クレーム解釈，均等論など）等を考えるにあたっては，このような視点に留意しなければならない。

第2節　特許法の特徴

その保護対象が技術的思想であるという点が，他の知的財産法と比較したときの特許法の最も大きな特徴である。しかし，保護対象以外の面においても，特許法は多くの特徴を有している。特に特許請求の範囲と明細書の関係（⇒**2**）については，特許法を理解するうえで，重要な特徴となる。

1 特許法の概要

(1) 登録による権利の発生

特許権は，発明をしたことによって，当然に発明をした者に権利が発生するわけではない。発明者が特許を受ける権利（⇒第3章第3節）を原始的に取得す

るが，特許庁長官に対して特許出願をしなければ特許権を得ることはできない。そして，特許庁において特許出願が形式的及び実体的な要件をみたすか審査され，拒絶理由を発見しないときは，特許査定がなされる。その後設定の登録がなされることによってはじめて特許権が発生する。

　このように特許権は行政庁による処分を経てはじめて権利が成立するというところに特徴がある。特許法においては，**出願，審査，審判，審決等取消訴訟**（⇒第4章・第5章）などの手続についての理解も重要となる。

Column Ⅱ 1-1 　**秘密特許制度**

　特許出願は原則として全て公開され，特許権は**公開の代償**として与えられるものとされている。これに関し，令和4年の経済安全保障推進法（経済施策を一体的に講ずることによる安全保障の確保の推進に関する法律）の制定により，特許出願の非公開制度（いわゆる**秘密特許**制度）が導入された（65条以下。公布後2年以内に施行）。世界の類似の制度には，秘密指定された場合に，非公開として特許付与の手続を留保する審査凍結型と，非公開のまま特許権を付与する特許付与型があるが，日本の制度は前者に相当する。

　この新たな制度のもとでは，公開されると国家・国民の安全を損なう事態を生じるおそれが大きいなどとして指定された発明（保全対象発明）が記載された特許出願の公開は停止され，許可を受けた者以外は実施できなくなる。また，実施の不許可その他保全指定を受けたことにより損失を受けた者は，損失の補償を受けることができる。保全指定は1年ごとに延長の要否が判断され，指定が解除されたのちに特許付与を受けることができる。

　この制度の目的は，軍事技術などの機微な技術の海外等への情報流出を防止すること，及び，公開が安全保障上の懸念を生じることから特許出願を諦めざるを得なかった者に，補償金又は公開の懸念が消滅した後の特許権の付与という形で，発明保護の途を開くことにある。

---

(2)　権利の内容と制限

　特許権は，業として特許発明を実施することを専有できる権利であり，他者が無断で業として特許発明を実施することを禁止できる**排他権**である。特許権は，他の知的財産権と同様に排他権であり，禁止される行為の範囲を，その行為の客体（「特許発明」）及び行為の態様（「実施」）を定義することによって，権利の範囲を明確にしている。無体物を保護する知的財産法において，権利の範囲を明確化することが重要なのは，特許法も異ならない。

特許法は，権利の客体の明確化が，次の**2**で詳述するように，特許請求の範囲と明細書という仕組みを採用することにより達成されている点が，他の知的財産権には見られない大きな特徴である。また，侵害となる行為は「実施」であり，それ以外の行為をしても侵害とならないのが原則だが，それを拡張する「間接侵害」（⇒第6章第3節）という仕組みもある。

業としての特許発明の実施に該当しても，特許権侵害にはならない場合も多数ある。明文の規定あるいは解釈により特許権の効力が制限される場合（⇒例えば，消尽などの効力制限につき第6章第4節）もある。

(3) 特許にかかわる機関等

特許出願の審査は，特許庁審査部に所属する**審査官**によって行われる。**特許庁**は，「特許・実用新案審査基準」（単に**審査基準**ともいう）を策定して公開しており，審査はこれに則って行われる。審査基準は，行政規則の一種であり法的拘束力をもたないが，その内容は実務全般に事実上の影響力をもっている。

また，特許庁には審判部と呼ばれる部門があり，主に審査官としての経験を積んだ者から構成される**審判官**が所属している。審判手続（⇒第5章第2節）はここで行われる。

特許庁に対する出願手続の代理人，審判手続の代理人を務めることができるのは**弁理士**である（弁理士4条）。また，弁理士は審決等取消訴訟の代理人となることもでき，一定の研修を受けて試験に合格すれば，弁護士とともに侵害訴訟の代理人も務めることもできる。

特許に関する侵害訴訟は，東京地裁と大阪地裁の専属管轄であり，侵害訴訟の控訴事件及び審決等取消訴訟は，知的財産高等裁判所（⇒ Column I 2-1 「**知的財産権訴訟の管轄**」）が専属管轄を有する。知財高裁の判断（特に大合議判決）は，実務に対して大きな影響力をもっている。

(4) 特許法の歴史

日本の特許法の歴史は，直接には明治18年の専売特許条例まで遡ることができるが，現在にもつながる特許法は大正10年に制定されたものであり，現行特許法は，昭和34年にそれを全面的に改正することにより成立したもので

ある。現行特許法は，制定以降も大幅な改正を何度も経験し，現在に至っている。

2 特許請求の範囲（クレーム）と明細書

(1) 制度の概略

特許権を取得するには，単に発明しただけではたりず，特許出願をしなければならない。出願の願書には，明細書，特許請求の範囲，図面などを添付する必要がある（⇒出願の詳細については第4章）。**明細書**は，発明の名称，図面の簡単な説明及び発明の詳細な説明からなる（36条3項3号）。発明の詳細な説明には，多くの場合，発明が解決しようとする課題やその奏する作用効果などが説明されるとともに，発明の具体的な実施態様が「実施例」として示される。特許権は発明の公開の代償として与えられるものとされ，明細書・特許請求の範囲・図面は特許公報により公開される（64条2項・66条3項）。明細書は，発明の内容を社会に対して公開する技術文献としての役割を担っている。

特許請求の範囲は，出願により特許権を求める範囲を明示するためのものである。権利が成立すればその範囲がそのまま特許発明の技術的範囲として権利の範囲となる。特許請求の範囲には，1つ又は複数の**請求項**を記載することができる。請求項には，特許を受けようとする発明を特定するために必要と認められる事項の全てを記載しなければならない（36条5項）。

特許請求の範囲又は各請求項は，**クレーム**（claim）とも呼ばれる。

特許法においては，各請求項によって特定される発明（これを「請求項に係る発明」という）が，それぞれ特許要件（「発明」該当性，産業上の利用可能性，新規性，進歩性，記載要件など）をみたすかの判断の対象となり，その各請求項の特定する範囲（の総和）が特許権の範囲となる。

(2) 多 項 制

1つの特許出願に複数のクレームを含めることができる制度のことを，「多項制」という。昭和50年改正前は複数の請求項を許さない「単項制」をとっていたが，現在は諸外国と同様の多項制に移行している。

請求項を記載するときは，当該請求項のみで独立して発明を特定できるよう

記載することが原則であるが（「独立項」），その発明が，他の請求項の下位概念
となっているときなどには，当該他の請求項を引用して記載することもできる
（「従属項」。126条3項にいう「一群の請求項」参照）。

　特許権は，1つの権利であり，複数請求項があっても一体として扱われるの
が原則である。ただ，1つの特許権の中に請求項ごとの複数の権利が存在する
とみることもでき，実際に一定の場合は，請求項ごとに特許権があるとみなさ
れる（185条）。

(3)　クレームと明細書の発明の詳細な説明との関係

　出願に際しては，明細書に加えて特許請求の範囲を作成することが必要であ
り，明細書に開示された技術的思想の範囲がそのまま権利の範囲とはならない。
明細書のみからそこに開示されている技術的思想を読み取ることは困難で，特
許請求の範囲がないと，権利の外延が不明確となり第三者にとって予測可能性
が担保できないからである。そのため，特許法は，特許請求の範囲を記載させ
ることで，出願人に明確に権利の範囲を特定させている。

　出願人は，明細書に開示された技術的思想の範囲内であれば，どのような範
囲を権利として請求するのも自由である（明細書の裏づけがないクレームを書くと，
開示要件（⇒第2章第6節）に違反する）。1つの特許出願の中で別々の請求項で
実質的に同一の発明を記載してもよい（36条5項後段）。しかし，クレームに含
めなかった技術的思想は，明細書に開示してあっても原則として権利の対象と
はならない（⇒その例外である均等論につき第6章第2節**2**）。

　この点を具体的に説明する。例えば世界で最初に消しゴム付きの鉛筆を発明
して，これを実施例として明細書に開示して特許出願をするとしよう。その場
合，次のようなクレームを記載して特許を出願することが考えられる。

【請求項1】鉛筆本体と，鉛筆本体の後端部に鉛筆本体による筆記を消去する消し
　ゴムとを備えた，消しゴム付き鉛筆。

　このクレームにより特許権を取得すると，消しゴム付き鉛筆が権利の範囲に
含まれることとなる。しかし，明細書には，実施例として，消しゴム付きの鉛

第2節　特許法の特徴

筆のみが挙げられていたとしても，消しゴム付きのシャープペンシルや消しゴム付きの筆記具全般についての技術的思想が開示されているとみることができるかもしれない。そこで，次のように，独立項及びその従属項という形でクレームを書くことも考えられる。

【請求項1】筆記具本体と，筆記具本体の後端部に筆記具本体による筆記を消去する消し具とを備えた，消し具付き筆記具。

【請求項2】筆記具が鉛筆又はシャープペンシルであり，消し具が消しゴムである，請求項1記載の筆記具。

このようにクレームを書き直すと，文言が「筆記具」と一般化されたので，【請求項1】には，消し具付きの「消せるボールペン」までも権利の範囲に含まれることになるようにも思われる。しかしながら，消しゴム付きシャープペンシルまでは明細書中に技術思想として開示されているといえたとしても，消し具付きの「消せるボールペン」は，シャープペンシルや鉛筆とは仕組みが異なるとも考えられ，そこまでは技術思想として開示されているとはいえないかもしれない。そうだとすると【請求項1】に係る発明は開示要件をみたさず，特許を受けることができないと考えるべきなのであろうか。あるいは，特許は受けることができるが，このクレームには，消し具付きの「消せるボールペン」は含まれていない，すなわち，特許権の効力はそこまで及ばないと解釈されることになるのであろうか。

また，消しゴムが鉛筆本体の後端ではなく，側面についている鉛筆があったとして，この鉛筆には，この特許権は及ばないと考えることになるのだろうか。そのような鉛筆もこの特許の明細書に技術的思想としては開示されているという余地は十分にあり，そのようにクレームを書いていれば特許権を取得することはできたのかもしれない。しかし，クレームで「後端部」と消しゴムの場所を明確に特定している以上，出願人の自己責任により権利の範囲に入らないと考えるのが原則である。一方で，出願人がクレームに含められなかったことに酌むべき事情があるのであれば，クレームの文言をこえて，明細書に開示された技術思想の範囲内なら権利の範囲を広げていくという考え方も成立するかも

25

しれない（⇒第6章第2節**2**の均等論）。

　このように，特許権の範囲は，発明をしたことにより当然に定まるのではなく，出願人が自らの意思で明細書と特許請求の範囲を作成したことによって定まっていく。

第3節　特許法の国際的側面

　特許権のかかわる産業は，国境をこえて製品が流通・取引されており，各国の制度が一致しないことは利用者にとって不便である。このことは早くから認識されており，19世紀から各国の特許制度の調和が進められている。

　工業所有権の保護に関するパリ条約（「パリ条約」）は，1883年に成立し，我が国もこれに加盟している。パリ条約は，特許法に関し，内国民待遇の原則，優先権制度，権利独立の原則などを規定している。同条約は，特許権は各国独立のものであることを確認しながらも，優先権制度により，権利が独立であることに伴う不便さの解消を図っている（⇒第4章第5節**4**）。

　特許協力条約（「PCT」ともいう）は，1970年に採択され，1978年に発効した。PCTは，自国の特許庁に出願しただけで，全てのPCT加盟国に対して出願したのと同じ扱いを得ることを可能にする制度である（この出願を「PCT国際出願」ともいう）。権利独立の原則はあくまで維持されているので各国別々の特許権が得られるに過ぎないが，出願手続は大幅に簡素化されている。PCTには，国際調査，国際予備審査制度があり，出願人は各国における特許権の取得可能性をある程度予測でき，また，国際的な審査の効率化が図られている。

　知的所有権の貿易関連の側面に関する協定（「TRIPS協定」）は，世界貿易機関（WTO）設立協定の付属書であり，WTO加盟国はこれを受け入れる必要がある。TRIPS協定は，パリ条約の規定の遵守を求め（2条），内国民待遇（3条）に加え，最恵国待遇（4条）も求めている。TRIPS協定は，特許法の実体規定についても定めており，これにより各国の特許法の内容の共通化が図られている。特許の対象（新規性，進歩性，産業上の利用可能性など。27条），権利の内容（28条），開示要件（29条）などについて，定めが置かれている。また，知的財産権全般に関してエンフォースメントについての詳細な規定が置かれていること

との意義が大きい。

　以上の条約は，各国の特許権が独立のものであるとの原則には手を入れずに，出願手続の簡素化を図り，実体をある程度調和させるものである。世界で単一の特許権を設立する試みは未だ遠いものであり，実体面での調和もまだ途上にある。欧州連合（EU）においては，域内での統合が進み，1977 年に発効した欧州特許条約（EPC）は，単一の欧州特許庁（EPO）を設立し，国内特許権の束として欧州特許権を付与できる制度を構築した。権利独立の原則そのものは変化していないが，PCT よりも更に統一的に域内の特許権を取得できる仕組みが構築されている。欧州では更に，国内の権利の束としてではない 1 つの特許権として欧州単一特許制度の導入が試みられている。

第2章
特許要件

第1節　総　　説
第2節　発　　明
第3節　産業上の利用可能性
第4節　新 規 性
第5節　進 歩 性
第6節　記載要件
第7節　先　　願
第8節　特許を受けることが
　　　　できない発明

第1節　総　　説

　本章では，ある特許出願が特許権として成立するために必要な要件，すなわち，**特許要件**について解説する。特許要件をみたさない出願は拒絶され（49条），また，特許権成立後にそれが判明した場合には，基本的に無効理由に該当する（123条1項）。

　特許要件は，特許請求の範囲の各請求項に係る発明ごとに判断されるのが基本である。請求項に係る発明の認定は，明細書の記載・図面と出願時の技術常識を考慮して，そのクレームの用語の意義を解釈することによって行う。この作業を**クレーム解釈**といい，特に特許要件の判断に際して行うクレーム解釈を**発明の要旨認定**と呼ぶ。その方法の詳細については，第6章第2節**1**「クレーム解釈」において扱う。

　第一に，請求項に係る発明が内容として充足していなければならない要件に

ついて，特許法 29 条は「特許の要件」との見出しの下，以下の 4 つの要件を
定めている。この 29 条の定めている要件のみを指して，単に「特許要件」と
いうときもある。まず，請求項に係る発明は，特許法上の「発明」の定義を充
足するものでなければならない（29 条 1 項柱書・2 条 1 項）。また，請求項に係
る発明は，**産業上の利用可能性**（29 条 1 項柱書），**新規性**（29 条 1 項各号。関連す
るものとして拡大先願（29 条の 2）），**進歩性**（29 条 2 項）の要件をみたす必要があ
る。「発明」該当性も含めてこれらの要件は，いずれも特許権を請求された対
象が，実体的に，特許権という排他的な権利を与えて保護するにふさわしいも
のであるかをチェックする役割を果たしている。

次に特許要件には，請求項に係る発明の内容そのものではなく，特許請求の
範囲及び明細書の記載に関するものもある。これらは，記載要件とも呼ばれて
おり，特許請求の範囲に関するものとして，明確性要件（36 条 6 項 2 号），簡潔
性要件（36 条 6 項 3 号），サポート要件（36 条 6 項 1 号）などがあり，明細書に
関するものとして，実施可能要件（36 条 4 項 1 号）などがある。記載要件も，
請求項に係る発明ごとに判断される。記載要件は，特許権の権利範囲を明確化
し，かつ，不当に権利範囲が広がることを防ぐ役割を果たしている。

最後に，その請求項に係る発明が特許要件をみたすためには，その特許出願
が最先のものでなければならない（39 条）。同一の発明について複数の主体が
特許出願をしたときに，特許法は重複する特許権が成立することを認めていな
い。同一の対象に権利が請求された場合には，最初に出願した者が優先すると
いう**先願主義**を，我が国は採用している。

第 2 節　発　　明

1　総　　説

特許法 29 条 1 項は，「産業上利用することができる発明」をした者はその発
明について特許を受けることができると定めている。ここから，特許権を得る
には，その対象が「発明」でなければならないという要件が導かれる。

「発明」該当性は，権利を与える対象が，特許法による保護にふさわしい内

容のものか否かを判断するための要件であるから，請求項ごとにその請求項に係る発明が，2条1項の定義する「発明」の定義に該当するか否かによって判断される。

2条1項は，「発明」を「自然法則を利用した技術的思想の創作のうち高度のもの」と定義している。講学上，これは，①自然法則の利用，②技術的思想，③創作性，④高度性の4つの要件を定めていると整理されることが多い。

このうち，「高度のもの」の要件は，実用新案法にいう「考案」（新案2条1項）と特許法にいう「発明」とを区別するための要件である。もっとも，実際には，出願人が実用新案法と特許法のいずれの保護を選ぶかは自主的な選択に任されており，この要件は，実務上は機能していない（⇒ Column Ⅱ 4-1 「**実用新案と無審査主義**」）。また，「創作」の要件は，単なる発見は特許の保護の対象としないことを明らかにする意義があると説明されることもある。しかし，単なる発見は，「技術的思想」とはいえないので発明ではないと説明することもできるので，独自の意義を認める必要性は薄いし，裁判例でも「技術的思想の創作」を殊更に2つの要件に分けて検討する例は見あたらない。したがって，本書においては，「創作」を独立の要件とは捉えず，「発明」といえるためには「自然法則を利用した」と「技術的思想の創作」の2つの要件をみたす必要があると整理して，以下説明する。但し，実際の判断においては，要するに「自然法則を利用した技術的思想の創作」といえるかどうかが問題になるのであり，明確な区別は困難で常に交錯が生じうることには注意が必要である。

② 「発明」該当性

(1) 技術的思想の創作

請求項に係る発明が，2条1項にいう「発明」に該当するには，それが，「技術的思想の創作」でなければならない。**技術的思想**とは，一定の課題を解決するための具体的手段のことである。「思想」なので，例えばある装置を発明したときにその装置そのものだけでなく同じ原理で動く装置という上位概念をクレームするように，ある程度抽象化することは許される。一方，具体的であることも必要で，例えば，ただ課題を提示するだけでその具体的解決手段を示さないものは，技術的思想にはあたらない。

30

第2節　発　明

　情報の単なる提示，自然現象や天然物の単なる発見，自然法則それ自体は，技術的思想を創作したものとはいえないので，「発明」にはあたらないとされている。もっとも，ある化学物質を発見し，その化学構造式を示してその物質自体をクレームすることは，情報の単なる提示，天然物の単なる発見といえなくもないが（⇒(3)(c)及び3(2)(a)），それが何らかの用途に有用な物質が示されていれば，一定の課題を解決するための具体的手段といえるので，「発明」に該当すると考えられている（このような「有用性」の問題は，産業上の利用可能性の問題であるともいえる）。また，自然法則の発見であっても具体的な技術的思想として構成できれば，「発明」に該当する。例えば，Aという藻類を錦鯉に与えると顕色効果が高まることを発見しても，この自然法則自体に特許権を得ることはできないが，「藻類Aを給飼することにより顕色効果を高めることを特徴とする錦鯉の飼育方法」という形で請求項を書けば，そこに記された内容は，一定の課題を解決するための具体的手段であり，特許権を得ることができる（東京高判平成2・2・13判時1348号139頁〔錦鯉飼育法〕〈判コレ2〉）。

　ある程度具体化された技術的思想でなければ，特許権の保護の対象とならないのは，抽象的な単なる発見や技術的知見そのものに権利を与えると，広すぎる範囲に権利が成立して他者の発明の利用を制限し過ぎることになるからである。また，課題に対する解決手段として構成されていない単なる発見や技術的知見そのものは，産業に有用な技術を念頭に置く特許権による奨励にはふさわしくなく，基礎研究として別のインセンティブによる方が望ましいからだと考えられる。

(2)　自然法則の利用

(a)　**自然法則以外の法則の利用**　「発明」に該当するには，その技術的思想が，自然法則を利用したものでなければならない。一定の課題を解決する具体的手段として構成されていても，自然法則以外の法則，すなわち，人為的取決め，人間の精神活動，数学上の公式，社会科学上の法則を利用したに過ぎないものは，「発明」にはあたらない（知財高判平成24・12・5判時2181号127頁〔省エネ行動シート〕〈判コレ3〉）。例えば，新しいゲームを考案しそのゲームで遊ぶ方法をクレームして出願しても，それは人為的取決めであって「発明」ではな

い。また，低学年の児童に対する算数の教授方法は，一定の課題を解決するための具体的手段とはいえようが，人間の精神活動に属するものであって「発明」ではない。「自然数nからn+kまでの和を求める計算方法」も具体的にその計算方法を示せば，一定の課題を解決するための具体的手段といえるが，自然法則を利用しておらず，数学的な計算手順を示したに過ぎないので「発明」とはならない（東京高判平成16・12・21判時1891号139頁〔回路シミュレーション方法〕参照）。その他，電柱での広告方法，資金別貸借対照表が「発明」にあたらないとされた例がある。

ただ，人間の精神活動や数学上の公式が利用されていても，それと同時に自然法則も利用されていれば「発明」になることもある（裁判例において，歯科医師の判断を支援するための歯科診療室と歯科治療に必要なデータベース間のやり取りのシステムをクレームする請求項に係る発明は，人の精神活動に関連するものではあるものの，精神活動それ自体ではなく歯科治療を支援するための技術的手段を提供するものであるから，「発明」に該当するとしたものがある（知財高判平成20・6・24判時2026号123頁〔双方向歯科治療ネットワーク〕））。また，コンピュータのプログラムも計算方法に過ぎず自然法則を利用していないかが問題となるが，ハードウェア資源を用いていれば自然法則を利用しているといえるので，「発明」に該当しうると理解されている（⇒(3)(a)）。

特許法が自然法則以外を利用したものを「発明」から除外することで，主として，教育の方法やビジネスの方法などいわゆる「自然科学」に全くかかわらない新しい創作を，特許法の保護の対象から除外する機能を果たしていると解される。但し，ビジネス方法なども，上記の通り，「自然科学」とかかわればその限りで保護されうる（⇒(3)(b)）。

(b) **自然法則それ自体・自然法則に反するもの**　　自然法則それ自体又は自然法則に反するものは，自然法則を利用していないので「発明」ではないとされる。もっとも，自然法則それ自体が「発明」ではないのは，それが技術的思想とはいえないからだと説明することもできる。

自然法則に反するものとは，いわゆる「永久機関」など既知の自然科学上の法則に明白に反するものである。これらは，開示要件（⇒第6節**2**）をおよそ類型的にみたしえないものとみることもできる。

第2節　発　明

(3) 「発明」該当性判断の具体例

　以上によれば，特許要件として，「自然法則を利用した技術的思想の創作」であることを求めることによって，①抽象的過ぎるクレームなど独占にふさわしくないもの，②特許保護にふさわしくない分野についての創作，③類型的にその他の特許要件をおよそみたしえないもの，に権利を付与することを防ぐ機能が主に果たされていると考えられる。

　以下，特に「発明」該当性が問題になることの多い分野を具体例にして，簡単に述べる。

　(a)　ソフトウェア関連発明　　ソフトウェア関連発明とは，その発明の実施にソフトウェアを必要とする発明のことであり，ソフトウェアとはコンピュータ（ハードウェア資源）を動かすためのプログラムのことである（特許法上の「プログラム」の定義は2条4項参照）。

　プログラムとはコンピュータ上で行われる計算の手順であってその本質は数学的アルゴリズムに過ぎないので，技術的思想とはいえるかもしれないが，自然法則を利用しておらず「発明」にはあたらないと考えることもできる。しかし，平成14年改正により，特許法は2条3項1号において，プログラム等も物の発明として特許保護の対象となる場合があることを明確化した。ソフトウェアによる情報処理が，ハードウェア資源を用いて具体的に実現されている場合には，コンピュータという自然法則を利用した機械と協働して課題が達成されているので，自然法則を利用した技術的思想であると考えることができる。もちろん，コンピュータは汎用的な機械であるので，従来技術と異なる特徴的部分は数学的なアルゴリズムの方に認められ，その場合は，自然法則を利用していないと考えることも理論的には不可能ではない。しかし，日本の特許法は立法政策として，ソフトウェア関連発明の場合には，「発明」該当性を緩やかに捉える決断をしたことになる。「発明」該当性の機能の1つは，特許保護にふさわしくない分野を除外することにあるが，ソフトウェア関連発明については，立法が明確に特許保護にふさわしいという決断をしたといえる。

　ソフトウェア関連発明が「発明」該当性を肯定されるためには，上記のような緩やかな理解をされているとはいえ，ソフトウェアによる情報処理がハードウェア資源を用いているだけでは不十分であって，それが具体的に実現されて

33

いなければならない。これにより，ハードウェアとの協働が示されていても，具体的なアルゴリズムを示さない「数式 $y=F(x)$ において，$a \leqq x \leqq b$ の範囲の y の最小値を求めるコンピュータ」のような抽象的なクレームは，自然法則を利用した技術的思想の創作にはならない（前掲東京高判平成 16・12・21〔回路シミュレーション方法〕参照）。

(b) **ビジネス方法に関する発明**　ビジネス方法に関する発明とは，明確な定義があるわけではなく，単純に新しいビジネスモデルを考え出した場合を指す意味で使われるときもあれば，より狭く，特定の業務処理システムを指すものとして使われることもある。1998 年のアメリカの裁判例においてビジネス方法の特許が認められたと喧伝されたことから，我が国でもビジネス関連発明の関心が高まり，近時 AI 技術の発展に伴い，再び注目されている。

　ビジネス方法の発明といっても，特許保護を受けうるかは他の発明と同様であり，自然法則を利用した技術的思想の創作にあたるかで判断される。特に最近のビジネス方法の発明といわれるものは，情報技術と不可分に結びついており，ソフトウェア関連発明の一種として，同様に判断されることになる。例えば，複数の投資信託の資金を中央のポートフォリオにまとめて管理し効率的に管理するシステムはビジネス方法に関する発明だといえるが，その方法が具体的に示されており，かつ，ハードウェア資源を用いて具体的に実現されていれば，自然法則を利用した技術的思想の創作であるといえる。但し，「発明」該当性は認められたとしても，従来技術と異なる特徴的部分がビジネス方法に係る部分にのみ認められる場合に，発明としての進歩性を認めてよいかについては議論がある。

(c) **バイオテクノロジー関連発明**　生命科学の 20 世紀後半以降の急速な発展によって，特許の世界においても新しい形の発明が多く出願され，それらが特許法上保護しうる「発明」といえるのかが問題となることがある。

　例えば，自然界から単離された，あるいは，遺伝子操作により人為的に創製された微生物自体は，単なる発見に過ぎず「発明」とはいえないかが問題となりうる。しかし，これらも，化学物質と同様，「発明」といえると考えられている。同様に，自然界に存在する DNA やタンパク質も，ただ配列や構造を示すのみでは単なる情報の提示に過ぎないともいえるが，単離されたものや人為

的に創製されたものは，その有用性が示唆されていれば，一定の課題を解決するための具体的手段ということができ，技術的思想であって「発明」といえる。

但し，遺伝子配列自体について特許権を認める遺伝子特許に対する懸念の声もある。この点，最近，アメリカの連邦最高裁が，乳ガン等の素因に関連するBRCA遺伝子という物について「単離されたDNA」（天然に存在するDNAの断片）をクレームした発明の特許適格性を否定したことが注目されている（Ass'n for Molecular Pathology v. Myriad Genetics, Inc., 133 S. Ct. 2107 (U.S. 2013)）。もっとも，「単離されたDNA」というクレームの特許適格性が否定されたに過ぎず，人為的に創製した遺伝子配列自体に対するクレームの特許適格性は否定されていないことには注意を要するだろう。

Column II 2-1 「発明未完成」について

自然法則を利用した技術的思想といえるためには，当業者がそれを反復実施することにより同一結果をあげられること，すなわち「反復可能性」が必要であり，これを備えていないものは，発明として未完成で「発明」には該当しないとの考え方がある（最判昭和52・10・13民集31巻6号805頁〔薬物製品〕，最判平成12・2・29民集54巻2号709頁〔黄桃の育種増殖法〕参照）。

もっとも，反復可能性のない発明は，明細書の内容に虚偽があった場合以外であれば，実施可能要件（36条4項1号）を欠くものとして処理することが可能であり，特許の要件として発明未完成を設ける意義は小さい。平成5年改訂以降，審査基準は，諸外国では用いられていない発明の未完成の概念の使用をやめている。発明未完成の概念は大正10年特許法以来用いられていたが，記載要件が整備された昭和34年法（現行法）の下では不要ともいえたのに，裁判所はあえて旧来の実務を否定することをせずに，その継続を容認してきた経緯がある。しかし，国際調和の観点から審査基準が同概念の使用をやめて以降，発明未完成の概念は使われなくなりつつある。

発明未完成に，実施可能要件とは異なる独自の意義がないわけではない。例えば，安全性を欠く発明の特許適格性を否定する意義もあるが（原子炉に係る発明につき，定常的かつ安全に実施しがたく技術的に未完成であるとして，「発明」ではないとした最判昭和44・1・28民集23巻1号54頁〔エネルギー発生装置〕参照），このような安全確保の要請を特許法に持ち込むことについては批判も強い。その他，補正の可否については記載要件違反と発明未完成とでは差異があるともされていたが，平成5年の特許法改正で，それも消滅した。明細書への虚偽記載の対処について独自の意義を有する余地はあるが，少なくとも特許要件として，発明未完成を活用できる場面は極めて限定的といえるだろう。

③ 発明の種類と分類

(1) 発明の基本的な分類

　発明は，物の発明（2条3項1号）と方法の発明とに分類される。また，方法の発明は，単純方法の発明（同項2号）と物を生産する方法の発明（同項3号）とに更に分類することができる。このような発明の分類は，主に何がその発明の「実施」行為かを法定するためのテクニックである。このため，一般には物の発明の方が，方法の発明よりも権利の効力が強くなる。また，101条（間接侵害），104条（生産方法の推定）といった効果とも結びつけられている（⇒以上につき，第6章）。

　ある請求項に係る発明が上記3分類のいずれに該当するかは，請求項の記載に基づいて決定される（最判平成11・7・16民集53巻6号957頁〔生理活性物質測定法〕〈判コレ38・65〉）。特許権の保護を求める範囲は出願人が自らの責任において選択する現行の制度の下では，出願人の選択したクレームの文言に基づき決定される。このように，発明の分類とはクレームの記載方法の分類のことである。

(2) 様々な発明

　特許法上は，発明は上記の3つに分類されるのみであるが，実務上又は講学上多用される発明の分類についてもここで紹介する。これらの分類もクレームがどのような記載によって発明を特定しているのかに基づくものである。

　(a) **物質発明**　　**物質発明**とは，「化学式Xで表される化合物」のように，物質それ自体をクレームした発明のことである。このようなクレームは「絶対的物質クレーム」と呼ばれる。これが「絶対的」とされるのは，このようなクレームは特許権となれば，あらゆる用途に用いる当該物質，あらゆる製法により製造された当該物質を対象として，権利が及ぶと考えられているからである。

　単に化学物質を提示したのみでは技術的思想ではないともいえるが，有用な用途を1つでも見出して，それを明細書に示して出願をすれば，それは技術的思想であり「発明」であると考えられている。昭和50年の特許法改正により，従前は不特許事由とされていた化学物質を特許の対象としたことにより，この

ような考え方が採用されたといえる。

(b) **用途発明**　　**用途発明**とは，既知の物の新たな属性を発見し，その属性が新たな用途に使用できることに基づく発明である。特に医薬の分野において重要性が高く，食品分野でも活用が期待されている。クレームとしては，「成分Xを有効成分とする抗がん剤」のように物の発明として書かれるのが通例である。この場合，成分Xを抗がん剤以外の用途に使用することは特許発明の実施とはならない点で絶対的物質クレームより効力が弱く，物の生産や販売に権利が及ぶ点で方法の発明より効力が強いと考えられる（⇒第6章第1節**3**）。

(c) **その他特殊な発明の特定方法**　　上記以外に特別な名前のついている発明の特定方法あるいはクレームの書き方には以下のようなものがある。

プロダクト・バイ・プロセス・クレームとは，物の構造・特性ではなく製造方法によって特定された物の発明又はそのようなクレームの記載方法のことである。プロダクト・バイ・プロセス・クレームをめぐっては様々な問題がある（⇒第6節**1**(1)，第6章第2節**1**(4)）。

また，物の発明，方法の発明の両方で用いられる特殊な構成要件の特定方法として次のようなものがある。マーカッシュ・クレームは，「A，B，及びCからなる群より選ばれる○○」のように，択一的に発明の構成要件を特定するクレームである。サブコンビネーション発明とは，2つ以上の装置や方法を組み合わせてなされる発明（この全体をコンビネーションという）に対して組み合わされる各部分の発明のことである（例えば，「特徴Aを備えた充電器に収容可能な携帯電話機であって，Bを特徴とする携帯電話機」）。**数値限定発明**は，「炭素含有量aが 0.002%＜a＜0.01% である合金素材」のように，発明を特定するための事項を数値範囲により数量的に表現した発明のことである。この数値の限定が，出願人が自己の発明を表現するために特別に創出した，当業者に慣用されていない技術的変数（特殊パラメータ）によって行われている場合，それを**パラメータ発明**と呼ぶことがある。パラメータ発明は，記載要件の有無が問題となりやすい。

第2編　第2章　特許要件

第3節　産業上の利用可能性

1 総　説

　発明が特許を受けることができるには，産業上利用することができるもので
なければならない（29条1項柱書）。これを**産業上の利用可能性**という。

　産業上の利用可能性は，TRIPS協定27条に基づいて，加盟国が特許の要件
として求めるべきものとされており，米国では「有用性」要件と呼ばれている。
我が国においては，有用性の有無は「発明」該当性や実施可能要件等において
も結局チェックされることになることもあって，産業上の利用可能性は，後述
の医療行為に係る発明の場合を除いて機能する場面は限定的である。

　産業上の利用可能性要件は，基本的には，何らかの「産業」において，何ら
かの実用的な用途があることを求めるものと解される。ここでいう「産業」と
は広く工業，農業，商業，鉱業等を包含する（知財高判平成23・4・27平22(行
ケ)10246〔米糠を基質とした麹培養方法〕）。それにより，産業上の利用可能性要件
は，特許法による発明の奨励にふさわしい実用的な技術的思想の創作のみを，
保護の対象とする役割を与えられているといえる。この機能は，「発明」該当
性の要件と重なるが，もともと条文は「産業上利用することができる発明」と
なっており，産業上の利用可能性と「発明」該当性の区別を明確にすることは
困難な面もある。

　具体的には，学術・実験目的にのみ用いる発明，個人的にのみ利用される発
明が本要件を欠くものとされ，実際上明らかに実施できない発明も本要件を欠
くといわれている。しかしながら，学術・実験目的にのみ用いる発明といって
も，現実には研究・実験に用いる器具も市場で取引されているのであり，その
点では実用的な用途が存在するのである。また，実際上明らかに実施できない
発明とは，オゾン層減少に伴う地球への紫外線の増加を防ぐために地球全体を
紫外線フィルタで覆うといった，理論的には可能だが費用的に明らかに実施が
不可能な発明のこととされている。ただ，本要件が，実施の費用の高い発明を
特許の対象から除外していると理解するのは困難なうえ，本当に実施できなけ

38

れば実施可能要件により適宜対処すれば足りるので，このような整理には疑問が残る。更に，個人的にのみ利用される発明は，何らの産業に利用されることを目的としていないので産業上の利用可能性がないともいわれるが，商業化の可能性は常に存在するのであり，これを理由として本要件が否定されることになる発明は，現実には想定し難い。ここでいう「産業」は極めて広義のものと解されているので，その使用の用途が「産業」以外のものを目的としているからという理由で本要件が否定されることは，後述の医療行為に係る発明の場合にほぼ限られる。

② 医療行為に係る発明と産業上の利用可能性

産業上の利用可能性は，我が国ではほぼ機能していないが，実務上重要な役割を果たしている場面が１つある。人間を手術，治療又は診断する方法（これを**医療行為**という）は，産業上利用できる発明ではないので，特許を受けることができない。

とはいえ，医療分野も現実には重要な産業の１つということができ，また，医療に関する発明を奨励することも特許法の目的に含まれている。東京高判平成 14・4・11 判時 1828 号 99 頁〔外科手術表示方法〕〈判コレ 4〉は，本願発明は，人間を診断する方法であって医療行為であるから，産業上の利用可能性を欠くと判断したが，医療行為の特許性が否定される理由を次のように述べている。同判決は，特許の目的である発明の奨励という観点からは「産業」の範囲を狭く解しなければならない理由は本来的にはないが，医療行為については，69 条 3 項のような例外規定がないことを問題視し，医療行為の特許性を否定している。つまり，同判決は，医療行為そのものが特許権の対象となると，医師は自分が行おうとしている行為により特許権侵害の責任を追及される可能性を常に有することになることが問題だというのである。たしかに，医師の治療行為等に重大な萎縮効果が発生することは看過できず，この点から医療行為の特許性を否定することは基本的には妥当だと思われる。

一方で，医療に関する発明を奨励すべきことが重要であることも変わらないのであって，上記のような弊害を生じない限度で，医療に関する発明も特許の対象とされるべきと考えられる。したがって，クレームが「人間を手術，治療

又は診断する方法」それ自体を対象とするときは医師に対する萎縮効果の観点から特許性を肯定すべきではないが，そうでないようにクレームを書いた場合には，すなわち，医師の行為そのものが権利の対象とはならないようにクレームを書いた場合には，特許性を否定すべきではない。

上記で述べたような考えに従って，特許庁は，審査基準を数次にわたって改訂し，医療分野に係る特許の対象を拡大している。審査基準は，「人間を手術，治療又は診断する方法」それ自体をクレームした場合に特許性を否定するとしている（審査基準第Ⅲ部第1章3.1）。したがって，医薬の用途発明を方法としてクレームすると治療方法ということで特許の対象とならないが，医薬品を物としてクレームすれば特許の対象となる。また，手術用の機械の制御方法などの医療機器の作動方法も，医師が行う工程や人体に対して作用する工程を含んでいると，医師の行為が権利の対象となるので，手術方法，治療方法ということになる。しかし，これらの工程を含まなければ，通常の機械に関する発明と異ならず現場の医師の行為に権利が行使されるおそれがないので，特許の対象となる。

1つ注意が必要なのは，医療に関する発明を奨励しつつ現場の医師に対する弊害を除去するのに，産業上の利用可能性を否定することにより特許性を否定するしかないわけではない。立法論まで視野に入れれば，様々な方策が可能であり，前掲〔外科手術表示方法〕も立法的解決を促していると理解することもできる。なお，TRIPS協定27条3項(a)は，人の治療のための診断方法，治療方法及び外科的方法を特許の対象から除外することを認めている。

第4節 新 規 性

1 総　説

29条1項によれば，同項1号から3号に掲げる発明については，特許を受けることができない。同項各号に掲げる発明は，いずれも出願前に既に創出され公開されていた発明といえるものである。これは「新しくない」発明には特許を与えないものであって，**新規性**要件という。そのような発明を特許権によ

る独占の対象としてしまうと，既に第三者に利用可能な状態におかれた発明に創作のインセンティブを与える必要性はないのに，独占により第三者の利用が妨げられるという弊害のみが残ることになるからである。

新規性要件は，請求項に係る発明が，29条1項各号に掲げる発明と同一である場合に否定される。実際には，請求項に係る発明と同一の発明を29条1項各号に掲げる発明として認定することができる場合に，新規性要件は否定されることになる。29条1項各号に掲げる発明のことを，新規性（又は進歩性）否定のために引用される発明ということで，実務上，「引用発明」と呼ぶ。また，その根拠として引用する文献等のことを，「引用例」又は「引例」と呼ぶことがある。

引用発明は，いずれも「特許出願前に」「日本国内又は外国において」第三者に利用可能な状態におかれた発明である。新規性要件の判断基準時は，特許出願のその瞬間であり，例えば，出願の日の午前中に公然知られた発明については，午後に出願しても特許を得ることはできない。この点は，日を単位とする先願（39条）とは異なるので注意が必要である。また，世界中のいずれかの場所で第三者に利用可能な状態におかれていればよく，日本国内でそのような状態になっている必要はない。

29条1項1号は，「公然知られた発明」，2号は「公然実施をされた発明」，3号は「頒布された刊行物に記載された発明」等を対象としているが，これは，その発明の内容が，どのような経路によって第三者に利用可能な状態に至ったのかによる分類である。例えば，29条1項3号に基づき新規性を判断する場合，ある雑誌や書籍などが「頒布された刊行物」に該当するかを検討し，次に，その刊行物の記載内容から請求項に係る発明と同一の発明を認定できるかを検討する。このように，請求項に係る発明と同一の発明が引用発明として認定できるには，①特定の情報や物が29条1項各号所定の要件をみたして公になったこと，②そこから請求項に係る発明と「同一」の発明が認定できることの2点が必要である。本節では，主に①にかかる点を**2**において説明し，主に②にかかる点を**3**において説明する。

なお，新規性の判断は，出願時を基準とする。その例外と位置づけられるものとして，29条の2の定める拡大先願（公知の擬制，準公知ともいう）がある。

第2編　第2章　特許要件

この規定は，出願の日の前の他の特許出願等に最初に添付された明細書等に記載された発明と同一の発明について，特許要件を失わせるものである。このような発明は，出願時点では先願の発明は公開されていないので新規性は未だ失われていないが，出願公開がなされていずれ新規性を失うことが既定のものとして，新規性のない発明と同様に特許権の保護を与える必要がない。本節では，新規性要件に準じるものとして，拡大先願についても解説する（⇒**4**）。

2 公知・公然実施・刊行物記載

(1) 公　知

29条1項1号にいう「公然知られた」とは，秘密にする義務を負わない人に現実に知得されたことをいい，**公知**とも呼ぶ。「公然」というのは秘密を脱した状態を指し，現実に知得した者が法律上又は社会通念上守秘義務を負っていなければ公知に該当する。公知は，人を媒介して発明の内容が第三者に利用可能になることであり，具体的には，講演会・説明会で話した内容又は説明資料の内容，図面・設計図の内容が守秘義務を負わない人に知られたことなどがそれにあたる。新規性が失われるには，ある情報が守秘義務を負わない人に知られたことに加え，その情報から請求項に係る発明と同一の発明が認定できることも必要であるが，それについては，**3**で述べる。

公知といえるには，1人に現実に知られた必要があるか，知られうる状態になれば足りるかは争いがある。現実に知られうる状態におかれれば誰かが現実に知得したという事実上の推定が働くと考えられ，論じる実益は小さいが，文言上，現実に知られたことを要するとの見解が有力である。

(2) 公然実施（公用）

29条1項2号にいう「公然実施をされた」とは，当該請求項に係る発明が，秘密にする義務を負わない人にその内容を知られうる状態で，実施（2条3項参照）されたことをいう。これを**公然実施**又は公用と呼ぶ。公然実施は，発明の実施品ないし実施行為を媒介として発明の内容が第三者に利用可能になることであり，例えば，物の発明であれば，請求項に係る発明の技術的範囲に属する製品が市販され，かつ，そこからその発明の内容が守秘義務を負わない人に

知られうる状態になったことである。

　公然実施にあたるためには，実施自体が公然となされていればよく，発明の内容が知りうる状態になることまでは必要ないとの見解もあるが，少なくとも出願時の技術常識に基づいて実施品が発明の構成要件をみたしていたことを知ることができる必要はあると解される。裁判例では，医薬品の製造法に係る発明に関して，実施品が特許請求の範囲に属する物かどうかの判断が当業者に可能な状態にあることを要すると述べたうえ，当業者が通常に利用可能な分析技術によっては，当該方法で製造されたことを知ることを困難だったとして公然実施を否定したものがある（東京地判平成17・2・10判時1906号144頁〔ブラニュート顆粒〕）。また，商品を通常の方法で分解，分析することで発明の内容を知りうる場合に，公然実施を認めたものもある（知財高判平成28・1・14判時2310号134頁〔棒状ライト〕〈判コレ6〉）。

(3) 刊行物記載（文献公知）

　29条1項3号によれば，頒布された刊行物に記載された発明，又は電気通信回線を通じて公衆に利用可能となった発明は，新規性を欠くものとして特許を受けることができない。後段は，インターネット上の情報もその射程とするように平成11年改正で加えられたものである。3号は，刊行物あるいはインターネットを媒体として発明の内容が第三者に利用可能になったときに新規性を否定するものである。

　刊行物とは，「公衆に対し頒布により公開することを目的として複製された文書，図画その他これに類する情報伝達媒体」（最判昭和61・7・17民集40巻5号961頁〔第2次箱尺〕〈判コレ7〉）である。特許の明細書を記録したマイクロフィルムもこれにあたるとされており，頒布による公開を目的として情報が記録された媒体は全てこれに含まれる。また，「頒布された」とは，刊行物が不特定多数の者が見うる状態に置かれたことである。前述のマイクロフィルムが備えつけられ，その内容を閲覧し複写物の交付が受けられる状態になったことも「頒布された」にあたるとされている。要するに**頒布された刊行物**とは頒布による公開を目的として情報が記録された媒体であって，不特定多数の者が見うる状態に置かれたもののことである。

第2編　第2章　特許要件

「電気通信回線を通じて公衆に利用可能となった」とは，その情報がインターネットを通じて誰でもアクセス可能となったことをいい，特定の者へのアクセス制限のかけられた情報や私信メールの情報などはこれには含まれない。

　刊行物記載は，新規性を否定する理由として頻繁に参照されるものである。ただ，重要なのは，その媒体が「頒布された刊行物」にあたるかという点よりは，それに「記載された発明」といえるかどうかと思われる。詳細は，次の**3**で述べる。

3 新規性判断の方法

(1) 引用発明の認定に必要な開示の程度

　新規性要件を29条1項3号に基づいて否定する場合，請求項に係る発明が刊行物に「記載された発明」であること，すなわち，刊行物の記載内容から請求項に係る発明と同一の発明が記載されていると認定できる必要がある。同様に同項1号の「公然知られた発明」といえるためには，公然知られた情報から，請求項に係る発明を認定できる必要がある。例えば，ある医薬品についての情報が出願前に頒布された文書に記載されていたときに，名称と効能効果が記載されただけで，化学構造式や製造方法が一切記載されていなかったときに，その医薬品の発明を引用発明として新規性喪失理由とできるのかが，ここでの問題である。引用例の適格性の問題と呼ばれることもある。

　この点，一般に，引用発明を認定できるには，特許出願時の技術水準を前提にして，当業者がその発明の内容を認識し実施できる程度に十分に開示されている必要がある（知財高判平成22・8・19平21(行ケ)10180〔特定の塩の製造方法〕，知財高判平成28・12・26平28(行ケ)10118〔高効率プロペラ〕〈判コレ8〉参照）。例えば，物質発明について，その構造は開示されているが，製造方法を全く読み取ることができない場合や，方法の発明についてその手順は開示されているが，当該方法で所望の効果を達成できると認識できるだけの情報がない場合には，その発明を引用発明として認定することはできない。新規性要件は，既に第三者に利用可能になった発明については創作のインセンティブを与える必要がないことに基づくものだから，実質的に第三者がその発明を利用することが可能な程度の情報の開示が必要といえるからである。なお，ここで必要な開示の程

44

度は，後述の開示要件とは趣旨が異なるものなので，同一のものと解する必要
はない。進歩性判断における引用発明の認定については，後述を参照されたい
（⇒第5節**2**）。

　引用発明は，あくまで単一の媒体から認定できなければならない。複数の媒
体から認定される引用発明を組み合わせることができるか，あるいは1つの媒
体から認定される技術にさらなる研究を追加することでその発明に至ることが
できるかは，進歩性要件の問題となる。

(2) 発明の同一性

　新規性要件を否定するには，請求項に係る発明と同一の発明が引用発明とし
て認定できることが原則として求められる。請求項に係る発明は，クレーム解
釈（発明の要旨認定）により認定される。両発明の同一性は，その客観的構成が
同一であるか否かによって判断されるのが基本である。例えば，作用機序の明
示の有無は同一性とは関係しない。

　また，引用発明と請求項に係る発明が同一でなくても，引用発明が請求項に
係る発明の下位概念となっている場合には新規性は否定される。例えば，「金
属でできた包丁」という請求項があるときに，その下位概念である「鉄ででき
た包丁」という引用発明が認定できたときには，その部分をクレームから除か
ない限り，請求項に係る発明の新規性は否定される。権利の範囲内に既に利用
可能となっていた発明が含まれることになるので，その部分に対して独占権を
認める必要はないからである。

> **Column Ⅱ2-2　用途発明の新規性**
>
> 　発明の同一性の判断は，用途発明の新規性判断においてよく問題となる。用
> 途発明は，物自体が公知であったとしても，未知の属性を発見してその物の用
> 途として「新たな用途」を提供したといえるときには新規性が認められると考
> えられている。しかし，どのようなときに新規の用途が既知の用途から「新た
> な用途」として区別できるかは議論がある。例えば，公知の物質 X を皮膚に
> 塗布すると保湿剤としての効果があると知られていたとする。その後，それを
> 同じように使用したときに実はシワ形成も防止することが新たに判明したとす
> る。このとき，実施形態が客観的には区別できないので新たな用途を提供した
> とは認められないとする説と，出願時には認識できなかった新たな効果を見出

したのだから保護されるべきとする説とが考えられる。発明の本質は，あくまで客観的な構成にあると考えるならば前者の説が妥当であろう（この論点に関する裁判例として，知財高判平成23・3・23判時2111号100頁〔スーパーオキサイドアニオン〕〈判コレ9〉参照）。裁判例は分かれており，後者の見解を採るものも見られる（知財高判平成18・11・29平18(行ケ)10227〔シワ形成抑制剤〕）。

4 拡大先願（公知の擬制）

(1) 制度趣旨

以下の記述は，先願と深くかかわるので，第7節も参照されたい。

特許出願に係る発明が，出願公開された先願（特許出願の日前の他の出願）の願書に最初に添付した明細書，特許請求の範囲又は図面に記載された発明と同一であるときは特許を受けることができない（29条の2）。先願の明細書等に開示された発明と同一の発明は，一般には出願の時点では未だ第三者に利用可能になっていないため新規性はあるといえるが，先願は原則として出願公開されることになるので，その出願の時点で，いずれ第三者に利用可能になることが確実な発明であるといえる。このような発明は，新規性のない発明と同様の理由により特許権による独占を与える必要がないので，特許を受けることができないのである。このように29条の2は，新規性の公知の範囲を擬制的に拡大しているということで，公知の擬制又は準公知ともいわれる。

また，29条の2は別の視点から見れば，先願によって特許を受けることができなくなる後願の範囲を拡大するものである。39条に基づいて先願により排斥される後願は，先願のクレームと同一のものをクレームした場合に限られるが，29条の2に基づいて先願により排除される後願は，先願でクレームされていないが明細書には記載されている発明をクレームした場合も含まれる。先願の後願排除効を明細書全体に拡大するものであるため，29条の2は**拡大先願**とも呼ばれる。そもそも，29条の2が昭和45年の特許法改正により追加された理由は，直接的には，審査請求制度（⇒第4章第3節**2**）の導入により先願が必ずしも先に審査されなくなったため，先願のクレームが確定しなくても後願の審査を行えるようにすることである。

(2) 要件と効果

29条の2により特許要件を失うには，その先願が判断時点において出願公開されている必要がある。出願公開前の取下げなどにより結局先願が出願公開されなかった場合には，結局その発明は第三者に利用可能になっていないわけなので，公知と擬制する根拠が失われるからである。また，先願の出願人と後願の出願人が同一の者の場合は，後願の出願は実質的には先願の分割と同様であり特許要件を失わせる理由がないので，例外とされている（同条但書）。同一発明者による場合も例外となる（同条本文括弧書）。

先願の明細書，特許請求の範囲，図面に「記載された発明」の認定及びそれと本願発明の同一性の判断は，29条1項3号の刊行物に「記載された発明」の場合の判断と同様である。先願発明が認定できるためには，先願の明細書等に，当業者が容易にその発明の実施をすることができる程度に発明の内容が開示されている必要がある（東京高判平成13・4・25平10(行ケ)401〔即席冷凍麺類用穀粉〕参照）。

5 新規性喪失の例外

(1) 制度趣旨

29条1項各号に該当する発明は特許を受けることができないが，一定の場合に，各号に該当するに至ってから1年以内に特許出願をすれば，新規性は失わない。これを**新規性喪失の例外**という。

30条は，新規性喪失の例外として2つの場合を定めている。1項は，特許を受ける権利を有する者の意に反して新規性を喪失した場合についてであり，例えば発明が盗まれ先に公開されてしまった場合などには新規性を失わないとするものである。2項は，特許を受ける権利を有する者が自ら公表した場合であり，例えば，学会報告などにより出願より先に発明を公開してしまった場合などを救済するためのものである。2項は，従前は例外事由が限定されていたが，発明の公開態様の多様化に伴い平成23年改正により一般化されたものである。

1項は，無断で発明を公開されてしまい新規性を喪失してしまった場合に救済を与える趣旨である。2項は，研究者の世界で先行性が重視されていることを尊重し，特許出願するまで研究成果報告の途がいたずらに閉ざされるのを防

ぐことに加え，研究開発資金調達のための投資家への説明等，早期の発明の活用を開く趣旨で設けられたものである。このような例外規定を設けても，新規性要件の趣旨は損なわれないうえ，かえって産業の発達にも資すると考えられる。

(2) 要件と効果

30条1項により新規性喪失の例外に該当するには，意に反する公表が行われることが必要である。他方，同条2項により，新規性喪失の例外に該当するには，その公表が特許を受ける権利を有する者の行為に起因していることに加えて，証明書などを一定の期間内に提出する必要がある（30条3項・4項）。

新規性喪失の例外に該当すると，その公表された情報は，29条1項各号の規定にかかわらず，新規性及び進歩性判断のための引用例として用いることができなくなる。進歩性判断の基礎ともできなくなるので，例えば，学会で報告した発明から少しだけ改良を加えて出願した場合に，その学会報告を引用例として進歩性を喪失することもない。また，30条2項は，公表した者自身が出願した特許出願に限られるように読めるが，公表した者から特許を受ける権利を承継して特許を出願した者にも本条の適用はあると解されている。

本条はあくまで新規性喪失の例外を定めるのみなので，公表したことで第三者に対する優先権を確保できるわけではない。例えば，Xが発明を自ら公表した後に1年以内に出願しても，その間にYが独立にした同一の発明を公開した場合には，もはや新規性を喪失するのでXは特許を取得することはできない。一方で，Xによる公表は第三者に対する新規性喪失事由になるので，Yも同一の発明につき特許を取得することはできない。

第5節　進歩性

1 総　説

(1) 趣　旨

形式的には新規な発明であっても，既存の発明とはわずかにしか異ならない

発明に特許権を付与する必要性はあるといえるだろうか。29条2項は，当業者が29条1項各号に掲げる発明に基づいて容易に発明をすることができたときは，その発明については特許を受けることができないと定めている。これを，**進歩性**要件と呼ぶ。

「進歩性」という言葉が慣用されているが，その発明が既存の発明と比べて優れているということを意味するわけではない。このため，「非容易推考性」と呼ぶ論者もいる。進歩性要件は，既存の発明からその発明を創作することが技術的に困難だったかを判断するものである。発明の過程が容易だったかをみるものであり，生み出された結果が優れているかどうかを問題にしているわけではないことに注意する必要がある。

進歩性のない発明，すなわち，容易に発明することができた発明は，既存の発明から低いコストで生み出される発明であるといえるので，特許権による独占がなくても十分に創作のインセンティブが確保されているといえる。そのうえ，類似の発明に重複した過剰な投資が行われるおそれもある。一方で，既存の発明と近い発明に独占を与えることは権利の氾濫を招き，発明の利用を妨げるおそれが高い。そのため進歩性のない発明には特許権を与えないこととしているのである。

(2) 進歩性判断の枠組み

進歩性の判断は，①請求項に係る発明の認定（発明の要旨認定），②主たる引用発明の認定，③両者の一致点と相違点の認定，④相違点の判断という流れによって行われる（知財高判平成30・4・13判時2427号91頁〔ピリミジン誘導体大合議〕〈判コレ10・35〉）。判断で重要となるのが，引用発明から本願発明（本節において進歩性が問題となる請求項に係る発明を便宜上「本願発明」と呼ぶ）を発明することが容易であったかという④の判断である。この判断のことを容易想到性の判断といい，出願時を基準として，当業者にとって，本願発明が引用発明から容易想到であったかを判断する。容易想到性は法的な評価として判断されるものであり，規範的要件の一種であるといえる。

進歩性判断の基礎となる概念が**当業者**である。当業者とは，その発明の属する技術の分野における通常の知識を有する者のことである。その発明の属する

技術の分野における通常の知識のことを「技術常識」という。進歩性の判断は,当業者基準でなされるが,それは,この技術常識と29条1項各号に掲げる発明のみを前提知識として,容易想到性を判断するということである。

容易想到性の判断は,主たる引用発明(主引用発明)1つを出発点として,そこから本願発明が容易想到であったかの「論理づけ」ができるかどうかによって判断されるとされている。すなわち,主引用発明に,他の引用発明を組み合わせることなどによって,当業者は本願発明に容易に至ることができたのであるということを論理づけることができれば容易想到性が示されたこととなる。論理づけができなかったときには,容易想到性は否定され進歩性は肯定されることになる。例えば,訴訟においては,特許性を争う者が,自ら引用例を探して来て一応の論理づけを構築し,裁判所がその論理づけが相当といえるかを判断する。このようなアプローチを採用することで,事案ごとの特殊性を踏まえた複雑な判断が要求される進歩性の判断を,客観的な検証が可能なものにする努力が図られているといえる。

2 一致点と相違点の認定

容易想到性を判断するための前提として,主たる引用発明を認定し,それと本願発明との一致点と相違点とを認定する必要がある。容易想到性の判断は相違点の克服が容易であったかという形式によりなされるからである。

一致点の認定と相違点の認定とは,請求項に係る発明の要旨認定(クレーム解釈)を行うことと,引用発明の認定(新規性判断のときと同一)との組み合わせである。判断プロセスの明確化の観点からは,容易想到性の判断で行うべきことをこの段階で行うべきではなく,例えば,過度に引用発明を抽象化して引用例に開示されていない発明を認定することで相違点の判断を飛ばしたり,複数の刊行物に記載された発明を組み合わせることができるかどうかの判断の先取りを,引用発明の認定において行うことはできない。

進歩性判断における引用発明の認定について,前掲〔ピリミジン誘導体大合議〕は,刊行物記載の場合,刊行物の記載から抽出しうる具体的技術的思想でなければならないと述べている。同判決は,引用文献にマーカッシュ形式で記載された化合物の記載がある場合,特定の選択肢に係る具体的な技術的思想を

引用発明として認定することは，それを積極的あるいは優先的に選択すべき事情がない限り，許されないとしている。具体的に確立した技術でなければ，特許性を否定する際の根拠とはできないということだと思われる。これに対しては，確立した技術でなくても当業者が参照可能な知識であれば，進歩性判断の基礎とすべきだという批判もある。

3 相違点の判断（容易想到性）

(1) 容易想到性判断の方法

容易想到性は規範的要件の一種だが，単なる総合評価として判断されるわけではなく，前述のように，論理づけができるかという形で行われている。

本願発明が容易想到であることを論理づけるためには，本願発明と主引用発明の一致点と相違点が明らかにされたうえ，その相違点を克服することが当業者にとって容易であることを示す必要がある。主引用発明との相違点がどのように埋まるのかの道筋を示したうえで，当業者であれば，その道筋により相違点を克服する「動機づけ」があることを示せば，一応の論理づけが示されたことになる。但し，その場合であっても，相手方が，本願発明には予測できない顕著な効果があること又は本願発明の構成を採用することに阻害要因があることを示した場合には，論理づけは否定され，進歩性は肯定されることになる。前掲〔ピリミジン誘導体大合議〕は，主引用発明から本願発明に至る動機づけの主張立証責任は，進歩性欠如を主張する者，予測できない顕著な効果及び阻害要因の存在の主張立証責任は特許権者（特許出願人）にあると述べている。

容易想到性の判断は，一般的には，以上の枠組みにより行われていると理解される。これ以外の事情を，発明の非容易想到性を基礎づける事実として，容易想到性の判断において考慮することは，一般には排除されない（但し，商業的成功がそれにあたると主張したが退けられた例として知財高判平成 23・9・8 判時 2136 号 107 頁〔鼻用軟膏〕)。

(2) 動機づけ

容易想到性を論理づけるには，大きく分けて 2 つの方法があると考えられる。1 つは 29 条 1 項各号の発明として相違点を埋めるべき技術を認定し（これを副

引用発明ということがある），主引用発明と副引用発明を組み合わせて本願発明に至る動機づけがあったことを示す方法である。もう１つは，特段副引用発明を認定することなく，当業者であれば，その相違点を克服する動機づけがあったと論理づける方法である。この２つの論理の複合で行われることもある。

　動機づけがあったことを示すには，相違点克服の道筋が示されたうえで，当業者であればその道筋をたどる動機が十分にあったことを示す必要がある。発明とはある課題を解決するための具体的手段であることに照らせば，動機づけの有無は，その課題を解決するために本願発明の構成を採用することがありえたかにより判断すべきである。それには，当業者であればそうしただろうとの推測が成り立つだけでは不十分で，そうしたはずであるとの論証をなす必要がある（知財高判平成21・1・28判時2043号117頁〔回路用接続部材〕〈判コレ11〉）。容易想到性は「後知恵」によりいくらでもそれを肯定する論理を構築しうるので，それを避けるだけの綿密な論理を用意する必要があるからである。動機づけは，課題の存在が自明でない場合には，そのような課題を設定することが容易であったことも示す必要がある（知財高判平成23・1・31判時2107号131頁〔換気扇フィルター〕）。動機づけは，技術常識を前提にあらゆる論理によりそれを行うことができるのが原則であるが，(a)設計変更，(b)周知技術，(c)技術分野の関連性，(d)課題・作用・機能の共通性，(e)引用発明中の示唆といった観点がよく用いられる。

　(a)　**設計変更**　①公知材料の中からの最適材料の選択，②数値範囲の最適化又は好適化，③均等物による置換，④技術の具体的適用に伴う設計変更に過ぎないなど，本願発明と引用発明の相違点が当業者にとって格別の技術的な意義がない場合，当該相違点は当業者が通常の創作能力を発揮しうる範囲に過ぎないので，発明の進歩性が否定される。このような論理づけは，相違点をうまく埋める副引用発明が特にみつからなかったときや，主引用発明と副引用発明を組み合わせてもなお相違点が残るときに，適宜変更を加えて，本願発明の構成を採用する動機づけがあることを示すものとして用いられる。例えば，主引用発明が鉄でできた包丁で本願発明が鋼でできた包丁であるときに，当業者にとって適宜材料を鉄から鋼に変更することは当業者が適宜なしうる設計的事項に過ぎない，などとされる。

第5節 進歩性

(b) **周知技術** 周知技術とは，その分野において一般的に知られている技術であり，技術常識となっている技術のことである。主たる引用発明に周知技術を組み合わせれば，本願発明となるという事実は，その組合せを行うべき動機づけがあったことの論理づけとなることがある。もっとも近年では，周知技術であるというだけで論理づけを終わらせることは相当ではなく，周知技術を組みわせることに阻害要因がないか等の綿密な検討も併せて行う必要があるとの理解が有力である。

(c) **技術分野の関連性** 例えば，主引用発明と副引用発明が同一又は密接に関連する技術分野に属するという事実は両者を組み合わせる動機づけがあった理由の１つになりうる。従前はこの要素が重視されてきたが，同一の技術分野に属する２つの技術があったからといって直ちにそれを組み合わせる動機づけがあるとはいえない。最近の裁判例は，そのような単純な論理づけには否定的であるとされ（知財高判平成18・6・29平17(行ケ)10490〔紙葉類識別装置〕参照），(d)共通性や，(e)示唆を重視し，綿密な判断を行う傾向にある。

(d) **課題・作用・機能の共通性** 主引用発明は，本願発明へと至る出発点となるものであり，本願発明へと至る動機づけの存在が説得的になされるためには，両者の技術的思想の差異がどの点にあるかが明らかにされる必要がある。このような意味において，動機づけを論証する際に，両者の共通性の程度は重要な指標である。課題の異なる主引用発明から本願発明へと至る動機づけを論証することは，困難な場合も多い。

また，主引用発明と副引用発明とが技術的思想において共通性が高いという事実は両者を組み合わせることを動機づけることになる。例えば，パチンコ機の主引用発明にテレビ会議システムの画像表示技術に係る副引用発明を組み合わせることも，注目される部分を見やすくするという共通の課題を有しているときは，その課題の解決のために，注目されない画像を画面の隅において縮小して表示し相対的に注目される画像を拡大するという技術を適用する動機づけがあるといえる。

(e) **引用発明中の示唆** 引用発明中に既に本願発明に至るべき示唆があるという事実は，本願発明の構成を採用すべき動機づけがあったことを強く裏づけることになる。引用発明中の示唆は動機づけの代表例ともいえ，その重要性

53

は近年増しているといえる（前掲知財高判平成21・1・28〔回路用接続部材〕参照）。

主引用発明中に課題の存在が示唆されており，その課題を解決しようとすれば本願発明に至るべきことが示されれば，本願発明の構成を採用すべき動機づけが示されているといえるだろう。また，すすんで具体的な解決策として本願発明の構成の示唆があることが示されれば，それはより強力な動機づけとなる。

(3) 予測できない顕著な効果と阻害要因

(a) **予測できない顕著な効果**　本願発明が，既存の発明と比べて有利な効果をもつこと自体は，進歩性を基礎づけることにならないと考えられる。進歩性要件は技術の優劣それ自体を評価するものではないからである。しかし，本願発明が予測できない顕著な効果を有することは，進歩性に有利に考慮することができると考えられている。すなわち，本願発明の効果が出願前の当業者には予測できないもの（非予測性）であって，かつ，顕著なもの（顕著性）と評価できる場合には，進歩性に有利に参酌することができる。最判令和元・8・27集民262号51頁〔アレルギー性眼疾患治療薬〕〈判コレ12〉は，効果の非予測性及び顕著性は，本願発明の構成が奏するものとして当業者が予測することができた効果とに比較により判断すべきとした。

このように考えられるのは，出願前の当業者に本願発明の構成が奏するであろう効果を予測できない場合には，当業者は本願発明の構成を採用しても課題解決に成功すると予測しなかったといえ，容易想到性が否定されるといえるからであろう。一方，顕著な技術的貢献が認められることが進歩性に有利に参酌しうるのだという見解もある。

効果が予測できない顕著なものであることについて明細書に記載する必要があるか否かは争いがある。開示要件を充足するためには，その効果の存在そのものを明細書に開示する必要があるが，それを超える記載を求める理由はないと考えられる。したがって，発明の効果に関する基礎的な記載が明細書にあれば，効果が予測できない顕著なものであることを立証するために，明細書以外の証拠を参酌することも許されると解される（知財高判平成22・7・15判時2088号124頁〔日焼け止め組成物〕〈判コレ13〉）。一方，裁判例には，効果の非予測性及び顕著性を基礎づける記載が明細書に必要だという立場に立つものも見られ

第5節　進歩性

る（知財高判平成 28・3・30 平 27(行ケ)10054〔モメタゾンフロエート〕参照）。これ
は，本願発明が優れた効果を有することこそが進歩性を基礎づけるから，その
点の開示が必要だという見解に立つものと思われる。

(b)　**阻害要因**　　阻害要因とは，引用発明を出発点に本願発明の構成を採用
しようとする試みには，技術的な障害が存在することを強く予測させる事情の
ことである。例えば，引用発明から本願発明に至る場合には，部品の材質を別
のものに変える必要があり，これを試みる動機づけが示された場合でも，当該
別の材料を採用すると機械的な脆弱性により破損のおそれが大きいと予測され
ていたという阻害要因がある場合には，当業者に予測された困難を克服して発
明を成功させたものとして進歩性が肯定されることになる。

Column Ⅱ2-3　**選択発明・数値限定発明の進歩性**

　選択発明とは，上位概念で表された先行技術が存在するが，それに具体的に
は示されていなかった下位概念で表された構成を選択することにより，新たな
技術的意義を生じた発明である。また，その選択が技術の特性を表す数値を一
定の範囲に限定することにより行われれば，その発明は，数値限定発明であり，
かつ，選択発明である。

　選択発明の進歩性判断については，裁判例では，本願発明が引用発明の下位
概念として包含されるときは原則として新規性が認められないが，本願発明が
引用例に具体的に開示されておらず，引用発明と比較して顕著な特有の効果を
有する場合には，新規性及び進歩性が認められるという判断枠組みを採るもの
が見られる（知財高判平成 29・6・14 平 28(行ケ)10037〔重合性化合物含有液晶組
成物及びそれを使用した液晶表示素子〕）。引用例に本願発明の具体的開示がない
ときは，同一の発明は未だ公衆に利用可能となっていないから，新規性が認め
られるといえるだろう。進歩性については，この種の発明においては，先行技
術と共通性が高いため選択の動機付けを容易に肯定できるから，予測できない
顕著な効果の有無がポイントとなるのだと説明できるであろう。選択発明の進
歩性を基礎づけるには，予測できない顕著な効果を論証するか，あるいは，上
位概念から限定することで技術的思想が全く異なるものとなっていることなど
を指摘し，選択の動機づけがないことを論証する必要があると考えられる。

第2編　第2章　特許要件

第6節　記載要件

1 明確性要件・簡潔性要件

(1)　明確性要件

　特許請求の範囲の記載は，特許を受けようとする発明が明確であるようにしなければならない（36条6項2号）。これを**明確性要件**と呼ぶ。特許請求の範囲は第三者に対し特許権の客体の範囲を明示する役割を担っているので，第三者に不測の不利益を及ぼすことを防ぐために本要件が設けられているのである（知財高判平成27・11・26平26（行ケ）10254〔青果物用包装袋及び青果物包装体〕〈判コレ14〉参照）。したがって，特許請求の範囲は，出願時の技術常識を基礎として，当業者が特許発明の技術的範囲を知ることができる程度に明確に記されている必要がある。

　明確性要件は，特殊パラメータを用いている場合にはその明確な定義があるか否かという形で問題となる。また，「約」「薄い」「やや大きい」などの範囲を曖昧にする表現があるときに問題となりやすい。範囲を曖昧にする表現は直ちに明確性を失わせるものではないが，技術常識を前提にしても権利範囲を判別できないときには明確性は否定される（知財高判平成26・3・26判時2234号99頁〔渋味のマスキング方法〕参照）。

　なお，プロダクト・バイ・プロセス・クレームに関しては，物の発明についての特許に係るクレームにその物の製造方法が記載されている場合において，明確性要件をみたすのは，出願時において当該物をその構造又は特性により直接特定することが不可能であるか，又はおよそ実際的でないという事情が存在するときに限られるとされている（最判平成27・6・5民集69巻4号700頁・同904頁〔プラバスタチンナトリウム〕〈判コレ15・41〉）。権利範囲について争いを招きやすいプロダクト・バイ・プロセス・クレームは原則として避けるべきという考え方に基づくといえるだろう（⇒第6章第2節**1**(4)）。

56

(2) 簡潔性要件

特許請求の範囲の記載は，請求項ごとの記載が簡潔でなければならない（36条6項3号）。これを簡潔性要件という。特許請求の範囲は，権利の範囲を第三者に明示するものであるから，なるべく分かりやすく冗長でない記載であることが望ましい。

② 開示要件（実施可能要件・サポート要件）

開示要件とは，実施可能要件及びサポート要件の総称である。両者は表裏一体のものとして併せて語られることも多いので，同一の項目において説明する。

(1) 実施可能要件

明細書の発明の詳細な説明は，当業者が発明の実施をすることができる程度に明確かつ十分に記載したものであることを要する（36条4項1号）。これを**実施可能要件**という。実施可能要件は，請求項に係る発明ごとに，明細書にそれを支える記載があるかによって判断される。本要件の趣旨は，明細書に開示されている技術的思想をこえて特許権が成立することを防ぐことにある。但し，権利の範囲は，明細書に厳密な意味で記載されている内容をこえて，ある程度広がりをもつことも許容されている。本要件は，開示の内容を基礎にどこまで権利の保護を広げられるかの限界を規律する要件であるといえる。

本要件にいう発明の実施は，物の発明であればそれを生産し使用することであり，方法の発明であればそれを使用することである。実施可能要件をみたすには，発明の詳細な説明に，請求項に係る発明の構成を再現できるような記載とともに，その構成が所期の作用・効果を奏することを裏づける記載を要する。

実施可能要件をみたすためには，実施できるだけの明確かつ十分な記載が必要だが，それは，出願時を基準時として，当業者が過度の試行錯誤なく発明を実施できるだけの記載があれば充分であると考えられている。したがって，実施のための手段が明細書中に明示されている必要はない。一方で，請求項に係る発明が特許による独占にふさわしいことの基礎が，明細書に開示されていることを確認するための要件であるから，請求項の一部ではなく全部を支えるだけの明確かつ十分な記載が必要である。

なお，実施可能要件は，医薬用途発明においてよく争点となる。この場合，実施可能要件をみたすためには薬理データ又はそれと同視すべき程度の記載が必要であるとされるが（東京高判平成10・10・30平8(行ケ)201〔制吐剤〕〈判コレ18〉），原則に立ち返って判断すればよく，常に薬理データが必要とまで解することはできないと考えられる。

また，実施可能要件をめぐっては明細書の記載を補うための，追加の実験データを記載した実験成績証明書等の参酌が許されるかが問題となる。特許要件の判断基準時が出願時であることに照らせば原則として追加は許されないが，出願時の技術常識の立証など明細書に既に開示されている内容を明らかにするためのものであれば，実験データの補足が許される場合もある。

(2) サポート要件

特許を受けようとする発明は，発明の詳細な説明に記載したものでなければならない（36条6項1号）。これを**サポート要件**と呼ぶ。サポート要件は，特許請求の範囲の記載についての要件であり，明細書に記載された内容をこえてクレームをすると，サポート要件違反となる。これは，発明の詳細な説明に開示された技術的思想をこえて，特許を受けることを防ぐためのものである。本要件も実施可能要件と同様に，明細書の記載内容を基礎にどこまで権利の保護を広げられるかの限界を規律する役割を果たしている。

特許請求の範囲の記載がサポート要件をみたすには，出願時を基準時に，特許請求の範囲に記載された発明が，発明の詳細な説明の記載により当業者が当該発明の課題を解決できると認識できる範囲のものでなければならない（知財高判平成17・11・11判時1911号48頁〔偏光フイルムの製造法大合議〕〈判コレ17〉）。そのような記載や示唆が直接なくても，当業者が出願時の技術常識に照らしてそう認識できればよいと解されている。

サポート要件を判断するには，まず発明の課題を認定し，次いで，その課題を解決できると認識できる範囲かを判断する。この発明の課題も，明細書の記載に基づいて認定される（知財高判平成30・5・24平29(行ケ)10129〔ライスミルク〕）。明細書に開示された発明のみが特許保護の対象となるからである。但し，発明は，技術水準を前提として課題の解決手段を提案するものであるから，明

第6節　記載要件

細書の記載の意義を理解するに当たっては，技術水準・技術常識を十分に踏まえるべきと言えるだろう。

　発明の詳細な説明に記載されている発明であるかどうかは，このように実質的に発明の内容に踏み込んで判断されている。しかし，裁判例の中には，医薬用途発明がサポート要件をみたすために薬理データ又はそれと同視すべき記載は必要不可欠ではないことを述べる中で，サポート要件は形式的なクレームと明細書の対応関係のみを審査すれば足りる旨述べたものもある（知財高判平成22・1・28判時2073号105頁〔フリバンセリン〕。⇒ Column Ⅱ2-4 「記載要件相互の関係について」）。

　なお，サポート要件についても出願後の実験データの追加の可否について，実施可能要件と同様の議論がある（前掲〔偏光フィルムの製造法大合議〕参照）。

> **Column Ⅱ2-4　記載要件相互の関係について**
>
> 　明確性要件をみたすのに，クレームの記載が発明の課題や作用効果などの関係でどのような技術的意味があるのかが明確に示されている必要はなく，そのような点は開示要件において判断されるものである（知財高判平成22・8・31判時2090号119頁〔伸縮性トップシートを有する吸収性物品〕）。
>
> 　実施可能要件は発明の詳細な説明についての記載要件であり，サポート要件は特許請求の範囲の記載要件であるため，別個の要件として区別されるものである。しかし，一方で両者ともクレームと明細書がみたすべき関係について定めているといえ，それぞれ別個の観点に基づくものだとしても，表裏一体のものとして扱われることも多い。両者は究極的には，明細書に開示された情報を基礎にしてどこまで広い権利を取得することが許されるかについて規定しているという点において共通点をもつと理解することもできる。実際，実施可能要件の有無とサポート要件の有無が一致する場合も多く，審査実務上も厳密な区別はされてこなかったという実態もある。
>
> 　前掲〔フリバンセリン〕は，サポート要件は形式的にクレームと明細書の対応関係を審査し，実施可能要件は実質的にそれを行うのだとして，両要件の1つの区別方法を提示したが，その後の実務がこの裁判例に追随しているとはいえない。両要件をどのように使い分けるべきか，あるいは，そもそも使い分ける必要性がどこにあるのかについては議論が未だ続いている（〈特許判例百選〈第4版〉22〉解説参照）。

3 その他の記載要件

その他特許請求の範囲の記載の形式について 36 条 6 項 4 号，当業者が発明の技術上の意義を理解するために必要な事項を発明の詳細な説明に記載しなければならないとする委任省令要件（36 条 4 項 1 号，特許法施行規則 24 条の 2）がある。また，発明に関連する文献公知発明のうち知っているものに関する情報の所在を記載すべきとする 36 条 4 項 2 号がある（なお 48 条の 7・49 条 5 号参照）。

4 単一性要件

2 つ以上の請求項を有する特許出願においては，各請求項に係る発明同士が，一定の技術的関係を有している必要がある（37 条）。これを単一性要件という。これは多項制を採用したことに伴い，一の出願に様々な内容の技術が含まれることとなると，審査の事務の負担が大きくなることに伴い導入されたものである。したがって，審査の便宜のための要件に過ぎないので，拒絶理由とはなるが無効理由にはならない。発明の単一性は，二以上の発明が同一の又は対応する特別な技術的特徴を有しているかどうかで判断するとされている。

第 7 節　先　　願

特許法 39 条は，同一の発明について異なった日に二以上の特許出願があったときには，最先の特許出願のみが特許を受けることができると定めている。同一の発明について複数の主体が特許出願をすることがあるが，日本の特許法は重複する特許を認めていない。39 条の趣旨は，同一の客体について複数の権利が成立することを排除することにある。

同一発明について出願があったときにいずれを優先すべきかについて，我が国は**先願主義**を採用している。先に発明を完成させた方を優先させる**先発明主義**という考え方もあるが，発明日の判定が困難であることや出願を促す観点から，主要国で現在これを採用している国はない。

先後願の判定は出願の日によって行われる。同日に同一の発明について特許出願があったときは，協議によりいずれか一方の出願人のみが特許を受けるこ

とができる（39条2項・6項・7項）。また先願が放棄，取り下げ，却下，拒絶査定となったときには，先願の地位を失う（39条5項）。本条の趣旨はあくまで重複した権利の成立を防ぐことにあるからである。

39条において発明が同一か否かを判断する対象は，請求項に係る発明である。39条は，同一の範囲に重複して権利が成立することを防ぐことをその趣旨とする規定であるので，同一か否かも，権利の範囲を定める請求項に係る発明が同一か否かによって判断する。したがって，先願における請求項の記載と後願における請求項との記載を比較して，後願が先願と同一の場合には，後願の特許発明は特許要件をみたさないこととなる。このような先願が後願の特許を排除する効力を後願排除効という（⇒第4節**4**）。

第8節　特許を受けることができない発明

公序良俗又は公衆衛生を害するおそれがある発明については，特許を受けることができない（32条）。

現行特許法制定時には，①飲食物又は嗜好物の発明，②医薬又は二以上の医薬を混合して一の医薬を製造する方法の発明，③化学方法により製造されるべき物質の発明，④原子核変換の方法により製造されるべき物質の発明，⑤公の秩序，善良の風俗又は公衆の衛生を害するおそれがある発明の5つが特許を受けることができない発明（「不特許事由」）として掲げられていたが，現在では⑤のみが残存している。TRIPS協定27条は原則として全ての技術分野の発明について特許は与えられるとしているので，特定の技術分野の発明を特許対象から外すことは現在では許されない。しかし，発展途上国においては，外国の企業のみが独占権を得る結果となることを防ぎ，国内産業を保護育成するために特定の分野についての特許権を否定することに対するニーズが存在する（後発開発途上国は現在でもTRIPS協定の適用を要求されていない）。我が国もかつてはそのような理由から不特許事由を置いていたものである。

公序良俗又は公衆衛生を害するおそれがある発明とは，例えば，その発明を使用すると公序良俗等を害する結果を必然的に招来することになる発明である。それは，そのような発明の創作を国家が奨励する必要はないことに基づくもの

である。例えば，欧州においてヒトのクローニング方法は特許できないとされているのは，ヒトをクローニングすることはおよそ公序良俗に反して許されないのだという価値観に基づくものであるといえる。但し，このような場合に32条を積極的に適用していくことには慎重な見解も有力である。特に，単に現時点でその使用が違法となるに過ぎないものが不特許になると解すべきではない（TRIPS協定27条2項但書参照）。倫理観は時とともに変遷するし，現時点でその使用に問題のある発明でも，社会及び技術の発展により，将来的にそのような発明の有用性が認められる可能性もあるからである（東京高判昭和61・12・25無体集18巻3号579頁〔紙幣〕〈判コレ19〉参照）。

第3章 権利の主体

第1節　総　　説
第2節　発　明　者
第3節　特許を受ける権利
第4節　冒認出願
第5節　職務発明

第1節　総　　説

1　総　　説

　特許を受けることができるのは，原則として「発明をした者」，すなわち**発明者**である（29条1項柱書。発明者主義）。この特許を受けることのできる地位のことを，「**特許を受ける権利**」と呼ぶ。

　他方で，特許を受ける権利を有しない者の出願は，いわゆる**冒認出願**となり，共同出願要件違反（38条・49条2号）と同様，拒絶理由とされている（49条7号）。誤って特許が付与されても，無効理由を有することになる（123条1項2号・6号）。更に特許を受ける権利を有する者は，冒認出願によって取得された特許権について，移転登録請求権を行使することができる（74条1項）。

　以上の基本的なルールに加えて，企業内の従業員の発明など，職務上行われた一定の発明（**職務発明**）については，特許を受ける権利等について特別な取扱いを認める制度がある（35条）。

　なお，発明者は特許を受ける権利とは別に，人格権としての**発明者名誉権**

（パリ条約4条の3, 特許26条。パリ条約には「発明者は, 特許証に発明者として記載される権利を有する」と規定されている）を有する。発明者名誉権の侵害については, 不法行為による損害賠償請求を認める裁判例（東京地判平成19・3・23平17（ワ）8359・13753〔ガラス多孔体第1審〕）や, 願書の発明者の記載を真の発明者に訂正する補正手続の請求ができるとする裁判例がある（大阪地判平成14・5・23判時1825号116頁〔希土類の回収方法〕〈判コレ20〉。但し, 拒絶査定確定後の場合について, 東京地判平成26・9・11平26(ワ)3672〔傾斜測定装置〕も参照）。

2 外 国 人

なお, 権利の主体には, 日本国の国民だけでなく, 外国人も含まれる。但し, 以下4つのうちいずれかの場合に限られる（25条参照）。①日本国内に住所又は居所（法人にあっては, 営業所）を有している場合, ②その者の属する国において, 日本国の国民に対して内国民待遇が与えられている場合, ③その者の属する国が相互主義を採用している場合, ④パリ条約等の条約によって日本国に保護が義務づけられている場合である。

第2節　発明者

特許を受けることができるのは, 原則として「発明をした者」, すなわち発明者である（29条1項柱書）。ある発明について発明者が複数の場合, その発明は**共同発明**と呼ばれ, 特許を受ける権利は発明者間で共有される（⇒第3節 4）。

近時は研究開発が大規模化し, また共同研究開発が一般的になり, 多数の者が発明にかかわるようになってきたために, 誰が発明者として特許を受けることができるのか, 争いになる場面も増えつつある。また, 後述の職務発明の場合（⇒第5節）でも, 誰が発明者か争いになることが多い。

ここでいう発明者に該当するための要件として, 例えば「技術的思想を当業者が実施できる程度にまで具体的・客観的なものとして構成する創作活動に関与した者」と指摘する裁判例がある（知財高判平成20・5・29判時2018号146頁〔ガラス多孔体控訴審〕。知財高判平成20・2・7判時2024号115頁〔違反証拠作成システム〕も参照）。したがって, 単にアイデアを提示した者や, 資金を提供した者,

補助的な作業に従事した者については，これに含まれないこととなろう。

もっとも，実際の事案における判断は複雑である。例えば先の〔ガラス多孔体控訴審〕では，大学の学生による発明について，指導を行った教授も発明者に含まれるかが争われたが，裁判所は，その指導は一般的なものに過ぎず，「本願発明に至るまでの過程において，……本願発明の有用性を見いだしたり，当業者が反復実施して技術効果を挙げることができる程度に具体的・客観的な構成を得ることに寄与したことはない」と認定している。このように，発明にかかわる具体的態様によって，発明者に該当するか否かが分かれる。

第3節　特許を受ける権利

1 特許を受ける権利

権利者が特許出願をして特許を受けることができる地位を，特許を受ける権利と呼ぶ。明文上の規定はないものの，特許を受ける権利は発明の完成により発生し，発明者がこれを原始的に取得すると考えられている。

特許を受ける権利は，特許権とは異なり他人による発明の実施を阻止する効果はない。他方で，後述のように移転等が可能であり，また補償金請求権（⇒第4章第2節**2**(2)）を基礎づけるものでもある。その意味で，ここでいう特許を受ける権利は，国に対して特許付与を請求する地位であるとともに，それ自体として経済的価値を有する財産権としての側面も有する。

2 特許を受ける権利の移転

特許を受ける権利は移転することができる（33条1項）。したがって，発明者以外の者であっても，発明者から特許を受ける権利を譲り受けて出願することで，特許を受けることができる。特許を受ける権利の移転は，出願の前後を問わず可能である。

出願前における特許を受ける権利の移転は，当事者の合意等があれば足り，特別な手続は必要ないが，その権利の承継を第三者に対抗するためには，対抗要件として，承継人による特許出願が必要となる（34条1項）。

なお，権利者による二重譲渡の結果，複数の譲受人から同日に特許出願があった場合には，その協議により定めた者以外の者の承継は，第三者に対抗することができないとされている（34条2項）。この場合，特許庁長官は相当の期間を指定して，協議及びその結果の届出を出願人に命じなければならず（協議命令，34条7項・39条6項），その期間内に届出がない場合には，協議不成立とみなすことができる（34条7項・39条7項）。同一の者から承継した同一の発明及び考案に係る特許を受ける権利と実用新案登録を受ける権利について同日に出願がなされた場合も同様である（34条3項）。

他方，出願後における特許を受ける権利の移転は，特許庁長官への届出が効力発生要件となっている（34条4項）。つまり当事者間での合意等では足りず，届出を行ってはじめて権利が移転する（なお，相続等一般承継の場合については，同条4項・5項参照）。

なお，権利者による二重譲渡の結果，複数の譲受人から同日に届出があった場合には，その協議により定めた者以外の者の届出は，その効力を生じないとされている（34条6項）。先に触れた出願前の場合に係る協議命令等は，出願後の届出についても同様に規定されている（同条7項）。

③ 担保の設定

特許を受ける権利が移転可能であることから，これを担保として活用することも考えられる。しかし特許を受ける権利についての質権設定は，明文で禁じられている（33条2項）。これは，執行の際に発明が公知になりかねないことや，公示の方法がないことが理由と考えられる。なお，譲渡担保についてはこのような禁止規定がないため，認められると解されている。

④ 特許を受ける権利の共有

特許を受ける権利の共有は，主に共同発明を行った場合や，相続があった場合のほか，特許を受ける権利の持ち分を譲渡したような場合にも生じうる。特許を受ける権利が共有されている場合，原則として民法上の準共有として規律されるが（民264条），特許法においては更に特別の規定が用意されている。

まず共有者は，その共有持分の譲渡や，仮専用実施権・仮通常実施権の設

定・許諾につき，他の共有者の承諾を得なければならない（33条3項・4項）。これは，（自己実施の可否を除く）特許権が共有に係る場合の規律（73条1項・3項）と同様の趣旨に出たものである（⇒第8章第3節**1**）。

　また特許を受ける権利の共有者は，単独で特許出願をすることはできず，他の共有者と共同で出願しなければならない（38条）。これは，特許の成否について，共有者間で合一的に決定される必要があることや，発明の権利化やその公開について共有者間での利害調整を求めることが理由とされている。**共同出願違反**の特許出願は拒絶され（49条2号），誤って登録されたとしても無効理由を有することとなり（123条1項2号），また後述する特許権の移転の特例（74条1項）によって，他の共有者からの持分移転請求の対象となる。

　更に，拒絶査定不服審判を請求する場合においても，特許の成否に係る結果の合一的確定の必要から，共有者が共同で審判請求をしなければならない（132条3項）。なお，拒絶審決取消訴訟についても，判例上，共有者の全員が共同で提訴しなければならないとされている（⇒第5章第4節**2**参照）。

5 仮専用実施権・仮通常実施権

　実際には，まだ特許を受ける権利を有しているだけの段階であっても，その発明について第三者に対し事実上のライセンス提供が行われる。このような状況下で，仮に権利者が破産するなどした場合，ライセンシーはそのライセンスを破産管財人や特許を受ける権利の譲受人等の第三者に対抗することができないため，特許権設定登録後の補償金請求権や特許権の行使の対象となりかねず，また破産管財人によるライセンス契約の解除を受けかねない等，不安定な立場に置かれることとなる。このような結果を防止するために，仮専用実施権・仮通常実施権制度が導入され，設定・許諾後の第三者に対しても，その効力を主張することができるようになった（仮専用実施権の登録について，34条の4第1項。仮通常実施権の対抗力について，34条の5）。

　対象である発明について特許権が設定登録された場合，仮専用実施権・仮通常実施権については，各々専用実施権・通常実施権が設定・許諾されたものとみなされる（34条の2第2項・34条の3第2項）。その他の点については，専用実施権・通常実施権に関する説明を参照（⇒第8章第4節・第5節）。

67

第2編　第3章　権利の主体

第4節　冒認出願

1 冒認出願

　特許を受ける権利を有しない者による出願を，講学上**冒認出願**と呼ぶ（以下
では，特許を受ける権利を有しないのに出願した者を冒認者，特許を受ける権利を有す
る者を真の権利者と呼ぶ。なお，**共同出願違反**（38 条）についても，同様の取扱いとな
っているため，以下では冒認出願のみ記述する）。実際上，冒認出願には①真の権
利者が出願したが，譲渡証書の偽造等によって，出願人の名義が冒認者に移さ
れるパターンと，②最初から冒認者が出願し，真の権利者は出願を行っていな
いパターンの2つが存在する。

　さて，冒認出願は拒絶理由となっているため（49 条2号・7号），冒認者の出
願は拒絶されるはずであるが，実際上，審査の過程において，出願人が真の権
利者であるかどうかを審査官が判断するのは難しい。この点，特許権が冒認者
に対して設定登録される前においては，真の権利者が，特許を受ける権利を有
する旨の確認訴訟を提起し，その確定判決をもって，出願人名義の変更を求め
ることができるとされている（東京地判昭和 38・6・5 下民集 14 巻6号 1074 頁〔自
動連続給粉機〕参照）。これにより，発明の新規性や出願日を維持しつつ，冒認
出願を真の権利者自らの出願とすることができる。

　一方，冒認者の元に特許権が設定登録されてしまった場合，冒認出願が無効
理由であることから，無効審判によってその特許権を消滅させ（123 条1項2
号・6号。⇒詳細は第5章第2節**4**），冒認者からの権利行使を避けることはでき
る。しかし，その結果，全ての人がその発明を実施できることになってしまい，
真の権利者による発明の独占は実現されない。また，真の権利者は，特許を受
ける権利を侵害されたとして，冒認者に対して，不法行為に基づく損害賠償を
請求することができようが（最判平成5・2・16 判時 1456 号 150 頁〔自転車用幼児
乗せ荷台〕参照），特許権の帰属には影響しない。そこで，真の権利者が特許に
よる発明の独占も望む場合には，冒認出願によって発生した特許権を真の権利
者へと返還させることが適切である。しかし従前は，真の権利者（特許を受け

68

第4節 冒認出願

る権利を有する者）が冒認者（特許権者）に対して特許権の移転を請求すること
ができるのかという点で，（特に真の権利者が出願すらしていない場合に）議論が
あった。

2 真の権利者の移転登録請求権

(1) 真の権利者の移転登録請求権

その後，平成23年改正において，設定登録後に係る①②いずれの場合も，
真の権利者の救済が認められるべきと考えられたことから，真の権利者は，冒
認出願に係る特許権の権利者（冒認者が特許権者である場合だけでなく，冒認者か
ら特許権を譲り受けた特許権者も含む）に対して，経済産業省令で定めるところに
より，その特許権の移転を請求することができるようになった（74条1項）。
共同出願違反の場合は，真の権利者の持分について，移転の請求を行うことが
できる。なお，特許権のうち一部の請求項のみが冒認出願の対象である場合や，
改良が加えられていた場合等について，どのように取り扱われるか，議論があ
る。この点については，真の権利者の寄与に応じた特許権の持分の移転が可能
であるとする考え方もある。

移転の登録があったときは，特許権ははじめから真の権利者に帰属していた
ものとみなされる（74条2項。補償金請求権も含む）。これは，冒認者に特許権を
帰属させておくべき理由が全くないことや，無効審決が確定した場合には遡及
的に特許権が消滅する（125条）こととの平仄を合わせることが，理由として
指摘される。また，移転の登録があったときは，無効理由も治癒する（123条1
項2号括弧書・6号括弧書）。真の権利者の権利行使を認めるためである。

なお，共有に係る特許権について持分の移転を請求する場合には，他の共有
者による同意（73条1項）が必要ない旨手当されている（74条3項）。真の権利
者の保護が共有者の不同意に妨げられることのないようにするための規定であ
る。

(2) 移転前の善意実施者の保護

上述の通り，移転登録請求が認められると，冒認出願に係る特許権者ははじ
めから無権利者であったことになる。そのため，冒認出願により登録された特

69

許権の譲受人や実施権者も，遡及的に無権利者ということになり，特許権者となった真の権利者から，権利行使を受けかねない立場に置かれることになる。しかし，特許が無効にされた場合ならばその発明を実施し続けられることとの均衡や，公示を信じた者の保護の必要性から，移転登録前に，冒認出願によるものであることを知らないで，発明実施の事業やその準備を行っていた特許権者や実施権者について，その実施又は準備をしている発明及び事業の目的の範囲内において，法定実施権を認めることとした（79条の2第1項）。但し，実施権者は特許権者に対して，相当の対価（実施料相当額）の支払が求められる（同条2項）。

この法定実施権の発生時期については，条文上「移転の登録の際現に」特許権等を有している必要があるとされていることからすると，実施権は移転登録のときに発生するものと考えられる。しかしその場合，移転登録前の期間の実施については，遡及的に特許権侵害となりかねない。そのため，移転登録前の期間についても，79条の2の適用を認めるべきとする見解もある。

なお，条文上は法定実施権の主体として，冒認者自身も除かれていない。そのため，冒認者自身も，冒認の事実につき善意であれば（例えば，特許を受ける権利の譲渡契約が無効だったことにつき，善意で出願していた場合等），所定の要件をみたすことで，法定実施権を取得すると考えられる。ちなみに，共同出願違反の場合は，そもそも共同出願違反をした者も持分を有しているので，自己実施が可能であり（73条2項），問題とならないと考えられる。

第5節　職務発明

1　総　説

発明者主義に従えば，例えば企業内において従業員が発明を行ったとしても，実際に発明をした従業員が特許を受ける権利を取得し，出願の上特許権を取得することができ，一方で，その発明に関与していない（法人であれば関与しようがない）企業は，何の権利も得られないこととなる。しかし，現代においては，技術の高度化や研究開発投資の大規模化により，ほとんどの発明が，企業等の

組織の内部において従業者等によってなされるものとなっている。そのような状況で，従業者等が発明に至るには，使用者等の設備や資金を用いることが必要であり，実際に発明をする従業者等だけでなく，使用者等にも発明に係る投資等にインセンティブを与え，両者のバランスを図りつつ全体として発明を奨励することが肝要である。もちろん，その規律の仕方について，使用者等と従業者等との間の契約に全て委ねることも考えられるが，従業者等の保護に関して懸念も指摘される。そこで，特許法は**職務発明**制度を設け，上記の利害調整を適切に行うための要件・効果を定めている。

　従業者等（従業者，法人の役員，国家公務員又は地方公務員を指す）のした発明が職務発明に該当する場合，以下の効果が認められる。まず使用者等（使用者，法人，国又は地方公共団体を指す）はその発明に係る特許権について，通常実施権を有する（35条1項）。更に職務発明に該当する場合には，発明の完成前に，使用者等による特許を受ける権利の取得等を，契約や勤務規則等で定めることができ（35条2項），契約や勤務規則等によって権利を取得等させた従業者等は使用者等から**相当の利益**を受ける権利を有する（35条4項）。ここでの利益の定め方についても詳細な規定が用意されている（35条5項〜7項）。

2 職務発明の要件

　職務発明に該当するためには，発明の完成時において，①従業者等がした発明であって，②その性質上使用者等の業務範囲に属する発明であり，かつ③発明をするに至った行為が使用者等における従業者等の現在又は過去の職務に属する発明でなければならない（35条1項）。

　一方，職務発明の要件をみたさない発明については，従業者等の行ったものであったとしても，職務発明の特別な効果は及ばない（自由発明とも呼ばれる）。

(1) 従業者等がした発明

　まず①については，職務発明を成立させるべき従業者等と使用者等の関係をどのような場合に認めるかが問題となる。一般的な企業とその従業員の関係であれば，通常はこの要件を充足するであろう。この点は企業の役員と企業との関係であっても変わりないと思われる。一方で，例えば派遣社員の場合には，

派遣社員と雇用契約を結んで給与を支払っているのは派遣元企業であるが，実際に設備等を供与し職務に関する指揮命令を行っているのは派遣先の企業であり，どちらの企業との関係で職務発明の成立を認めるべきか問題となる。発明への投資を促す趣旨から考えれば，発明に投資をしている派遣先企業において，職務発明を成立させるべきと考えられる（法定実施権や特許を受ける権利の取得等の職務発明の効果に鑑みても，それを及ぼすべきは派遣先の企業となろう）。

(2) その性質上使用者等の業務範囲に属する発明

次に②については，発明が使用者等の「業務範囲」に含まれていなければならないと定められている。しかし，「業務範囲」は定款に書かれた目的等に限られるものではなく，使用者等が現に行っている業務や将来行う具体的予定のある業務も含む広いものと解されている。また③要件との関係からしても，実際上問題となることは少ない。

(3) 発明をするに至った行為が使用者等における従業者等の現在又は過去の職務に属する発明

最後に③については，発明をするに至った行為が従業者等の職務に該当するかが問題となる。その職務は現在の職務だけでなく，過去の職務を含むことに注意を要する。

ここでの職務該当性は，使用者等による命令の有無のほか，当該従業者等の地位や職種，使用者等の寄与等も含めた様々な事情を総合的に勘案して決するとされ，その職務は使用者等から具体的な命令を受けたものや，就業時間内のものに限られない。裁判例においても，客観的にみてその発明が使用者等との関係で期待され，かつその発明完成に使用者等が寄与しているような場合も含むとされている（大阪地判平成6・4・28判時1542号115頁〔マホービン〕）。更に，企業の上司から研究を中止するよう命令された発明であったとしても，勤務時間中に当該企業の施設で設備等を使用していたこと等を理由に，職務発明の成立が認められた例もある（東京地判平成14・9・19判時1802号30頁〔青色発光ダイオード第1審中間判決〕〈判コレ22〉。なお，そのような事情は相当の対価（利益）の算定に影響を与えるものとされる）。

第5節　職務発明

　また，ここでいう過去の職務とは組織内での過去の職務を指すものであり，退職前の職務を含まないと解される。例えば，自動車エンジンの開発部にいた者が，同じ組織の船舶の開発部に異動した後，自動車エンジンに係る発明を完成させたような場合には，職務発明の要件を充足する。一方で，退職や転職後に完成された発明は，たとえ退職や転職前の職務に係るものであっても，元の使用者等との関係では職務発明には該当しない。退職後に従業者等が再就職して発明を完成させた場合に，その発明が過去と現在の使用者等両方との関係において職務発明が成立するとなると，権利関係が錯綜し，また従業者等の再就職に係る職業選択の自由にも悪影響を与えかねないためである。

3 職務発明の効果

(1)　使用者等の法定実施権
　従業者等が職務発明について特許を受けたとき，又は職務発明について特許を受ける権利を承継した者がその発明について特許を受けたときは，使用者等はその特許権につき通常実施権を有する（35条1項）。これは無償の法定実施権の1つである。この通常実施権については，実施の範囲や数量等の制限はない。他の通常実施権と同様に当然に対抗できるため（99条），例えば特許権を取得した従業者等がその特許権を譲渡しても，使用者等は特許権の譲受人に対しその通常実施権を対抗することができる。
　職務発明に係る通常実施権については，特許権者の承諾を得た場合及び相続その他の一般承継の場合のほか，使用者等の事業の継続の観点から，事業とともにする場合も移転することができる（94条1項）。

(2)　勤務規則による特許を受ける権利の取得等
　35条1項の通常実施権は，従業者等の発明が職務発明に該当することで自動的に生じるものであるが，使用者等にとっては，無償で実施できるだけで十分とはいえないことが多い。そのため，使用者等としては，特許を受ける権利や特許権を確保する手段が求められる。
　この点，自由発明については，発明完成前に契約，勤務規則その他の定めによって，予め（発明完成前に）使用者等に特許を受ける権利を取得させること，

73

特許権を承継させること，又は使用者等のために仮専用実施権・専用実施権を設定することを定めても無効となる（35条2項）。これは発明の価値が明らかになっていない段階で，使用者等と従業者等の力関係により，従業者等にとって不当に不利な権利の取得等が行われないようにする趣旨である。なお，いったん従業者等に帰属した権利について，事後的に従業者等から使用者等に契約によって承継等させることは禁じられていない。

一方で，この35条2項については反対解釈が重要である。すなわち，使用者等は，職務発明については，契約，勤務規則その他の定めによって，予め権利の取得等を定めることができる（35条2項の反対解釈。3項も参照）。契約に限らず，勤務規則等の使用者等による一方的な定めによっても権利の取得等が認められており，実際上も就業規則や職務発明規程等の形で予め定められていることが多い。これにより，使用者等は職務発明に係る権利を確保することができる。

権利の取得等についてみると，特許を受ける権利に関しては，契約，勤務規則その他の定めによって，予め使用者等に取得させることを定めた場合には，その特許を受ける権利が使用者等に原始帰属する点が特徴的である（35条3項）。この点，平成27年改正前は，特許権の場合と同様に，特許を受ける権利についても，原則通りまず発明者である従業者等に原始帰属した上で，使用者等に承継される形をとっていた。しかしその場合，契約，勤務規則その他の定めがあったとしても，従業者等が特許を受ける権利を第三者に二重譲渡してしまう危険がある，あるいは企業間の共同発明の場合に，従業者等の特許を受ける権利の承継に係る相手方の同意に関連して問題が生じかねない等，使用者等による特許を受ける権利の確保に課題があるとの指摘がなされていた。使用者等への特許を受ける権利の原始帰属を認める今般の改正は，上記の課題に対応するものとされている（従前通り，従業者等に原始帰属させた上で，使用者等が承継する仕組みとすることも可能である）。

なお，あくまで発明者は従業者等であるため，人格権である発明者名誉権は発明者である従業者等のもとに留まる。

第5節　職務発明

(3)　相当の利益を受ける権利

(a)　総説

（i）　相当の利益を受ける権利　　契約，勤務規則等の定めにより，特許を受ける権利等を使用者等に取得等させた従業者等は（なお，仮専用実施権の設定の場合は専用実施権のみなし設定が条件），**相当の利益**を受ける権利を有する（35条4項）。

このような特別な権利を発明をした従業者等に付与する趣旨としては，特許法が発明へのインセンティブを付与するべく，発明をした従業者等にのみ相当利益請求権を組み込んだ制度としたものと考えられる。もっとも，発明が実際に製品等として世に出るには，発明者だけでなく多くの者が関与する必要があることから，発明をした従業者等だけが特別な権利を有することについては，不公平であるとの指摘もある。

なお，従業者等の発明について，使用者等が特許を受ける権利を取得しつつ，特許を受けずに秘密としてノウハウのまま管理しているような場合等であっても，この規定の適用を受けると考えられる（東京地判昭和58・12・23無体集15巻3号844頁〔ステンレス金張製造法等〕参照）。結果として特許を受けることができなかった発明であっても，同様である（知財高判平成27・7・30平26(ネ)10126〔野村證券〕〈判コレ25〉）。

（ii）　適用関係　　なお，職務発明については法改正が続いたことから（⇒ Column Ⅱ3-1 「**職務発明，特に相当の利益の請求を巡る改正の流れ**」），現在生じうる事件として，平成16年改正前の法律が適用される事件と，平成16年改正後の法律が適用される事件，更に平成27年改正後の法律が適用される事件があるため，法律の適用関係に注意が必要である。

> **Column Ⅱ3-1**　**職務発明，特に相当の利益の請求を巡る改正の流れ**
>
> 　職務発明，特に相当の利益の請求を学ぶにあたっては，2度の法改正や裁判例の動きを理解しておく必要がある。
> 　平成16年改正前は，現在の35条5項に関連する手続的規律に係る規定がなく，専ら裁判所による（現在の7項に概ね相当する条文に基づく）相当の対価算定が行われていた。もっとも，終身雇用制度の下，企業をはじめとする使用者等に対して従業者等が訴訟を提起することは考えにくく，実際上は使用者等の定めた対価の支払で解決されていたようである。

第2編　第3章　権利の主体

　しかし最判平成 15・4・22 民集 57 巻 4 号 477 頁〔オリンパス〕〈判コレ 23〉
の登場により，使用者等が事前に相当の対価として定めた金額であっても，裁
判所によって相当の対価として不足であると判断された場合には，従業者等は
その不足する額に相当する対価の支払を請求できるとの運用が定着した。加え
て，当時の雇用情勢等もあり，職務発明対価請求訴訟が頻発するようになり，
中には数百億円の対価を認める裁判例も登場した（東京地判平成 16・1・30 判
時 1852 号 36 頁〔青色発光ダイオード第 1 審終局判決〕）。そのため，特に使用者
等は，必ずしも十分な情報や基準のない中で対価を算定し，それが不足である
場合には裁判において追加の支払を求められることとなり，大きなリスクを抱
える事態となった。

　このような事態に対応すべく，平成 16 年改正では，旧 35 条 4 項（現在の 35
条 5 項）が導入された。すなわち，裁判所による対価算定の前に，当事者間の
対価決定の手続に注目し，それにより対価を定めることが合理的である限り，
その支払によって相当の対価の支払とすることとし，これによって，双方の予
測可能性・納得感を担保しつつ，対価の相当性を確保しようとしたものである。
但し，合理性を欠く場合等については，従前通り裁判所による対価の算定が行
われる。これらの点は現行法にも引き継がれている。

　更に平成 27 年改正においては，経済界から相当対価請求権の全廃に向けた
意見も出されたところであったが，最終的に，特許を受ける権利の原始帰属を
認めるとともに，相当の対価を相当の利益と改め，従業者等に与えられる利益
に柔軟性を持たせ（35 条 4 項），また予測可能性を高めるべく，経済産業大臣
による不合理性に係るガイドラインの公表を規定した（同条 6 項）。

　もっとも，従業者等の立場の切り下げではないとする立法趣旨にも鑑みると，
平成 27 年改正前の相当の対価に関する議論は，現在でも参考にできるであろ
う。

　(b)　**相当の利益**　　相当の利益については，平成 27 年改正前までは相当の
対価と規定され，その対価は金銭のみが該当するとされていた。しかし，留学
の機会の提供やストックオプションの付与等，金銭に限らない様々な経済的利
益の供与を選択肢として認めるべく，法改正によって相当の利益に改められた
ものである。もっとも，経済的利益である必要があり，例えば単なる表彰等は，
これに含まれないことになる。

　(c)　**不合理性の考慮要素**　　使用者等が勤務規則等により定めた相当の利益
を付与する場合，それが不合理なものであってはならない（不合理である場合に
は，後述の 35 条 7 項による請求を受けることになる）。その考慮要素として，5 項

では「相当の利益の内容を決定するための基準の策定に際して使用者等と従業者等との間で行われる協議の状況」,「策定された当該基準の開示の状況」,「相当の利益の内容の決定について行われる従業者等からの意見の聴取の状況」の3つが明示的に挙げられており,手続重視の姿勢が表れている。これらは要件ではなく要素であり,総合的な考慮が求められていると考えられる。

一方で,例えば支払われた金銭の多寡等,実体的事情については,明示されていないものの,一切影響がないとするのも妥当ではなく,手続的要素において不十分である場合等に,補完的に不合理性の考慮に加えることが考えられる。文言上も,「……の状況等」に含めることが可能であろう。また,職務発明の対象となった発明が実施されていないことや,特許を受けられないことが確定していることを,その他の要素として考慮の対象とした裁判例がある(前掲知財高判平成27・7・30〔野村證券〕)。

(d) **不合理性判断に係る指針**　平成27年改正に際して,不合理性判断に係る予見可能性を高めるべく,5項において考慮すべき状況等に関する事項(不合理性判断の考慮事項)について,経済産業大臣が,産業構造審議会の意見を踏まえて指針(ガイドライン)を公表することとした(6項。経済産業省告示第131号を参照)。あくまで行政庁によるガイドラインに過ぎず,裁判所を拘束するものではないが,規定の趣旨に鑑み,裁判所によって当該ガイドラインが尊重され,予見可能性が高まることが期待される。

(e) **裁判所による相当の利益の認定**　相当の利益についての定めがない場合又はその定めたところにより相当の利益を与えることが上記の基準に照らして不合理であると認められる場合,相当の利益は裁判所によって判断されることになる(7項)。

その際に考慮すべき事情として,特許法は「その発明により使用者等が受けるべき利益の額,その発明に関連して使用者等が行う負担,貢献及び従業者等の処遇その他の事情を考慮して」相当の利益を定めることを規定する。

ここでいう使用者等の受けるべき利益は,1項により法定実施権を有している状態から,特許を受ける権利等を取得等したことにより追加的に得られた利益が基準となる。したがって,例えば自己実施の利益全額が算定の基礎になるものではなく,上記の超過利益が検討の基礎となると考えられる。また,承継

等した特許が無効理由を有する場合についても議論がある（知財高判平成21・6・25判時2084号50頁〔ブラザー工業〕〈判コレ24〉参照）。一方，その発明に関連して使用者等が行う負担，貢献及び従業者等の処遇その他の事情については，使用者等の負うリスクや，発明後の製品化・販売等への貢献にも目配りする必要がある。

なお，先述のように，相当の利益の内容が金銭に限られないことから，それ以外の経済的利益に係る請求も，文言上は本条項の請求に該当しうる。

(f) **外国における特許を受ける権利の取扱い**　ちなみに，外国の特許を受ける権利を使用者等に取得等させた場合，従業者等はその分の相当の利益を請求することができるか，問題となりうる。最高裁は平成16年改正前の事例に関して，外国での特許を受ける権利についてはパリ条約の下で各々別個のものであるとしつつ，旧35条3項・4項（現5項）を類推適用することで，その譲渡に係る相当の対価の請求を認めている（最判平成18・10・17民集60巻8号2853頁〔日立製作所〕〈判コレ26〉）。これは現行法においても妥当しよう。

(g) **消滅時効**　相当の利益に係る請求権も法定の債権であり，消滅時効にかかる。

消滅時効の起算点については，原則として権利承継時（原始取得の場合は，権利発生時）からということになろう。一方，前掲最判平成15・4・22〔オリンパス〕は，「勤務規則等に対価の支払時期が定められているときは，勤務規則等の定めによる支払時期が到来するまでの間は，相当の対価の支払を受ける権利の行使につき法律上の障害があるものとして，その支払を求めることができない」とした上で，「勤務規則等に，使用者等が従業者等に対して支払うべき対価の支払時期に関する条項がある場合には，その支払時期が相当の対価の支払を受ける権利の消滅時効の起算点となる」と述べている。この判示は現行法下でも同様に及ぶものと解され，勤務規則等に相当の利益の付与時期に関する条項がある場合には，その時期が消滅時効の起算点となる。

時効期間については，平成29年改正後の民法166条1項2号が，権利を行使することができる時から10年間と定めているが，債権者が権利を行使することができることを知った場合には，同項1号により，その時から5年間とされている。

第 *4* 章
出願手続・審査・査定

第1節　総　　説
第2節　出願手続
第3節　審　　査
第4節　補　　正
第5節　特殊な出願

第1節　総　　説

　発明をしただけでは特許を受けることはできない。特許を受けようとする者は，その発明について**特許出願**をしなければならない。特許出願は，特許庁長官に対して願書を提出して行うが，願書には明細書や特許請求の範囲等を添付する必要がある。特許出願に係る事項は，原則として特許公報に掲載され，公開される（**出願公開**）。

　特許出願がされると，特許庁において，出願書類の形式的なチェックである方式審査が行われる。その上で，審査請求があった場合には，特許要件等に関する実体**審査**が行われる。ここで，拒絶理由が発見された場合には，審査官は出願人に対して**拒絶理由通知**を行い，出願人に意見書提出や補正の機会を与え，拒絶理由が解消されない場合は**拒絶査定**がされる。一方で，拒絶理由が発見されない場合には，**特許査定**がされる。

　ここで，各特許要件の審査の基準時等として，出願日（時）が重要な意味を有する。また，補正のできる範囲を画する基準になることなどから，出願当初の明細書等の内容も十分に吟味する必要がある。

以上のような原則的な出願のほか，分割出願等，特殊な出願の方法が定められている。

【図】特許出願から特許取得までの流れ

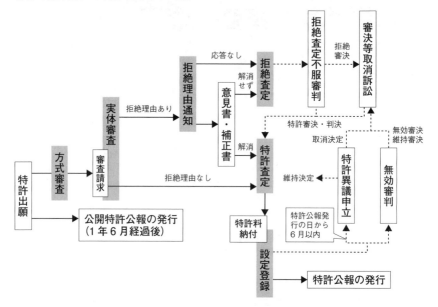

（特許庁・2022年度知的財産権制度説明会（初心者向け）
テキスト『知的財産権制度入門』31頁の図をもとに作成）

第2節　出願手続

1 出願書類

　特許出願に係る**願書**には，①特許出願人の氏名等と，②発明者の氏名等を記載する（36条1項）。また願書には，明細書，特許請求の範囲，必要な図面及び要約書を添付する（同条2項）。明細書と特許請求の範囲については既に触れた（⇒第1章第2節**2**）。

　図面は必要に応じて添付される補助的なものであり，発明の理解に資するも

のである。

　要約書は特許出願の調査に役立てるためのもので，明細書や特許請求の範囲等に記載した発明の概要その他経済産業省令で定める事項を記載しなければならない（36条7項）。但し，特許発明の技術的範囲を定める際には考慮してはならない（70条3項）。

　なお，明細書等に代えて，外国語（特許法施行規則25条の4により，英語その他の外国語）で記載した書面（外国語書面等）を願書に添付することができ，この場合後に提出されたその翻訳文が，明細書等とみなされる（外国語書面出願，特許36条の2）。

　ところで，特許法条約（PLT）加入に対応して，平成27年改正により，特許出願の日の認定に係る要件が明確化された（38条の2）。原則として特許出願に係る願書を提出した日を特許出願の日として認定することとされ，またその願書についてみたされるべき最低限の要件が規定されている（同条1項各号）。

2 出願公開

(1) 出願公開

　特許出願は，原則として出願から1年6月が経過すると，審査の段階や最終的な結果にかかわらず，出願人の氏名等や出願日をはじめ，明細書や特許請求の範囲等が，特許公報（公開特許公報）により公開される（64条1項。**出願公開**と呼ぶ）。審査の長期化等により，出願された発明の内容の公開が遅れると，第三者にとってどのような発明が出願されているか明らかにならないため，同様の技術に重複して研究開発投資がなされてしまう危険があり，また突然の特許権の発生が第三者の企業活動を不安定にする危険もある。そのため，出願された発明は原則として公開することとしたのである（但し，明細書等の公開が公序良俗を害するおそれがある場合には明細書等の公開がされない点につき，同条2項但書も参照）。

　なお，特許権の設定登録によって特許公報に掲載されたものについては，既に特許公報で公開されているため，出願公開の対象ではない（64条1項）。また，出願から1年6月経過前に，出願の取下げがあったり，拒絶査定が確定したりする等，出願公開の時点で既に出願が特許庁に係属していない場合にも，出願

公開の対象とならない。

　また，出願人は一部の場合を除いて早期の出願公開を請求することができる（64条の2第1項）。これにより，後述の補償金請求権を早期に発生させることができる。

(2)　補償金請求権

　以上のように，出願公開によって，発明の内容が特許権の設定登録前に公開されるため，第三者はその公開情報から当該発明の実施が可能となる。しかし，出願人はまだ特許権を取得していないため，実施をする第三者に対して差止請求等を行うことができない。そこで，審査期間が長引くことによる不利益を補い，発明を公開した者への代償を与えるために，特別な権利として，**補償金請求権**が認められている（65条1項）。

　補償金請求をするためには，まず，業として発明を実施している者に対して，発明の内容を記載した書面を提示して警告を行う必要がある（65条1項）。これは，第三者に対する不意打ちの防止を趣旨とするものである（出願公開公報を第三者において確認する義務を負わせるのは適切ではない）。但し，出願公開がされた特許出願に係る発明であることについて悪意の者に対しては，警告は不要である（同項後段）。補正をした場合の再警告の要否については，最判昭和63・7・19民集42巻6号489頁〔アースベルト〕〈判コレ27〉を参照。

　また，設定登録により特許権が成立してはじめて補償金請求権の行使が可能となる（65条2項）。出願公開後に特許出願が放棄・拒絶された場合や，特許権の設定登録を受けても，その後無効審決が確定した場合等には，補償金請求権も遡及的に消滅する（同条5項）。

　補償金として請求することができるのは，警告後，特許権設定登録までの，「その発明が特許発明である場合にその実施に対し受けるべき金銭の額に相当する額」，すなわち，実施料相当額である（65条1項。⇒第7章第3節 **2**(3)(d)参照）。なお，補償金の支払は，設定登録後の特許権侵害を免れさせるものではなく，特許権者はそれについて差止め・損害賠償請求をすることも可能である（同条4項）。

　補償金請求権の行使に際しては，みなし侵害等の規定が準用される（65条6

項）。同項では無効の抗弁（104条の3）も準用されている。関連して，明文の準用規定はないものの，先使用権（79条）に基づく抗弁等も認められるべきであろう。また，仮専用実施権者や仮通常実施権者は，その設定行為で定めた範囲内の実施であれば，補償金請求権の行使を受けない（65条3項）。なお，出願人等が特許権設定登録前に流通に置いたものについては，自ら流通に置いたものである以上は，第三者が使用等する行為について，消尽や黙示の許諾により（⇒第6章第4節**1**）補償金請求権の行使の対象とはならず，また設定登録後においても，特許権侵害とならないと解される。

補償金請求権の消滅時効については，民法724条が準用される（65条6項）。但し，権利者が特許権設定登録前に実施事実等を知った場合，設定登録まで権利行使できないのに時効期間が経過することは適切ではないので，特許権の設定登録を受けた日から起算するよう読み替えている。

第3節　審　査

1 方式審査

特許出願がなされると，まず**方式審査**が行われる。方式審査では，出願書類が形式上の要件をみたしているかが審査される。

不備がある場合（例えば，出願料の納付漏れ等）には，特許庁長官により，相当の期間を指定して手続補正が命じられる（17条3項）。それにもかかわらず補正がなされない場合には，手続（出願）が却下されることとなる（18条）。補正がなされれば，後述の通りその効果は遡及し，当初から適法な手続であったと扱われる。

また，そもそも補正することのできない不備がある場合（例えば，明細書が添付されていない場合等）には，そのまま手続（出願）を却下する（18条の2第1項）。

これらの却下処分に不服のある者は，一般的な行政処分に対するのと同様，行政不服審査法に基づく審査請求を行うか，直接取消訴訟を提起することができる（行訴8条1項）。

2 審査請求

特許法においては，出願された全ての発明について実体審査が行われるわけではない。**審査請求**がなされるのを待ってから実体審査が開始される（48条の2）。例えば，他者の権利取得を防ぐために出願した場合（出願公開を待って，拡大先願による後願排斥効を得る場合）や，出願はしたものの後日事情が変わった場合等，出願人が特許の取得を望まない場合もある。このような出願について審査の対象とせず，真に特許を求める発明に審査のリソースを集中させることがこの制度の趣旨である。

審査請求は出願の日から3年以内に行われる必要がある（48条の3第1項）。期間内に審査請求がされない場合には，特許出願が取り下げられたものとみなされる（同条4項）。但し，一定の場合に，請求期間を過ぎても救済の余地がある（同条5項・6項）。この場合，みなし取下げを信じた第三者については，一定の範囲で法定実施権を認めることで保護を図っている（同条8項）。

また，審査請求は何人もすることができる（48条の3第1項）。これは，出願人以外にも，補償金請求権に係る警告を受けた相手方等，出願された発明に特許権が設定登録されるか否かについて関心を有する者がありうるからである（このような場合，特許庁長官の裁量により，優先審査の対象となることもある。48条の6）。

なお，審査請求は取り下げることができない（48条の3第3項）。

3 実体審査

審査請求のあった特許出願については，**実体審査**がなされる。特許出願は特許庁長官に対してなされるが（36条1項），その審査は審査官が行う（47条1項）。審査は書面審査が中心である。審査は基本的には審査官により行われるが，特許性に疑問をもつ第三者は情報提供を行うことができる（情報提供制度。特許法施行規則13条の2）。

審査官は，当該出願について請求項ごとに拒絶理由の有無を審査し，拒絶理由を発見した場合には**拒絶査定**をする（49条柱書。なお，一部の請求項のみに拒絶理由が発見された場合でも，出願全体を拒絶する）。

拒絶理由は以下の通りである（49条各号。無効理由との差異について⇒第5章第2節**4**(2)参照）。①補正要件違反（1号），②特許要件違反（2号），③条約違反（3号），④記載要件違反（4号），⑤文献公知発明に係る情報の記載要件違反（5号。48条の7も参照），⑥外国語書面出願に係る手続違反（6号），⑦冒認出願（7号）。

　拒絶査定をしようとする場合，審査官は出願人に対して拒絶理由を通知する（50条）。**拒絶理由通知**には，**意見書**提出のための相当な期間が指定されている。出願人はこれに対して，意見書や手続補正書を提出する等の対応をとる。出願人の対応がない，あるいは対応があってもやはり拒絶理由が解消されていないと判断する場合には，審査官は拒絶査定をする（49条）。拒絶査定がなされた後，これに不服のある出願人は，拒絶査定の謄本の送達があった日から3月以内に，拒絶査定不服審判を請求することができる（121条1項）。この期間内に拒絶査定不服審判の請求がなければ，拒絶査定が確定する。

　なお，出願人はその特許出願を取り下げたり，放棄したりすることもできる。

◖Column Ⅱ 4-1◗ 実用新案と無審査主義

　上記のように，特許出願は審査官による実体審査を受ける。これにより，特許要件を具備したことが確認された，安定的な権利を取得することができる。

　一方，実用新案法においては，実用新案登録出願について実体審査を行わず（無審査主義），方式をみたしていれば，原則としてその考案（新案2条1項。特許法の発明と比較して，高度性を欠く（⇒第2章第2節**1**））について実用新案登録を受けることができる。これは，発明と比較して簡易であり，また陳腐化も早い考案については，実体審査を省き，迅速な保護を与えることが望ましいと考えられたためである。

　もっとも，無審査主義を採用した結果，特許庁における事前の判断を経ていないため，実用新案権に係る考案が新規性等の実体要件をみたしているか，当事者が判断することは困難となりやすい。その判断の参考のため，何人も，特許庁長官に対して，実用新案技術評価を請求することができる（新案12条1項）。この請求に対応して，審査官は実体要件についてその考案を評価し，実用新案技術評価書を作成する（同条4項）。その上で，権利者は，侵害者に対して，この実用新案技術評価書を提示して警告をした後でなければ，実用新案権を行使することができないとされている（新案29条の2）。瑕疵ある権利の濫用を防止し，第三者に不測の不利益を与えないようにするためである。

第2編　第4章　出願手続・審査・査定

4 特許査定・登録

審査官は，特許法49条に列挙された拒絶理由を発見しない場合には，**特許査定**をしなければならない（51条）。なお，審査にかけられる時間や調査能力には限界があり，当該発明が後に特許要件をみたさないことが明らかになる場合もある。そのような場合には，特許異議の申立て（⇒第5章第3節）や無効審判（⇒第5章第2節**4**）によって，事後的に特許権が消滅させられることになる。事前に全ての特許出願について徹底した審査を行うよりも，事後的な判断枠組みも活用することで，効率的な制度運用がなされている。

特許査定を受けた上で，特許料を納付し，特許権の**設定登録**を受ければ，特許権が発生する（66条1項・2項）。なおその後の維持についても特許料が必要であり，その金額は徐々に上昇していく（107条1項，特許令8条の2）。これは時間の経過とともに，不要な特許権の消滅を促す趣旨である。

特許権設定登録後，特許権に係る事項が**特許公報**に掲載される（66条3項）。

第4節　補　　正

1 総　　説

特許出願をはじめ，様々な手続において，不備のあることも考えられる。**補正**は，そのような不備を修正するものである。補正は手続をした者によって自発的に行われるほか（17条1項），特許庁長官による命令に対する応答として行われることもある（17条3項）。補正の効果については，明文の規定はないものの，遡及効を有するものとされている。補正は原則として手続補正書によって行われる（17条4項）。

特許法における補正で特に重要なものは，特許出願に係る明細書や特許請求の範囲又は図面に関する補正である（17条の2）。例えば，審査において公知技術が発見された場合等に，特許請求の範囲を減縮する補正を行うことで，拒絶理由を回避するといった使われ方が考えられる。

もっとも，これら明細書等の補正を無制限に認めてしまうと，補正には遡及

効が認められることから，先願主義に反しかねず，後から出願した者や，出願
公開された明細書等を信頼した第三者の利益を損なうことになってしまう。ま
た，無制限の補正を認めると，時期によっては，今までなされた審査をやり直
さなければならなくなることもあり，審査の負担も増大してしまうであろう。
このような観点から，明細書等の補正については一定の制限が課されている。

2 明細書，特許請求の範囲，図面の補正に係る制限

　上述した明細書等の補正の制限については，時期的なものと内容的なものの
2種類が存在する。

(1) 時期的制限

　原則として，補正は事件が特許庁に係属している間に限られるが（17条1項），
明細書等の補正に関しては，特許査定に係る謄本が送達される前までである
（17条の2第1項）。但し，拒絶理由通知を受けた場合は，原則としてその通知
に指定された期間内に補正を行う必要がある（17条の2第1項但書・1号～3号）。
なお，拒絶査定不服審判を請求する際に，同時に補正を行うことができる（4
号）。

(2) 内容的制限

　内容的制限については，審査が進むにつれて，より厳格になっていく。

　(a) **新規事項追加の禁止**　　明細書，特許請求の範囲又は図面についての補
正は，願書に最初に添付した明細書等に記載した事項の範囲内で行わなければ
ならない（**新規事項追加の禁止**。17条の2第3項）。出願当初から十分な発明の開
示を求めることで，迅速な審理の担保，及び他の出願との公平を図るとともに，
当初の明細書等に記載された内容を信頼した第三者に不利益を与えないように
するための制限である。ここでいう当初の明細書等に記載した事項とは，当業
者によって，明細書等の全ての記載を総合することにより導かれる技術的事項
であり，新規事項追加にならない場合とは，補正が，このようにして導かれる
技術的事項との関係において，新たな技術的事項を導入しないものであること
が必要であるとされている（知財高判平成20・5・30判時2009号47頁〔ソルダー

レジスト大合議〕〈判コレ 28・30〉)。

　なお前掲〔ソルダーレジスト大合議〕では，いわゆる「除くクレーム」への訂正が認められている。「除くクレーム」とは，請求項に記載した事項の記載表現を残したままで，請求項に係る発明に包含される一部の事項のみをその請求項に記載した事項から除外することを明示した請求項のことである（例えば，「哺乳動物（ヒトを除く）」といった記述である）。現在の審査基準においても，特定の引用発明による新規性欠如等を回避するための「除くクレーム」への補正が認められている（具体例も含め，特許・実用新案審査基準第Ⅳ部第 2 章 3.3.1(4)参照）。

　明細書等に開示されている事項であれば，特許請求の範囲を拡大するような補正も認められる。逆に，明細書等に開示されていない構成要件を付加するような補正は，特許請求の範囲を減縮するものであっても許されない。

　この補正の制限は，時期にかかわらず適用される。

　(b)　**シフト補正の禁止**　　拒絶理由通知後の補正にあっては，特許請求の範囲に関して，補正の前後の発明が，単一性の要件をみたす一群の発明に該当する必要がある（シフト補正の禁止。17 条の 2 第 4 項）。これは審査の効率性を担保するためのものである。単一性については既に述べた（⇒第 2 章第 6 節**4**）。

　(c)　**目的限定**　　最後の拒絶理由通知（拒絶理由通知に対する出願人の補正によって必要になった拒絶理由のみを通知する拒絶理由通知を指す）を受けた後や，拒絶査定不服審判を請求する際の，特許請求の範囲に係る補正については，既になされた審査の結果を最大限活用するために，①請求項の削除，②特許請求の範囲の減縮，③誤記の訂正，④明瞭でない記載の釈明の，4 つの目的でなされるものに限定される（17 条の 2 第 5 項）。例えば，特許請求の範囲の拡大は，新たな審査負担が生じてしまうため，認められないことになる。

　加えて，②の目的での補正に際しては，その補正後の特許請求の範囲に記載された発明が，独立して特許を受けることができるものでなければならないとされている（17 条の 2 第 6 項・126 条 7 項）。これを独立特許要件と呼ぶ。これにより，補正後の発明について特許要件をみたす適切なものになっているかを審査することとなる。

(3) 要件違反の補正の却下

新規事項追加の禁止に係る違反は拒絶理由と無効理由となり（49条1号・123条1項1号），シフト補正の禁止に係る違反については拒絶理由となる（49条1号）。シフト補正の禁止に係る違反が無効理由として規定されていないのは，シフト補正の禁止に関しては，審査の便宜のための要件に過ぎないため，登録後に無効理由として問題視する必要がないと考えられるからである。但し，原則として最後の拒絶理由通知に対する補正に上記の違反があった場合には，その補正は決定により却下される（50条但書・53条1項）。目的限定や独立特許要件をみたさない補正（これらは拒絶理由ではない）についても同様である。この場合を拒絶理由とし，ここで再度拒絶理由通知を行うとすると，それに対する補正が可能となり，手続が遅延してしまうためである。補正が却下された場合，補正が行われなかったものとして，補正前の発明について査定が下されることとなる。拒絶査定不服審判の請求と同時に行う補正についても，却下決定の対象となる（159条1項・53条）。

なお，意匠法等と異なり，補正却下決定を直接争う手段はない（53条3項）。代わりに，拒絶査定不服審判において，不服を申し立てることが可能である（53条3項但書）。これは，補正の可否と拒絶理由の有無は連動することが多いため，まとめて審理されるべきとの考慮によるものである。

第5節　特殊な出願

1 出願の分割

出願分割とは，二以上の発明を包含する特許出願の一部を一又は二以上の新たな特許出願とすることを指す（44条1項）。出願分割によって新たになされた出願を分割出願と呼ぶ。分割出願は，原則として原出願の出願時に遡って出願されたものとみなされる（44条2項。但し要件をみたさないものは，分割出願時に出願されたものと扱われる）。

分割出願を利用するメリットとしては，単一性要件違反に対応するほか，任意の分割によって，審査を円滑に通過することが可能となる。例えば，一部の

請求項に係る発明について拒絶理由通知があった場合に，瑕疵のない請求項を残し，瑕疵のあるとされた請求項に係る発明を分割して出願することで，瑕疵のない請求項について先行して権利化を図りつつ，瑕疵のあるとされた請求項について時間をかけて争うことができる。更に，実務上は補正等に備えて，特許出願の事実上のスペアを作成する方法としても機能している。

分割の時期的要件として，分割出願ができるのは明細書等の補正ができる期間等に限られる（44条1項各号）。

分割の内容的要件として，分割出願の明細書等において記載される事項が，分割時の原出願の明細書等に記載され，かつ原出願の当初明細書等にも記載された事項である必要があると解されている（44条1項柱書参照）。これは，補正における新規事項追加の禁止と同じ趣旨のものである（知財高判平成19・5・30判時1986号124頁〔インクジェット記録装置用インクタンク〕参照）。また，分割出願の対象となる発明は，原出願の特許請求の範囲に記載されたものに限らず，明細書等に記載され，開示されていたものであっても構わないと解されている（最判昭和55・12・18民集34巻7号917頁〔半サイズ映画フィルム録音装置〕）。そのため，原出願の明細書において記載していたが，特許請求の範囲に記載していなかった発明について，後になって権利化を望む場合にも，当該発明を特許請求の範囲とした分割出願を行うことで対応できる。なお，原出願全部を分割出願することはできない。

2 出願の変更

実用新案登録出願，又は意匠登録出願は，特許出願に変更することができる（46条1項・2項。なお，これらは各法の規定により相互に出願変更が可能である）。**出願変更**が適法に行われた場合，特許出願の出願時は，実用新案登録出願等の出願時に遡及する（46条6項・44条2項）。出願後に出願の形式を変更したい出願人のニーズに対応するための制度である。出願時の遡及を認める関係で，原則として分割出願と同様の内容的要件が課せられる。

なお厳密には出願の変更ではないが，類似の制度として，（実用新案権が発生した後に）実用新案登録を元にした特許出願を認める特殊な制度も用意されている（46条の2第1項）。

第5節　特殊な出願

3 国内優先権制度

　特許出願（実用新案登録出願でもよい）をした後に，その発明に関して改良発明が行われた場合等に，先の特許出願に発明を追加して1つの包括的な特許出願にまとめて保護を受けようとするニーズがある。しかし既に触れたように，新規事項追加の禁止の制限等があるため，明細書等の補正ではそのニーズに応えられない。そこで，国内出願についても後述のパリ条約のような優先権主張を認める制度が，**国内優先権**制度である（41条）。原則として，先の出願の日から1年以内に特許出願をし（同条1項1号），国内優先権を主張することで，後の特許出願において先の特許出願の当初明細書等に記載された発明と重複するものについては，優先権の効果により，先の特許出願時を基準に特許要件等が判断される（同条2項。東京高判平成15・10・8平14(行ケ)539〔人工乳首〕も参照）。これにより，先に出願した発明についての出願時を維持しつつ，後の特許出願において先の特許出願の明細書等に実施例を追加したり，発明の単一性の範囲内で発明を追加したりすることが可能となる。

　もちろん，後の特許出願で追加された発明が先の特許出願の明細書等に記載されていなければ，優先権の効果は得られず，当該部分については，優先権主張をした後の特許出願の出願時を基準に，特許要件等に係る判断を受ける。そうでないと，新規事項追加の禁止の制限に係る趣旨を潜脱するものとなってしまうからである。この場合，1つの出願の中で，特許要件等に係る判断の基準時が異なる発明が含まれることになる。

　なお，先の特許出願（優先権の主張の基礎とされた出願）は原則として一定期間経過後みなし取下げとなる（42条1項）。

4 パリ条約による優先権制度

　特許出願は，特許権を必要とする各国において，個別に行うことが原則である。しかし，ある国で出願した後，別の国で出願しようとすると，国ごとに書類の翻訳等の出願準備を行う関係で時間がかかってしまい，出願公開等によって後に特許出願を行おうとする国で特許権を取得できなくなってしまうおそれがある。また，上記のような場合を恐れて，特許権を欲する全ての国での出願

準備を行っていると，出願が大幅に遅れてしまう。

このような不都合に対処するため，パリ条約では優先権（**パリ条約による優先権**）に係る制度が設けられている（パリ条約4条A）。これは，加盟国における出願（第二国出願）に際して，他の同盟国でなされた最初の出願（第一国出願）に係る優先権を主張することで，第一国出願から第二国出願までに生じた他の出願や発明の公表等（例えば，発明の新規性喪失等）について，第二国において不利に取り扱われない（先の例では，新規性判断の基準時を，第二国出願の時ではなく，第一国出願の時とする等）ことを要求できる制度である（パリ条約4条B）。これにより，出願人は第一国出願の後，優先権を主張できる所定の期間（優先期間と呼ぶ。特許の場合同盟国における最初の出願から12箇月。パリ条約4条C(1)）内に，第二国出願の準備を行うことができる。

もっとも，優先権の主張が認められるには，その趣旨から，第二国出願に係る「発明の構成部分で当該優先権の主張に係るもの」が，第一国出願に係る「出願書類の全体により……明らかにされている」ことが必要である（パリ条約4条H但書）。すなわち，第一国出願の範囲内で第二国出願について優先権の主張が認められる。

なお，第一国出願は実用新案登録出願であっても構わない（パリ条約4条E(2)）。

優先権主張に係る手続については，43条参照（優先期間経過後における例外については，パリ条約の例による優先権主張として，43条の2参照）。

なお，パリ条約の例による優先権主張（例えば，WTO加盟国の国民による，WTO加盟国への出願を基礎とした優先権主張）については，43条の3参照。

第5章
審判・異議申立て・審決等取消訴訟

第1節　総　　説
第2節　審　　判
第3節　特許異議の申立て
第4節　審決等取消訴訟

第1節　総　　説

　特許出願について審査官による審査を受け，その結果拒絶査定を受けた場合，その判断に不満をもつ出願人には，不服を申し立てる機会を与える必要がある。このような場合に対応して，特許法は**拒絶査定不服審判**を用意している。

　また，審査に投入できるリソースには限界があり，特許権設定登録後に，特許要件等をみたさないことが判明する場合もある。このような特許権を放置すると，不当に特許権者を利し，他方で第三者の自由を不当に制限することとなり，特許法の目的に反するため，これを消滅させる手続が必要である。一方特許権者に対しては，特許権を維持するための訂正を行う機会を与えることも必要である。このような場合に対応して，特許法は**特許異議の申立て**，**無効審判**，更に**訂正審判**を用意している。

　このほか，存続期間の延長登録（⇒第6章第5節**3**）の出願（67条2項）に係る拒絶査定不服審判や，延長登録の是非を争う延長登録無効審判（125条の2）等もある。

　そして，行政機関は，終審として裁判を行うことはできない（憲76条2項）。上記手続に係る審決等について不服がある当事者は，更に裁判所の判断を受け

るため，取消訴訟（**審決等取消訴訟**）を提起することができる。特許法には，これを前提とした特別な規定が用意されている（178条以下）。留意すべき点として，審判を請求することができる事項に関しては，審判を経ずに直接取消訴訟を提起するということはできない（審判前置主義。178条6項）。特許法は，高度の技術的知見を有する機関である特許庁の審理を先行させ，その審決を経た上で，取消訴訟の提起を認めることとしている。

　なお，特許異議の申立てに係る取消決定や各種審判に係る審決について，代理権欠如等の再審事由があった場合（171条2項・民訴338条1項各号）には，審判のやり直しである再審の請求が可能である（171条1項）。

　また，特許発明の技術的範囲について特許庁の判断を求めるための，判定（71条1項）という制度も存在する。判定の手続については，審判の規定が準用されている（同条3項）。判定には法的拘束力はないとされているため，これに対する不服申立ての手段はない（最判昭和43・4・18民集22巻4号936頁〔中島造機〕）。

　以下では，まず審判について説明した上で，特許異議の申立て，審決等取消訴訟の順序で説明する。

第2節　審　　判

1　総　　説

　特許法は，審査官の判断のレビューや，特許権の内容の訂正のため，審判官による審判手続を用意している。特許法の審判手続には，主に拒絶査定不服審判，訂正審判，無効審判があり，以下ではまず審判全体を概観し，次に各審判について個別に説明する。

　審判は大きく，**査定系審判**と**当事者系審判**に分けることができる。これは，後述の当事者対立構造を採用した手続か否かの区別を指すものである。上記の内，相手方当事者のいない拒絶査定不服審判と訂正審判は査定系に分類され，相手方当事者のいる無効審判（無効審判は，審判請求人と特許権者が当事者として対立する）は当事者系に分類される。

第2節　審　判

　審判に際しては，審判官は3名又は5名の合議体を作り，審理にあたる（136条1項）。審判は，当事者の氏名や請求の趣旨，理由等を記載した審判請求書の提出（131条1項）により開始され，取下げ（155条1項）等がない限り，基本的に審決によって終了する（157条1項）。審判の審理は，独立の地位をもつ特許庁の審判官の合議体（**審判体**）が，行政庁として行うものであり，準司法的な手続に則り公正な判断ができるよう，規定が整備されている。

　なお，注意点として，公衆の利害にかかわる行政手続である審判では，当事者の意思によらない職権による審理等が認められている（150条1項・152条）。民事訴訟とは異なり，当事者等の申し立てていない理由についても，職権で審理することができる（153条1項）。この場合は当事者等に意見を申し立てる機会を与える必要がある（同条2項）。但し，請求人の申し立てていない請求の趣旨については，審理することができない（同条3項）。

2 拒絶査定不服審判

(1) 意　義
　拒絶査定不服審判（121条）は，出願人が拒絶査定を受けた場合に，その査定を不服として請求する手続である。

(2) 手　続
　拒絶査定不服審判は，拒絶査定を受けた出願人のみが請求することができる（121条1項）。特許を受ける権利が共有に係る場合，結果の合一確定の必要から，その共有者全員で審判請求を行う必要がある（132条3項）。

　拒絶査定不服審判の請求は，原則として，拒絶査定の謄本送達から3月以内にしなければならない（121条1項・2項）。

　出願人は，審判請求と同時に明細書等の補正をすることができるが（17条の2第1項4号），その範囲は限定的なものとなる（同条4項・5項・6項参照）。なお補正があった場合には，審査官の審査が前置される（前置審査。162条）。これはその出願に係る発明について情報を有する審査官に，新たな補正の結果を踏まえた審査をさせることで，手続の効率化を図るためである。この審査の結果拒絶理由が解消されたと判断されれば，審査官は拒絶査定を取り消し，特許

査定を行う（164条1項・163条3項・51条）。

　拒絶査定不服審判は出願審査の続審として行われるものであり（158条参照），書面審理を原則として（145条2項），改めて拒絶理由の有無が判断される。そのため，原査定と同様の拒絶理由以外にも，それと異なる拒絶理由を審理することも可能である。但し，その理由によって拒絶審決を維持する場合には，出願人に補正等の機会を与えるため（17条の2第1項1号括弧書），審査段階と同様の拒絶理由通知を行う必要がある（159条2項・50条。その要否につき，知財高判平成24・10・17判時2174号94頁〔建設機械〕〈判コレ29〉参照）。なお，審判段階での補正に係る却下決定（159条1項・53条）については，直接争う手段はなく，審決取消訴訟で争われることとなる。

(3) 審　　決

　審判請求が不適法である場合には，却下審決となる。審判請求が適法であるが，審判請求に理由がない場合には，請求を棄却する審決（拒絶査定不服審判請求不成立審決（拒絶審決））をする。出願人は，これらに対して審決取消訴訟を提起することができる。

　一方で，拒絶理由がみつからない場合には，審判請求に理由があるものとして，拒絶査定を取り消し，特許査定を行う（特許審決。159条3項・51条）。但し，原査定を取り消した上で，更に審査官に審査をさせることもできる（160条1項）。

③ 訂正審判

(1) 意　　義

　訂正審判は，特許権者が願書に添付した明細書等について，その訂正を求める手続である。特許権の設定登録後に行われる点で，補正（⇒第4章第4節）と区別される。なお，訂正審判は主に無効理由を解消するために用いられるが，既に無効審判が特許庁に係属している場合には，後述の訂正請求の手続（⇒④(3)）が用いられる。

(2) 手　　続

訂正審判の請求が認められるためには，第三者への影響に鑑みて，補正と同様に一定の要件をみたす必要がある。

まず，訂正は一定の目的のものに限定される（126条1項各号）。すなわち，①特許請求の範囲の減縮，②誤記又は誤訳の訂正，③明瞭でない記載の釈明，④請求項の引用関係の解消である。

更に，特許請求の範囲の実質的拡張や変更も禁止される（実質的拡張変更の禁止。126条6項）。これは，いったん登録された特許権の権利範囲について，明確化や減縮する方向での訂正に限定することで，第三者を害することのないようにするための要件である（最判昭和47・12・14民集26巻10号1888頁〔フェノチアジン誘導体製法〕〈判コレ31〉参照）。

また，補正の場合と同様の新規事項追加の禁止（126条5項。知財高判平成20・5・30判時2009号47頁〔ソルダーレジスト大合議〕〈判コレ28・30〉も参照）や，独立特許要件（同条7項）も課されている。

訂正審判は特許権者のみが請求することができる（126条1項柱書）。特許権が共有に係る場合は，結果の合一確定の必要から，共有者全員で審判請求を行う必要がある（132条3項）。なお，訂正が認められると特許権の内容に影響が生じるため，専用実施権者又は質権者があるときは，訂正審判を請求する際に，その者の承諾を得る必要がある（127条）。

訂正審判は特許権消滅後も請求することができる（126条8項）。存続期間経過等，特許権消滅後であったとしても，存続期間中の特許権侵害の成否やその特許の無効理由の有無等に影響するためである。但し特許異議の申立てに係る取消決定や，無効審決の確定後は，遡及的に特許権が消滅していることから，上記の趣旨は当たらず，訂正審判の請求は認められない（同項但書）。

また，訂正審判は，請求項が複数ある場合には，請求項ごとに請求することができる（126条3項）。但し，従属項（⇒第1章第2節**2**(2)）を含む場合など一群の請求項に含まれる請求項を対象とする場合には，その一群の請求項全部を対象とする必要がある（同項後段）。また，明細書や図面を訂正する場合には，関係する全ての請求項を対象としなければならない（同条4項）。

訂正審判は査定系審判であり，書面審理を原則とする（145条2項）。

(3) 審　決

　審判請求が不適法である場合には，却下審決となる。審判請求が適法である
上で，訂正審判の請求が訂正要件をみたすものであった場合には，請求を認め
る訂正審決がされる。訂正審決が確定した場合，訂正の効果は遡及し，はじめ
から訂正後の明細書等による特許権の設定登録等がなされたものとみなされる
（128条）。訂正審決に不服のある者は，別途無効審判を請求することになる
（123条1項8号）。一方，訂正要件をみたさないとして，訂正審判請求を棄却す
る審決（訂正審判請求不成立審決（訂正不成立審決））がされた場合，審判請求人
（特許権者）は審決取消訴訟を提起することができる。

(4)　無効審判等との関係による請求時期の制限

　訂正審判は，無効審判が特許庁に係属した後は，その審決の確定まで一切請
求することができない（126条2項）。かつてはいつでも請求することが可能で
あったが，そのために，無効審判やその審決取消訴訟の途中で訂正審判が確定
した場合，先述のように明細書等の内容が遡及的に変更され，結果それまでの
無効審判等における審理が無駄になってしまい，審理の遅延等を招くおそれが
あった（訂正が繰り返されれば，審決取消訴訟における取消判決を経由して，事件が特
許庁と裁判所を往復することになってしまう。このような現象は，キャッチボール現象
とも呼ばれている）。この問題に対応するべく従前から法改正が重ねられてきた
ところであり，平成23年改正により，126条2項による訂正審判請求の全面
規制に至った。なお，無効審判に対応して訂正を行うニーズについては，無効
審判の手続中の審決予告及び訂正請求によってカバーされる（⇒**4**(3)）。この
点は，その後に導入された特許異議の申立てとの関係でも適用される（126条2
項・120条の5第2項）。

4　無効審判

(1)　意　　義

　無効審判は，瑕疵ある特許権を遡及的に消滅させる（無効にする）ための手
続である。瑕疵ある特許権を消滅させる手続には，ほかに後述の特許異議の申
立てがあるが，無効審判は特許権者と第三者の当事者間の紛争解決手段として

第2節 審 判

の機能も果たすことが予定されている。

(2) 手 続

無効審判を請求できるのは，利害関係人に限られる（123条2項）。従来は，無効審判が公益的役割も担っていたことから，何人も請求することができると定められていた。しかし，平成26年改正によって特許異議の申立てが導入されたことに伴い，無効審判の請求人適格は利害関係人に限られることとなった。これは，上記の無効審判の紛争解決機能に基づくものといわれている。ここでいう利害関係人には，例えば当該特許発明の実施を検討している者や，特許権侵害の警告を受けている者等が広く該当しよう。許諾による実施権者についても，本来自由に実施できるはずの瑕疵ある特許発明に関して，その実施にライセンス料の支払を強いられるのは妥当ではないことから，原則として，利害関係を有するといえよう（東京高判昭和60・7・30無体集17巻2号344頁〔蛇口接続金具〕）。なお，和解契約上のいわゆる不争条項（⇒ Column Ⅱ8-1 「**不争義務**」）を根拠に利害関係を欠くとしたものとして，知財高判令和元・12・19平31(行ケ)10053〔二重瞼形成用テープ〕がある。

また，冒認出願及び共同出願違反の場合に関しては，単に権利の帰属が問題となっているに過ぎないと考えられることから，当該特許発明について特許を受ける権利を有する者のみが，無効審判を請求することができる（123条2項括弧書）。

同一の特許に対して，請求人が複数いる場合，共同して無効審判を請求することができる（132条1項）。一方，特許権が共有に係る場合，結果の合一確定の必要から，その共有者全員を被請求人とする必要がある（被請求人に関しての固有必要的共同審判。同条2項）。また，第三者が審判手続に参加すること（請求人適格を有する者は，請求人として参加することができ，その他の利害関係を有する者も，一方当事者を補助するために参加することができる）も認められている（148条）。

また，無効審判請求はいつでも可能であり，時期的制限はない。特許権の存続期間満了後であっても請求することが可能である（123条3項）。消滅前の特許権侵害に係る損害賠償請求のおそれがある場合等に，遡って特許権を消滅させることに利害関係が認められるからである。一方，少なくとも「特許権の存

続期間が満了し，かつ，特許権の存続期間中にされた行為について，原告に対し，損害賠償又は不当利得返還の請求が行われたり，刑事罰が科されたりする可能性が全くなくなったと認められる特段の事情が存する」場合には，無効審判請求の利益がないと考えられる（知財高判平成30・4・13判時2427号91頁〔ピリミジン誘導体大合議〕〈判コレ10・35〉参照）。

　無効理由は，123条1項各号に列挙されており，かなりの程度拒絶理由と共通する。しかし，拒絶理由のうち，シフト補正の禁止違反（49条1号・17条の2第4項），記載要件に係る委任省令要件違反（49条4号・36条6項4号，特許法施行規則24条の3），出願の単一性違反（49条4号・37条），文献公知発明に係る情報の記載要件違反（49条5号・36条4項2号）は無効理由となっていない。これらは審査の便宜のための要件に過ぎないため，登録後に問題視する必要がないと考えられるからである。一方，特許後の条約違反等（123条1項7号）と，訂正要件違反（同項8号）は，特許権の設定登録後の事情に関するものであり，拒絶理由には含まれていない。

　なお，無効審判請求は，請求項ごとにすることができる（123条1項柱書）。

　無効審判においては，査定系の審判と異なり，特許権者を被請求人とする当事者対立構造が採られている。これは，最も大きな利害関係を有する特許権者を相手方とすることで，審理の充実を図ることができるとされるためである。具体的な無効審判の審理については，当事者対立構造を前提に，一般的な民事訴訟類似の手続が用意されている（151条等参照）。公開の口頭審理の原則もその一つである（145条1項・5項。なお，令和4年改正施行後は同条1項・6項）。なお令和3年改正により，口頭審理に関して，オンラインでの手続を認める規定が整備された（145条6項・7項。なお，令和4年改正施行後は同条7項・8項）。

　審判は審判請求書の提出によってはじまり（131条1項），副本を受け取った相手方は答弁書を提出することになる（134条1項）。相手方の便宜のため，審判請求書の請求の理由の記載（131条1項3号）には，特許を無効にする根拠となる事実を具体的に特定し，かつ，立証を要する事実ごとに証拠との関係を記載する必要がある（同条2項）。

(3) 訂正請求

　無効審判請求を受けた特許権者は，別途訂正審判を請求することはできないが（126条2項），無効理由を解消するべく，無効審判の手続内で，明細書等の**訂正請求**をすることができる（134条の2第1項）。但し審理の遅延に配慮し，答弁書の提出期間や次に述べる審決予告を受けた場合等の一定の期間に限りすることができる（同項）。無効審判の審決確定前は，独立の訂正審判請求を認めず（⇒**3**(4)），無効審判の手続内において訂正の手続を行わせることで，その訂正の可否と，無効理由の有無とを，無効審判において一括して判断することができるように設けられた仕組みである。訂正請求の要件については，（無効審判本体で審理されるといえる）独立特許要件を除き，訂正審判と同様である。

(4) 審決予告

　上述のように，訂正請求の期間は限定されている。そのため，審決の前に，当事者に審判官の心証を開示して，特許権者に最後の訂正の機会を与えるべく，平成23年改正において**審決予告**の制度が導入された（164条の2第1項）。

　審決予告は，審決をするのに熟した場合において，審判請求に理由がある場合（すなわち，無効審決をしようとする場合）等に実施されるものであり（特許法施行規則50条の6の2参照），審決の記載事項と同様のものが提示される（164条の2第3項・157条2項）。またその際には，被請求人，すなわち特許権者に対して，明細書等の訂正請求に必要な相当の期間を指定する（164条の2第2項）。特許権者としては，審決予告の内容を確認して，必要な訂正請求を行うことができる。

(5) 審　　決

　(a) **審決**　　審判請求が不適法である場合には，却下審決となる。審判請求が適法である上で，審理の結果，無効理由が認められる場合には，特許を無効とする旨の審決がされる（無効審決）。一方，無効理由が認められない場合は，無効審判請求不成立審決（特許維持審決，無効不成立審決）がされる。いずれの場合も，不服のある当事者・参加人等は審決取消訴訟を提起することができる。

　無効審決が確定すると，特許権は遡ってはじめから存在しなかったものとみ

なされる（125条）。但し条約違反等に係る123条1項7号所定の後発的無効理由に基づく場合にあっては、当該理由の発生時まで遡及するにとどまる（125条但書）。また、訂正請求が認められた上で、無効不成立審決となった場合に、その訂正の効果が遡及する（134条の2第9項・128条）。

なお、無効審決等の確定前に確定した損害賠償請求を認容する判決との関係については、第7章第2節**2**(3)参照。

(b) **一事不再理**　無効審判の請求不成立審決が確定したときは、当事者及び参加人は、同一の事実及び同一の証拠に基づいて再度無効審判を請求することが禁じられる（**一事不再理**, 167条）。これは、当事者等が無効審判において十分に攻撃防御を尽くす機会があった以上、その審決について、同一の根拠に基づいて再度争うことを禁止し、紛争の蒸し返しを防ぐことを目的としたものである。当事者等以外の第三者はこの規制の対象とはならない。

この点、平成23年改正前は、一事不再理効の及ぶ人的範囲が「何人も」とされており、当事者以外の第三者についても効力が及ぶとされていたため、その影響に鑑み、「同一の事実及び同一の証拠」について制限的な解釈を採るべきとする指摘がなされていた。しかし、改正後は第三者効が廃止され、他方で無効審判に係る当事者間の紛争の一回的解決がより重要であると評価されることから、「同一の事実及び同一の証拠」について、蒸し返し防止の趣旨を重視した柔軟な解釈を志向する裁判例が登場している（知財高判平成26・3・13判時2227号120頁〔KAMUI〕，知財高判平成28・9・28判タ1434号148頁〔ロータリーディスクタンブラー錠及び鍵〕〈判コレ33〉）。

なお、条文上の一事不再理の及ばない場合であっても、訴訟上の信義則による主張の制限等が及ぶことはありうる。

第3節　特許異議の申立て

1 意　　義

特許異議の申立て（113条）とは、新規性等の特許要件をみたさない発明につき付与された特許権を、遡及的に消滅させる（114条3項）ための手続である。

特許異議の申立ては，公益的な観点から，事前審査の限界により誤って付与された特許権を消滅させるための，簡易迅速な手続として位置づけられる。

特許権付与後の異議申立制度は，平成 6 年改正により一度導入されたが，平成 15 年改正により廃止され，平成 26 年改正前までは，無効審判制度がその役割を担うことが期待されていた。しかし，従前の異議申立制度と比較して無効審判が活用されず，瑕疵ある特許権が放置されている可能性があること，また無効審判よりも簡易迅速な手続のニーズがある等の指摘がなされた。このような観点から，早期に安定した権利を確保するため，平成 26 年改正により，再度異議申立制度が導入されることとなった。

特許異議の申立ては，事後的に特許権を消滅させるという点で，無効審判と同様であるが，特許異議の申立ては公益的観点から簡易迅速な手続として設けられたもので，その制度趣旨から後述のように無効審判と異なる点がある。

2 手　続

特許異議の申立ての手続については，無効審判と共通するところが多いが，上記の制度趣旨に沿う手続とするべく，請求主体や請求の期間，請求の理由等に差異が見られる。

まず，特許異議の申立ては何人でもできる（113 条柱書）。特許庁に再考を促すための公益的な手続と位置づけられているためである。なお，複数の特許異議の申立てがされた場合には，原則として併合して審理される（120 条の 3 第 1 項）。また，無効審判では，審判請求人を一方当事者とする当事者対立構造が採用され，審判請求人も実質的な審理に関与することとなっていたが，特許異議の申立てでは，公益的な性質，及び迅速性に鑑みて，当事者対立構造は採用されておらず，以降の実質的な審理は後述の通り審判官の合議体（と特許権者等）によって行われる。これは申立人にとって手続的負担が少ない点でメリットがあるが，積極的に手続に関与したい場合には，無効審判を選択することとなる。

次に，特許異議の申立てが可能な期間は，対象となる特許の特許公報掲載の日から 6 月以内である（113 条柱書）。これは申立人の準備期間を確保しつつ，一方で権利を早期に安定化させるために定められた期間である。

第2編　第5章　審判・異議申立て・審決等取消訴訟

特許異議申立理由は 113 条各号に列挙されており，概ね無効理由と共通するが，権利の帰属を争うに過ぎない冒認出願や共同出願要件違反は，公益的な理由ではないことや，書面審理になじまないことから，特許異議申立理由から除かれている。

特許異議の申立ては審判官の合議体が審理する（114 条 1 項）。そして，公益的観点から特許の有効性を確認するという性質から，申し立てられた特許異議申立理由に限らず，113 条所定の特許異議申立理由の有無を審理する（120 条の2 第 1 項。但し申立てのない請求項までは審理できない。同条 2 項）。また，当事者の負担軽減等の観点から，書面審理が用いられる（118 条 1 項）。

3 決　　定

審理の結果，異議理由に該当すると認められる場合には，取消決定がされる（114 条 2 項）。取消決定をする場合，手続保障の観点から，決定前に，特許権者等に対して取消理由を通知し，相当の期間を指定して，意見書の提出や明細書等の訂正請求の機会を与える（120 条の 5 第 1 項・2 項）。但しその場合の訂正請求は，無効審判におけるものと同様，特許請求の範囲の減縮等を目的としたものに限られる（同条 2 項但書）。訂正請求に対しては，旧制度と異なり，異議申立人は原則として反対の意見を述べる機会が与えられている（同条 5 項）。取消決定が確定した場合，その特許権ははじめから存在しなかったものとみなされる（114 条 3 項）。特許権者等は，当該取消決定に対して，取消訴訟を提起することができる。

他方，異議理由に該当すると認められない場合には，維持決定がされる（114 条 4 項）。この場合，異議申立人は不服があってもこの決定に対する不服申立てはできないが（同条 5 項），別途無効審判を請求することができる。

第4節　審決等取消訴訟

1 総　　説

上述の審決や特許異議に係る取消決定について不服のある者は，その取消を

裁判所に求めることができる。これを**審決等取消訴訟**と呼ぶ。

　審決等取消訴訟は東京高等裁判所の専属管轄とされており（178条1項），実際はその特別の支部である知的財産高等裁判所がその任にあたる（知財高裁2条2号）。審決等取消訴訟は，準司法的な手続を採用する審判等が前置されるため，高等裁判所が第1審となる2審制を採用している。

　審決等取消訴訟は，審決又は決定の謄本送達から30日を経過する前に提起する必要がある（178条3項）。出訴期間の経過又は取消訴訟の棄却判決の確定により，審決が確定する。

　具体的な審理手続については，概ね通常の行政訴訟と同様であり，特許法の規定のほか，行政事件訴訟法（と民事訴訟法）が適用される（なお，特許権存続期間満了後の無効不成立審決取消訴訟に係る訴えの利益に関して，前掲知財高判平成30・4・13〔ピリミジン誘導体大合議〕も参照）。以下では，重要な3点に絞って説明する。

② 当 事 者

　審決等取消訴訟の原告は，決定や審決に不服を有する当事者・参加人等である（178条2項）。審決等取消訴訟の被告は，取消決定や査定系審判に係る審決については，特許庁長官，当事者系審判に係る審決については，相手方当事者となる（179条）。

　特許を受ける権利や特許権が共有に係る場合，共有者の一人による訴訟提起ができるかという問題がある。この点については，審判のように明文の規定（132条）がないため，解釈上の問題となる。最高裁は，拒絶審決取消訴訟については，結果の合一確定の必要から，共有者全員で提訴しなければならない固有必要的共同訴訟と解してきた（最判平成7・3・7民集49巻3号944頁〔磁気治療器〕）。しかしその後，最高裁は，商標法に関するものであるが，無効審決取消訴訟について，共有に係る特許権の消滅を阻止するための保存行為として，共有者の各人が単独で提訴することができるとし，またその場合でも，行政事件訴訟法32条により取消判決の効力が他の共有者にも及ぶので，合一確定の要請はみたされるとした（最判平成14・2・22民集56巻2号348頁〔ETNIES〕）。旧異議申立制度に係る特許取消決定についても，同旨の判例があり（最判平成

14・3・25民集56巻3号574頁〔パチンコ装置〕),現在の特許異議の申立てについても,同様に解されよう。両者を整合的に説明するとすれば,特許権の付与の時点までは,取消訴訟を権利の保存行為とは評価できず,特許権取得に向けて共有者間の協調を求めるものと考えられる。しかし,訴訟提起を望む共有者の手続保障の観点からは,単独での提訴を認めるべきであろう。

なお,無効審判を共同で請求した審判請求人のうち,一部の者による無効不成立審決取消訴訟の提起を適法とした判例がある(最判平成12・2・18判時1703号159頁〔嗜好食品の製造方法〕)。

3 審理範囲の制限

審決等取消訴訟では,審決等の違法性の有無が審理判断の対象となる。そして,通常の行政訴訟においては,行政処分の違法性一般が審理の対象となり,その違法性を根拠づける事実等の差替えも柔軟に認められる。

これに対して,審決等取消訴訟においては,訴訟における審理範囲に厳格な制限を課すのが判例の立場である。具体的には,審決等取消訴訟においては,無効審判等の手続において審理判断されなかった公知事実との対比における無効理由等は,審決等の違法性の有無を根拠づける理由として主張することができないとされている(最大判昭和51・3・10民集30巻2号79頁〔メリヤス編機〕〈判コレ36〉参照)。すなわち,最高裁の判旨は,審判において審理された特定の公知事実に基づく特定の無効理由等の有無のみが取消訴訟の審理対象となることを示している。その結果,例えば公知事実αとの対比による,新規性欠如の無効理由に基づく無効不成立審決について,その取消訴訟において,公知事実βとの関係での新規性の有無や,記載要件違反等を主張することはできない。

判例の趣旨としては,訴訟の前に,特許庁における専門的知見に基づく判断を経るべきとする特許法の構造を理由とするものと解される。また,訴訟段階では補正・訂正の機会がなく,出願人や特許権者が理由の差替えに対応できないことも理由となろう。しかし,無効の抗弁(104条の3)や再審の制限(104条の4)が導入される等,裁判所単独での特許要件の判断等が行われるようになっている中で,判例のように全面的な審理範囲の制限を認めるべきか否かは,議論がある。

なお，審判において審理判断されていた引例の意義を明らかにするために，訴訟において新たに提出された資料に基づき，出願当時の当業者の技術水準を認定することは，許される（最判昭和 55・1・24 民集 34 巻 1 号 80 頁〔食品包装容器〕）。訴訟において新たな無効理由が追加されたわけではないと評価されるのであろう（なお，主引例と副引例の入替えにつき，知財高判平成 29・1・17 判タ 1440 号 137 頁〔物品の表面装飾構造〕も参照）。

4 判決とその拘束力

審決等取消訴訟において，原審決等の違法性（手続面，実体面双方を含む）が認められれば，裁判所は請求を認容し，原審決等を取り消す判決をする（取消判決。181 条 1 項）。違法性が認められなければ，請求を棄却する。

なお，裁判所は自ら特許査定等を行うことができない。したがって，取消判決が確定した場合には，事件は特許庁の審判等の手続に戻り，審理が再開され，再度審決等がなされることになる（181 条 2 項）。この場合，再開された審判等でも，再度同一の理由によって同一の審決等ができるとすると，取消判決の趣旨が損なわれる。そのため，審決等を取り消す旨の確定判決は，再開後の審判等に関して，審判体を拘束する（行訴 33 条 1 項）。その範囲については，「判決主文が導き出されるのに必要な事実認定及び法律判断にわたる」ものとされている（最判平成 4・4・28 民集 46 巻 4 号 245 頁〔高速旋回式バレル研磨法〕〈判コレ 37〉）が，具体的な範囲については，審理範囲の制限との関係も含め議論がある。もちろん，新たな引例が発見される等異なる理由により，結果として同一の結論の審決等がなされることは禁止されていない。

第6章 特許権の効力

第1節　特許権の効力
第2節　特許発明の技術的範囲
第3節　間接侵害
第4節　特許権の制限
第5節　特許権の発生と消滅

第1節　特許権の効力

1 総　説

68条によれば，「特許権者は，業として特許発明の実施をする権利を専有する」。第1編第1章第2節で述べたように，特許権はじめ知的財産権は，他者による情報の無断利用を排斥・禁止する権利，すなわち，**排他権・禁止権**である。特許権の効力は，他者が無断で行う特許発明の業としての実施を排斥・禁止するというものにほかならない。特許発明の業としての実施は，特許権者自身か特許権者が認めた者など正当な権原を有する者以外が行うことは認められないのであって，これが68条にいう「専有する」の意味である。

2 業として

68条によれば，特許発明の効力が及ぶのは，「業としての実施」に限られる。このうち，「**業として**」は，個人的又は家庭内での実施に権利の効力を及ぼさないための要件である。産業の発達という特許法の目的（1条）からは，無断

実施が産業の発達を阻害する可能性が低い個人的又は家庭内での実施には，特許権の効力を及ぼす必要はない。あるいは，個人的に行われる実施は軽微であり，特許権者に対する経済的不利益は小さく，特許権者による無断実施の捕捉も困難であるという理由づけがなされることもある。しかし，このような消極的な根拠のみならず，個人の私的領域内での行為自由を積極的に保障するというより強い意義をもった要件だと捉えることもできる。その意味では，著作権法 30 条の私的使用のための複製や，同法 22 条以下の「公衆に」・「公に」の要件と軌を一にするものと理解することができる。

「業として」要件の意義は，以上のものに留まるのであって，これ以上に，実施が反復継続して行われる場合に限定する要件であるとか，営利事業としての実施に限定する要件であると考えるべきではない。

3 実 施

(1) 物の発明の実施

続いて，「**実施**」という要件であるが，その定義は，2 条 3 項に規定されている。物の発明の場合には，その物の生産・使用・譲渡等（譲渡及び貸渡し。プログラムについては電気通信回線を通じた提供を含む）・輸出・輸入・譲渡等の申出（譲渡等のための展示を含む）が，「実施」に該当する（2 条 3 項 1 号）。

このうち，「生産」には，動植物の飼育・育成・栽培なども含まれ，プログラムを「物」に含める平成 14 年改正前の事案を扱った裁判例では，プログラムをコンピュータにインストールする行為も含まれるとされていた（知財高判平成 17・9・30 判時 1904 号 47 頁〔一太郎大合議〕〈判コレ 48〉）。これに対して，異なる複数の医薬品を「組み合わせてなる医薬品」という特許発明について，それら複数の医薬品を併用するだけの行為を「生産」にあたらないと判断する際，「生産」に該当するには，供給を受けた物を素材として，加工・組み立てなど，これに何らかの手を加えて，特許発明に該当する物を新たに作り出すことが必要だと述べた判決もある（大阪地判平成 24・9・27 判時 2188 号 108 頁〔ピオグリタゾン〕）。なお，素材となる物を加工する行為が修理と生産のいずれにあたるのかが，大きな問題となる場面がある（⇒第 4 節 **1**）。

109

(2) （単純）方法の発明の実施

（単純）方法の発明の場合には，その方法の使用のみが「実施」に該当する（2条3項2号）。「使用」とは，特許発明本来の目的を達成するような使用のみをいう（2条3項1号や3号でも同様）。例えば，医薬品の品質規格検定のための検査確認方法の発明の効力は，この検査確認方法を使用することのみに及び，検査をした医薬品の製造販売等にまでは及ばない（最判平成11・7・16民集53巻6号957頁〔生理活性物質測定法〕〈判コレ38・65〉）。

(3) 物を生産する方法の発明の実施

これに対して，方法の発明のうち，物を生産する方法の発明については，その方法の使用に加えて，当該方法により生産された物の使用・譲渡等も，「実施」に該当する（2条3項3号）。物の生産を伴うことから，単純方法の発明としては捕捉できない「物」に関する実施行為を規定するため，2号とは区別されているのである。

4 利用関係・抵触関係

1で述べたように，特許権など知的財産権は，他者による情報の無断利用を排斥することができる。このことは，情報の無断利用を行う他者が，その者固有の特許権を有していた場合でも同様である。先願に係るAの特許発明・登録実用新案・登録意匠（類似意匠含む）をBの特許発明が利用している場合（この場合のBの発明を**利用発明**という）や，先願に係るAの意匠権・商標権とBの特許権が抵触する場合には，たとえB自身が特許権を取得していたとしても，Bが自らの特許発明を実施することは，Aの権利の侵害となり，許されない（72条）。後者のケースに，先願に係るAの特許権や実用新案権とBの特許権が抵触する場合が含まれていないのは，Aの権利と抵触するBの後願は，そもそも39条の先願規定違反で拒絶され（49条2号），過誤登録された場合にも，Bの特許は無効審判で無効とされるべきもの（123条1項2号）だからである。

先願に係る権利者Aから見れば，これらのケースは，自身の特許発明等が無断利用されている通常の権利侵害の事例と同様であり，B自身が固有の特許権を有しているという事情は，Aが有する権利の侵害判断には何らの影響も

及ぼさない。侵害訴訟において，72条の**利用関係**や**抵触関係**の有無を論じる
意味はないのである。但し，後願に係る特許権者Bは，92条の裁定により，
先願に係る特許権等について通常実施権を取得することができる（⇒第8章第6
節**1**(3)）。この限りにおいて，利用関係・抵触関係が問題となる。

第2節　特許発明の技術的範囲

1 クレーム解釈

(1)　総　　説

(a)　**意義**　　特許権の効力は，「特許発明」の業としての実施に及ぶ。特許
発明と同一の技術的思想を無断で業として実施すれば，特許権侵害を構成する
わけである。しかし，技術的思想たる特許発明は無体物であり，有体物のよう
に，権利の及ぶ対象が明確ではない。そこで，特許権の効力が及び，特許権侵
害が成立する技術的思想の範囲（＝**技術的範囲**）を確定する必要が生じる。技
術的思想はアイデアそのものであり，無体物であるため，他者に認識・伝達可
能な形で表現するには，（図面の力を借りつつ）言語を用いるほかない。そこで，
技術的範囲は，まず**特許請求の範囲**（クレーム）という書面を基礎に確定され
る（70条1項）。クレームは，当業者に対して技術的範囲を公示することにより，
当業者が，権利行使を受けることなく自由に実施しうる技術的思想の範囲を確
認し，安心して新たな周辺技術の開発に向かうことができるようにする。但し，
クレームは言語によって技術的思想を表現するものである以上，クレームに使
われている用語の意味などを検討し，その文言の意義を解釈するという作業が
必要となる。この作業こそが，**クレーム解釈**にほかならず，特にクレームの意
義がそれ自体として不明確な場合には，必須の作業となる。

　クレームを解釈する際の手がかりとして，特許法は，明細書の記載や図面を
考慮することを認めている（70条2項）。むしろ，明細書を一切考慮すること
なしに，クレームの意義を正確に確定できるケースの方が例外的であろう。更
に，特許法に規定はないものの，クレーム文言の意義を確定するために，公知
技術や審査経過を考慮することも一般に認められている。公知技術に関しては，

第2編　第6章　特許権の効力

特許権が出願時の技術水準を上回る技術に付与されるものである以上，クレームの意義を明らかにするために，出願時の技術水準を認識する必要があり，そのためには公知技術を考慮せざるをえない（最判昭和37・12・7民集16巻12号2321頁〔炭車トロ等脱線防止装置〕参照）。審査経過に関しても，出願人と審査官のやりとりの中で，クレーム文言の意義について，出願人が意見表明を行うこともあるため，一般に，クレーム解釈の一資料として扱われてきた。このような審査経過は，公衆が閲覧できるものでもあり（186条），その考慮を許したとしても，他者の予測可能性・法的安定性を害するわけではない。

(b)　**クレームの限定解釈**　　もちろん，技術的範囲を確定する基礎は，あくまでクレームである以上，クレームの意義が明確であるにもかかわらず，クレームに記載されていないものを明細書や審査経過から読み込むことによって，クレームの文言の意義を拡張解釈し，技術的範囲を広げるようなことは許されない。

　他方で，従前から，クレームの意義が明確である場合にも，その限定解釈は認められてきた。審査経過に基づいて，クレームをその文言以上に限定解釈するという手法が用いられてきたのである（大阪地判平成3・5・27知財集23巻2号320頁〔二軸強制混合機〕など）。例えば，審査段階での進歩性欠如を理由とする拒絶理由通知に対して，出願人が，意見書において，公知技術にあたる部分が含まれないと主張した結果，特許権の付与が認められた場合に，侵害訴訟段階になって，自ら除外したはずの当該技術がクレームに包含されると主張すること（自ら除外した技術の取戻し）は，信義則・禁反言に照らして許されない。これは，**審査経過禁反言**（**出願経過禁反言**）と呼ばれる考え方であり，**2**で説明する均等論の主張を排斥するためにも用いられる。

　なお，かつては，クレームの全部又は一部に公知技術が含まれる場合に，クレームを限定解釈する（公知技術の除外）ことで，公知技術に対する権利行使が否定されていた。しかしながら，現行法上は，104条の3により権利行使を否定すれば足りる（⇒第7章第2節**2**）。もはや，このようなクレームの限定解釈を行う必要性は失われているのである。

第2節　特許発明の技術的範囲

(2)　特許発明の技術的範囲確定と発明の要旨認定

　以上のように，70条2項は，技術的範囲確定におけるクレーム解釈において明細書の考慮を認めている。これに対して，特許要件の判断においても出願人がその対象となる発明の範囲を確定する必要があり，この作業は発明の要旨認定と呼ばれている（⇒第2章第1節）。この発明の要旨認定におけるクレーム解釈に関して，70条2項が追加された平成6年改正前に，最判平成3・3・8民集45巻3号123頁〔リパーゼ〕〈判コレ39〉が，明細書の考慮を極めて制限するかのような立場を明らかにしていた。

　この事件において，特許出願にかかるクレームには，「リパーゼ」と記載され，明細書には実質的に「Raリパーゼ」のみが開示されていた。審査及び拒絶査定不服審判では，クレームに記載された「リパーゼ」には「Raリパーゼ」以外のリパーゼも包含され，発明全体として進歩性が欠如しているとして出願が拒絶された。これに対する審決取消訴訟において，原審（東京高判昭和61・10・29民集45巻3号145頁）は，クレームの「リパーゼ」の意義を，明細書記載の「Raリパーゼ」に限定することによって，進歩性を認めた。

　これに対し，最高裁は，「特許出願に係る発明の新規性及び進歩性について審理するに当たっては，……特許出願に係る発明の要旨が認定されなければならないところ，この要旨認定は，特段の事情のない限り，願書に添付した明細書の特許請求の範囲の記載に基づいてされるべきである。特許請求の範囲の記載の技術的意義が一義的に明確に理解することができないとか，あるいは，一見してその記載が誤記であることが明細書の発明の詳細な説明の記載に照らして明らかであるなどの特段の事情がある場合に限って，明細書の発明の詳細な説明の記載を参酌することが許されるにすぎない。」と判示している。

　一見すると，技術的範囲確定の場面（追加された70条2項）と要旨認定の場面でクレーム解釈手法に乖離があるようにみえる。そこで，両者の解釈手法が異なるものと主張する見解もある。

　しかしながら，本判決は，クレームの意義が明らかではない場合に，明細書を考慮することは認めており（最判平成3・3・19民集45巻3号209頁〔クリップ〕も参照），このことは，本判決前から変わらない。このような場合に明細書を考慮する必要があることは，侵害訴訟において104条の3の判断に際して行わ

113

れる発明の要旨認定や，技術的範囲確定でも同様である。

　本判決は，クレームの意義が明確であるにもかかわらず，クレームに記載されていないものを明細書から読み込むことによって，権利の成立を認めるという原審の立場を否定したものに過ぎない。これは，104条の3の下での要旨認定にも妥当する。このような立場は，(1)(b)で述べたように，技術的範囲確定の場面でも，クレームの意義が明確であるにもかかわらず，クレームに記載されていないものを明細書から読み込むことによって，クレーム文言の意義を拡張し，権利の拡大を認めるべきではないという考え方と大きく異なるものではない。

　以上のように，クレーム解釈の手法や基準は，審査等における発明の要旨認定，侵害訴訟における発明の要旨認定（104条の3），技術的範囲確定を通して違いはなく，統一的に理解することができる（プロダクト・バイ・プロセス・クレームに関する最判平成27・6・5民集69巻4号700頁・同904頁〔プラバスタチンナトリウム〕〈判コレ15・41〉も，このことを前提に判断を行っている）。

(3)　機能的クレームの解釈

　機能的クレームとは，具体的な構成ではなく，抽象的な機能・作用によって発明を特定するクレームをいう。例えば，「芯のくり抜かれた苺の中にアイスクリームが充填されたアイスクリーム充填苺であって，該アイスクリームは，外側の苺が解凍された時点で，柔軟性を有し且つクリームが流れ出ない程度の形態保持性を有していることを特徴とするアイスクリーム充填苺」（東京地判平成16・12・28平15(ワ)19733等〔アイスクリーム充填苺〕の特許発明を元にした仮想例）がこれにあたる。このようなクレームについては，同様の機能・作用を実現する方策が，明細書から読み取れる方策以外にも存在しうる場合，同じ機能・作用を実現するという理由のみで，明細書から読み取れない方策を技術的範囲に包含すると，明細書に開示された範囲をこえて特許権の効力が及ぶことになる。そこで，機能的クレームは，明細書に開示された構成・方策や，明細書の記載に基づき当業者が実施しうる構成・方策に限定して解釈され，技術的範囲もこのようなものしか及ばないと考えられている（東京地判平成10・12・22判時1674号152頁〔磁気媒体リーダー〕〈判コレ40〉参照）。例えば，前述のクレー

ムにおける下線部の機能・作用を実現する方策として，明細書に「寒天及びムース用安定剤」を添加する手段のみが明示され，明細書を見た当業者が他の方策を実施できない場合には，この成分を添加することなく，他の手段で同様の機能・作用を奏するものに対しては，特許発明の技術的範囲は及ばない。

但し，抽象的な機能や作用で特定され，明細書で開示された範囲よりも広すぎるクレームは，実施可能要件（36条4項1号），サポート要件（同条6項1号），明確性要件（同項2号）に違反する可能性がある。そこで，このような場合には，クレームに公知技術が含まれるケース（⇒(1)(b)）と同様に，クレームの限定解釈ではなく，104条の3を用いて処理することもできる。開示要件違反の無効理由を内包する特許発明として同条を適用し，訂正の再抗弁に基づき，明細書による開示から当業者が読み取れる構成や方策に減縮する訂正が許容され（なお，当初明細書に開示されていないものをクレームに記載する訂正は，新規事項の追加にあたり許されない），かつ，被疑侵害物件が減縮後の技術的範囲に包含されれば，権利行使が肯定されるというわけである。

(4) プロダクト・バイ・プロセス・クレームの解釈

プロダクト・バイ・プロセス・クレームとは，物の発明について，発明を特定する事項の全部又は一部に製造方法の記載があるクレームのことをいう。例えば，「a工程，b工程，c工程により製造される物P」がこれにあたる。このようなクレームは，化学物質発明やバイオテクノロジー関連発明などで見られるように，構造・特性を記載するのが不可能であり，製造方法によって発明を特定するしかない場合などに用いられる。もちろん，このようなクレームも，サポート要件（36条6項1号），明確性要件（同項2号。⇒第2章第6節**7**(1)）等を充足する必要がある。

問題となるのは，クレーム解釈にあたって，製造方法の記載をどのように扱うのかである。

従前から，一方で，製造方法の記載は，単に物を特定する手段に過ぎず，あくまで物の発明である以上，クレームに記載された製造方法に限定して解釈する必要はなく，製造方法は異なるが物として同一であれば技術的範囲（侵害段階）や発明の要旨（審査段階）に含まれるとする見解（物同一説）があった。他

方で，クレームに製造方法を記載した以上，クレーム記載の製造方法によって製造された物のみが，技術的範囲や発明の要旨に含まれるとする見解（製法限定説）もあった。このうち，従来は物同一説が優勢であり，例えば，審査段階において，特許庁は物同一説に立った上で審査を行い，出願された物の発明と製造方法は異なるが物としては同一の物が公知技術となっている場合には，新規性・進歩性がないとして拒絶していた。侵害訴訟段階の技術的範囲についても，物同一説を原則とする裁判例が優勢であったところ，製法限定説を原則とする裁判例も次第に増えてきていた（知財高判平成24・1・27判時2144号51頁〔プラバスタチンナトリウム〕など）。いずれの立場も，プロダクト・バイ・プロセス・クレームについては，前記のサポート要件（36条6項1号），明確性要件（同項2号）は柔軟に認めつつ，新規性・進歩性判断や技術的範囲確定に際してのクレーム解釈を通して権利の有効性や権利範囲を調整しようとするものであった。

　ところが，最判平成27・6・5民集69巻4号700頁・同904頁〔プラバスタチンナトリウム〕〈判コレ15・41〉は，「物の発明についての特許に係る特許請求の範囲にその物の製造方法が記載されている場合において，当該特許請求の範囲の記載が特許法36条6項2号にいう『発明が明確であること』という要件に適合するといえるのは，出願時において当該物をその構造又は特性により直接特定することが不可能であるか，又はおよそ実際的でないという事情が存在するときに限られると解するのが相当である」と判示した。このように明確性要件を厳格に解さなければならないのは，クレームに製法が記載されている場合，権利範囲についての予測可能性を害し，第三者に不利益を及ぼすためであるとされている。すなわち，「物の発明についての特許に係る特許請求の範囲において，その製造方法が記載されていると，一般的には，当該製造方法が当該物のどのような構造若しくは特性を表しているのか，又は物の発明であってもその特許発明の技術的範囲を当該製造方法により製造された物に限定しているのかが不明であり，特許請求の範囲等の記載を読む者において，当該発明の内容を明確に理解することができず，権利者がどの範囲において独占権を有するのかについて予測可能性を奪うことになり，適当ではない」。このように，最高裁の立場では，そもそも許容されるプロダクト・バイ・プロセス・ク

レーム自体が，厳格な明確性要件をクリアしたもののみに限られることになる。この事案がまさにそうであったように，特定の製造方法にこそ発明の特徴があるという場合には，端的に，物を生産する方法の発明として出願せよということになる。

　他方，最高裁は，クレーム解釈において，発明の要旨と技術的範囲はともに物として同一の範囲に及ぶとする。いわく，「物の発明についての特許に係る特許請求の範囲にその物の製造方法が記載されている場合であっても，その発明の要旨は，当該製造方法により製造された物と構造，特性等が同一である物として認定されるものと解するのが相当である」。また，技術的範囲に関しても上記と全く同じ判示がなされている。

　本判決により，プロダクト・バイ・プロセス・クレームを巡る議論の主戦場は，クレーム解釈論から明確性要件に移ることになった。これにより，「およそ実際的でない」の基準をどこまで厳格に捉えるかによっても変わりうるものの，最高裁の立場を前提とすれば，プロダクト・バイ・プロセス・クレーム形式で成立している既存の特許発明の多くは，明確性要件違反を理由に無効となる可能性が高くなる。

　今後は，最高裁判決の射程が及ぶプロダクト・バイ・プロセス・クレームをどのように限界づけるか，「不可能・非実際的事情」の存否をどのように判断すべきか，製法に特徴のある発明について，物クレームから製法クレームに発明のカテゴリを変更することが訂正要件に反しないといえるのかなどが問題とされることになろう。

　このうち，最高裁判決の射程が及ぶプロダクト・バイ・プロセス・クレーム該当性について，その後の知財高裁判決はこれを限定的に解している（知財高判平成28・9・20平27(行ケ)10242〔二重瞼形成用テープ又は糸及びその製造方法〕，知財高判平成28・9・29平27(行ケ)10184〔ローソク〕，知財高判平成28・11・8平28(行ケ)10025〔ロール苗搭載樋付田植機と内部導光ロール苗〕など）。すなわち，最高裁が明確性要件の充足に不可能・非実際的事情の存在を要求するのは，前述のように，製造方法が当該物のどのような構造又は特性を表しているのかが不明であることなどから，権利範囲が不明確となり，第三者の利益が不当に害されかねないことによる。したがって，たとえ物の発明にその物の製造方法が記載さ

れている場合であっても，当該製造方法が当該物のどのような構造又は特性を表しているのかが，特許請求の範囲，明細書，図面の記載や技術常識から明確である場合には，既に権利範囲も明確となっている以上，不可能・非実際的事情の存否を判断するまでもなく明確性要件を充足するとして，最高裁の射程が及ばないと説くのである。また，カテゴリ変更を伴う訂正については，特許庁の審決においてではあるが，これを認めたものも存在している。

2 均 等 論

(1) 総 説

1(1)(a)で述べたように，特許発明の技術的範囲はクレームを基礎に確定される。特許権侵害訴訟においては，このクレームと被疑侵害物件を対比して侵害の有無が判断される。この際，侵害訴訟実務においては，クレームと被疑侵害物件は「構成要件」（特許請求の範囲の文言を分節したもの）に分解された上で，対比される。被疑侵害物件が，クレームの構成要件全てを充足し，クレーム文言に包含される場合には，もちろん特許権侵害が成立する。このようなケースは，**文言侵害**と呼ばれる。

クレームは技術的範囲を公示する機能を有するところ，その範囲をクレーム文言のみに限定することは，技術的範囲の明確化に大きく資することになる。他方で，当業者は公開されたクレームを読んで，特許発明がもたらす本質的な機能・効果はそのまま模倣しつつ，発明の些細な一部分を別の構成・部材等に置き換えるだけで侵害を免れることになる。これに対して，出願人にとって，出願時にあらゆる侵害態様を予測・想定して，これをもれなくクレームに記載することは著しく困難である。にもかかわらず，発明の本質とは関係しない些細な部分を別の構成・部材等に置換するだけで，特許権が容易に迂回されることになれば，特許取得・技術開発のインセンティブが減殺され，産業の発達が阻害されかねない。そこで，被疑侵害物件が，特許発明のクレームの一部と相違するために文言侵害が否定される場合でも，特許発明と実質的に同一と評価することができる場合に，特許権の効力を及ぼし，侵害を肯定するための理論（**均等論**）が，最高裁判決（最判平成10・2・24民集52巻1号113頁〔ボールスプライン〕〈判コレ42〉）において承認されるに至った。均等論の適用により侵害が

成立するケースは，**均等侵害**と呼ばれることもある。特許権の効力範囲（技術的範囲（70条））は，クレーム文言の範囲をこえて，この均等論が適用される範囲にまで及ぶこととなったのである。但し，実際に均等論の適用を認めた裁判例は必ずしも多くはない。

(2) 適用要件

(a) **総説**　前掲〔ボールスプライン〕によれば，均等論を適用するための要件は以下の通りである。①クレームに記載された構成と相違する部分が特許発明の本質的部分ではないこと，②クレームに記載された構成から別の構成に置換しても，特許発明の目的を達することができ，これと同一の作用効果を奏すること（「置換可能性」），③このような置換を行うことに当業者が侵害時において容易に想到することができたこと（「置換容易性」），④被疑侵害物件が，特許発明の出願時における公知技術と同一又は当業者が出願時にこれから容易に推考できたものではないこと，⑤被疑侵害物件が特許発明の出願手続においてクレームから意識的に除外されたものにあたる等の特段の事情がないことである。一般に，①から③の主張立証責任は特許権者側に，④・⑤の主張立証責任は被疑侵害者側にあると考えられている（知財高判平成28・3・25判時2306号87頁〔マキサカルシトール大合議〕〈判コレ43〉）。

(b) **特許発明の本質的部分（第1要件）**　均等論の適用が退けられる際，その理由に挙げられることが最も多いのは，①の要件の非充足である。前掲〔マキサカルシトール大合議〕によれば，「特許発明における本質的部分とは，当該特許発明の特許請求の範囲の記載のうち，従来技術に見られない特有の技術的思想を構成する特徴的部分である」。その上で，「第1要件の判断，すなわち対象製品等との相違部分が非本質的部分であるかどうかを判断する際には，……上記のとおり確定される特許発明の本質的部分を対象製品等が共通に備えているかどうかを判断し，これを備えていると認められる場合には，相違部分は本質的部分ではないと判断すべきであり，対象製品等に，従来技術に見られない特有の技術的思想を構成する特徴的部分以外で相違する部分があるとしても，そのことは第1要件の充足を否定する理由とはならない。」と判示されている。反対に言えば，クレームに記載された構成を別の構成に置換した結果，

被疑侵害物件が全体として特許発明の従来技術に見られない特有の技術的思想ともはや同一のものと認められない場合には，均等論は否定されることになる。特許発明の技術的思想と実質的に同一とは認められない別個の技術に，特許権の効力を及ぼすことは許されないのである（第1要件の判断例として，東京地判平成11・1・28判時1664号109頁〔徐放性ジクロフェナクナトリウム製剤〕，東京高判平成12・10・26判時1738号97頁〔生海苔の異物分離除去装置〕，知財高判平成21・6・29判時2077号123頁〔中空ゴルフクラブヘッド中間判決〕〈判コレ45〉など）。

　なお，前掲〔マキサカルシトール大合議〕でも述べられている通り，この特許発明の技術的思想（解決課題と解決原理）は，原則として明細書の記載に基づいて認定しなければならない。というのも，出願人・特許権者が出願により開示した範囲（⇒第2章第6節**2**）をこえて，特許権の効力が及んではならないからである。但し，明細書外の公知技術の斟酌が一切許されないとすると，明細書への公知技術の記載が不十分であればあるほど，特許発明と公知技術の差が大きなものとされ，発明の貢献度が過大に評価された結果，保護の範囲が不当に広がってしまう。このような事態を避けるためにも，適切に保護範囲を限定する方向に限っては，明細書外の公知技術を参酌することは認められるべきである。

　(c)　**置換可能性（第2要件）**　　第2の要件として，クレーム記載の構成を別の構成に置き換えても，特許発明の目的を達することができ，これと同一の作用効果を奏することが要求される。もっとも，結果として，目的・作用効果が同一であったとしても，それらをもたらす解決原理・解決手法が異なるということはありうるところ，このような場合には第1要件によって均等論が否定される。両者の要件は必ずしも完全に重なりあうというわけではない。

　なお，クレーム記載の構成の一部が欠落している被疑侵害物件（「不完全利用」）については，この第2要件の充足性が特に問題となる。構成の一部を欠落させたことにより，もはや特許発明と同一の作用効果を奏することがなくなるのであれば，均等論は否定される。

　(d)　**置換容易性（第3要件）**　　第3に，置換が，侵害行為開始時において当業者に容易に想到できるものであったことが必要となる。侵害行為開始時に当業者が容易に想到できる程度の置換であれば，当業者もこれに特許権の効力が

及びうることを予測可能だったといえるからである。したがって，出願時に既に当業者が容易に置換できた場合はもちろんのこと，出願時には容易に置換できなかったとしても，侵害時に置換容易となっていれば，第3要件は充足する。

(e) **公知技術に対する権利行使の否定（第4要件）**　　続いて，前掲〔ボールスプライン〕によれば，被疑侵害物件が出願時の公知技術や当業者がそこから容易に推考できた技術である場合には，均等論の適用が否定される。最高裁自身も説くように，公知技術及びそこから容易に推考できる技術は，新規性・進歩性がないため，本来，特許を受けることができず，特許権による独占が認められない技術である。被疑侵害物件がこのような技術である場合にまで，均等論を適用して特許権の効力を及ぼすことは許されない。但し，この理は，均等侵害のみならず，文言侵害の局面にも等しく妥当するところ，文言侵害については，104条の3によって侵害が否定される。

(f) **審査経過禁反言（第5要件）**　　最後に，被疑侵害物件が審査経過においてクレームから意識的に除外されたものにあたるなどの特段の事情のないことが必要となる。例えば，審査段階で，審査官から，新規性・進歩性要件違反，あるいは，開示要件違反との拒絶理由通知を受けたのに対して，補正により，特定の技術の記載をクレームから意識的に除外した結果，審査官は特許を付与すべきと判断し，特許権が成立したとする。その後，侵害訴訟になって，自ら除外したはずの当該技術に対し均等論適用を主張することは，審査段階で自ら除外した技術の取戻しを認めることになり，審査を潜脱するものであって，禁反言の法理に照らして許されない。このような考え方は，審査経過禁反言と呼ばれ，均等侵害のみならず，文言侵害の局面にも等しく妥当する。

　なお，いったんクレームに記載された構成を補正により除外するというケースではなく，クレーム記載の構成を別の構成に置換可能なことが既に出願時において出願人・当業者に容易想到であったにもかかわらず，出願人がこれをもともとクレームに記載していなかったという場合に，意識的除外にあたるとして第5要件を否定してよいのかという点について争いがあった。この点については，最高裁が出願時に置換容易な構成であったにもかかわらずクレームに記載しなかったということのみを理由に，第5要件不充足とすることはできないとの判断を下している（最判平成29・3・24民集71巻3号359頁〔マキサカルシト

ール最高裁〕〈判コレ 44〉。前掲〔マキサカルシトール大合議〕も同旨）。但し，同最高裁判決は，出願人が明細書に置換容易な構成を記載したにもかかわらずクレームには記載していなかった場合など，「客観的，外形的にみて，対象製品等に係る構成が特許請求の範囲に記載された構成を代替すると認識しながらあえて特許請求の範囲に記載しなかった旨を表示していたといえるとき」には，第5要件の「特段の事情」にあたり同要件を充足しないと述べている。

第3節　間接侵害

1 総　説

特許権の効力は，クレームに基づいて確定される技術的範囲に及ぶところ，技術的範囲に包含される構成全てが無断実施されてはじめて侵害となるのが原則である（**直接侵害**）。しかし，特許法は，直接侵害を惹起する蓋然性の高い予備的・準備的行為や，直接侵害を惹起させる幇助行為を侵害とみなす規定を有している（101 条。**間接侵害**と呼ばれる）。これらの行為は，本来，特許権を直接に侵害する行為ではなく，せいぜい直接侵害を実際に惹起させた幇助行為として民法 719 条 2 項により共同不法行為を構成し，損害賠償限りの救済が与えられるだけであり，差止めは一般には認められない。しかし，特許法は，直接侵害を未然防止し，特許権保護の実効性を確保するために，このような行為を侵害とみなしている。

間接侵害を構成する行為類型として 101 条は，物の発明について 1 号・2号・3 号を，単純方法の発明について 4 号・5 号を，物を生産する方法の発明について 4 号・5 号・6 号を規定している。

例えば，特許権が成立した方法（例：検査方法）に用いる物（例：検査方法に用いる試薬）は，間接侵害に該当しうる（当該特許方法以外の用途がなければ 4 号に，これ以外の用途がある場合には 5 号に該当しうる）。これに対して，「その方法の使用に用いる物（例：検査方法に用いる試薬）」の生産に用いる物（例：当該試薬の材料）を生産等する行為が間接侵害を構成するのかが議論されている（間接侵害を構成する物の生産に用いる物の生産等が問題となっており，「間接の間接侵害」（再間

接侵害）とも呼びうる）。裁判例の中には，4号の適用が問題となったこのような
なケースについて，間接侵害の成立を否定したものがある（知財高判平成17・
9・30判時1904号47頁〔一太郎大合議〕〈判コレ48〉）。その趣旨が，特許権が無限
定に拡張していくことの防止にあることは容易にみて取れる。しかしながら，
特許権の無限定の拡張に対しては101条に規定された各要件が歯止めになるの
であって，101条の要件を全て充足する場合には間接侵害を否定すべき理由は
ないとする批判もある。

Column Ⅱ6-1　直接侵害への複数人の関与

　直接侵害の成立には，技術的範囲に包含される構成全てが無断実施されるこ
とが必要となる。それでは，その構成を複数人が分担実施した場合に，直接侵
害は成立するのだろうか。例えば，サーバやユーザー端末などがネットワーク
上で結び付いたシステム全体で新規なサービスを提供する方法の発明があった
場合，サービス提供者，サーバ管理者，エンドユーザー等それぞれが，当該方
法の一部を使用していくことで，最終的に発明の構成全部が実施されたという
ケースについて，直接侵害が成立するのだろうか，成立するとして，誰がその
責任を負うのだろうか。

　1つには，各行為者が共同で1つの直接侵害を行ったと評価するという考え
方（共同直接侵害論）がありうる。但し，具体的にどのような場合がこれにあ
たるのかは必ずしも明確ではない。あるいは，裁判例の中には，発明の構成の
うち主要部分の実施を行っているAと，残りの部分を実施しているBがいる
場合に，AがBを「道具」として用いることで，実質的にA自らが発明の構
成全部を実施していると評価し，Aについて直接侵害の成立を認めたものが
ある（東京地判平成13・9・20判時1764号112頁〔電着画像〕〈判コレ51〉）。し
かし，本来，「道具」という関係が成立するのは，AとBとの間に人的支配関
係が認められ，Aが実施行為を行うという意思決定をし，侵害行為の実現過
程全体を支配しているような場合に限られよう。その他，複数人が全体として
発明の構成全部を実施していれば直接侵害は成立し，その上で，当該直接侵害
の責任を負うのは，システム全体を支配管理している者だけであると説く裁判
例もある（東京地判平成19・12・14平16(ワ)25576〔眼鏡レンズの供給システム〕）。
しかし，「一部実施による全部責任」を根拠づけるには，どの程度の支配管理
が必要となるのかは，必ずしも明らかではない。

　以上のように，この問題に適切に対処することは非常に困難であり，実務上
は，例えばサービス提供者1人の行為により発明の構成が全部実施されるよう
な形にクレーム・ドラフティングするという方策もあり得よう（知財高判平成
22・3・24判タ1358号184頁〔インターネットサーバのアクセス管理及びモニタ

システム〕参照)。

2 直接侵害との関係

間接侵害に関しては，その成立に直接侵害の成立を必要とするのかが問題とされている。すなわち，特許権侵害を構成しない実施行為に用いるために，101条を充足する物を生産，譲渡等する行為は，間接侵害に該当するのかという問題である。

この問題については，間接侵害は直接侵害とは関連しない独立した侵害類型として，101条の要件を充足する限り，直接侵害が否定されてもなお間接侵害の成立が認められるとする**独立説**と，間接侵害はあくまで直接侵害の未然防止を目的とする以上，実施行為が直接侵害を構成しないのであれば，それに従属して，間接侵害も否定されるとする**従属説**が対立してきた。理念型としての両説を貫徹すると，例えば，101条を充足する物を，①試験・研究（69条1項）のためにする特許発明の実施，②特許発明の実施権原を有する者（特許権者から許諾を受けた者）による実施，③外国での完成品の製造と販売，④業としてではない家庭内での特許発明の実施（68条）のために生産，譲渡等をしたところ，それぞれの理由から，直接侵害自体が成立しないという場合，独立説からは全て侵害，従属説からは全て非侵害となる。

しかしながら，直接侵害を否定する規定や法理等の趣旨・目的は様々であり，それらが直接の実施行為のみを非侵害とするものなのか，間接侵害までも不成立とするものなのかを，各規定・法理の個別的解釈を通じて明らかにすべきである。その結果として，独立説と従属説を折衷するかのような立場（**折衷説**）に立った上で，①から③については，間接侵害を否定し，他方，④についてはこれを肯定するのが通説である（大阪地判平成12・10・24判タ1081号241頁〔製パン器〕〈判コレ46〉）。その理由として，例えば，①について間接侵害を認めてしまうと，69条で適法とされる特許発明の実施に対し抑止効果をもたらすことになり，実施行為を許容する69条の趣旨に反する。他方，④については，「業として」要件（68条）の趣旨・目的を，家庭内で行われる実施は軽微であり，特許権者に対する経済的不利益が小さいため非侵害としたと理解した上で，

124

個々の実施行為は些細なものであったとしても，これに用いる装置等が大量に製造販売されれば，多くの実施行為が誘引され，全体として特許権者に与える経済的不利益は大きくなるため，間接侵害を肯定すべきと説かれるのである。このように，具体的な事例に応じて，直接侵害を否定する趣旨・目的を考慮した上で，特許権者等に対する影響・不利益を勘案することにより，間接侵害の成否が判断されているのである。

3 間接侵害の類型

(1) 専用品型間接侵害（101条1号・4号）

1号・4号は，特許発明の実施にのみ用いられる物（専用品・のみ品）の生産等を侵害とみなす規定である。侵害用途以外の適法用途が存在すれば間接侵害を否定するというのが，この規定の趣旨である。それでは，どの程度の他用途が存在していればよいのであろうか。裁判例では，抽象的・観念的・理論的にみれば他用途が存在するというだけでは足りず，社会通念上，経済的・商業的・実用的と認められる他用途が存在しなければ，「のみ」要件を充足すると判断されていた（東京地判昭和56・2・25無体集13巻1号139頁〔一眼レフカメラ〕）。

しかしながら，前掲大阪地判平成12・10・24〔製パン器〕は，侵害用途以外の実用的な他用途が存在するだけでは足りず，侵害用途を全く使用せず，適法用途のみを使用するという使用形態が経済的・商業的・実用的な使用形態でない限り，「のみ」要件を充足すると判示した。この判決は平成14年特許法改正前に下されたものであるが，同改正前は，間接侵害がこの類型しか存在せず，「のみ」要件を厳格解釈してしまうと，およそ間接侵害自体が認められにくくなり，妥当な紛争解決を図ることができないという事情があった。しかし，複数の用途をもつ多機能品について間接侵害を認める2号・5号が新設された現行法下では，「のみ」要件を緩和し，1号・4号の適用を認めやすくすることは，かえって，2号・5号を潜脱することになり妥当ではない。それにもかかわらず，現行法下で，前掲〔製パン器〕の基準をそのまま使い，緩やかに「のみ」要件を肯定した裁判例も存在する（知財高判平成23・6・23判時2131号109頁〔食品の包み込み成形方法〕）。

(2) 多機能型間接侵害（101条2号・5号）

　侵害用途にのみ用いられることを要する1号・4号とは異なり，2号・5号は，侵害用途以外の適法用途をもつ多機能品の生産等も侵害とみなす。しかし，これでは，適法用途で用いられる可能性がある物全体について，その生産等が一律に禁止され，差止めが認められてしまう。そこで，要件の加重が図られており，当該多機能品が，①日本国内において広く一般に流通しているものでないこと（**非汎用性要件**），②発明による課題の解決に不可欠なものであること（**不可欠性要件**），③発明が特許発明であること及びその物がその発明の実施に用いられることを知りながら（現実に知っていることが必要で，過失により知らなかった場合は含まない），生産等が行われたこと（**主観的要件**）の全てを充足する必要がある。本来の立法趣旨は，「のみ」要件を外す代わりに，特に専用品型間接侵害にはない主観的要件を追加的に課すことで，適法用途を有する物の生産等が一律に禁じられるケースを限界づけるというものであった。但し，差止めについては，訴訟の進行によって，遅くとも事実審口頭弁論終結時には行為者が③の事実について悪意となっていることが多く，主観的要件が機能する場面は限定的である。そこで，裁判例・学説は，特許権の過度の拡張を防止し，適切な差止範囲を画するという目的から，①や②の要件を厳格解釈することで，多機能型間接侵害の成立に絞りをかけようとしている。

> **Column Ⅱ6-2　多機能型間接侵害の要件論**
>
> 　現在有力となっているのは，②不可欠性要件を厳格解釈し，「発明による課題の解決に不可欠なもの」を，それを用いることではじめて「発明による課題の解決」が可能となるもの，すなわち，特許発明において新たに開示された従来技術に見られない特徴的技術手段について，当該手段を特徴づけている特有の構成ないし成分を直接もたらす，特徴的な部材，原料，道具等のことをいうと理解する立場である（例えば，東京地判平成16・4・23判時1892号89頁〔クリップ〕，東京地判平成25・2・28平23(ワ)19435・19436〔ピオグリタゾン〕〈判コレ47〉）。この見解の背景には，適法用途を有する物の生産等を一律に差し止めるという非常に重い負担を課すことを正当化するには，発明の重要部分・特徴的部分に用いられる物であることが必要不可欠となるという発想がある。なお，この立場では，①非汎用性要件は，文字通り，ねじ，釘，電球など，多数の用途をもち，様々な製品に利用することができるため，日本国内で広く普及している製品（汎用品）ではないことと解釈されている。

これに対し，多機能品の生産等に対し差止めを許容することで適法用途での利用可能性まで奪うことは，利用者の行為自由に対する過度の制約になる（過剰差止め）として，複数用途をもつ多機能品のうち，侵害用途のみを除去・停止すること（例えば，侵害用途では使えないような形に仕様変更すること）が容易な場合に限り，間接侵害として差止めを認めるべきであると説く見解もある（差止適格性説。田村善之「多機能型間接侵害制度による本質的部分の保護の適否──均等論との整合性」同『特許法の理論』（有斐閣，2009年）129頁以下〔初出：知的財産法政策学研究15号（2007年）167頁〕）。たとえ差止めが認められたとしても，当該侵害用途を除去すれば，依然として適法用途での製造販売は継続できる以上，特許権侵害の誘発を防止しつつ，相手方の行為自由に対する過度の制約を回避することができるというのである。更に，適法用途まで一律に差し止められるという重大な負担を相手方が負うことにはならないため，差止めの対象を発明の重要部分・特徴的部分に用いられる物に限定する必要もない。そこで，②不可欠性要件は，当該多機能品がなければ特許発明の直接実施ができなくなるという関係が成立すれば足りるとされる。但し，この見解は，以上の侵害用途除去容易性とも呼びうる要件を，①非汎用性要件に読み込もうとしており，この点で，条文解釈としては課題が残る。

また，発明の重要部分・特徴的部分に用いられる物であることを必要とするという現在の有力説に立ちながらも，差止適格性説が重視する相手方の行為自由の確保にも配慮して，間接侵害の成立を認め差止めを行う場合でも，「適法用途αにしか使用できない旨を明示することなく，物Aを製造販売してはならない」など，適法用途での利用継続が可能な形での差止判決だけが許され，無条件に「物Aを製造販売してはならない」や「物Aを廃棄せよ」という差止めを認めるべきではないと説く論者もいる（三村量一「非専用品型間接侵害（特許法101条2号，5号）の問題点」知的財産法政策学研究19号（2008年）85頁以下）。また，損害賠償に関しては，適法用途利用分を控除した形で損害額を算定する裁判例が多い（例えば，知財高判平成26・3・27平25(ネ)10026・10049〔粉粒体の混合及び微粉除去方法並びにその装置〕〈判コレ50〉）。

なお，主観的要件に関して，大阪地判平成30・12・13判時2478号74頁〔表示装置〕，知財高判令和4・8・8平31(ネ)10007〔同控訴審〕は，「物がその発明の実施に用いられること」を知っていたと認められるためには，「部品等の性質，その客観的利用状況，提供方法等に照らし，当該部品等を購入等する者のうち例外的とはいえない範囲の者が当該製品を特許権侵害に利用する蓋然性が高い状況が現に存在し，部品等の生産，譲渡等をする者において，そのことを認識，認容していることを要し，またそれで足りる」と判示している。一方で，単に部品等が侵害用途で使用される一般的可能性があることを認識・認容していただけで主観的要件を満たすとすると，多機能品の取引安全を損な

い，他方で，部品等が譲渡先等で現実に特許発明の実施に用いられることの認識まで必要とすると，侵害惹起の蓋然性が高い状況を現実に認識・認容している場合にも間接侵害が否定され，侵害惹起の蓋然性が高い予備的行為に特許権の効力を及ぼすという101条2号の趣旨に沿わないというのである。

(3) 侵害物の譲渡等・輸出のための所持（101条3号・6号）

この侵害類型は，平成18年改正で追加された。侵害品が実際に譲渡・輸出され拡散する前にこれらを抑えるため，前段階の所持行為を侵害とみなす規定である。

第4節　特許権の制限

業として特許発明を実施することは，原則として特許権の侵害になる。しかし，発明の利用を促進し産業の発達に資するために，特許発明の実施に該当しても特許権の効力が制限され侵害とならない場合がある。その趣旨は様々であるが法形式としては，①明文の規定はないが解釈論として認められているもの（消尽），②特許法が明文の規定により特許権の効力が及ばないとしているもの（69条など），③法定の通常実施権によって特許権の効力が制限されるものがある（このほか，侵害訴訟において特許権の行使を制限する無効の抗弁がある。⇒第7章第2節**2**）。以下，順に説明する。

1 消　尽

(1) 消　尽　論

特許発明が物の発明である場合，特許製品を譲渡することは特許発明の実施にあたる（2条3項1号）。そのため，流通の過程において，生産者が卸売業者に，卸売業者が小売業者に，小売業者が消費者などに譲渡すること，及び最終購入者が特許製品を業として使用することも全て，特許発明の実施にあたる。これらは，原則，特許権者の許諾がないとすることができない。このように全ての行為に特許権者の許諾を要すると考えると，特許製品の円滑な流通に支障をきたす。そのため，特許製品が特許権者などにより最初に譲渡されると，そ

の製品については特許権はその目的を達したものとして**消尽**し，その後に行われるその製品についての特許発明の実施には特許権が及ばないとする理論（**消尽論**）が一般に認められている。

特許法には消尽論についての根拠規定は存在しない（著作権法には消尽に関する明文の規定がある（著作26条の2第2項））。しかし，特許権行使を制限する独自の法理として，その存在は学説・判例により支持されている（最判平成9・7・1民集51巻6号2299頁〔BBS〕〈判コレ54〉，最判平成19・11・8民集61巻8号2989頁〔インクタンク〕〈判コレ53〉）。判例においては，消尽論を支える実質的根拠は，①市場における円滑な流通を確保する必要性と，②特許権者には代償を得る機会が既に保障されており，流通過程において二重に利得を認める必要性がないことにあるとされている。消尽論は，特許権者に，最初の譲渡の際にその後の実施に係る対価をまとめて回収させることで，効率的な特許製品の流通が行われるようにする仕組みであるといえるだろう。

(2) 消尽の要件と効果

(a) **総説**　特許権が消尽するためには，①物の発明又は物を生産する方法の発明について，②特許権者又は特許権者から許諾を受けた実施権者が，③日本国内で，④特許製品を，⑤譲渡したことが必要である。消尽の効果によって権利が制限されるのは，当該特許製品の使用，譲渡等，輸出もしくは輸入又は譲渡等の申出である。一般には，実施行為のうち，生産は消尽しないと解されている（なお，後述の最判平成19・11・8〔インクタンク〕と類似の基準を用いて「生産」か否かを判断した事例として，知財高判平成27・11・12判時2287号91頁〔生海苔異物分離除去装置における生海苔の共回り防止装置〕がある）。

消尽は，上記の要件をみたせば，特許権者が反対の意思を表示したとしても，権利の制限としてその効果が発生する。但し，それと異なる当事者間の契約としての効力まで妨げられるわけではない。例えば，特許権者が特許製品の譲受人と，製品の転売を禁じる契約を結んだ場合，この契約は特に公序良俗に反すると解されない限りは原則として有効だが，譲受人が第三者に特許製品を譲渡することは特許権の侵害にはならないし（契約違反にはなる），第三者が更に譲渡することは適法である。

消尽論は，そもそもは物の発明についてのものであるが，物を生産する方法の発明について，その成果物たる特許製品を譲渡する場合は，物の発明と同様に考えることができるため，消尽論が適用されるとの理解が一般的である（知財高判平成18・1・31判時1922号30頁〔インクタンク控訴審（大合議）〕参照）。

また，消尽するためには，特許権者又は特許権者から許諾を受けた実施権者が最初の譲渡をしなければならない。そうでないと，特許権者に対価回収の機会があったとはいえないからである。最初の譲渡は日本国内でのものでなければならない（⇒最初の譲渡が日本国外でのものであったときにつき，(4)）。

譲渡されるのは特許製品である必要がある。特許製品とは，特許発明に係る製品のことであり，物の発明の場合は特許発明の技術的範囲に属する物，物を生産する方法の発明の場合は特許発明の技術的範囲に属する方法によって生産された物をいい，それらを少なくともその一部に組み込んだ製品も含む。

(b) **間接侵害品による消尽**　　物又は方法の発明について，特許製品でなく101条1号又は4号の専用品を譲渡した場合に，当該専用品自体の再譲渡については，もはや特許権は消尽したものとして及ばないと解される。一方，当該専用品を用いた特許製品の生産，その製品の使用，譲渡等に，消尽により権利が及ばないかについては議論がある。消尽を認める立場からは，特許発明の実施以外に用途がない製品を最初に譲渡した際に，その後の特許発明の実施についての対価がまとめて回収されたものと評価する余地があり，当該製品の流通の円滑の必要性もあると指摘されている。消尽の可否を判断するには，最終的に発明の実施により提供されるサービスは多様なものでありうることを踏まえつつ，専用品の最初の譲渡により，製品全体に対する発明の貢献度に見合う対価として十分な価格を課すことが可能であったかについて，慎重に検討する必要があるだろう。

この点，裁判例には，101条1号の専用品を譲渡した場合，それ自体の譲渡等については権利が消尽するが，それを用いた特許製品の生産，その特許製品の使用，譲渡等には特許権の行使は制限されず，特許権者の黙示的な承諾が認められる場合に限り特許権の効力が及ばないと述べた上，本件では特許権者が特許製品の生産を黙示的に承諾しているとは認められないとしたものがある（知財高判平成26・5・16判時2224号146頁〔アップル対サムスン大合議（控訴審）〕

〈判コレ64〉)。

更に，101条2号・5号の多機能品の譲渡について上記と同様に考えることができるかは，製品が他の機能も有していたことに照らして，最初の譲渡時に対価回収があったと評価できるかを慎重に検討する余地があるだろう。

(3) 消尽の範囲

消尽により，最初の譲渡後のあらゆる使用，譲渡などに対する権利行使が制限されるわけではない。使用済みの製品を消費者がリサイクル業者に譲渡し，それを再生して業者が再度販売する場合のように，特許製品に対して加工や部材の交換が行われた場合には，その特許製品の使用・譲渡などに対して特許権者が再び権利行使をできる場合があると考えられている。

最判平成19・11・8民集61巻8号2989頁〔インクタンク〕〈判コレ53〉においては，インクジェットプリンタ用のインクタンクについての発明に関し，使用済みの特許製品を収集しインクを注入するなどしてインクタンクを再製品化したことが問題となった。最高裁は，「特許権の消尽により特許権の行使が制限される対象となるのは，飽くまで特許権者等が我が国において譲渡した特許製品そのものに限られるものであるから，特許権者等が我が国において譲渡した特許製品につき加工や部材の交換がされ，それにより当該特許製品と同一性を欠く特許製品が新たに製造されたものと認められるときは，特許権者は，その特許製品について，特許権を行使することが許されるというべきである。そして，上記にいう特許製品の**新たな製造**に当たるかどうかについては，当該特許製品の属性，特許発明の内容，加工及び部材の交換の態様のほか，取引の実情等も総合考慮して判断するのが相当であり，当該特許製品の属性としては，製品の機能，構造及び材質，用途，耐用期間，使用態様が，加工及び部材の交換の態様としては，加工等がされた際の当該特許製品の状態，加工の内容及び程度，交換された部材の耐用期間，当該部材の特許製品中における技術的機能及び経済的価値が考慮の対象となるというべきである。」と述べた。

そのうえで本判決は，被告製品の製品化の工程における加工等の態様は，単に消耗品であるインクを補充しているというにとどまらずインクタンク本体をインクの補充が可能となるように変形させるものにほかならず，使用済みのイ

ンクタンク本体を再使用して本件発明の本質的部分に係る構成を欠くに至った状態のものについてこれを再び充足させるものであるということができ，本件発明の実質的な価値を再び実現し本件発明の作用効果を新たに発揮させるものと評せざるをえないとしたうえで，このほかインクタンクの取引の実情など前記事実関係等にあらわれた事情を総合的に考慮すると，被告製品については，加工前の特許製品と同一性を欠く特許製品が新たに製造されたものと認めるのが相当であると述べた。

最初に譲渡された特許製品と「同一性を欠く特許製品が新たに製造されたものと認められるか」否かが，消尽の範囲を定める基準となることが本判決により示された。消尽しても，新たな製造があったことを再抗弁として主張し，それが認められれば，それ以降の特許発明の使用，譲渡などに対して再び特許権を行使できる。

本判決以前には，生産には消尽が及ばないことから，2条3項にいう「生産」があったか否かを基準とし，単なる修理か再生産かを論じる**生産アプローチ**という考え方と，利益衡量を行うことにより実質論から直接的に消尽の適用範囲を論じるという**消尽アプローチ**という考え方があったとされる。少なくとも本判決は，「生産」すなわち構成要件非充足の状態から充足の状態へ変えることがあったか否かだけではなく，実質的な考慮も行うことで消尽の範囲を定めようとしている。

本判決は，新たな製造を，特許製品の属性，特許発明の内容，加工及び部材の交換の態様のほか，取引の実情等も総合考慮して判断するのが相当としている。しかし，本判決は，考慮要素を明らかにしたものの，それらの要素をどのように考慮して結論を出すべきかについては必ずしも明らかにしていない。発明の本質的部分に係る構成要件を再び充足させたことを重要視している点において生産の有無を重視しているともいえるが，ほかの考慮要素も参酌している。この点に関し，新たな製造の有無は，最初の譲渡の際に「特許権者においてその実施についての対価を取得することが客観的に想定されていたか」によって判断されると解する余地がある（中吉徹郎・平成19年度最高裁判所判例解説民事篇756頁参照）。消尽論の根拠が，特許権の対価回収は最初の譲渡時に集約されているとみなせることにあるならば，そうとはみなせない実施に関しては，再度

第4節　特許権の制限

対価回収の機会を与える必要があると考えられる。

(4)　並行輸入（国際消尽）

　特許権について**並行輸入**とは，特許権者やその正規代理店等以外の第三者が，外国でその国の特許権者の許諾の下，製造販売された特許製品を外国で購入し，日本の特許権者の許諾を得ずに，正規代理店等のルート以外のルートで輸入する行為をいう。並行輸入は，日本の特許権者の許諾を得ていない特許発明の実施なので形式的には侵害に該当する。この場合にも日本国内における場合と同様に消尽論を適用して，権利を行使することができないとすべきかが議論されていた。

　この点について，前掲最判平成9・7・1〔BBS〕は，特許権者は，特許製品を譲渡した外国において我が国の特許権と対応する特許権を有するとは限らないし，対応特許権を有する場合であっても，日本の特許権と外国の対応特許権とは別個の権利であることに照らせば，我が国の特許権者が国外において特許製品を譲渡した場合でも，直ちに二重の利得を得たものということはできないので，国内消尽と同列に論ずることはできないと述べている。本判決は，国外での譲渡について消尽論（国際消尽）を一般的には否定している。

　しかし，本判決は，「我が国の特許権者又はこれと同視し得る者が国外において特許製品を譲渡した場合においては，特許権者は，譲受人に対しては，当該製品について販売先ないし使用地域から我が国を除外する旨を譲受人との間で合意した場合を除き，譲受人から特許製品を譲り受けた第三者及びその後の転得者に対しては，譲受人との間で右の旨を合意した上特許製品にこれを明確に表示した場合を除いて，当該製品について我が国において特許権を行使することは許されないものと解するのが相当である。」と述べ，その根拠として「特許権者が留保を付さないまま特許製品を国外において譲渡した場合には，譲受人及びその後の転得者に対して，我が国において譲渡人の有する特許権の制限を受けないで当該製品を支配する権利を黙示的に授与したものと解すべきである。」と述べている。これは，原則として特許権者による許諾の存在を擬制するという考え方を採用し，特許権者がしかるべき措置を取らない限り，消尽と同様の帰結を認めるものである。国際取引においても流通の円滑の要請が

133

あり，特許権者にとって最初の譲渡の際にまとめて対価を確保することは不可能ではないことから，このような考え方は正当化しうる。

但し，特許権者には，その選択により権利を留保することが許されることには注意を要する。最初に日本国内での実施分も併せて対価を回収することを強制することまでは，相当ではないとの考えに基づくものである。権利を留保するには，譲受人との関係では，最初の譲渡の際に譲受人とその旨の合意をする必要がある。転得者との関係では，合意のうえその旨を特許製品に明確に表示する必要がある。転得者で要件が加重されているのは，第三者の予測可能性を確保する必要があるからである。特許製品になされた表示が流通の過程で抹消又は改竄された場合に，なお権利行使をできるかについては争いがある。第三者の不測の不利益からの保護と，なすべき手段をなした特許権者の保護と，いずれを重視するかで結論は異なる。

本判決によれば，最初に流通に置く者は，「我が国の特許権者又はこれと同視し得る者」であればよく，実施権者以外にも子会社又は関連会社等も含まれる。日本の特許権者から対価回収の機会を奪うものであるから，そのような機会が確保されるといえる関係でなければならない。

なお，特許権が制限される場合に，制限の対象となるのは，あくまで我が国の特許権者等が国外において譲渡した特許製品そのものである。国内のときと同様に，特許製品と同一性を欠く特許製品が新たに製造されたものと認められるときは，特許権者は，その特許製品について再び特許権を行使できる。特許製品の新たな製造にあたるかどうかについては国内の場合と同一の基準に従って判断される（前掲最判平成19・11・8〔インクタンク〕）。

本判決は，特許権者に並行輸入を禁止する手段を認めているが，これは特許権者による国内外での**価格差別**（⇒ Column Ⅲ4-2 「**コンテンツの流通を巡る諸問題**」）を許容するということを意味する。この政策的当否については国際的にはなお議論が続いており，今後も継続して検討が必要といえる。

第4節　特許権の制限

2 特許権の効力が及ばない範囲

(1) 試験・研究のための実施（69条1項）

　特許発明は公開され，検証の対象となることが当然に予定されており，公開された発明を共通の知識とすることで技術が発展していくことこそが特許法の目的とする産業の発達に資するものである。このように技術を普及・発展させるという特許制度の趣旨を達成するためには，試験・研究のための特許発明の実施に対する権利行使を制限する必要がある。一方で，このような制限を課しても特許権者に与える経済的打撃は小さく創作のインセンティブを削ぐことはない。特許法69条1項にいう**試験・研究のための実施**の意義は，この趣旨に即して解釈されることになる。

　一般に，本条にいう試験・研究とは，その特許発明それ自体を対象とするものでなければならないと解されている。特許発明を試験・研究の手段として用いる場合でも技術の普及と発展を目的としているので本条は適用されるともいえるが，研究手段にも創作のインセンティブを付与する必要性は高く，結局は，このような創作を奨励することこそ特許法の目的に資するため，本条の適用対象とはならないのである。この点に関して，科学研究の汎用的な手段として用いられるいわゆる**リサーチ・ツール**に対する特許権が，その下流にある研究活動を阻害するのではないかという議論があり，生命科学の分野でこの点が特に問題視されている。しかし，リサーチ・ツールの場合，試験・研究の対象は特許発明それ自体ではないので，本条は適用されない。ライセンス体制の整備などによって問題解決が図られるべきと一般には考えられている。

　また，試験・研究は，特許発明それ自体を対象としていることに加えて，その目的が本条の趣旨に沿うものでなければならないと考えられる。少なくとも(i)特許発明の技術的内容を把握・検証するための試験・研究（特許要件の調査をする目的のものもこれに含まれる），(ii)特許発明の改良技術・代替技術・補完技術を開発するための試験・研究は，これに含まれると解される。

　学説においては69条1項にいう試験・研究は，技術の普及・発展を目的とするものに限られ，上記(i)(ii)の目的でする試験研究のみが本条が適用されるという見解が有力である。しかし，最高裁は，医薬品の製造承認を得るために

135

必要な試験も本条にいう試験・研究に含まれると判断しており，この理解が問題となる（最判平成 11・4・16 民集 53 巻 4 号 627 頁〔膵臓疾患治療剤〕〈判コレ 55〉）。医薬品について承認を得るために必要な試験も(i)ないし(ii)の範疇に属するものとみる余地はあるものの，最高裁は，本条の趣旨には特許制度の根幹の 1 つである存続期間制度の趣旨を守ることも含まれるとの立場を前提に，特許権の利益と第三者の利益とを比較衡量することにより判断しているといえる（⇒ Column Ⅱ6-3 「後発医薬品と試験・研究」）。

Column Ⅱ6-3　後発医薬品と試験・研究

医薬品に関する特許権の存続期間が満了すると，他のメーカーはそれと同じ医薬品を自由に販売することができるようになる（いわゆる後発医薬品又はジェネリック医薬品）。しかし，医薬品の製造販売には，薬機法（旧薬事法）に基づき厚生労働大臣から製造販売承認を受けなければならない。この製造販売の承認は年単位の時間がかかるため，特許権が切れた後に申請をはじめなければならないとすると，実際の販売開始まで特許権者による独占が長期間継続することになる。平成 7 年ころ以降，先発医薬品の特許権存続中に，後発医薬品の製造承認を受けるための各種試験としての実施に 69 条 1 項が適用されるか否かを争点とする訴訟が頻発することとなった。そして，前掲最判平成 11・4・16〔膵臓疾患治療剤〕は，後発医薬品を特許権の存続期間終了後に販売することを目的とした，製造承認申請に必要な試験を行うことは，69 条 1 項の試験・研究のための実施にあたると判断し，実務的にこの問題は決着をみることとなった。

最高裁は上記判断の根拠として，(i)特許権の存続期間満了後は何人も自由にその発明を利用することができるようにして，社会一般が益されるようにすることが特許制度の根幹の 1 つであること，(ii)薬事法所定の製造承認を得るための試験が 69 条 1 項にあたらないとすると，特許権消滅後もなお相当期間第三者が自由に利用しえない結果となること，(iii)69 条 1 項の適用がないと，特許権の存続期間を相当程度延長するのと同様の結果となる一方，第三者が必要な範囲をこえて実施することは侵害となるので，特許権者の独占的実施による利益は確保されることを挙げている。最高裁は，69 条 1 項の制度趣旨に，技術の普及・発展のみならず，存続期間制度の趣旨を守ることも含めて理解しているといえる。あるいは，最高裁は，特許制度全体の趣旨から直接に上記の解釈を導いており，特許権者の利益と公共の利益の調和を，69 条 1 項の解釈に仮託して達成しているとみることもできよう。

なお，最高裁判決の理由付けからすると，後発医薬品の場合と同じく，先発医薬品の承認に必要な試験にもその射程は及ぶと考えられる。裁判例にも，先

発医薬品の治験について69条1項の適用を認めたものがある（知財高判令和3・2・9令2(ネ)10051〔ウイルス及び治療法におけるそれらの使用〕）。

(2) 効力の及ばない物 (69条2項)

69条2項によれば，次の2つの物には特許権の効力が及ばない。したがって，これらの物の使用等は特許権の侵害とはならない。

69条2項1号によれば，単に日本国内を通過するに過ぎない船舶や航空機，又はこれらに使用する機械などの物には効力が及ばない。これは，パリ条約（⇒第1章第3節，第8編第1節**2**）5条の3を国内法化するものであり，国際交通の便宜のための規定であるとされている。

また，69条2項2号によれば，出願時から日本国内にある物には効力が及ばない。出願時に既に存在している物の利用が制約されることは相当ではないとの判断に基づくものである。本条が適用される場面では，当該特許発明が新規性要件を欠く結果として無効となる場合や後述の先使用権が認められる場合も多いと考えられる。

(3) 調剤行為 (69条3項)

69条3項によれば，混合医薬の発明，医薬の混合方法の発明の特許権の効力は，医師等の処方せんにより調剤する行為及び処方せんにより調剤する医薬には及ばない。

昭和50年の特許法改正により，医薬の発明及び医薬の混合方法の発明にも特許が与えられることになった。その結果，調剤行為にも特許権が及ぶ可能性が出てきたため設けられた規定である。医師等の調剤行為は，国民の健康回復という社会的な任務を負うものであり，また現場の医師等にその調剤が特許権と抵触するかを都度判断させるのは無理があるためである。

(4) その他

175条及び176条は再審により回復した特許権の効力の制限を，112条の3は特許料の追納により回復した特許権の効力を定めている。これらの事由により回復した特許権は当初からずっと有効だったこととなる。しかし，特許権が

いったん消滅したことを信頼して行動した者まで特許権侵害とされるのは相当ではない。そのため，権利制限規定が設けられているのである。

また，存続期間が延長された場合の特許権にも効力の制限がある（⇒第5節 **3**）。

3 法定実施権

法定実施権とは，法律の定めにより当然に発生する通常実施権（⇒第8章第5節・第6節）のことである。法定実施権は，特許権者の意思によらず，その要件をみたしていれば，特許権侵害の主張に対する抗弁として存在を主張できるので，実質的に特許権の制限として作用する。以下では，その代表的なものとして先使用権について詳述し，その他の法定実施権についてはごく簡単に触れる。

(1) 先使用権

(a) **総説**　79条は先使用による通常実施権（これを**先使用権**という）を定めている。この趣旨は，現に行われた発明の実施に係る設備を廃棄させることによる国民経済上の損失を防止することにあるという国民経済説により説明されることもあったが，最近ではより広く特許権者と先使用権者の公平を図ることにあるという公平説により説明される。ただ，先使用権の趣旨が公平にあるといっても，具体的なその中身が問題であり，それは次のように説明できよう。先願主義の原則によれば，同じ発明をしても出願が後になれば特許権を取得することはできず，特許権は，独立に同じ発明をした者に対しても権利行使できるのが原則である。一方，出願がやむをえず遅れることもあれば，あえてノウハウとして技術を保持し出願をしない選択をすることも企業の戦略として重要である。本規定の目的は，特許発明に依拠しない独自創作にも権利行使できるという原則を貫くことの不都合を解消し，独自に開発した技術の実施を確保することにあるといえる。

なお，先使用権者が，特許製品を譲渡した場合には，取引の安全及び先使用権の趣旨に鑑み，その後の第三者による当該特許製品の使用・譲渡等にはもはや特許権の効力は及ばないと解される。他の法定実施権でも同様に考えられる。

138

一方で，先使用権者は，実施権を第三者に許諾することはできない。但し，先使用権者から注文を受け，その者のためにのみ特許製品を生産する者等は，先使用権を援用できると解される（⇒意匠法についての判断として，最判昭和44・10・17民集23巻10号1777頁〔地球儀型トランジスターラジオ〕〈判コレ57〉）。

(b) **要件**　79条によれば，特許出願に係る発明の内容を知らないで自らその発明をし，又は特許出願に係る発明の内容を知らないでその発明をした者から知得して，特許出願の際現に日本国内において発明の実施である事業をしている者又はその事業の準備をしている者は，先使用権を有する。

ここでいう「その発明」は，「特許出願に係る発明」を受けたものではあるが，先使用権者又はその知得元が完成させた，特許発明の全部あるいは一部を含む発明のことを指す。発明を「した」とあるので，このような発明が完成されていることが必要である。

そして，そのような発明は，特許出願に係る発明の内容を知らないでされた発明，すなわち**二重発明**（特許発明とは別系統の発明）でなければならないと解される。二重発明をした本人だけでなく，二重発明をした者から発明を知得した者も先使用権を得ることができる。これは，先使用権の趣旨が，特許権の絶対性のもたらす不公平の解消にあることによるものである。もっとも，学説には，自己の発明を冒認出願された場合の発明者の保護の観点から，冒認出願された発明もここにいう「特許出願に係る発明の内容を知らないでされた発明」にあたるとの見解も有力である。ただ，この説が提唱された当時とは異なり，現在では冒認を理由に無効の抗弁を出すこともでき，また，移転登録請求をすることもできる（⇒第3章第4節）から，先使用権の主張を認める必要性は必ずしも大きくはない。

また，先使用権が成立するには先使用発明と特許発明が同一である必要があるかも問題となる。知財高判平成30・4・4平29(ネ)10090〔医薬〕は，先使用権が成立するには先使用発明が特許発明と「同じ内容」の発明でなければならないとし，先使用発明では特許発明と異なり錠剤の水分含量に着目するという思想がなかったことから，特許発明の技術的範囲に属する錠剤の製造販売の準備をしていても，先使用権の成立を認めなかった。先使用権の趣旨が独立の発明の実施の確保にあるのだとすると，先使用発明が特許発明の技術的範囲に

包含される部分があれば足りると解される。

更に，特許出願の際現に日本国内において，発明の実施である事業をしているか，その事業の準備をしていることが必要である。発明の実施である事業をしているとは，すなわち，業としてその発明を実施していることである。

事業の準備とは，最判昭和61・10・3民集40巻6号1068頁〔ウォーキングビーム式加熱炉〕〈判コレ56〉によれば，「いまだ事業の実施の段階には至らないものの，即時実施の意図を有しており，かつ，その即時実施の意図が客観的に認識される態様，程度において表明されていること」をいう。同判決はあてはめにおいて，見積仕様書を提出した段階で実施の「意図」は客観的に表明されているとして「事業の準備」を認定し，設備投資が現実にはじまっていたことまでは要求しなかった。もっとも，この事件には特殊事情があり，実施の対象がウォーキングビーム式加熱炉という個別注文の製鉄所の設備であった。大量生産品の場合には，現実の投資がある程度はじまっていないと即時実施の意図が客観的に表明されているとまではいえないかもしれない。

独立の発明者の不利益を解消するという趣旨からすると，出願前に発明が完成されてさえいれば足りるという考えもありえなくはない。しかし，実施をする予定がおよそない者にまで先使用権を認める必要は乏しいので，実施の予定がある程度顕在化していることが要求される。

(c) **先使用権の範囲**　先使用権が発生してもその特許発明の実施全てについて通常実施権を得るのではなく，その実施又は準備をしている発明の範囲内，及び，その実施又は準備をしている事業の目的の範囲内で先使用権が発生する。

まず，事業の目的の範囲については，出願時に行っていた事業と異なる分野における実施については先使用権の効力は及ばないと解されている。例えば，製鉄事業において実施又は準備していた場合，化学薬品製造事業においては，先使用権は認められない。また，製品Aの販売を実施又は準備していた場合には，あくまでその販売に関してのみ先使用権が認められ，生産には及ばないのが原則であり，製品の販売を目的として実施又は準備していただけでは，その生産が事業の目的の範囲内とは直ちにはいえない。

次に，発明の範囲内については，実施又は準備をしていた実施形式（実施又は準備していた具体的な製品や方法など）に限定されるという実施形式説と，それ

に表れている発明思想の全体に及ぶという発明思想説の対立があるとされる。前掲〔ウォーキングビーム式加熱炉〕は，「特許発明の特許出願の際……に先使用権者が現に日本国内において実施又は準備をしていた実施形式に限定されるものではなく，その実施形式に具現されている技術的思想」にまで先使用権は及ぶとして，発明思想説を採用した。これは，現に実施又は準備していた実施形式から読み取ることが可能な技術的思想は，既に先使用権者が出願前に発明として完成させていたといえるので，本条の趣旨からは保護の必要性が肯定しうるうえ，実施形式そのものに限られるとすると，権利範囲は明確ではあるが狭すぎて，先使用権制度の実効性が失われるからである。

発明思想説に基づく場合，例えば，先使用時点での実施形式と侵害が主張されている現在の実施形式とを具体的に比較して，両者が同一の技術的思想に基づくものと評価できる場合には先使用権が成立する。このとき，先使用に係る実施形式から認識しうる範囲で抽象化して技術的思想を捉え，両者を比較する必要がある。一方，実施形式に具現された技術的思想が，特許発明の技術的範囲の全てに及ぶことはむしろ稀であることにも注意しなければならない。

(2) その他の法定実施権（中用権，その他）

先使用権以外に法定実施権が発生する場合として，従業者が職務発明をなした場合の使用者（35条1項。⇒第3章第5節**3**(1)），中用権（同一発明に誤って複数の特許権が発生していたような場合において，無効とされた特許権の特許権者等の得る実施権。80条），意匠権の存続期間満了後の通常実施権（81条・82条），その他79条の2（⇒第3章第4節**2**(2)）・176条等がある。

第5節 特許権の発生と消滅

1 総　説

特許権はその設定の登録があったときに発生する（66条1項）。また，特許権は存続期間の満了（67条）のほか，無効審決の確定（125条），特許料の不納（112条），特許権の放棄（97条），相続人の不存在（76条）によっても消滅する。

第2編　第6章　特許権の効力

2　存続期間

　特許権の**存続期間**は，特許出願の日から20年をもって終了する（67条1項）。特許権の発生は設定登録の時だが，存続期間の起算点は出願の日である。

　特許権は発明のインセンティブ確保のために設定される権利であるが，一方，特許権者に発明を独占させることは発明の利用を阻害する。特許発明が保護される期間が長期にわたっても創作に対するインセンティブは大きくならない一方で，利用に対する弊害は大きくなる。特許法では，発明の保護と利用のバランスを図るため，比較的短い存続期間が設定されている。

3　存続期間の延長

　医薬品などはそれを製造販売する際に，その安全性を確認する行政処分を受ける必要がある。したがって，医薬品などの特許発明は，特許権が発生してもその処分を受けるまでの期間，その特許発明の実施をすることができない場合があり，特許権者はこの期間，発明を独占することによる利益を享受することができない結果となる。この結果，特許権者はその分創作のインセンティブを削がれ，存続期間の設定により調整されていた発明者と利用者の利害のバランスが崩れることになる。そのため，特許法は**存続期間の延長登録出願**制度を設け，特許権者が不利益を解消できるようにしている。

　特許権者は，①特許権者又は専用実施権者もしくは通常実施権者が政令で定める処分を受けたこと，②その特許発明を実施するためにその処分を受けることが必要であったこと，③延長を求める期間がその特許発明の実施をすることができなかった期間をこえていないことを要件として，5年を限度として延長登録の出願により特許権を延長することができる（67条4項・67条の7第1項）。現在，政令で定める処分として，農薬取締法及び薬機法（旧薬事法）に基づく処分が指定されている（特許法施行令2条）。

　特許権の存続期間が延長されても，その効力は，政令で定める処分の対象となった物についての特許発明の実施に限定される（68条の2）。その処分においてその物の使用される特定の用途が定められている場合にはその用途に使用されるその物に限定される。例えば，物質aを対象とする物質特許において，糖

尿病に用いる有効成分 a の医薬品として製造販売の承認を受けた場合には，延長された特許権の効力は，アレルギー疾患に用いる有効成分 a の医薬品には及ばない。延長を実効的なものとするには，処分を受けた医薬品そのものとは異なる医薬品に対しても効力が及ぶ場合はあると考えられるが，その限界がどこかについては争いがある。

　この点，大合議判決である知財高判平成 29・1・20 判時 2361 号 73 頁〔オキサリプラチン大合議〕〈判コレ 60〉は，存続期間が延長された特許権に係る特許発明の効力は，処分の対象となった医薬品のみならず，これと医薬品として実質同一なものにも及び，異なる部分が僅かな差異又は全体的にみて形式的な差異に過ぎないときは実質同一なものに含まれると述べる。重要なのは，どのようなときに差異が「僅か」又は「形式的」といえるのかであると思われる。この点，判決は，事案との関係では，特許発明の内容に基づき，その内容との関連で，技術的特徴及び作用効果の同一性を比較検討して，当業者の技術常識を踏まえて判断すべきという基準を用いた。しかし，判決自身もこの基準は限定した場合にしか妥当しないことを認めており，詳細は今後の議論に委ねられている。

　なお，存続期間の延長登録は要件をみたす限りにおいて，同一の特許権につき複数受けることができるのが原則である。しかし，先に特許権者等が政令で定める処分（先行処分）を受けていて，後に再び別の政令で定める処分（出願理由処分）を受けそれを理由として延長登録出願をしたときに，常に再度の延長の機会を認めてよいかには議論があった。しかし，最判平成 27・11・17 民集 69 巻 7 号 1912 頁〔ベバシズマブ上告審〕〈判コレ 59〉により，新たな処分によって医薬品医療機器等法上禁止が解除された行為がある限り，原則として延長は認められることとされた（⇒ Column Ⅱ6-4 「**先行処分がある場合の医薬品の延長登録**」）。

> **Column Ⅱ6-4**　　**先行処分がある場合の医薬品の延長登録**
>
> 　医薬品特許の延長を巡る問題は，先鋭に対立する先発医薬品メーカーと後発医薬品メーカーの利害をどう調整するかという問題であり，議論は大きな変遷をたどっている。
>
> 　平成 23 年以前の実務においては，存続期間の延長登録を受けるための要件

である，その特許発明を実施するためにその処分を受けることが必要であった
こと（以下，「処分の必要性要件」という。67 条の 3（現 67 条の 7）第 1 項第 1 号）
の要件は，同一の有効成分，同一の効能・効果を有する医薬品について既に薬
事法（現薬機法。以下同じ）の製造承認の処分を受けていたときには，およそ
みたされなくなると考えられていた。これは，従来は医薬品の発明は物質発明
が主流であり，有効成分と効能・効果を変えないまま用法用量等のみを変更し
て新たな薬事法上の処分を受けたことなどを理由に延長を求めることは，延長
の機会を二重に得ることになるからと考えられる。

　しかし，この考え方はドラッグデリバリーシステム（DDS。薬剤を必要な病
巣に送る技術）の発明などの新たな形態の発明についての特許権を考えた場合
には不合理な結論に至ることになる。例えば，有効成分 a 効能効果 b の医薬
に DDS 技術 c を用いる医薬品の発明があったとき，その製造承認を受けても，
有効成分 a 効能効果 b の通常の錠剤の医薬品の先行処分を受けていると，延
長登録ができないという結果になる。最判平成 23・4・28 民集 65 巻 3 号 1654
頁〔放出制御組成物〕〈判コレ 58〉は，後行処分に先行して先行処分がされて
いる場合であっても，「先行医薬品が延長登録出願に係る特許権のいずれの請
求項に係る特許発明の技術的範囲にも属しないときは，先行処分がされている
ことを根拠として，当該特許権の特許発明の実施に後行処分を受けることが必
要であったとは認められないということはできない」と述べ，この従来の実務
は否定された。

　その後，特許庁は，一定の範囲内においては 1 回限りの延長の機会を与える
という基本的な立場は維持しつつ，上記最高裁と矛盾しないよう審査基準を改
訂した。しかし，この審査基準も知財高判平成 26・5・30 判時 2232 号 3 頁
〔ベバシズマブ第 1 審（大合議）〕及び前掲最判平成 27・11・17〔ベバシズマ
ブ上告審〕によって否定された。最高裁は，「出願理由処分と先行処分がされ
ている場合において，延長登録出願に係る特許発明の種類や対象に照らして，
医薬品としての実質的同一性に直接関わることとなる審査事項について両処分
を比較した結果，先行処分の対象となった医薬品の製造販売が，出願理由処分
の対象となった医薬品の製造販売を包含すると認められるときは，延長登録出
願に係る特許発明の実施に出願理由処分を受けることが必要であったとは認め
られないと解するのが相当である。」と述べ，新たな処分によって薬機法上禁
止が解除された行為がある限りは延長を認めるという立場を採用したと考えら
れる。一定の範囲内においては一回のみ延長を認め，延長特許権の効力もその
範囲に生じるべきとの長く特許庁がとってきた政策判断は，本条の解釈論とし
ては維持することが難しくなったといえるだろう。

第7章
権利の侵害と救済

第1節　総　　説
第2節　特許権侵害訴訟に
　　　　関する特別の規定
第3節　民事上の救済
第4節　刑　事　罰

第1節　総　　説

1 総　　説

　特許権者は，自己の特許権を侵害している者に対して民事訴訟により**差止め**（特許100条），**損害賠償**（民709条），不当利得返還（民703条）を請求することができる。また故意による特許権侵害行為は刑事罰の（特許196条），特許権侵害物品の輸出入は税関による水際取締の対象となる（関税69条の2・69条の11等）。これら民事・刑事・行政上の救済・制裁によって，特許権者は侵害者を排除し，侵害によって蒙った損害の塡補を受け，その独占的な地位を確保することが可能となる。

　本章では特許権侵害に対する救済・制裁のうち，侵害訴訟に関する特別の規定，差止め・損害賠償等の民事上の救済，刑事罰についてこれらの規律と問題状況を概観する。なお専用実施権者及び独占的通常実施権者による権利行使特有の問題については第8章にて扱う。

145

2 権利侵害の要件

特許権の侵害を理由とする民事訴訟において，原告は，⑴原告が特許権を有し，⑵被告が当該特許権を侵害した（差止請求に関しては侵害するおそれがある場合も含む）ことを主張立証する必要がある。損害賠償請求に関しては更に被告の故意過失，損害の発生及びその額，侵害行為と損害の間の因果関係につき主張立証する必要があるが，これらについては特許法に後述の特別の規定（102条・103条）が設けられている。

⑴につき，原告は特許番号により特許権を特定し，当該特許権が存在し，原告に帰属していることを主張立証しなければならない。

⑵につき，いわゆる直接侵害の場合，(i)被告が業として（差止め・損害賠償の対象となるべき）特定の物を製造・販売・使用等（特定の方法を使用）の行為をしていること，(ii)当該物（方法）が原告の特許発明の技術的範囲に属すること，(iii)被告の(i)の行為が原告特許発明の実施（2条3項）に該当することを主張立証する必要がある（⇒第6章第1節・第2節）。

(i)において原告は被告の製品・方法を特定しなければならない。特に(ii)の判断の前提として，被告製品（イ号製品等と呼ばれることがある）等は，特許発明の各構成要件と対比する形で文書や図面により具体的に特定される必要がある。ここで被告製品をどのように特定するかが侵害の判断に直結する場合もあるため，時に重要な争点となる。

(ii)の技術的範囲の属否については，当該物（方法）が全ての構成要件を充足する（文言侵害）か，又は，特許請求の範囲の記載と実質的に同一なものとして均等の成立が認められる（均等侵害。⇒主張立証責任の分配につき第6章第2節 **2**）ことが必要となる。

間接侵害（101条）の場合には，前述の(ii)(iii)に代えて，被告の行為が101条各号に該当することについての主張立証が必要となる（⇒詳しくは第6章第3節）。

第2節　特許権侵害訴訟に関する特別の規定

1 総　　説

　特許権の侵害に関する民事訴訟（以下，特許権侵害訴訟と呼ぶ）においては，通常の訴訟と同様に原則として民事訴訟法が適用される。主張立証責任の分配についても，民事訴訟の一般原則に基づいて行われることとなる。

　しかし，相手方の行為態様（特に工場内での発明の実施）や損害計算の基礎となる売上げ・利益額に関する証拠の収集・立証は権利者にとって困難となる場合が多い。そこで特許法は，生産方法の推定（104条）や被疑侵害者側の具体的態様の明示義務（104条の2），損害額の推定・算定に係る規定（102条・105条の3。後述），文書提出命令制度の特則（105条），裁判所が中立的な専門家による証拠収集等を命じる査証制度（105条の2以下）等の規定を設け当事者の立証負担を軽減している。また主張立証に伴って当事者の営業秘密が開示される場合につき，平成16年改正により秘密保持命令制度（105条の4以下）が導入されている。

　また令和3年改正により，社会的な影響の大きい事件につき幅広い意見を踏まえた判断を可能とするため，裁判所が特許法の適用等につき広く意見を求めることができる第三者意見募集制度（105条の2の11）が導入されている（改正前に同様の試みがされた事例として知財高決平成26・5・16判時2224号89頁〔アップル対サムスン大合議（抗告審）〕〈判コレ63〉がある）。

　特許権侵害訴訟の国内裁判管轄（訴額が140万円をこえている場合）については，東京地裁又は大阪地裁の**専属管轄**とされ（民訴6条1項。但し移送につき同法20条の2参照），これらの裁判所による終局判決に対する控訴は，東京高裁の管轄に専属し（民訴6条3項），実際には東京高裁の特別の支部である知財高裁が事件を取り扱う（知財高裁2条1号）。これにより，知的財産事件を専門とする部が設置され，技術的な知見を有する裁判所調査官（民訴92条の8）が配属される等の体制が整えられている東京地裁・大阪地裁，知財高裁（審決取消訴訟の専属管轄も有する）に特許侵害訴訟の審理を集中させる仕組みとなっている。

2 無効の抗弁

(1) 無効の抗弁

従前、特許権の侵害訴訟において被疑侵害者が特許の有効性を争うことは認められていなかった。しかし最判平成12・4・11民集54巻4号1368頁〔キルビー〕は、特に侵害訴訟における迅速な紛争の一回的解決を重視して、無効理由の存在が明らかな特許権の行使について類型的な権利濫用の抗弁（講学上、キルビー抗弁と称される）を認めた。

その後平成16年改正により、侵害訴訟において当該特許が「特許無効審判により……無効にされるべきものと認められるときは、特許権者又は専用実施権者は、相手方に対しその権利を行使することができない」（104条の3第1項）との規定が導入された（この104条の3に基づく抗弁を**無効の抗弁**と呼ぶ）。

無効の抗弁は迅速な紛争解決を重視するものであり、審理を不当に遅延させることを目的として無効の抗弁が提出された場合には裁判所はこれを却下する決定を行うことができる（104条の3第2項）。

(2) 訂正の再抗弁

被告が無効の抗弁を援用し、侵害訴訟の時点で原告特許について無効理由の存在が認められるとしても、将来訂正審決の確定等により無効理由が解消され、被告の行為が訂正後の特許権の侵害となるものと解される場合、当該侵害訴訟における原告による特許権の行使はなお認められるべきである。

そこで裁判例・学説上、無効の抗弁に対して権利者側は以下の①②③④の事情を再抗弁として主張できると解されている（**訂正の再抗弁**。最判平成29・7・10民集71巻6号861頁〔シートカッター〕〈判コレ61〉参照）。すなわち①権利者が訂正審判請求（⇒第5章第2節**3**）・訂正請求（⇒第5章第2節**4**(3)）を行っていること、②当該訂正請求等が訂正の要件をみたすこと、③当該訂正請求等により無効理由が確実に解消されることが予測されること、④訂正後の特許発明の技術的範囲に被告製品が属すること、以上4つの要件である。

訂正後の特許請求の範囲の記載が一義的に明確であることが特に必要となるため、①に関して特許権者は、訂正請求等が法律上困難である（126条2項・

134条の2第1項参照）等の特段の事情がある場合を除いて，実際に訂正審判請求・訂正請求を行っている必要があると解されている（知財高判平成26・9・17判時2247号103頁〔共焦点分光分析〕）。

審理を不当に遅延させることを目的とした訂正の再抗弁の提出は，無効の抗弁の場合（104条の3第2項）と同様，裁判所はこれを却下する決定を行うことができる（最判平成20・4・24民集62巻5号1262頁〔ナイフの加工装置〕）。

(3) 無効審決等の確定による再審と平成23年改正

従前（特に侵害訴訟において特許の有効性を争うことができなかったキルビー判決以前の時期），特許権の侵害を理由とする損害賠償請求等の認容判決が確定した後に，当該特許についての無効審決等が確定した場合，無効審決の遡及効（125条）により，侵害訴訟の「判決の基礎となった……行政処分」（特許査定）が「後の裁判又は行政処分」（無効審決・訂正審決）により変更されたとの再審の事由（民訴338条1項8号）が認められると解されていた。

しかしキルビー判決・平成16年改正による104条の3の新設以降，被疑侵害者が侵害訴訟において無効理由を主張することが手続上可能であったにもかかわらず侵害訴訟での敗訴後に無効審決の確定を理由として再審請求を認めることは，権利者側の応訴の負担や侵害訴訟における紛争の一回的解決の理念から適切ではないとの見解が有力となった。

そこで平成23年改正により新設された104条の4では，侵害訴訟等の確定判決の再審の訴えにおいて無効審決，延長登録無効審決，政令で定められた訂正審決の確定の事実を主張することができないものとして，再審の事由を制限している。この**再審の制限**は，侵害訴訟の当事者は当該訴訟において無効理由の有無・訂正の可能性も含めた主張・立証を尽くすべきとの考え方に基づくものであり，その背景には侵害訴訟における紛争の一回的な解決をより重視する姿勢があるといえよう。

更に事実審口頭弁論終結後の訂正審決の確定に関して，最高裁は，104条の3及び104条の4の趣旨から，事実審の口頭弁論終結時までに訂正の再抗弁（⇒(2)）を特許権者が主張しなかった場合，その後に訂正審決等が確定したことを理由に上告審において事実審の無効の抗弁に係る判断を争うことは，訂正

第2編　第7章　権利の侵害と救済

の再抗弁の主張をしなかったことにつきやむをえないと認められる特段の事情
がない限り，侵害紛争の解決を不当に遅延させるものとして許されない，とし
ている（前掲最判平成29・7・10〔シートカッター〕）。事実審口頭弁論終結後の無
効審決の確定に関しても同様の考え方がとられる可能性がある。

第3節　民事上の救済

1　差止請求権

　特許権者は，特許権を侵害する者又は侵害するおそれのある者に対し，その
侵害の停止又は予防を請求することができる（100条1項）。特許法は，特許権
者が侵害（のおそれのある）者を排除し特許発明の実施についての独占的な地位
を確保するための法的手段として，この100条1項の**差止**請求権を認めている。
　差止請求権が認められる要件は，特許権の侵害又は侵害のおそれが客観的に
存在することである。損害賠償請求権とは異なり，侵害者の故意・過失の存在
は要件ではない。但し多機能型間接侵害（101条2号・5号）のように侵害の成
立につき主観的要件の充足が必要とされる場合もある。
　差止請求の対象となる行為は，特許権の直接侵害・間接侵害となる行為に限
られると解されている。間接侵害以外の他人による特許権侵害を教唆・幇助す
る行為は，共同不法行為を理由とする損害賠償請求の対象となりうるが，間接
侵害に該当しない限り差止請求の対象とならないとの見解（東京地判平成16・
8・17判時1873号153頁〔切削オーバーレイ工法〕〈判コレ52〉等）が一般的である。
このため特に差止請求の可否との関係で，特許発明の実施に複数人が関与する
場合の間接侵害や共同での直接侵害の成否等が論じられる（⇒第6章第3節**1**）。
　特許権者は，差止めの請求をするに際して，侵害の行為を組成した物の廃棄，
侵害の行為に供した設備の除却その他の侵害の予防に必要な行為を請求するこ
とができる（100条2項）。この廃棄等請求権は，過去の特許権侵害に係る原状
回復請求権ではなく，あくまで差止請求権に付随するものであり，現在及び将
来の侵害行為の停止・予防のための請求権であることに留意する必要がある。
したがって特許権を侵害して生産された物についても，特許権の存続期間満了

150

第3節　民事上の救済

以降は廃棄等請求権を行使することはできない（東京高判平成6・1・27平5(ネ) 3844）。

100条2項の「侵害の予防に必要な行為」は単に侵害となる行為の不作為（差止め）を求めるのではなく特定の作為を請求するものであり，過度に広汎に認めると被告の営業上の自由を害し，他方で限定し過ぎれば特許権の実効性が失われる。最判平成11・7・16民集53巻6号957頁〔生理活性物質測定法〕〈判コレ38・65〉は，侵害の予防に必要な行為の解釈につき特許発明の内容や侵害行為の態様，差止請求の具体的内容等に照らし，差止請求権の実効性を確保しつつ必要な範囲で認められると判示しているが，その趣旨は特許権者と侵害者双方の利益を衡量しその必要性を判断するものと解される。

また侵害に係る部分が製品のごく一部の部品である場合や侵害以外の用途のある物についても，特許権者の救済と侵害者側の不利益とのバランスから，差止め・廃棄請求の範囲・内容等が問題となる（過剰差止め等の問題。⇒多機能型間接侵害（101条2号・5号）に関して第6章第3節**3**(2)）。

> **Column Ⅱ7-1**　**差止請求権の制限を巡る議論**
>
> 従来，差止請求権の行使は単に侵害の不作為を求めるものであり，被告の行為が特許権の侵害に該当し将来も継続するおそれがある場合は，個別の事情を考慮することなく，差止請求権は認められる，と解されてきた。
>
> しかし，自社開発した技術につき特許権の侵害となるとは知らぬまま当該技術の実施のために莫大な設備投資を行った事案や，製品全体の中で特許発明に係る部品・ごく一部であるがそれを除外するためには莫大な費用が必要となる場合等，差止請求権の行使が侵害者にとって極めて大きな負担となる場合もありうるところである。既に行った当該技術に係る多大な投資が差止請求権の行使によって無にされる状況を防ぐために，特許権者に客観的にみて極めて高額の実施料を支払わなければならないような状況（いわゆるホールドアップ問題の一例）も生じる。またこれら侵害に伴う負担を恐れて，侵害の可能性がある技術の実施のための投資が過少となる状況も懸念される。
>
> そこで近年になって，これら侵害者側の過度の負担が特許法の目的である産業の発達を阻害することとなりかねないとして，事案によっては差止請求権の行使が制限されるべき場合があるとの見解が有力となり，その是非について解釈論・立法論上の検討が行われている（産業構造審議会知的財産政策部会「特許制度に関する法制的な課題について」（平成23年2月）53頁以下参照）。特に差止請求権が制限されるべき類型としては，いわゆるパテントトロール（他人の特

151

許を買い集め，自ら特許発明を実施等はせず，差止請求権の行使を背景として専ら
高額の実施料を請求しようとする主体）等による権利行使や，技術標準規格にお
けるホールドアップ問題等が指摘されている。

　他方で差止請求権の制限を認める場合，どのような場合について制限を認め
るのか，また差止請求権が制限された状況において特許権者と侵害者の間の実
施料等に関する交渉が適切に行われるか，当該交渉が最終的にまとまらない場
合に裁判所が適切に損害額を算定できるか等の問題もある。

　難しい問題であるが，解釈論としては少なくとも事案の具体的な事情によっ
ては差止請求権の行使が権利の濫用（民1条3項）として許されない場合はあ
るといえよう（所有権についての大判昭和 10・10・5 民集 14 巻 1965 頁〔宇奈月
温泉〕参照）。

　近時の裁判例として，標準規格必須特許に係る FRAND 宣言を巡る知財高
決平成 26・5・16 判時 2224 号 89 頁〔アップル対サムスン大合議（抗告審）〕
〈判コレ 63〉がある。技術標準規格は互換性の確保等の点で重要な役割を果た
すものであるが，標準規格に必須の特許技術も多数含むものとなる。そこで標
準化団体は特許権に係る権利処理の円滑化のため，必須特許の保有者に「公正，
合理的かつ非差別的な条件」（FRAND 条件）で許諾する用意がある旨の宣言
（FRAND 宣言）をすることを求めることが多い。〔アップル対サムスン大合議
（抗告審）〕は，このような FRAND 宣言を行った必須特許（必須宣言特許）に
つき差止請求権の行使を無限定に認めることは，標準規格に準拠しようとする
者の信頼を害するとともに特許発明に対する過度の保護となり特許法の目的で
ある「産業の発達」を阻害するとして，FRAND 条件によるライセンスを受け
る意思を有する者に対し当該特許に基づく差止請求権を行使することは権利の
濫用に該当し許されないと判断している。また損害賠償請求については知財高
判平成 26・5・16 判時 2224 号 146 頁〔アップル対サムスン大合議（控訴審）〕
〈判コレ 64〉が FRAND 条件でのライセンス料相当額をこえる部分の請求につ
き権利濫用にあたるとした。

2 損害賠償請求権

(1) 総　　説

　民法 709 条に基づき，故意又は過失により自己の特許権を侵害した者に対し，
特許権者は特許権侵害によって生じた損害の賠償を請求することができる。そ
して特許法は民法 709 条の特則として，損害額の推定・算定（102 条）や過失
の推定（103 条）に関して特別の規定を設けている。特許法に特別の規定がな
い点については民法の不法行為に関する諸規定（例えば民 724 条の消滅時効）が

適用される。

(2) 故意・過失

　通常の不法行為では，被告の故意・過失については原告が証明責任を負う。
103条は民法709条の特則として特許権の侵害者の過失を推定している。過失
の立証が特許権者の負担となる一方，特許公報の発行により特許権の存在とそ
の内容は公示されており業として発明を実施する主体が調査可能であることか
ら，**過失の推定**を定めたものである。そのため行為時点で特許公報が発行され
ていない場合，過失は推定されないと解すべきである（意匠法の事件であるが大
阪高判平成6・5・27知財集26巻2号447頁〔クランプ〕等参照。但し特許公報未発行
の期間につき過失の推定を認め，覆滅も否定した裁判例として東京地判平成27・2・10
平24(ワ)35757〔水消去性書画用墨汁組成物〕等がある）。なお実体審査が行われな
い実用新案権については103条が準用されていない。
　103条は本来，過失の証明責任を転換するにとどまり，侵害者は過失がない
ことを証明すれば損害賠償責任を免れることができる。しかし実際の運用では，
第1審と控訴審で侵害の成否の判断が分かれるような場合や，非侵害との弁理
士の意見を信用したような場合も含め，ほぼ過失の推定の覆滅は認められない
状況にある。小売店等についても過失の推定の覆滅がおよそ認められないとい
う現状には疑問も残る。

(3) 損害とその額

　(a) **特許権侵害による損害**　　特許権侵害による**損害**とは，特許権侵害がな
かったと仮定した場合の権利者の利益状態と，侵害によって生じた権利者の利
益状態の差である。その損害の額は，具体的には，次に述べる売上減少による
逸失利益の額や実施料相当額の他，信用毀損による無形損害（信用回復措置につ
き106条参照）の評価額，侵害対策のための弁護士費用等として算定される。
　民法709条によれば，特許権者は損害の発生，因果関係，損害額につき主
張・証明責任を負う。しかし，特許権の侵害行為の全容の把握の困難，特許権
に係る市場価格の不存在等を考慮し，特許法は，因果関係や損害額等の立証の
困難を緩和するため，後に述べる102条や，損害計算のための鑑定（105条の2

の12)、「損害額を立証するために必要な事実」の性質上証明が極めて困難な場合の相当な損害額の認定（105条の3。民訴248条も参照）等の規定を設けている。

特許権者が自ら特許製品を製造販売していた事案では、侵害品の製造販売により権利者製品の販売数量が減少したと評価できる場合、権利者製品の売上（販売数量）減少による得べかりし利益の喪失（**売上減少による逸失利益**）を自己の損害として賠償を求めることができる。特許権者が安価な侵害品の流通により値下げ販売を余儀なくされた場合も同様である（値下げによる逸失利益。後発医薬品の薬価収載に伴う先発医薬品の薬価引下げに関し東京地判平成29・7・27平27（ワ）22491〔マキサカルシトール損害賠償〕参照）。権利者製品が特許発明の技術的範囲に属さない場合も、その売上減少と侵害品の製造販売との因果関係（侵害品と権利者製品が市場において完全に競合している等）が認められれば、当該製品に係る売上減少による逸失利益も損害賠償の対象となる。特許権者が第三者と実施許諾契約（実施料が売上げに比例するもの）を締結していた場合には、ライセンシー製品の売上減少に伴う特許権者の約定実施料の逸失が損害となる（逸失約定実施料）。

売上減少による逸失利益という損害の発生、その額、侵害行為との因果関係の証明責任は民法709条によれば原告（特許権者）が負う。しかし、因果関係等（侵害行為がなければ、特許権者の製品が何個販売され、特許権者がどれだけの利益を得たといえるか）の立証は、様々な要因（原告製品と被告製品の価格差・機能差、営業努力・市場シェアの差、競合品の存在等）がかかわるために実際には困難である。そこで特許法は、売上減少による逸失利益等に係る損害額の立証に関して特則を設けている（102条1項1号・2項）。

他方、特許権者が特許権を全く活用（実施や実施の許諾等）していなかった場合や侵害行為と権利者製品の売上減少との因果関係が一切認められない場合には、売上減少による逸失利益等の損害の発生は認められない。しかしこのような場合にも、特許権者は特許発明を業として実施する権利を専有している以上、無断で実施されたこと自体を損害として観念することができる。この損害について特許法102条3項及び1項2号は、「特許発明の実施に対し受けるべき金銭の額に相当する額」が損害額となることを定めており、これは一般に**実施料相当額**の損害と呼ばれている。

154

第3節　民事上の救済

> **Column Ⅱ7-2　実施料相当額の損害**
>
> 　実施料相当額の損害については，侵害者が本来実施許諾契約の締結を受け特許権者に支払うべきであったライセンス料が特許権者の逸失利益として賠償の対象となる，と説明されることも多い。しかし実施料相当額の損害については，侵害者と権利者間の実施許諾契約締結の蓋然性が皆無の事案でもその賠償が認められる点で，売上減少による逸失利益や逸失約定実施料とは異質の損害概念あるいは算定手法といえよう。
>
> 　そこで102条3項の損害について，知的財産権の侵害の容易さ・発見の困難さを強調し，侵害の抑止の観点から特許法が特別に擬制した規範的な損害（特許権者が喪失した市場機会（特許発明の実施の需要）に対する適正な対価を損害額とするもの）と捉え，相当実施料の損害と呼ぶべきとする見解もある（平成10年改正前の特許法102条旧2項につき，田村善之『知的財産権と損害賠償〔新版〕』（弘文堂，2004年）206頁以下参照）。
>
> 　これに対して実施料相当額による算定手法は，不法行為法の一般論の枠内での権利の客観的価値の喪失自体を損害と捉える手法の一例と評価する見解もある（潮見佳男「著作権侵害を理由とする損害賠償・利得返還と民法法理」法学論叢156巻5＝6号（2005年）224頁以下参照）。

(b)　侵害品譲渡数量による算定（特許法102条1項）

令和元年改正後の特許法102条1項は，1号（令和元年改正前の特許法102条1項（平成10年改正で導入。以下旧1項）に相当）による額と2号による額の合計額を損害額とすることができる旨を定めている。

（i）　1号　特許法102条1項1号は，侵害品の譲渡により生じた権利者製品の**売上（販売数量）**減少による**逸失利益**に係る損害額の算定に係る規定であり，特に侵害行為と相当因果関係のある逸失販売数量に係る立証責任を侵害者側に転換すること，すなわち，侵害行為がなかったとしても侵害品譲渡数量の全部又は一部を権利者が「**販売することができないとする事情**」（以下，販売阻害事情と呼ぶ。旧1項但書の事情に相当）の立証責任を侵害者側に負担させることをその趣旨としている（旧1項につき知財高判令和2・2・28判時2464号61頁〔美容器大合議〕〈判コレ66〉参照）。

1号による損害額は，権利者製品の利益額（①特許権者が「侵害の行為がなければ販売できた物」の②「単位数量当たりの利益の額」）×逸失販売数量（③侵害品譲渡数量－④特許権者の実施能力に応じた数量（「実施相応数量」）を超える数量－⑤「特定数量」（販売阻害事情に相当する数量））との計算式で算定される。

第２編　第７章　権利の侵害と救済

　条文の構造上，①〜④に係る事情（及び１項柱書所定の適用要件としての侵害品の譲渡）については特許権者が主張立証責任を負い，侵害者側は⑤に係る販売阻害事情について主張立証責任を負う。

　①の「侵害の行為がなければ販売することができた物」とは，侵害品と市場において競合関係にある特許権者の製品を意味し（前掲〔美容器大合議〕），特許発明の実施品である必要はないと解されている（知財高判平成 27・11・19 判タ 1425 号 179 頁〔オフセット輪転機版胴〕）。この競合性は部分的なもので足り，その程度は販売阻害事情の判断において考慮すべきものと考えられている。

　②の「単位数量当たりの利益の額」を，権利者製品の販売価格から経費を控除する形で算定する場合，侵害の行為がなければ得られたであろう売上分に係る製造・販売について「直接関連して追加的に必要となった経費を控除した額」（権利者の「**限界利益**」）として算定される（前掲〔美容器大合議〕）。例えば，当該売上のために追加的な生産が必要な場合には原材料費等が控除され，侵害行為以前に投下された権利者製品の開発費用等は控除されない。

　なお権利者製品の一部のみが特許発明の特徴部分に係る場合等について，権利者製品の限界利益全額が常に②の利益額となるのか，それとも，特許発明の貢献した利益額に限定されるのかを巡っては議論がある（⇒ Column Ⅱ7-3 「**部分実施等と特許法 102 条 1 項 1 号**」参照）。

　③の侵害品譲渡数量（１項柱書の要件としての譲渡）は，無償の譲渡でも対象となる。権利者と侵害者の双方が貸与している事案等についても類推適用されるという見解がある。

　④の特許権者の実施能力についても，潜在的な実施の能力（必要な投資を受けて増産できる能力等）でも足りると解され，侵害者との販路や宣伝広告能力の違いは販売阻害事情として考慮されることとなる。

　⑤の販売阻害事情については，「侵害行為と特許権者等の製品の販売減少との相当因果関係を阻害する事情」を意味し，[1]特許権者と侵害者の業務態様や価格等の相違（「市場の非同一性」），[2](非侵害の) 競合品の存在，[3]侵害者の営業努力，[4]侵害品及び特許権者製品の性能（機能，デザイン等特許発明以外の特徴）の相違等の事情がこれに該当するとされている（前掲〔美容器大合議〕）。

156

第3節　民事上の救済

Column Ⅱ7-3　部分実施等と特許法 102 条 1 項 1 号

　権利者製品や侵害品の一部分のみにおいて特許発明が実施されている場合や一部分のみが特許発明の特徴部分に係る場合（部分実施等）のように，特許発明が当該製品の購買動機の形成において部分的な役割しか果たしていないとの事情を現 1 項 1 号（旧 1 項）においてどのように取り扱うべきかについては，議論が大きく分かれている。

　従前の裁判例では，(A)権利者製品における部分実施等を考慮して権利者製品の利益額を限界利益額の一部として算定するもの，(B)販売阻害事情の一要素として考慮するもの，(C)寄与度・寄与率として利益額や販売阻害事情とは別個に考慮し損害額を減額するものの各算定手法が用いられていた。

　この点につき前掲〔美容器大合議〕は，特許発明の特徴部分が権利者製品の一部分のみに係る場合について，限界利益全額が②の利益額として事実上推定されるが，当該特徴部分が権利者製品の販売利益に部分的にしか貢献していないとの事情が認定された場合，その貢献度に応じた利益額まで事実上の推定が一部覆滅されると解して(A)の手法を採用し，また(C)の手法については条文の根拠がないとして明示的に否定している。他方(B)の手法については，当該事案では既に②の覆滅を認めた判断で考慮済みであることを理由に退けているが，一般論として全面的に否定したものではない（おそらく侵害品のみが部分実施である場合には⑤販売阻害事情として考慮されることとなろう）。

　この〔美容器大合議〕の判断に対しては，学説上，部分実施等の事情は専ら⑤販売阻害事情の判断においてのみ考慮すべきである，との強い批判がされている（例えば田村善之「判解」知的財産法政策学研究 59 号（2021 年）122 頁以下を参照）。

　この批判説で指摘されている通り，部分実施等の事情は販売阻害事情の考慮要素（特に[1]価格差や[4]機能差）と密接に関わるものであり，他の販売阻害事情と区別して権利者製品における部分実施のみを損害額算定における独立の考慮要素とすることは妥当ではない。

　もっとも，専ら⑤販売阻害事情のみで考慮するという手法が，権利者製品において特許発明と無関係の機能・要素がその需要者の購買動機の大半を形成していることが明らかな場合（〔美容器大合議〕はそのような事案といえる）において常に妥当かについてはなお検討を要する（権利者製品に（侵害品や他の競合品にはない）特許発明と無関係の魅力的な機能・特徴が多数あるとの事情は，基本的に，侵害がなければ権利者製品が購入されたとの認定を根拠づける（販売阻害事情を認定しにくくする）点に留意）。批判説は，このような場合にも⑤販売阻害事情が認められない限り，常に，権利者製品の利益全額を特許権侵害による損害賠償の範囲に含めるべきとの考え方を基礎としている（田村・前掲 124 頁以下）。これに対して，販売阻害事情が認められない数量についても，特許発明

の実施等が購買動機の形成に寄与した程度に応じてさらに賠償範囲を限定すべき場合があるとの考え方（金子敏哉「知的財産との関係が『薄い』製品・サービスに係る売上減少による逸失利益」民商法雑誌157巻1号（2021年）56頁以下参照）も主張されている。〔美容器大合議〕は後者の考え方を②の利益額に係る事実上の推定の覆滅という形で行ったものとも評価できよう。

(ii) 2号　特許法102条1項2号は，1号の算定過程において侵害品譲渡数量から控除された数量（④実施相応数量を超える数量又は⑤特定数量）がある場合，2号括弧書の場合（特許権者が専用実施権の設定や通常実施権の許諾を「し得たと認められない場合」）を除いて，控除数量分についての実施料相当額（3項参照）を損害額とできる（そして1項柱書により，1号と2号の合計額を損害額とできる）ことを定めている。

令和元年改正前の旧1項については，旧1項の算定過程での控除数量につき3項の損害額を別途主張できるか（旧1項と3項の併用）について裁判例・学説の見解が分かれていた（肯定説，否定説，実施相応数量超過分や特定の販売阻害事情に限って控除を認める中間説があった）。改正後の1項2号は，この併用が原則的に認められることを明らかにしたものである。

改正後の1項の基本的な考え方は，1号における控除数量は侵害品の購入者は侵害がなくても権利者製品を当該数量分購入しなかったことを意味するにとどまり，当該数量分に関して無断で特許発明が実施されたという点でなお損害が存在し，この損害を実施料相当額という形で評価すべきとの考え方を基礎としているものと解されよう。

改正後の2号括弧書については，販売阻害事情に照らして実施「許諾をし得た」か否か（実施許諾（ライセンス）の機会を喪失したといえるか）を個別に判断すべきとし，特許発明の実施が侵害品の売上に寄与したといえない場合等がこれに該当するとし，従前の中間説に親和的な解釈をする裁判例がある（知財高判令和4・3・14平30(ネ)10034〔ソノレイド〕及び2項と3項の併用（⇒(c)(iv)）に係る知財高判令和4・10・20令2(ネ)10024〔椅子式マッサージ機大合議〕も同様の理解）。

これに対して学説上は，2号括弧書に該当する場合は例外的である（損害不発生の抗弁が成立する場合，あるいは特許権者が専用実施権を設定した場合等）と解する見解が有力である。

第3節　民事上の救済

(c)　侵害者利益による推定（特許法 102 条 2 項）

(i)　概要　　特許法 102 条 2 項は，侵害者が侵害の行為により得た利益（侵害者利益）の額を権利者の損害の額と推定する規定である。この規定は昭和 34 年の全面改正により導入されたものである。立法の過程では権利者の損害にかかわらず侵害者の利益を権利者に返還すべきとする考え方（準事務管理，利得の吐き出し論）もあったが，損害の填補を目的とする不法行為法を逸脱するものであるとして採用に至らなかった。

特許法 102 条 2 項は侵害者の利益額を権利者の損害額と推定することで，（主に売上減少による逸失利益に係る）損害額とその因果関係に関する権利者の証明責任を軽減する趣旨の規定と一般的に解されている。これに対し，2 項を解釈論として利得の吐き出しを実現するものとして運用すべきとする見解もある。

(ii)　2 項適用の要件　　2 項の適用の要件について，権利者は「損害の発生」（侵害行為による利益に対応する権利者の損害の発生）を証明する必要があると解されている。

2 項の適用要件につき知財高判平成 25・2・1 判時 2179 号 36 頁〔ごみ貯蔵機器大合議〕〈判コレ 67〉（外国企業である特許権者は日本国内で実施をしていなかったが，日本の代理店に実施品を輸出・販売し，代理店が日本国内で販売していた事例で 2 項適用）は，特許権者による特許発明の実施は要件ではなく，特許権者に，**「侵害行為がなかったならば利益が得られたであろうという事情」**が存在する場合には 2 項の適用が認められ，特許権者と侵害者との業務態様等の相違は推定の覆滅事由として考慮されるとの一般論を提示し，その後の裁判例もこれを踏襲している。

さらに前掲〔椅子式マッサージ機大合議〕は，権利者製品が非実施品でありかつ特許発明と同様の作用効果を奏しない場合であっても，侵害品と需要者を共通にする同種の製品であって，市場において，侵害者の侵害行為がなければ輸出又は販売することができたという競合関係がある場合には，上記の事情（売上減少による逸失利益の発生）が認められることを判示している（当該事案では権利者製品と侵害品が輸出先の仕向国の市場で競合していたことを理由に 2 項適用）。

他方，特許権者が実施の許諾も実施品・競合品の製造販売等も一切行っていない場合には，2 項の適用要件を満たさないこととなる（特許権者が実施許諾を

し，約定実施料がライセンシーの売上に比例する場合の2項の適用については議論がある）。

(iii) **2項の利益の額** 侵害の行為により侵害者が受けた「利益の額」は，侵害品の売上高から，当該売上に対応する侵害品の製造販売に「直接関連して追加的に必要となった経費を控除した」額（侵害者の**限界利益**）として算定される（知財高判令和元・6・7判時2430号34頁〔二酸化炭素含有粘性組成物大合議〕〈判コレ68〉）。

特許発明の特徴部分が侵害品の一部分のみに係る事案（侵害品における部分実施）等については，従前の裁判例には，当該部分に対応した利益額のみを2項の利益額とするものや，当該部分の利益への貢献の度合い（寄与度）を推定覆滅事由とは別個に考慮するものなどもあった。

この点について前掲〔二酸化炭素含有粘性組成物大合議〕は，部分実施の場合にも原則として侵害品の製造販売利益の全額が2項の利益額となり，部分実施等の事情は推定の覆滅事由として考慮されうるとの考え方を明らかにしている。

(iv) **2項の推定の覆滅** 2項の適用が認められた場合，侵害者は，権利者の損害額が2項の利益額よりも低い又は0であること（推定の一部又は全部の覆滅）を根拠づける事情（推定覆滅事情。前掲〔二酸化炭素含有粘性組成物大合議〕によれば「侵害者が得た利益と特許権者が受けた損害との相当因果関係を阻害する事情」）について立証責任を負う。

具体的には，1項1号における販売阻害事情と同様の事情（⇒(b)(i)の⑤を参照）が推定覆滅事情の例に当たる。また侵害品における部分実施についても，当該実施部分が侵害品の顧客吸引力の形成において部分的な役割しか果たしていなかった等の場合には推定の覆滅が認められることとなる（以上について前掲〔二酸化炭素含有粘性組成物大合議〕）。

2項の覆滅分への3項の適用（**2項と3項の併用・重畳適用**）については，1項2号の新設を確認規定と解する立場（旧1項と3項の併用についての肯定説・中間説）からは，2項についても侵害品譲渡数量の一部を権利者が販売できたと認められないことを理由に推定の覆滅が認められた場合，覆滅分に対応する侵害品譲渡数量分について1項2号と同様の加算がされるべきと解することとなる。

第3節 民事上の救済

2項と3項の併用につき前掲〔椅子式マッサージ機大合議〕は，1項2号についての中間説的な解釈と同様の理解を示した。すなわち，推定覆滅分について権利者が「実施許諾をすることができたと認められる」場合には3項の併用が認められること，そして権利者の実施能力を超えることを理由とする覆滅分は上記の場合に該当するが1項1号の販売阻害事情と同様の理由による覆滅分については当該事案の事情に照らし個別に許諾をし得たか否かを判断すべきとの一般論を示し，当該事案では，市場の非同一性（権利者製品が輸出されていなかった国への侵害品の輸出を理由とする覆滅）については3項の適用を認めたが，侵害品における部分実施を理由とする覆滅分については特許発明の実施が侵害品の売上に寄与していないことを理由に許諾し得なかったとして3項の適用を否定している。

(d) **実施料相当額（特許102条3項）**

(i) 概要　前述（⇒(a)）の通り，特許権の侵害については，特許権を無断で実施されたこと自体を損害と観念することができる。102条3項はこの損害を（本来権利者に支払われるべき）**実施料相当額**という金額で評価・算定すべきことを定めている。102条3項の実施料相当額の金額につき特許権者は証明責任を負うが，その証明に失敗しても民訴法248条等により原則何らかの損害額が認定される。

また3項の請求はこれを超える損害賠償請求を妨げない（102条5項）。特許権者が特許製品を製造・販売等している場合には，前述のように売上減少による逸失利益の額等を損害額とすることもできる（この場合，特許権を無断で実施されたこと自体の損害を，権利者製品の売上減少による逸失利益の額という形で金銭評価しているともいえる）。更に5項によれば，3項の金額をこえる損害額については，侵害者に故意・重過失がないことを参酌して裁判所が減額することができる。以上のことから実施料相当額が最低限度の損害と呼ばれることもある。

(ii) 損害不発生の抗弁　但し特許発明の実施がいかなる経済的価値をももたらさない極めて例外的な場合には実施料相当額が0円となる。102条3項は実施料相当額が何らかの金額として認められるべきことを推定するものであり，侵害者は実施料相当額が0円であることを立証すれば損害賠償責任を免れることができる。

最判平成 9・3・11 民集 51 巻 3 号 1055 頁〔小僧寿し〕〈判コレ 168〉は平成 10 年改正前商標法 38 条旧 2 項（現 3 項の使用料相当額）につき，侵害者が「損害の発生があり得ないことを抗弁として主張立証して，損害賠償の責めを免れることができる」と判示している（**損害不発生の抗弁**）。この「損害の発生があり得ないこと」とは，使用料相当額・実施料相当額が 0 円となる場合（金銭評価額の差を損害と捉える差額説の表現によれば損害が不発生となる場合）を意味するものと解されよう。商標権（信用が全く蓄積されていない商標等，何らの経済的価値も有さない場合が少なからずある。〔小僧寿し〕の事案も参照）と特許権の相違には留意すべきであるが，損害不発生の抗弁は 102 条 3 項にも妥当すると解すべきである。

(iii) **実施料相当額の算定**　　実施料相当額は，契約上のライセンス料の算定方法に準じ，基本的に侵害品の売上高等に相当な実施率を乗じる手法で算定されることが一般的である。この実施料率は，①当該特許発明に関する約定実施料例（これがない場合には業界相場等）を考慮しつつ，②特許発明の価値，③特許発明の侵害品の売上への貢献度や侵害態様，④特許権者と侵害者の競業関係や特許権者の営業方針等の諸事情を踏まえた合理的な料率として算定される（前掲〔二酸化炭素含有粘性組成物大合議〕）。

平成 10 年改正以前の旧 2 項では「通常受けるべき金銭の額に相当する額」との文言になっていたため，過去の実施契約等と同額の実施料率で計算されることが多く，結果として（侵害発覚時にも事前の約定実施料と同額を支払えば足りることとなり）侵害し得となることが懸念された。そこで平成 10 年改正では「通常」の文言が削除され，上記②③④のような個別の事情を考慮した算定がされるべきことが規定された。

さらに令和元年改正後の 4 項では，3 項の金額は侵害が確定した後の事後的な実施料として算定されるべきことを明記している。この規定は，事後的な 3 項の実施料率は，（特許が無効となるリスクや契約上実施権者が様々な制約を負う条件の下で定められている）事前の約定実施料率よりも高額となる（いわゆる**侵害プレミアム**）場合があることを明らかにした趣旨と解されている（前掲〔二酸化炭素含有粘性組成物大合議〕は令和元年改正前の 3 項について同趣旨の解釈をしている）。

3 不当利得返還請求権

　他人の特許権を侵害した者は，法律上の原因なく他人の特許権によって利益を受け，そのために特許権者に損失を及ぼした者として，特許権者は侵害者に対し民法703条・704条の不当利得返還請求権を行使することが可能である。そして不当利得に係る「利益」と「損失」については，特許権が無断で実施されたにもかかわらず，本来支払われるべき実施料の支払を免れ，また支払われていないことがこれにあたると解されており（侵害利得），実施料相当額につき不当利得返還請求権は一般的に認められると解されている。

　但し特許権の場合不法行為につき過失の推定の覆滅がほぼ認められないため，不当利得返還請求権が実際上の意義を有するのは，損害賠償請求権が3年の消滅時効（民724条1号）により消滅した場合等となる。

第4節　刑事罰

　特許法196条は，特許権・専用実施権を直接侵害した者について，10年以下の懲役（令和4年法律67号施行後は拘禁刑）もしくは1000万円以下の罰金又はこれを併科するとの刑事罰を規定している（間接侵害については196条の2，両罰規定につき201条）。特許権侵害罪について公訴が提起されたことは戦後の混乱期を除きほとんどない状況である。

第**8**章
権利の活用と実施権

第1節　総　　説
第2節　特許権の移転，担保権の設定
第3節　共　　有
第4節　専用実施権
第5節　許諾による通常実施権
第6節　許諾によらない通常実施権

第1節　総　　説

1 権利の活用

　特許権者が実際に利益を得るためには特許権を積極的に活用する必要がある。また特許権の適切な活用により，社会のニーズに応え特許発明が実施され技術が普及することは，特許法の目的たる産業の発達（1条）にとって重要な意義を有する。

　特許権の活用には様々な形態がある。特許権者自身が特許製品を独占的に製造販売し独占利潤を得る方法，第三者に特許発明の実施を許諾してその対価（実施料）を得る方法（ライセンス。実施を許諾した権利者をライセンサー，許諾を受けた者（実施権者）をライセンシーと呼ぶ），特許権を売却してその代金を取得する方法等の他，これらの複合的な形態としてクロスライセンス（特許権者間の相互実施許諾）等がある。

　特許権の活用・取引を円滑なものとし実施を促進するために，特許法は，民

164

法・独占禁止法等による規律に加えて，特許権の移転や実施許諾を受けた者の権利（実施権）等について一定の規律を設けている。本章では，これら権利の活用・取引に関する規律として特許権の移転・担保権の設定，共有者の権利関係，実施権などについて概観する。

2 実施権

特許権者以外の特定の者が特許発明を実施できる権原を**実施権**と呼ぶ。特許法上の実施権には，**専用実施権**（77条）と**通常実施権**（78条等）がある。特許権者は，専用実施権の設定（77条1項）・通常実施権の許諾（78条1項）をすることができる。

専用実施権者は実施する権利を「専有」し（77条2項），専用実施権の侵害者に対して差止め・損害賠償等を請求できる。他方，通常実施権者は，単に特許権・専用実施権の侵害とならずに自ら特許発明を実施できる権原を有する（78条2項参照）に過ぎない。

通常実施権には，特許権者の許諾によらずに，特許法の規定（先使用権（79条）等）によって当然に成立する実施権（**法定実施権**）や，特許庁長官・経済産業大臣の行政処分（**裁定**）によって成立する実施権（**裁定実施権**（強制実施権））がある。法定実施権・裁定実施権は，権利者からみれば特許権の制限の一形態ともいえる。これら許諾によらない通常実施権のうち法定実施権については既に特許権の制限において扱ったため（⇒第6章第4節**3**），本章の第6節では裁定実施権を中心に扱う。

第2節　特許権の移転，担保権の設定

1 権利の移転

権利の主体にその権利の処分権限をどこまで認めるかは，権利の性質や権利が付与された政策目的によって異なる。特許権については，権利の活用・資金調達の多様な手段としてのニーズがあり，譲渡や担保権の設定が認められている。

但し権利関係の明確化のため，特許権の移転は，相続等一般承継の場合を除き，登録が効力発生要件となっている（98条1項1号）。したがって未登録の譲受人は，譲渡人や特許権の侵害者との関係においても特許権者として扱われない（但し知財高判令和2・8・20令2(ネ)10016〔チューブ状ひも本体を備えたひも〕は，当事者間では登録なしでも権利の得喪（当該事案では共有者間の契約に基づく共有持分権の喪失）の効果が認められうるとしている）。一般承継の場合には登録なしでも移転の効力が生ずる（但し遅滞なくその旨を特許庁長官に届け出なければならない（98条2項））。

特許権者はその特許権の持分を譲渡することはできるが，内容的な一部を譲渡すること（特定の期間・地域・実施態様や請求項に限定して譲渡すること）は認められていない。但し専用実施権の場合には特許権の効力範囲の一部に限定して設定することができる（77条2項参照）。一方，著作権法においては，専用実施権に対応する制度がない代わりに一部譲渡が認められている（著作61条1項）。

特許権が共有に係る場合，他の共有者の同意がなければその持分を譲渡できない（73条1項。⇒第3節）。

特許権の譲渡は，合併・事業再編等に伴う場合を除き，価格評価の困難等もあり頻繁には行われていない（担保についても同様である）。未活用の特許権の流通を円滑化すべきと主張される一方で，特許権を買い集める「パテントトロール」の活動への懸念も示されている現状にある（⇒ Column Ⅱ7-1 「差止請求権の制限を巡る議論」）。

2 担保権の設定，信託

特許権者は，資金調達等の手段として，担保権の設定（質権（95条・96条），譲渡担保，財団抵当（工抵11条5号参照）等）や信託制度等を利用することもできる。質権や信託の設定等についても登録が効力発生要件とされている（98条1項）。

特許法は権利質（民362条）の一種として，特許権・専用実施権・通常実施権を目的とした質権につき明文の規定を設けている。質権者は別段の契約がない限り特許発明を実施することはできない（95条）。質権者は自己実施の能力を通常欠き，特許権者等の継続的な実施を認めその金銭収入から弁済を受ける

ことが適切であることから，デフォルトルールとしては，実施や許諾の権限は
質権を設定した特許権者に残るものとされている。

質権者は，特許権の競売等により質権を実行することもできるが，特許権等
の対価（譲渡代金），「特許発明の実施に対しその特許権者……が受けるべき金
銭その他の物」（実施料等）に対しても質権を行使することができる（96条，物
上代位）。但し一般債権者を害さないよう，代金等の払渡し又は引渡しの前（代
金等が一般財産に組み込まれる前）に差押えをしなければならない（96条但書）。

3 特許権の放棄等

特許権者は特許権を放棄することができる。但し質権者・専用実施権者がい
る場合には，特許権の放棄により質権等も消滅するため，これらの者の同意を
得なければ放棄をすることができない（97条1項。なお通常実施権者の承諾は令和
3年改正により不要とされた）。放棄による消滅についても登録が効力発生要件と
されている（98条）。

なお特許権者が特許料を納付しなければ特許権は消滅する（112条4項）が，
利害関係人であれば特許権者の意に反して特許料を納付することができる
（110条1項）。

第3節　共　有

1 共有者間の権利関係

共同出願された発明について特許が付与された場合，特許権は**共有**される。
また相続や持分権の譲渡によって，事後的に共有となる場合もある。財産権の
共有には，法令に特別の定めがある場合を除き，民法の所有権の共有に関する
規定（民249条以下）が準用される（民264条）。特許法はこの特別の定めとして
73条を設けている。

特許権の各共有者は，別段の定めがなければ，他の共有者の同意を得ず，ま
た対価等の支払も要さず，特許発明を自ら実施することができる（73条2項，
自己実施の自由）。民法249条の持分割合に応じた使用が妥当しない理由として

167

は，情報財の消費の非競合性（共有者の一方が実施をしても，他の共有者の実施を妨げるものではないこと）が挙げられている。

しかし，ある者の実施が他の共有者の実施に経済的影響を与えることや共有著作権では自己利用にも全員の合意が必要とされていること（著作65条2項）を考慮すれば，この説明では不十分である。情報財の消費の非競合性に加え，実施の促進等の政策的考慮や特許発明の実施者は著作物の利用等と比較して大きなリスクとコストを負担すること（それゆえ得た利益につき他の共有者に分配することが公平とは常にはいい難いこと）等から，自己実施の自由が認められていると解すべきである。

自己実施の自由により特許権の各共有者は競争関係に立ちうる。仮に，共有者の一人が単独で持分権を（細分化して）譲渡できる，実施権の設定・許諾を行えるとすれば，他の共有者にとっては予期せぬ競争相手が実施主体に加わることとなり，自己実施の寡占の利益が損なわれる。そこで特許法73条は専用実施権の設定・通常実施権の許諾（3項）や持分権の譲渡・持分権を目的とした担保権の設定（1項）につき他の共有者の同意を必要としている。

もっとも下請企業による実施等，自己実施と他人への実施許諾との線引きが難しい事案もある。他の共有者の不測の不利益を避けることを重視する立場からは，実施能力の大幅変化を生ずる場合には73条2項の自己実施には該当しないとの解釈も考えられる。しかし前述の自己実施の自由の根拠からすれば，下請企業が共有者の指示の下，製造し全品共有者に納入される事案（仙台高秋田支判昭和48・12・19判時753号28頁〔蹄鉄〕〈判コレ69〉）等のように，各共有者自身が実施のリスクとコストを全面的に負う場合には自己実施の範囲内と解してよいであろう。

なお共有者の一人が製造販売した製品の使用・再譲渡については，消尽に準じて他の共有者の特許権の効力も及ばないと解される。

以上の規律は，共有者間においてはデフォルトルールに過ぎず，契約により別段の定めを行うことは可能である。

特許権の各共有者も，いつでも分割請求権を行使することができる（民256条）。特許権の現物分割は実際上不可能であり（特許法上，特許権の一部譲渡や請求項ごとの分割は許容されていない），裁判上の分割は競売や全面的価格賠償（但

し裁判所が価格を適切に認定できるかが問題となる）の方法によることとなる。5年をこえる不分割特約は無効となる（民256条1項但書，更新につき2項）が，特許権の存続期間や自己実施のために投資をしていた共有者の利益を考えると立法論としては特許法に特別の規定を設けるべきであろう。

　共有に係る特許についての審判請求（訂正審判請求等）は共有者全員で行う必要がある（特許132条3項。⇒第5章第2節**3**(2)）が，無効審決や特許取消決定の取消訴訟については保存行為論により各共有者単独での訴訟提起が認められている（⇒第5章第4節**2**）。

2 共有特許権の侵害に対する救済

　共有に係る特許権が侵害されている場合，各共有者は単独で差止請求権を行使することができる。その根拠を保存行為（民252条5項）であるためと説明する見解もあるが，他の共有者の費用負担の点を考えれば自己の持分権に基づく請求と理解すべきであろう（結果として保存行為と評価される場合には，他の共有者にその費用の分担を求めることができる）。

　各共有者は自己の損害について損害賠償請求権を単独で行使することができる。各共有者の損害額の算定については様々な考え方があるが，第7章第3節**2**(3)で述べた特許権侵害による損害の理解からすれば次のように解されよう。まず①各共有者は，持分権が侵害されたこと自体を損害として，持分割合に応じた実施料相当額を損害額とできる。更に②自己実施をしていた共有者については，売上減少による固有の逸失利益を①に代えて損害額とすることもできると解されよう。但し二重取りを避けるため，②の損害額から他の共有者に帰属すべき使用料相当額分は控除する必要があろう。

第4節　専用実施権

1 効力，成立・消滅

　専用実施権者は，設定行為で定められた範囲内において，業としてその特許発明の実施をする権利を「専有」する（77条2項。⇒「専有」の意味につき第6章

第2編　第8章　権利の活用と実施権

第1節**1**)。その権利範囲内で無権限の者（後述するように特許権者も含まれる）が実施をすれば，専用実施権の侵害となり，差止め（100条）・損害賠償請求（102条参照）等・刑事罰の対象となる。専用実施権は，その物権的効力（特に排他権・禁止権）から用益物権類似の権利といわれる（所有権に対する地上権としばしば比較される）。

専用実施権の共有には，特許権の共有の規定が準用される（77条5項・73条）。

専用実施権の設定は，特許権の移転と同様，登録が効力発生要件とされており，一般承継を除く移転等についても同様に登録が効力発生要件となっている（98条1項2号）。専用実施権設定契約が締結されたが設定の登録がされていない場合には，契約の趣旨に鑑み，後述の独占的通常実施権としての扱いがされることが一般的である。

専用実施権は，契約上の設定期間の満了，契約の解除，専用実施権の放棄（但し，専用実施権者が質権を設定した・通常実施権を許諾していた場合につき97条2項参照），相続人の不存在（76条），専用実施権の取消（独禁100条）等により消滅する（登録が効力発生要件である）他，特許権者と専用実施権者が同一人となった場合（混同，民179条2項参照）や特許権の消滅時にも消滅する。

2 範囲の制限と契約上の義務

専用実施権の権利範囲は設定行為によって限定できる（この範囲は，登録原簿に記載され公示される。特許登43条1項参照）。専用実施権者が専用実施権の範囲外で特許発明を実施すれば特許権の侵害となる。範囲の限定の例としては，期間・地域・場所の制限の他，内容の制限（実施態様を特定の請求項や分野・実施品に限定する，実施行為のうち使用のみを認める，製造と輸出のみを認め国内での販売を認めない等）がある。

契約上専用実施権者に課せられた義務の全てが専用実施権の範囲の制限となるものではない。実施料の支払，原材料の購入先，製品規格や標章の使用，製品の価格等に関する条項は，専用実施権の範囲の制限にあたらず，これらの条項に違反しても，専用実施権者は特許権を侵害するものではなく債務不履行責任を負うにとどまる（このことは，特に専用実施権者製品の購入先による転売・使用に対して，消尽論の適用により，特許権の効力が及ばないという点で重要となる）。実

170

施品の数量制限については，同一内容の専用実施権の重複設定が可能となるため専用実施権の制度趣旨に反すること等から，専用実施権の範囲の制限としては認められない（数量制限違反については債務不履行責任のみが問題となる）と解されている。

許諾による通常実施権についても同様の論点がある（⇒第5節**2**）。

3 特許権者との関係

専用実施権者が他人に通常実施権を許諾する場合や専用実施権を目的とする質権を設定する場合には，特許権者の承諾を得る必要がある（77条4項）。また専用実施権の移転についても，実施の事業とともに行われる場合や相続等の一般承継の場合以外は，特許権者の承諾が必要となる（77条3項）。実施主体の変更・増加は特許権者の利害に影響を及ぼすため，デフォルトルールとしては特許権者の承諾を必要としたものである。実施の事業に伴う移転の場合に特許権者の承諾を不要とする理由については，仮に特許権者の不同意により実施の継続が認められないと実施設備が利用されず国家経済上の損失が生じることが挙げられている。

特許権者は，専用実施権が設定された範囲内において重複して専用実施権の設定や通常実施権の許諾を行うことができない（なお専用実施権の設定登録以前に成立した通常実施権については99条の当然対抗（⇒第5節**4**(1)）が認められる）。また専用実施権の範囲内では特許権者自身による実施も専用実施権の侵害となる（68条但書参照）。特許権の移転には専用実施権者の同意は不要だが，特許権の譲受人に対しても専用実施権は効力を有する。この他，特許権の放棄や訂正審判の請求等，専用実施権に影響を及ぼしうる行為について，専用実施権者の同意が必要とされる。

また専用実施権者と特許権者の間には，専用実施権設定契約上の債権・債務関係が生じる（実施料の支払等（無償とすることも可能））。実施料の不払い等の債務不履行による解除は，継続的契約の一例（民620条参照）として将来に向かってのみ効力を生ずると解すべきである。

第2編　第8章　権利の活用と実施権

4 専用実施権の侵害者に対する権利行使

　専用実施権者は，専用実施権の侵害者に対して，差止請求権（100条），損害賠償請求権（民709条）・不当利得返還請求権（民703条）等を行使できる。特許法102条（損害額の推定等）や103条（過失の推定）等も適用される。

　それでは，専用実施権の侵害者に対して特許権者は権利を行使することができるか。特許権者の差止請求権については，68条但書を根拠にこれを否定する見解・下級審判決もあったが，最判平成17・6・17民集59巻5号1074頁〔生体高分子―リガンド分子の安定複合体構造の探索方法〕〈判コレ70〉は特許権に基づく差止請求権の行使を認めた。最高裁はその実質的な理由として，専用実施権者の売上げに約定実施料が比例する場合の実施料収入の減少のおそれ，専用実施権が何らかの理由で消滅し特許権者の権原が回復した場合に備えて侵害行為を排除する必要性を挙げている。これらに加えて77条4項により専用実施権者が特許権者の意に反して実施の許諾をすることが認められていない以上，特許権者の差止請求権は当然認められるべきであろう。

　より難しい問題は，特許権者の損害賠償請求の可否とその損害額の点である。基本的には，専用実施権者が権利を専有する以上，実施料相当額（102条3項）の損害については，特許権者ではなく専用実施権者のみが損害額として主張することができると解されよう。但し実施料が専用実施権者の売上げに比例する契約等があった場合には，専用実施権者の売上減少に伴う特許権者の逸失約定実施料を民法709条の損害とすることはできると解すべきである。

第5節　許諾による通常実施権

1 効力，成立・消滅

　特許権者・専用実施権者は，他者に**通常実施権**を許諾することができる（78条1項・77条4項）。登録を要さず，許諾のみで通常実施権は成立する。許諾による通常実施権者は，設定行為（実施許諾契約等）によって定められた範囲内において，業としてその特許発明の実施をする権利を有する（78条2項）。

172

第5節　許諾による通常実施権

前述の通り（⇒第1節**2**），通常実施権とは，他人の実施に対する禁止権・排他権ではなく，当該特許発明に係る特許権・専用実施権の侵害とならずに特許発明を実施できる権原に過ぎない。特許権者が，重複して同内容の通常実施権を許諾することも可能である。

他方で実施許諾契約の内容として，通常実施権の許諾に加え更に別の義務（ノウハウの提供・技術指導等）を特許権者に課すことは当然可能である。特に他の者に実施許諾をしない債務を特許権者が負う場合の通常実施権を，講学上**独占的通常実施権**と呼ぶ。独占的通常実施権者の特許権の侵害者に対する請求権については，⇒**5**で検討する。

通常実施権が共有されている場合，持分権の譲渡・持分権を目的とした質権の設定には他の共有者の同意が必要となる（94条6項・73条1項）。

通常実施権は，契約上の設定期間の満了，契約の解除，通常実施権の放棄（通常実施権につき質権を設定した場合につき97条3項参照），相続人の不存在（76条），通常実施権の取消（独禁100条）や，特許権との混同（民179条2項参照），特許権の消滅等により消滅する。通常実施権の発生後に特許権が移転された場合，譲受人との関係でも通常実施権は効力を有する（99条。いわゆる**当然対抗**。⇒**4**）。

2 範囲の制限と契約上の義務

許諾による通常実施権の場合も，設定行為（実施許諾契約等）によりその範囲を，時間的・地理的・内容的に制限することが可能である（78条2項）。この範囲外での実施は単なる債務不履行ではなく特許権の侵害となるため，契約上の条件が通常実施権の範囲の制限にあたるか否かが重要となる。

専用実施権の場合の解釈と同様に，「原材料の購入先，製品規格，販路，標識の使用等」についての約定は通常実施権の範囲の制限にあたらないと解されている（大阪高判平成15・5・27平15(ネ)320〔育苗ポット〕〈判コレ71〉）。但し数量制限については，専用実施権の場合とは異なり，通常実施権の範囲の制限となる（制限をこえて製造された実施品は特許権の侵害品となる）と解する見解も有力である。

なお実施契約により特定の義務を課す行為（例えば，代替技術の開発を禁止す

173

る義務等。不争義務につき⇒ Column Ⅱ8-1 「**不争義務**」）等が，特許制度の趣旨を逸脱し独占禁止法に違反すると評価される場合もある（詳細については，独占禁止法 21 条との関係も含め，公正取引委員会「知的財産の利用に関する独占禁止法上の指針」（平成 28 年 1 月 21 日改訂）参照）。

Column Ⅱ8-1　**不争義務**

　実施許諾契約や和解契約において，契約対象となる特許権の有効性を争わない（無効審判の請求などをしない）義務（**不争義務**）を相手方が負う旨の条項（不争条項）が定められることがある。

　かつては実施許諾契約一般につき実施権者は不争義務を負うとの見解も有力であったが，現在では，契約上その旨の特別な合意がある場合に不争義務を負うと解されている。黙示の不争義務に係る合意が認められるのは，無効審判での和解に伴う実施許諾の事案等に限られよう。

　前記「知的財産の利用に関する独占禁止法上の指針」では，実施許諾契約における不争条項は，「円滑な技術取引を通じ競争の促進に資する面が認められ，かつ，直接的には競争を減殺するおそれは小さい」とされつつも，無効にされるべき権利が存続することによる公正競争阻害性に照らし，相手方の事業活動を不当に拘束する条件を課すものとして不公正な取引方法（独禁 2 条 9 項 6 号ニ，一般指定 12 項）に該当する場合もあるとされている。

　不争義務に違反した無効審判請求は，123 条 2 項の利害関係（⇒第 5 章第 2節 **4**(2)）を欠くものとして却下されることとなる（知財高判令和元・12・19 平31(行ケ)10053〔二重瞼形成用テープ〕では，実施許諾を伴わない和解契約に基づく不争条項の有効性が認められ却下審決が維持された）。もっとも不争条項の範囲や有効性（特に独占禁止法上の問題）を審判段階で適切に判断することは実際上困難な場合も多いようにも思われる。

---

③ 特許権者との関係

　通常実施権者が許諾による通常実施権を移転する際には，実施主体の変更が特許権者等の利害に影響を及ぼすため，実施の事業とともに行われる場合や相続等の一般承継の場合以外は，特許権者（専用実施権者の許諾により成立した通常実施権については，専用実施権者と特許権者）の承諾が必要となる（94 条 1 項）。通常実施権を目的とする質権の設定にも特許権者等の承諾が必要となる（同条 2項）。

　通常実施権者は，他人に実施を許諾する権原を有さない。下請等による実施

第5節 許諾による通常実施権

の可否については，基本的には実施許諾契約の解釈の問題となろう（法定実施権・裁定実施権の場合には，それぞれの根拠となる法の趣旨の問題となる）。実務上は特許権者からの授権の下にいわゆるサブライセンスが行われることがあるが，特許法上は，特許権者がサブライセンシーに通常実施権を許諾しているとの扱いになる。

特許権者は，通常実施権を設定した範囲につき重複して通常実施権を許諾することができる。特許権の移転にも通常実施権者の承諾を要さない（99条により，特許権の譲受人との関係でも通常実施権の効力は生じる）。

なお以前は特許権の放棄・訂正につき通常実施権者の承諾が必要とされていたが，特許権者の負担等を理由に令和3年改正で通常実施権者の承諾が不要とされている。他方，専用実施権の放棄については，専用実施権者から許諾を受けた通常実施権者の承諾が令和3年改正後も必要とされている（97条2項）。

この他通常実施権者と特許権者の間には，実施許諾契約上の債権・債務関係が生じる。実施料の不払い等の債務不履行による解除は，継続的契約の一例（民620条参照）として将来に向かってのみ効力を生ずると解すべきである。

無効審決が確定した場合，特許権者の債務は履行不能となり，実施権者は将来に向かって契約を解除することができ，その後の実施料の支払を免れる。他方無効審決確定以前の既払実施料の取扱いについては様々な議論があるが，特許権は無効となるリスクを常に有することに鑑み，実務上は契約締結時に実施料等の不返還条項が設けられることが多い。

4 特許権の譲受人等との関係

(1) 従前の状況と平成23年改正

許諾による通常実施権が成立した後，特許権が移転（又は専用実施権が設定・移転）された場合，通常実施権の帰趨が問題となる。特許権者が破産した場合にも同様の問題が生じる（破53条・56条1項参照）。

法の特別の定めがなければ，実施許諾契約の被許諾者は，特許権の譲受人に対してその地位（譲渡人に対する債権）を主張することは当然にはできない。しかし特許発明の実施のためにはしばしば多大な投資を要し，特許権の移転により実施権者が実施を継続できなくなる（新特許権者から差止請求権等の行使を受け

175

る）事態は実施権者にとっては大きな不利益となる。この点につき平成23年改正前の特許法99条では，許諾等による通常実施権につき登録をした場合に特許権の譲受人との関係でも通常実施権が効力を有することを定めていた。しかし，登録料の負担や実施許諾の事実を秘匿したいとの思惑，極めて多数の特許の包括クロスライセンス契約等における登録の困難等もあり，登録はあまり利用されていなかった。

そこで平成23年改正後の特許法99条により，許諾によるものも含め全ての通常実施権につき，その発生後に特許権・専用実施権を取得した者に対しても登録なしで当然に効力を有すること（一般に**当然対抗**と呼ばれる）が定められた（新案19条3項，意匠28条3項で準用。令和2年改正後の著作63条の2も同様。商標法については，通常使用権の登録がなお必要とされている（商標31条4項））。

(2) 実施許諾契約上の債権債務関係の取扱い

特許法99条につき解釈論上大きな問題となっているのが，実施許諾契約上の債権債務関係が特許権の譲受人との関係で承継されるかである。平成23年改正以降，この問題の重要性が増している。また冒認を理由とする移転登録時の法定通常実施権（79条の2第2項）とは異なり，実施権者に対する譲受人の相当の対価請求権も規定されていない。

契約上の地位の承継についての学説は大きく分かれている。一方では，不動産賃借権や地上権の対抗に関する判例・通説の立場を援用し，実施許諾契約上の債権債務関係の全部又は一部（例えば実施料債権に限って）の譲受人への承継と譲渡人の契約関係からの離脱を認める立場（承継説）がある。他方では，実施許諾契約に含まれる債権債務の多様性を考えると賃貸借と同視することはできず，特許法の文言に照らして承継を認めない立場（非承継説）がある。

非承継説の下でも，通常実施権の範囲（⇒**2**）は譲受人との関係でも当初の設定行為によって限定されたものとなる。特許権の譲渡契約において，譲渡人が実施権者に対して有する実施料債権等を譲受人に譲渡する合意をすることも可能であり，承継説と比べて譲受人が特別に不利となるわけではない。

承継説における承継の範囲の不明確性や，無償の実施許諾契約等が承継されても譲受人に何のメリットもないことを考慮すれば，非承継説が妥当と思われ

る。非承継説を一種のペナルティデフォルトとして正当化することも可能であろう。いずれにせよ承継の有無が不明確な現状においては，特許権を譲り受ける者がリスクを避けるためには，譲渡人に実施権者の有無を確認し，実施権者も交えて三者の間で協議をすることが必要となる。

5 独占的通常実施権

　他の者に実施許諾をしない債務を特許権者が負う場合の許諾による通常実施権を，講学上，**独占的通常実施権**と呼ぶ。特許権者自身も不実施の義務を負う場合につき，特に完全独占的通常実施権と呼ぶこともある。未登録の専用実施権設定契約は，独占的通常実施権を許諾したものと解されることが多い。

　特許権者 A が第三者 Z に実施を許諾した場合，A は独占的通常実施権者 X に対して債務不履行責任を負う。他方 X の独占的通常実施権は A に対する債権に過ぎないため，Z による実施に対して X が権利行使をすることはできない。債権侵害についても不法行為責任は生じうるが，権利関係の明確化のために専用実施権の設定につき登録が効力発生要件とされている（98 条 1 項 2 号）ことを考えれば，Z の行為が X との関係で不法行為となることはまれであろう。

　他方，全くの無権限者 Y が特許権を侵害した場合には，裁判例は，独占的通常実施権者 X は特許権の侵害者 Y に対して固有の損害賠償請求権を行使できるとしている。この説明としては，独占的通常実施権者は特許権の侵害者に対して，特許権の下での契約による独占的な地位に基づき固有の損害の賠償を求めることができる「法律上保護される利益」（民 709 条）を有すると裁判例は解しているといえよう。このことを債権侵害の枠組みで説明する見解もあるが，そもそも特許権の侵害行為が独占的通常実施権（他者にライセンスをさせない債権）を常に害するとはいえず，また裁判例も X の独占的通常実施権についての Y の認識・予見可能性を問題としていない以上，債権侵害の一類型との説明は不適当である。

　独占的通常実施権者の損害賠償請求権を認める意義は，損害額の点にある。仮にこれを認めない場合には，侵害者が負う損害賠償債務の金額は，特許権者の実施料相当額又は逸失約定実施料に限られることとなる。裁判例の立場は，このような場合に侵害者は独占的通常実施権者の売上減少による逸失利益につ

いても損害賠償責任を負うべきであるとの考慮に基づくものであろう。また専用実施権の登録が煩雑であり実務上行われていないことへの現実的な対応ともいえる。このため102条1項・2項，103条の類推適用も一般的には認められている（東京地判平成10・5・29判時1663号129頁〔O脚歩行矯正具〕）。102条3項（実施料相当額）の類推適用については議論が分かれている。

　専用実施権の登録が効力発生要件とされている（98条1項2号）点は，XのYに対する損害賠償請求権を否定する十分な根拠とはならない。効力発生要件とした趣旨は権利関係の明確化（実施許諾を誰から受けるべきかを明らかにすること）にあり，公示された権利主体の実施能力を考慮して損害額が低額となることを期待した侵害者の利益を保護するものではないと解されるからである。以上の理解に立てば，独占的通常実施権の存在の予見可能性を要件とする必要もなく，103条の類推も認められるべきであろう。

　近時の裁判例・学説には，契約上の独占的通常実施権の成立に加えて，独占的な事実状態の存在を要求し，特許権者が契約に違反して他の者に実施許諾をしていた場合等についてはXのYに対する損害賠償請求権を否定する（法律上保護された利益といえないとする）立場もある（商標につき東京地判平成15・6・27判時1840号92頁〔花粉のど飴〕参照）。しかし請求権を否定しても侵害者を利するに過ぎないことを考えれば，独占的通常実施権を設定する契約が有効に成立していれば損害賠償請求権を認めてよいであろう。

　独占的通常実施権者は，特許権の侵害者に対して固有の差止請求権を有さないが，裁判例・学説においては，不動産の賃借人による所有権者の妨害排除請求権の代位行使（大判昭和4・12・16民集8巻944頁）と同様に，債権者代位権（民423条）の転用の一類型として，特許権者の差止請求権を独占的通常実施権者が代位して行使できるとする見解が有力である（東京地判昭和40・8・31判タ185号209頁〔カム装置〕）。

第6節　許諾によらない通常実施権

1 裁定実施権

(1) 概　　要

　特許発明を自ら実施することを希望する者の請求により，特許庁長官・経済産業大臣の裁定によって設定される通常実施権を**裁定実施権**（又は強制実施権）と呼ぶ。裁定実施権者は，特許権者・専用実施権者に対し，裁定で定められた対価を支払う義務を負う。

　裁定実施権は，①不実施の場合（83条以下），②利用発明に係る場合（92条），③公共の利益のために必要な場合（93条）について規定されている。①②については特許庁長官が，③については経済産業大臣が裁定を行う。

　裁定制度は，特許権者等の利益に配慮しつつ，実施の促進や公衆衛生等の公共の利益のために行政庁（最終的には裁判所）の判断によって実施を認めるものであり，「インセンティブとアクセスのトレードオフ」（⇒第1章第1節）を調整する制度の1つである。国際交渉の文脈においては，裁定実施権制度の運用は，知的財産権の保護を重視する先進国と，国内産業の育成や公共の利益（医薬品へのアクセス等）のために裁定実施権を活用したい途上国との対立点の1つとなっている。

　日本国内では裁定制度はこれまでほとんど利用されていないが，裁定制度の存在自体（協議がまとまらない場合に，特許発明の実施を望む者による裁定請求が可能であること）が，特許権者と特許発明の実施を望む者の交渉を促す点で意義を有するものである。

　発明の実施を望む者はまずは特許権者等に協議を求めるべきこととされ，協議が不成立・不可能な場合にはじめて特許庁長官等に対し通常実施権を設定すべき旨の裁定を請求することができる（83条2項，92条3項・4項，93条2項）。まずは当事者の協議による解決に委ね，不要な裁定手続に係る行政コストを避ける趣旨であろう。

　裁定の手続や裁定に対する不服申立てについては，特許法84条以下，92条

7項・93条3項参照。

(2) 不実施の場合の裁定実施権 （83条以下）

特許法の目的である産業の発達のためには，特許発明の実施による技術の普及が重要な意義を有する。そこで特許法は，実施による社会の利益と特許権者の利益とのバランスを図るものとして，特許出願から4年が経過した後も特許発明の実施が継続して3年以上日本国内において適当にされていない場合（83条1項）に，この不実施について特許権者等に正当な理由がある場合を除いて（85条2項），実施を望む者の請求により，特許庁長官は有償の通常実施権を設定すべき旨の裁定を行うことができる旨を定めている。

(3) 利用発明に係る裁定実施権 （92条）

自己の特許発明が特許法72条に該当する場合（⇒第6章第1節**4**），先願特許権者等の許諾を得なければその特許発明を実施できない。そこで累積的な技術の進歩による産業の発達の観点（⇒第1章第1節(3)）から，利用発明に係る特許権者は，協議が不成立の場合に先願特許権等についての裁定を請求できることが定められている（92条3項）。またこの請求がされた場合，先願特許権者も利用発明についての裁定を請求できる（同条4項）。

(4) 公共の利益のための裁定実施権 （93条）

特許発明の実施が「公共の利益のため特に必要である」場合，特許発明の実施を望む者は，協議を求めた上で，通常実施権を設定すべき旨の経済産業大臣の裁定を請求することができる。例えば，国民の生命・財産等の保全のために特に必要である場合（悪性の流行病の特効薬につき，特許権者による供給が著しく不十分な場合等）が考えられる。

2 法定実施権

法定実施権については，⇒第6章第4節**3**参照。移転の可否（事業とともに移転できるか等）については，各法定実施権の趣旨に鑑み，94条1項・2項に個別に規定されている。

180

第3編
著作権法

第1章

著作権法総説

第1節　著作権法の意義と機能
第2節　著作権法の特徴
第3節　著作権法の国際的側面

第1節　著作権法の意義と機能

1 著作権法の概要

　著作権法は，**著作物**を創作した**著作者**の権利（**著作者人格権・著作権**）と，**実演家・レコード製作者・放送事業者・有線放送事業者**の権利（**実演家人格権・著作隣接権**等）について定める法律である。以下では著作者の権利について述べる（⇒実演家等の権利については第6章）。

　著作者人格権は，公表権（著作18条）・氏名表示権（19条）・同一性保持権（20条）からなり（17条参照），他者が無断で著作物を公表・改変等することを禁じ，著作者の人格的利益を保護している。著作者人格権は一身専属的な権利であり，他者に譲渡することができない（59条）。

　著作権は，複製権・上演権等の21条から28条所定の権利の総称であり（17条参照），法定の利用行為を他者が無断で行うことを禁じる排他権であり，主に経済的な利益を保護している。

　他方で著作権法は，**著作権の制限規定**（私的複製や引用等）や**著作物の保護期間**等も定め，著作物の利用が自由に認められるべき場合についても規定を置いている。

第1節 著作権法の意義と機能

2 著作権保護の目的と正当化根拠

　著作権法1条は，著作物等の「文化的所産の公正な利用に留意しつつ，著作者等の権利の保護を図り，もって文化の発展に寄与することを目的とする」旨を定めており，究極的な目的が「**文化の発展**」であることを明らかにしている。そしてここでいう「文化の発展」とは，多種多様な作品が創作され，多くの人々が作品を利用し享受できる社会の実現を意味するものと解されよう。

　仮に著作権法による保護が全くないとすれば，著作者が作品を創作しても，公表した途端に他者に容易に模倣（盗作・盗用）され，著作者としての評価や金銭収入を十分に受けることができない。著作権法は著作者人格権・著作権の保護により評価や金銭収入を受ける機会を保障することで，著作物の創作に対するインセンティブを付与している。また著作物の創作・流通への投資を行う企業が，著作者との契約による独占の下で投下資本を回収することも可能にしている。

　他方で著作権等の過大な保護は，著作物の利用の面で弊害を生じるとともに，新たな創作活動自体を阻害し，表現の自由（憲21条）とも抵触することとなりかねない。そこで著作権法は，権利制限規定や保護期間の定め等を通じて，利用の自由領域を確保しようとしている。

　このように特許法における「インセンティブとアクセスのトレードオフ」（⇒第2編第1章第1節）と同様に，著作権法においても，「文化の発展」（創作と利用の最大化）のために適切な保護のバランスの実現が重要な課題となっている。

　なお著作者の権利保護を創作誘因のための手段とする以上の説明（政策論的な正当化）に加えて，著作物を著作者の人格の一部・流出物（個性のあらわれ）として，著作者の権利保護それ自体が著作権法の目的であるとする理解（権利論的な正当化）も有力である。もっともこのような権利論的な理解の下でも，他者の権利・利益との関係で「公正な利用」に配慮した適切な保護のバランスが重要であることには変わりはない。

183

3 著作権法の歴史

　著作権制度は，活版印刷等の大量複製技術の普及を背景として誕生し，その後も著作物の利用に係る技術の発展（映画，ラジオ放送，インターネット等）に応じてその権利内容を拡大してきた。またかつては出版統制制度の下で国王が出版者に付与する特権であったが，18世紀のイギリスのアン女王法・フランス革命等を通じて著作者固有の権利としての著作権保護の考え方が広がり，1886年のベルヌ条約の制定等，欧州を中心に国際的な著作権保護の枠組みが確立していった。

　日本における著作権制度は，明治2年の出版条例による出版統制制度の下での保護をその萌芽とし，明治20年には出版統制と分離された版権条例が制定される。その後，ベルヌ条約（不平等条約改正のために加盟が必要とされた）対応のため制定された明治32年の著作権法（旧著作権法）により近代的な著作権制度が確立され，昭和45年の全面改正を経て現行著作権法に至っている。その後も国際条約への対応や権利者・利用者のニーズを踏まえた改正が繰り返されている。

第2節　著作権法の特徴

1 特許法との相違点

　以下では特許法との相違点を中心に，著作権法の特徴を説明する。⇒所有権と著作権を含む知的財産権との相違については第1編参照。

(1) 登録によらない権利（無方式主義と依拠）

　特許権とは異なり，著作者は著作物の創作と同時に著作権・著作者人格権を取得する。このように，著作者人格権・著作権の取得につき登録・納本・著作権表示等何らかの方式の履行を要件としない考え方を**無方式主義**と呼ぶ（17条2項）。

　著作権法において無方式主義が採用されている理由としては，権利者の負担

の軽減（特に国外の権利者との関係で後述のベルヌ条約上無方式主義が義務づけられている）や行政庁の審査は検閲制度につながりかねないこと等があげられる。

また特許権は登録制度による公示を前提に独自開発者による同一技術の実施行為に対しても効力が及ぶが，著作者人格権・著作権の効力は，当該著作物に**依拠**して，すなわち当該著作物にアクセスしこれを基にして行われた利用行為に対してしか及ばない（⇒第7章第1節**2**）。著作権法では登録・公開が保護の要件とされていないことに加えて，創作者に既存の作品の表現を全て調べてこれを迂回することを期待すべきではないことがその理由である。他方，技術の積み重ねによる発達が重要な発明については，既存の技術を十分に調査することが当業者に期待されている。

(2) 権利の内容と制限

特許法と同様に，著作権法も排他権により禁止される行為の内容を，その行為の客体である著作物及び行為の態様（著作者人格権につき公表・氏名表示・改変，著作権につき21条〜28条所定の利用行為）の規定によって明確化している。しかし上記の「依拠」以外の点でも，特許法とは異なるいくつかの特徴を有する。

(a) **具体的な表現の保護**　著作権法の重要な原則として，具体的な表現のみを著作物として保護し，抽象的なアイデア（思想・感情）を保護しないとの考え方がある。これを**アイデア・表現二分論**という。

著作権・著作者人格権の侵害訴訟においては，原告作品と被告作品を比較し，著作物性が認められる具体的な表現が共通している場合にのみ侵害が認められる（⇒第7章第1節**3**，第2章も参照）。たとえ抽象的なアイデアが類似していたとしても，具体的な表現が異なれば侵害とはならない。

他方特許法においては，抽象的な技術思想を保護対象とするために，特許請求の範囲と明細書による保護範囲の確定の仕組みを設けている（⇒第2編第1章第2節）。

(b) **強力な人格権・長い保護期間・詳細な権利制限規定**　著作者が著作物に対して有する人格的な利益の重要性に鑑み，著作権法は著作者人格権を強力な権利として保護している。

また著作権の存続期間は，死後作品の評価が高まること等も考慮して著作者

の死後 70 年を原則としている。

更に著作権の制限に関する規定（30 条～50 条）は，利用の様々なニーズごとに権利者への悪影響に配慮しつつ適用対象となる行為を明確に限定して規定しようとした結果，詳細で複雑なものとなっている。

特許法は，累積的な技術の進歩の観点（⇒第 2 編第 1 章第 1 節(3)）から保護期間の終期を出願から 20 年とし，また利用発明に関する裁定制度等を設けている。他方著作権法は，多種多様な作品が創作されることを想定しつつ，ある著作者が自らの作品の公表・利用を望まない場合には，他の作品が利用されるべきことを前提とするような制度設計がされている。

もっとも著作権法においても，アイデアと表現の区別や引用（32 条）等の権利制限により，既存の作品を利用した創作につき一定の配慮を行っているが，より積極的にパロディ等の創作活動につき自由領域を確保すべきとの見解も有力である。

2 著作権制度にかかわる主体

著作権制度にかかわる行政事務（著作権登録簿の管理，裁定制度の運用等）・政策立案は，文化庁長官官房著作権課が所管している。

著作権等に関する訴えについては通常の管轄権を有する裁判所の他，東京地裁にも競合管轄が認められている。但しプログラムの著作物に関してはその技術的な性質に鑑み，特許権と同様，東京地裁・大阪地裁の専属管轄とされている。いずれにせよ東京地裁が 1 審となる場合，控訴審の管轄裁判所は知的財産高等裁判所となる。

また著作物の創作・流通・利用には，著作物の創作者，流通事業者（出版社，レコード会社，放送事業者，オンラインのプラットフォーマー），最終的な享受者など，様々な主体がかかわる。なお著作権の集中管理を行う著作権等管理事業者については第 8 章第 5 節 **1** 参照。著作権制度の検討の際には，これらの主体の利害の対立にも留意する必要がある（⇒第 4 章第 2 節 **4** (3) **Column Ⅲ4-2** 「コンテンツの流通を巡る諸問題」）。

かつて著作権法は，プロの創作者と流通事業者のみがかかわる法分野であった。しかし現在ではインターネットの普及等を背景に誰もが創作者ともまた侵

害者ともなりうる状況となっており，著作権法は市民の生活に広くかかわる法となっている。

第3節　著作権法の国際的側面

　特許法等他の知的財産法と同様，著作権の保護についても**属地主義**が妥当するものとされ（⇒第8編第1節**1**），各国の著作権法による保護は当該国内での利用にのみ及ぶことを原則とする。すなわち，A国における著作物の利用が著作権の侵害となるか否かは，利用行為地であるA国の著作権法を準拠法として判断される。

　もっとも著作物の保護が完全に各国法の自由に委ねられた場合，外国作品の保護等が十分に行われない状況が生じる。そこで権利者等からの国際的な保護の要請を踏まえ，著作権・著作隣接権の保護に関する国際条約が締結されている。

　著作権に関する基本的な条約が「文学的及び美術的著作物の保護に関するベルヌ条約」（**ベルヌ条約**，1886年制定）である。ベルヌ条約は，加盟国を本国（原則として当該著作物が最初に発行された国）とする著作物につき，内国民待遇の原則（⇒その例外としての相互主義につき　Column Ⅲ4-4　「戦時加算・相互主義」参照），無方式主義，最低限保護されるべき著作権・著作者人格権の内容（死後50年の保護期間，権利制限が許容される場合等）について定めている。

　なお方式主義を採用する国（かつてのアメリカ等）との間の国際条約として「万国著作権条約」（1952年制定）が締結されている。この条約では，著作権表示（©）により方式主義国での保護の要件をみたすとすること等が定められている。ベルヌ条約加盟国間ではベルヌ条約が優先適用されるため，TRIPS協定以降，ベルヌ条約加盟国の増加により万国著作権条約の重要性は低いものとなっている。

　また「知的所有権の貿易関連の側面に関する協定」（TRIPS協定，1994年制定）は，加盟国に，著作者人格権に関する部分を除くベルヌ条約による保護の遵守を義務づけるとともに，エンフォースメントに関する規定やプログラムの保護等を定めている。また「著作権に関する世界知的所有権機関条約」（WIPO著作

権条約，1996 年制定）では，技術的保護手段の回避規制等が定められている。

著作隣接権に関しては，「実演家，レコード製作者及び放送機関の保護に関する国際条約」（ローマ条約，1961 年制定），「実演及びレコードに関する世界知的所有権機関条約」（WIPO 実演・レコード条約又は WPPT，1996 年制定）等の国際条約がある。また TRIPS 協定中にも著作隣接権の保護に関する規定がおかれている。

WPPT は音の実演につき実演家人格権の保護などを定めたが，視聴覚的実演の保護は基本的に対象外としていた。その後も実演家の権利保護を求める欧州とハリウッドの映画産業を抱えるアメリカの対立を背景として交渉は難航していたが，2012 年には「視聴覚的実演に関する北京条約」が制定されている（2020 年 4 月 28 日発効）。

2016 年 2 月 4 日に署名された環太平洋パートナーシップ（TPP）協定は，著作物の保護期間の延長・著作権侵害罪の一部非親告罪化・法定損害賠償等の規定の導入等に係る条項を含むものであり，同年には TPP 協定対応のための著作権法の改正法が成立した。その後 2017 年 1 月に米国が TPP 協定から離脱したが，残りの TPP 協定署名国により 2018 年 3 月 8 日に環太平洋パートナーシップに関する包括的及び先進的な協定（CPTPP，TPP11）が署名された。そして CPTPP の発効と同時に，上記の改正法も 2018 年 12 月 30 日に施行されている。

188

第2章 著作物

第1節　総　　説
第2節　著作物性の要件
第3節　特殊な著作物

第1節　総　　説

1 著 作 物

　著作物の概念は著作権・著作者人格権の保護客体を示すものである。ある情報が著作物として保護されるためには，2条1項1号の定義をみたす必要がある。

　また被告の行為が原告作品に係る権利の侵害となる場合は，被告が原告作品中の著作物性が認められる表現（創作的表現）を利用している場合に限られる。それゆえ著作物性は**著作権の保護範囲**（侵害における**類似性**判断）においても重要な意義を有する（⇒第7章第1節**3**）。

2 著作物の種類

　10条1項は著作物の例として，言語の著作物（小説，脚本，論文，講演等），音楽の著作物，舞踊又は無言劇の著作物，美術の著作物（絵画，版画，彫刻等），建築の著作物，図形の著作物（地図や学術的な模型等），映画の著作物，写真の著作物，プログラムの著作物と各種著作物を列挙している。

　但しこれらはあくまで例示であり，著作物に該当するか否かは専ら2条1項

第3編 第2章 著 作 物

1号の著作物に該当するか否かによって判断される。法律上著作物の種類が問題となるのは，特定の種類の著作物のみを対象とする規定（例えば美術の著作物につき25条や45条等）の適用が問題となった場合に限られる。

3 保護を受けない著作物

日本の著作権法上保護を受ける著作物は，日本国民の著作物，最初に日本国内で発行された著作物，条約上保護の義務を負う著作物等である（より正確には6条参照）。ベルヌ条約に加盟しているが，日本は国家承認をしていない朝鮮民主主義人民共和国を本国とする著作物につき，条約上の保護の義務を負わないことを理由に保護が否定された事案として最判平成23・12・8民集65巻9号3275頁〔北朝鮮映画〕〈判コレ202〉がある。

また法令（1号），国・地方公共団体・（地方）独立行政法人が発する告示・訓令・通達等（2号），裁判所の判決・特許庁の審決等（3号），これらの翻訳物・編集物で国・地方公共団体・（地方）独立行政法人が作成するもの（4号）は，広く社会において利用されるべきものとして，著作権・著作者人格権の対象とならないことが定められている（13条）。

第2節 著作物性の要件

著作物とは，「思想又は感情を創作的に表現したものであって，文芸，学術，美術又は音楽の範囲に属するもの」をいう（2条1項1号）。以下では著作物性の要件として，この定義を分節して，「思想又は感情」，「表現したもの」，創作性，「文芸，学術，美術又は音楽の範囲に属する」のそれぞれについて検討する。

1 思想又は感情

著作物に該当するためには「**思想又は感情**」が表現されたものであることが必要である。但しここでいう「思想又は感情」とは，高尚な思想等に限定されるものではなく，人間の何らかの精神的活動の所産であれば足りるとされている。そのため人間が意図的に創作したものについては「思想又は感情」の要件

190

が基本的にみたされることとなり，本要件により著作物性が否定されるのは自然物や事実それ自体等に限られる。

自然物は著作物ではない。彫刻と見紛う程美しい石も，風雨によって自然に形成されたものであれば，「思想又は感情」を欠くために著作物に該当しない。動物がカメラのボタンを偶然押した結果撮影された写真も，著作物に該当しない。AI 創作物も基本的には「思想又は感情」を欠くものと解されている。なお自動創作プログラムの開発者は，当該プログラムの著作者となるが，その成果物の具体的表現にまで開発者の「思想又は感情」が表れていると評価し著作物性を認めることは，後述するアイデア・表現二分論の考え方とは基本的には整合しないこととなろう。

事実それ自体（富士山の山頂の気温等）も著作物ではない。事実の発見・解明には多大な労力を要する場合もあるが，判明した事実それ自体を著作物として保護することは他者の事実にかかわる情報の利用を大幅に妨げるため，著作物に該当しないと解されている。この事実の独占による弊害に鑑みれば，実際には創作された「事実」（ねつ造された化石等）や，客観的な真実とは合致しない歴史的・自然科学的な事実認識についても，「事実」として提示されている限り，当該「事実」それ自体の著作物性は否定されるべきである。このような「事実」は，著作権法上保護が否定されるべきアイデアであるともいえよう。

富士山は著作物ではないが，富士山を描いた絵に画家の思想又は感情が創作的に表れていれば著作物に該当しうる。事実を基にしたノンフィクション小説も同様に著作物たりうるが，同一の事実を用いて異なる表現の別の小説を執筆しても著作権の侵害とはならない。「事実の伝達にすぎない雑報及び時事の報道」（「何年何月何日に〇〇氏が死亡しました」等の極めて簡潔な死亡記事等）に係る10 条 2 項はこのことを確認的に規定するものである。他方で死亡記事であっても，事実を基礎として死者の経歴・評価等をまとめた詳細な記事であり，執筆者の思想又は感情が創作的に表現されているといえれば，著作物となる。

なお裁判例では船荷証券等の書式につき作成者の思想が表れていないことを理由に著作物性を否定したものがある（東京地判昭和 40・8・31 下民集 16 巻 8 号1377 頁〔船荷証券〕）。これら契約書式は，「思想又は感情」を一律に欠くというよりも，契約内容の独占による弊害，書式としての制約に照らして，アイデア

とマージしていることや創作性を欠くことを理由に著作物性が否定される場合が多いものと解される（例外的に修理規約につき作成者の個性の発揮を認め著作物性を肯定した事案として東京地判平成 26・7・30 平 25(ワ)28434〔修理規約〕がある）。

2 表現したもの

(1) 表現したもの

著作物となるためには思想又は感情を「**表現**したもの」であることが必要である。

思想又は感情が創作者の内心にとどまる限り，著作物としては成立しない。第三者に知覚可能な形で表現された場合にはじめて著作物たりうる。

但しその表現が媒体に固定されていることまでは必要なく，ある者がその場で作曲し即興演奏で披露した楽曲もその瞬間に著作物として成立する。もっとも記録がない場合，当該楽曲の著作物性の主張・立証は困難であろう。

なお映画の著作物特有の規定（26 条（頒布権）等）の適用を受けるためには，（映画の著作物の要件としての）固定が必要と解されている（2 条 3 項参照）。

(2) アイデア・表現二分論

(a) **概要**　また著作権法は，抽象的な**アイデア**（思想・感情）それ自体ではなく，それらの具体的な表現のみを著作物として保護する（**アイデア・表現二分論**）。

A の作品とこれに依拠した B による作品が，抽象的なアイデアのレベルで類似している（例えば最初に犯人が明らかにされる倒叙方式を用いている）としても，具体的な表現が異なれば B の行為は著作権の侵害とならない。そのアイデアが A による独創的なものであった場合でも同様である。

またある表現がアイデアと不可分であり，他の表現を用いることが期待できない場合（このような場合を**アイデアと表現がマージ**しているとも呼ぶ），当該表現を著作物として保護することはアイデア自体の独占を認めることとなるため，著作物性が否定される。

例えば，東京地判平成 6・4・25 判時 1509 号 130 頁〔城の定義〕〈判コレ 72〉では，「城とは人によって住居，軍事，政治目的をもって選ばれた一区画

の土地と，そこに設けられた防御的構築物をいう。」との城の定義は学問的思想そのものであるとして著作物性が否定された。

著作権法上保護が否定されるべきアイデアの例としては，絵の画風，登場人物・キャラクターの性格・設定，作品の主題等の抽象的な要素の他，著作権法による独占に適さない自然法則・学問上の知見（大阪地判昭和54・9・25判タ397号152頁〔発光ダイオード論文〕），実用新案等の技術思想（大阪地判昭和59・1・26無体集16巻1号13頁〔万年カレンダー〕），ゲーム・スポーツのルール等が挙げられる。

著作権法10条3項は，プログラムの著作物の保護が言語・規約（通信プロトコル等）・解法（アルゴリズム）に及ばないことを規定しているが，これはプログラムについて解法等のアイデアを保護しないことを確認的に明示したものである。

(b)　**アイデア・表現二分論の根拠**　このように著作権法がアイデアと表現を区別し，具体的な表現のみを保護する理由としては，以下の点が考えられよう。

第一に，抽象的なアイデアについては自由な利用を認め，具体的な表現についてのみ著作権による独占を認めることが，具体的な表現のレベルで多種多様な作品の創出につながり，著作権法が目的とする文化の発展（1条）に資する。

第二に，抽象的な思想・感情自体について特定人の独占を認めることは，著作権法が憲法上の表現の自由，学問の自由と大幅に抵触するものとなりかねない。アイデア・表現二分論は，思想・感情を別の方法で表現する余地が十分ある場合に限り具体的な表現のみを著作物として保護するものであり，表現の自由等の観点からも重要な法理である。

第三に，著作権法の制度設計全体が抽象的なアイデアの保護に適していない点がある。例えば特許法の場合，技術的な思想をやや抽象的なレベルで保護するにあたり，「特許請求の範囲」の文言による特定，特許公報による公示，利用発明に係る裁定等の制度が整備されている。これに対し著作権法の場合，その保護は特定の作品の具体的な表現を出発点として依拠や類似性の判断により行われる。仮に抽象的なアイデアを保護の対象とした場合，具体的な表現を離れてアイデアの類似性や依拠を判断することとなるが，その判断は困難である。

また二次的著作物の利用を特に円滑にするための規定が存在しないことも，具体的な表現のみを保護することを前提としたものである。

(c) **アイデアと表現の線引き**　アイデアと表現の線引きは，著作権法が保護し，豊富化しようとする表現をどの程度具体的なレベルに設定するかにかかわる規範的な判断となる。自由領域の確保の観点から作品の極めて具体的な表現のみを保護するとすれば，アイデアと表現の線引きはある程度明確となる。しかしその場合，作品の文言を少し変更すれば直ちに侵害が否定される等の帰結となりかねず，著作物の保護としては不十分となる。著作権法は翻訳権・翻案権等を保護することを明示的に定めており，作品の詳細なストーリー等も表現として保護しうることを前提としている。

このようにアイデアと表現の区別は，著作権法における保護と利用の適切なバランスのために重要な原理であるが，それゆえに両者の線引きは困難である場合も少なくない。その一例として写真における被写体の選択・配列につき，創作的な表現となりうるとした裁判例（東京高判平成13・6・21判時1765号96頁〔西瓜写真〕〈判コレ73〉。撮影者がスイカ等の被写体を配列した事案）と，被写体の選択はアイデアに過ぎないとした裁判例（知財高判平成23・5・10判タ1372号222頁〔廃墟写真〕）がある。

3 創 作 性

(a) **概要**　著作物となるためには，思想又は感情を「創作的に」表現したものでなければならない（**創作性**）。

例えば，既存の作品をそのまま模倣したものには創作性が認められない（絵画の忠実な模写として創作性が否定された事案として知財高判平成18・11・29平18(ネ)10057〔豆腐屋〕参照）。他方で既存の作品を利用しつつも変更・加筆により独自の創作性が加えられていれば二次的著作物に該当しうる（⇒第3節**1**）。

創作性とは高度の独創性・芸術性を意味するものではなく，作者の何らかの個性が発揮されていれば足りると解されている。特許法の新規性・進歩性（⇒第2編第2章第4節・第5節）とは異なり，当業者が容易に創作可能な表現であるからといって当然に創作性が否定されるものではない。むしろ小説や絵画等については，作品全体については原則として創作性が認められると解されてい

る。

　以上のように創作性を緩やかに解する理由としては，第一に，芸術性等を裁判所に判断させることが適切ではないことが挙げられる。

　第二に，技術の分野では既存の技術の積み重ねによる発展が重要であり，複数の者が独立して同一の技術を開発することも多く，陳腐な発明の保護は産業の発達を阻害するため，新規性・進歩性を備えた発明に限定して保護し，一方でその保護はやや抽象的な技術的思想にまで及ぶことが適切である。これに対し文化の領域では多種多様な作品が創出されることが文化の発展を促すことから，何らかの個性の発揮があれば著作物として保護し，ただその保護は具体的な表現にとどまるべきものと考えられている。

　(b)　創作性が否定される場合　但し文字数や実用性・機能性等による制約により他の表現が想定できない（**表現の選択の幅が狭い**）場合や，表現が平凡かつありふれたものである場合には，創作性が否定される。

　例えば，知財高判平成17・10・6平17(ネ)10049〔YOL〕では，記事見出しにつきその性質上表現の選択の幅が狭いことを指摘した上で，「マナー知らず大学教授，マナー本海賊版作り販売」等の見出しを個別に検討しありふれた表現等として創作性を否定した。

　また知財高判平成22・7・14判時2100号134頁〔破天荒力〕では，ノンフィクション作品中の「正造が結婚したのは，最初から孝子というより富士屋ホテルだったのかもしれない。」との表現につき，ありふれた表現として創作性を否定した（第1審は著作物性を肯定）。

　このように表現の選択の幅が狭い場合やありふれた表現につき創作性が否定される理由としては，当該表現は誰が行っても同様の表現とならざるをえないために，個性の発揮とはいえないということもできる。しかしより規範的にみれば，後発創作者に他の表現の選択肢が十分に残されていない場合に当該表現の保護を認めることは，著作権法の目的とする文化の発展を阻害することとなるために，表現の選択の幅が創作性として問題とされているといえよう。

> **Column Ⅲ2-1**　**創作性＝表現の選択の幅説**
>
> 　従来の通説は，創作性を個性の発揮と解し，表現の選択の幅がある場合にこそ個性の発揮が認められると解する。他方で近年，通説のいう個性の内容は明

らかではないとして，創作性を個性の発揮ではなく，表現の選択の幅そのもの
と理解すべきことを主張する有力な見解がある（横山久芳「編集著作物概念の
現代的意義」著作権研究 30 号（2003 年）161 頁，中山信弘『著作権法〔第 3 版〕』
（有斐閣，2020 年）70 頁以下参照）。

　これら有力説と通説の相違は，著作権法体系全体の理解にかかわる。通説は，
著作物を人格の流出物であるがゆえに保護するとの考え方に親和的である。他
方有力説は，著作物を保護する理由は著作物に個性の発揮等が認められるから
ではなく，当該表現に独占権を付与することで，フリーライドによる著作物の
過少生産を防止するとともに，後発創作者に他の表現を創作することを促すこ
とで，多種多様な著作物の創作による文化の発展を促進するものと理解してい
る。それゆえに，後発創作者に他の表現をすることが期待できない場合には創
作性が否定されるべきこととなる。

　もっとも通説の枠組みにおいても，後発創作者の表現の余地は個性の発揮の
前提条件として考慮される以上，通説か有力説かで創作性の具体的な判断に直
ちに大きな差が生じるものではない。

　(c)　**創作性の判断手法**　　以上の趣旨に鑑みれば，創作性の要件については，
当該著作物の性質（特に事実や既存の作品を基にした表現や，機能的な著作物である
かなど）に照らして，後発創作者に適切な他の表現の余地が十分にあるかを考
慮しなければならない。他に冗長な表現や突飛な表現の選択肢があるとしても，
実用・機能的制約に鑑みればそのような表現は適切な表現の余地としては考慮
するべきではない。

　またアイデアに新規性や独創性が認められる場合にも，当該アイデアを具体
的な表現とするために他の表現が期待できない場合（アイデアと表現のマージ）
には，創作的な表現ということはできない。このような表現に独占を認めるこ
とは，アイデア自体を独占することとなるためである。

　(d)　**「創作性の高低」と保護範囲**　　裁判例や一部の学説には，創作性の高い
著作物の保護範囲は広く，創作性の低い著作物の保護範囲は狭く，デッドコピ
ーなどに保護が限定されるとの考え方もある。

　ここでいう創作性の高低の意味する内容は必ずしも明らかではないが，侵害
における類似性（保護範囲）の判断は，原告作品と被告作品に原告の創作的表
現が共通しているといえるか否かによって行われることに照らすと，これらの
見解の趣旨は以下のように解されよう。

すなわち，原告作品の一部（1頁分の文章，ストーリー）でも創作的表現と認められれば当該一部が利用されていれば侵害が認められることとなる。他方，原告作品の全部をもってはじめて創作的表現と評価される場合には作品全部のデッドコピーのみが侵害と評価される。例えば東京高判平成13・10・30判時1773号127頁〔交通標語〕では，原告スローガン「ボク安心　ママの膝（ひざ）より　チャイルドシート」につき著作物性が認められるとしても全体としてのまとまりをもった表現についてであって，被告スローガン「ママの胸よりチャイルドシート」との類似性は認められないとして侵害が否定された。

4　文芸，学術，美術又は音楽の範囲に属する

(1)　総　　説

著作物に該当するためには，思想又は感情の創作的な表現が「**文芸，学術，美術又は音楽の範囲に属する**」（2条1項1号）ことが必要である。文芸・学術・美術・音楽のどのカテゴリに属するのか，との点は重要ではなく，これらの範囲に属する文化的な所産であることが必要とされる。

小説や絵画，楽曲等の古典的な芸術作品の他，映画やプログラム，ゲームの画面表示（東京地判昭和59・9・28無体集16巻3号676頁〔パックマン〕）なども，これらの範囲に属するものと解されている。このように一般的に著作物に該当しうるものと解されているカテゴリの作品については，この要件は当然に充足するものとされ，実質的な争点とはならない。

この要件が問題となるのは，典型的な著作物以外のカテゴリの創作物の取扱いにおいてであり，特に議論されているのが応用美術を巡る問題である。

(2)　応用美術

(a)　**総説**　　**応用美術**とは講学上の概念であり，純粋美術（絵画・彫刻等）の技法を実用品に応用したものを一般に意味する。絵画・彫刻等の純粋美術作品は典型的な著作物として認められている（10条1項4号の例示も参照）。他方，応用美術の著作物性については，産業的なデザインを保護する意匠法（⇒第4編）との関係等も含め，活発な議論がされている。

応用美術については著作権法の全面改正（昭和45年）の際にも議論がされた

が，明確な規定は設けられず，応用美術の中でも美術工芸品が美術の著作物に含まれるとの規定（2条2項）が定められるにとどまった。そのため，美術工芸品（一品制作による壺や茶碗など）以外の応用美術作品（特に量産される椅子等のプロダクトデザイン）が著作物に該当しうるかどうかが解釈上の重要な論点となった。

(b) **従来の裁判例の動向**　　裁判例の基本的な立場は，美術工芸品以外の応用美術作品は客観的にみて「純粋美術と同視できる」場合に限り著作物として保護されうる，とするものである。

「純粋美術と同視できる」か否かの判断につきいくつかの裁判例には「高度の美的特性」や「高度の創作性」・「高度の芸術性」等の判示をするものもある。このような判示に対しては，芸術性等を裁判所に判断させるものとして適切ではないとの批判がある。

しかし裁判例の実質的なメルクマールとしては，問題となる表現が実用性や機能性の面を離れて独立して鑑賞の対象となるかどうかを，「文芸，学術，美術又は音楽の範囲に属する」との要件について判断しているものと解される（知財高判平成26・8・28判時2238号91頁〔ファッションショー〕〈判コレ76〉参照）。この判断基準を**分離可能性**と呼ぶ。後述の〔TRIPP TRAPP控訴審〕以降の多くの裁判例も，若干の文言の差異はあるものの，基本的にはこの分離可能性を基準として「美術の範囲」に属するかを判断しているように解される。但し分離可能性の基準を満たすとしても，著作物性が認められるためには創作性等の他の要件も満たす必要がある（知財高判令和3・12・8令3(ネ)10044〔タコの滑り台〕は，タコを模した滑り台につき，その天蓋部分につき実用面と分離して鑑賞対象となることを認めつつも，当該部分はありふれたものであり創作的表現と認められないとして結論として著作物性を否定している）。

裁判例を結論から整理すると，応用美術のうち，イラスト・絵画等の典型的著作物が付されたものと評価可能な実用品（東京地判昭和56・4・20無体集13巻1号432頁〔アメリカTシャツ〕）や鑑賞対象となることがその用途となる人形等（長崎地佐世保支決昭和48・2・7無体集5巻1号18頁〔博多人形〕，神戸地姫路支判昭和54・7・9無体集11巻2号371頁〔仏壇彫刻〕）については，結論として著作物性が肯定された事例が多い（但し電子玩具としての機能を備えた人形につき著作物性を

第2節　著作物性の要件

否定した事例として仙台高判平成 14・7・9 判時 1813 号 150 頁〔ファービー人形〕がある。また大阪高判平成 17・7・28 判時 1928 号 116 頁〔チョコエッグ〕では彩色されたフィギュアの著作物性の結論が分かれたが，実質的には創作性の有無で判断が分かれたとも評価できる事案である）。

他方，実用品のプロダクトデザインについては，当該作品が一般人に実用品のデザインとして認識される限り，カテゴリカルに著作物性が否定されてきた（特に実用面を離れて鑑賞対象となる物でないことを理由とするものとして大阪高判平成 2・2・14 平元(ネ)2249〔ニーチェア控訴審〕，京都地判平成元・6・15 判時 1327 号 123 頁〔佐賀錦袋帯〕を参照）。

(c)　TRIPP TRAPP 事件控訴審判決　　これに対し知財高判平成 27・4・14 判時 2267 号 91 頁〔TRIPP TRAPP 控訴審〕〈判コレ 77〉は，応用美術作品についても通常の著作物の創作性と同じ判断基準によるべきとの一般論を提示し，また実用面・機能面との分離可能性を判断基準とすることもプロダクトデザインの保護を大幅に否定するもので適切ではないと判示し，幼児用椅子のデザインの著作物性を認めた（但し機能等による制約から保護範囲は狭いとして，被告製品との類似性は否定）。一般論の点でも，プロダクトデザインに著作物性を認めた結論の点でも従来の裁判例とは大きく異なる立場が示されたのである。

(d)　区別説と非区別説　　学説では，応用美術を純粋美術と区別し，分離可能性の基準を満たす応用美術作品のみが「……美術の範囲」に属するものとする（椅子等のプロダクトデザインについては原則として著作物性を認めない）見解（区別説・類型的除外説。主要な裁判例もこの立場）と〔TRIPP TRAPP 控訴審〕と同じく応用美術について特別な要件を課すべきではないとする見解（非区別説）が対立している。

区別説は，意匠制度との調整の必要性や，著作権の長期の保護期間や広範な利用態様に権利が及ぶことによる弊害への懸念をその根拠としている。

これに対して非区別説は，創作的な表現であれば区別なく保護すべきであり，本来著作物となるべき表現につき意匠法の存在を理由に著作物性を否定するべきではないこと，著作権法による保護の弊害は応用美術特有の問題ではなく，創作性や保護範囲・権利制限の解釈等により対応すべきことを主張している。

199

（3） 文芸・学術・美術又は音楽の範囲の要件の意義

　確かに，非区別説の指摘の通り，意匠法との調整は十分な理由とはならないであろう。しかし，これまで著作物ではないとされてきたカテゴリの作品が解釈により突然著作物として広く保護されることは，社会に対して大きな混乱をもたらすこととなる。このようなカテゴリの作品の著作物としての保護の是非は，本来は立法府によって検討されるべきものであろう。

　「文芸・学術・美術又は音楽の範囲に属する」との要件は，「学術」「美術」等の概念から演繹的に当該作品が含まれるかを検討すべきものではない。この要件をみたすものは，著作権法による保護が妥当すべき文化的所産であるとの共通の理解があるカテゴリの作品と，これと同視できる作品に限られると解すべきであろう。この観点からは，応用美術を巡る区別説の考え方が妥当なものと思われる。

　また以上の点に鑑みれば，香水・料理等が仮に創作的な表現といえる場合にも，料理の盛りつけが絵画・イラスト等と同視できる場合を除き，これらの範囲に属さないものとして著作物性が否定されるべきであろう。

> ### ▌Column Ⅲ2-2　タイプフェイス，建築，設計図の著作物性
>
> 　実用的なデザインの著作物性が特に問題となる場合としては，応用美術の他，タイプフェイス，建築，設計図等が挙げられる。
> 　タイプフェイス・文字フォントについては，日本の意匠法では保護対象とはされていないものの，従前のプロダクトデザインの取扱いと同様，原則として著作物性が認められていない。最判平成 12・9・7 民集 54 巻 7 号 2481 頁〔ゴナ書体〕〈判コレ 79〉では，書体が文字の有する情報伝達機能を発揮するための制約と保護による権利関係の複雑化等の弊害を考慮し，「従来の印刷用書体に比して顕著な特徴を有するといった独創性」と「それ自体が美術鑑賞の対象となり得る美的特性」を備えた印刷書体のみが著作物となるとの一般論を示している（結論として著作物性を否定）。
> 　建築については著作権法 10 条 1 項 5 号の例示に「建築の著作物」があるものの，実際に著作物性が認められる建築物のデザインは例外的な場合と解されている。大阪高判平成 16・9・29 平 15(ネ)3575〔グルニエ・ダイン〕〈判コレ 80〉では，建築の著作物に該当するためには，「客観的，外形的に見て，それが一般住宅の建築において通常加味される程度の美的創作性を上回り，居住用建物としての実用性や機能性とは別に，独立して美的鑑賞の対象となる」ことが必要であるとし，グッドデザイン賞を受賞した一般住宅の著作物性を否定し

ている。

　このようにプロダクトデザインや建築物等の設計対象について著作物性が認められない場合において，その設計図の著作物性が問題となることがある（この場合，設計図に著作物性が認められても設計図のコピーが著作権の侵害となるにとどまり，設計対象を製造する行為は侵害とならない）。学説では，設計対象が著作物と認められない以上専ら作図上の表記について創作性を判断すべきとする見解（作図限定説）と，設計図としての創作性判断においては設計対象のデザイン上の特徴も考慮要素となるとする見解（対象考慮説）に分かれている。裁判例は，かつては対象考慮説により設計図の著作物性を認める事案が多かったものの，東京地判平成9・4・25判時1605号136頁〔スモーキングスタンド〕以降，機械や実用品の設計図については作図限定説により判断し，かつ作図上の表記は設計図としての表現上の制約等により創作性が認められず，著作物性が否定されている。他方建築設計図については対象考慮説により設計図の著作物性を認める事案が多い（知財高判平成27・5・25平26(ネ)10130〔マンション建替え〕〈判コレ81〉。但し類似性は否定）。

第3節　特殊な著作物

① 二次的著作物

(1) 概　　要

　二次的著作物とは，翻訳，編曲，変形，翻案（脚色・映画化等）により創作された著作物を意味し（2条1項11号），その元となった著作物を**原著作物**と呼ぶ。

　例えばAの小説 α をBが翻訳した場合，通常は，翻訳版 β は小説 α を原著作物とする二次的著作物となる。更にCにより翻訳版 β が脚本 γ にされた場合，基本的には，脚本 γ は翻訳版 β を原著作物とする二次的著作物となる。また小説 α の創作的表現が脚本 γ に残存していれば，小説 α からみて脚本 γ は「二次的著作物」である。

(2) 二次的著作物を巡る権利関係

　著作者には，著作権の一部として，二次的著作物を創作する権利（27条。翻訳権・翻案権等）と自らの著作物を原著作物とする二次的著作物の利用について

の権利（28条）を有する（詳しくは⇒第4章第2節**5**。⇒著作者人格権に係る規定については第5章第2節**1**・第3節**1**）。

　前記の設例でBやCの行為がAに無断で行われた場合，Bの翻訳行為はAの翻訳権を，Cの脚色行為はAの翻案権を侵害する。また翻訳版・脚本をネットで配信する行為は，28条によりAが二次的著作物につき有する公衆送信権を侵害することとなる。

　他方で二次的著作物の著作者も，自ら創作したその著作物につき，固有の著作者人格権・著作権を有する。原著作物の著作権者も，二次的著作物の著作者に無断で二次的著作物を利用すれば，その行為は著作権の侵害となる可能性がある。二次的著作物を創作した際の行為が原著作物に係る27条の権利を侵害する場合であってもこのことに変わりはない（前記の設例でBがAに無断で翻訳を行ったとしても，AがBの許諾を得ずに翻訳版を複製すればAがBの複製権を侵害したことになる）。しかし，二次的著作物の著作者に固有の権利があるからといって，原著作物の利用に係る侵害が適法化されるものではない（11条参照）。

　但し，二次的著作物の著作者の権利は，「二次的著作物において新たに付与された創作的部分のみについて生じ，原著作物と共通しその実質を同じくする部分には生じない」（最判平成9・7・17民集51巻6号2714頁〔ポパイネクタイ〕〈判コレ82〉。この事案では保護期間の扱いが問題となった（⇒第4章第4節））。脚本γ中のセリフ部分をDが利用する行為について，当該セリフが翻訳版βの表現をそのまま用いているものである場合，Dの行為がCの著作権・著作者人格権を侵害することはない。

　これに対し原著作物の著作者の権利が「二次的著作物において新たに付与された創作的部分」に及ぶかについては第4章第2節**5**の二次的著作物の一部分の利用に関する記述を参照。

(3)　二次的著作物の成立要件

　二次的著作物は，①既存の著作物（原著作物）に依拠し，②原著作物の創作的表現に，③二次的著作物の著作者による新たな創作的表現が④分離不可能な形で付加された場合に成立する。

　上記の設例において，Cの脚色による大幅な変更の結果，小説α・翻訳版β

の抽象的なアイデアは利用しているが創作的表現を全く利用しているとはいえない状況にまで至った場合，上記②の要件を充足せず，脚本γは小説α・翻訳版βの二次的著作物ではなく全く新しい著作物となる。以上の①と②は，著作権・著作者人格権侵害における「依拠」と「類似性」の要件の判断の一類型であるため，詳しくは後に（⇒第7章第1節**2**・**3**）論じる。

逆にCの脚色行為が創作的なものといえない場合（例えば脚本γが翻訳版βのセリフ部分を抜き出したに過ぎない場合）には，上記③によりCは二次的著作物の著作者にあたらず，単に翻訳版βをそのまま用いているものに過ぎないと評価されることとなる。

またAの小説αにEが挿絵εを付した場合，小説αと挿絵εは分離可能なので④により二次的著作物とはならず，それぞれ別個の著作物（結合著作物）となる。④は，共同著作物における分離利用不可能性と同様の判断となる（⇒第3章第3節**2**(3)）。

2 編集著作物・データベースの著作物

(1) 編集著作物

編集物でその素材の選択又は配列によって創作性を有するものを**編集著作物**という（12条1項）。

例えば，Aが創作した詩から，Bが選択・配列をした詩集は，Bによる詩の選択・配列に創作性が認められれば，掲載された個々の詩がAを著作者とする著作物であるとともに，詩を選択・配列した詩集はBを著作者とする編集著作物としても保護されることとなる。

編集著作物の著作者は，編集著作物につき固有の権利を有するが，その保護は編集物を構成する個々の著作物の保護に影響を及ぼさない（12条2項）。上記の詩集を第三者が無断で発行する行為は，Aの各詩に対する著作権とBの編集著作権の双方を侵害する。他方，BがAに無断で詩集を編纂し発行すれば，Bの行為はAの著作権を侵害することとなる。なお，前述の二次的著作物の場合と同様，Bの行為がAの権利を侵害するとしても，編集著作物としては成立する。

他方，CがAの全ての詩を発表年月日順にまとめた詩集の場合，その網羅

性ゆえに誰が行っても同様の表現とならざるをえないため，選択・配列による創作性は認められない。

(2) データベースの著作物

著作権法上，データベースとは「情報の集合物であって，それらの情報を電子計算機を用いて検索することができるように体系的に構成したもの」（2条1項10号の3）をいう。データベースのうち「その情報の選択又は体系的な構成によって創作性を有するもの」は，**データベースの著作物**として保護される（12条の2第1項）。

データベースの場合，電子的なデータの配列ではなく，検索用キーワードの設定やカテゴリ分類等による体系的な構成による創作性が問題とされる。その他の点では編集著作物と同様であり，例えば全判決を収集し全文検索のみが可能なデータベースは，選択・体系的構成に創作性が認められないため，著作物としての保護が否定される。そのため，その作成に多大な労力を要する網羅的なデータベースの法的保護につき，著作権侵害に該当しない場合の不法行為の成否がしばしば問題とされる（⇒第7編第1節**2**）。

(3) 選択・配列の対象としての「素材」等

編集著作物・データベースの**素材・情報**は，保護を受ける著作物に限られない。法律を編集した六法，裁判例のデータベース，自然物（鳥の鳴き声等）や事実などを素材とする場合にも創作性が認められれば，編集著作物となりうる。

編集著作物・データベースの著作物性判断において特に問題となるのが，「素材」をどのレベルで捉えるのか，との点である。例えば職業別電話帳は，個々の電話番号を素材として，職業別に分類するとの編集方針に基づき配列したものであるが，その職業分類自体も，様々な職業を素材として職業分類として選択・配列を行ったものとみることもできる。例えば東京地判平成12・3・17判時1714号128頁〔NTTタウンページ〕〈判コレ83〉では，個々の電話番号を職業分類体系に当てはめた点については創作性を認めなかったが，職業分類体系における原告独自の工夫に照らして「そのような職業分類体系によって電話番号情報を職業別に分類したタウンページデータベースは，全体として，

体系的な構成によって創作性を有するデータベースの著作物である」と判断されている。

そこでこの職業の選択・配列自体に創作性が認められれば，職業分類自体を編集著作物として保護すべきであるとの見解が有力である。この見解による場合，東京の電話帳の職業分類と同一の職業分類を用いて大阪の電話帳を作成する行為は，収録された電話番号は全く異なっても，職業分類に係る編集著作権を侵害することとなる。

他方でこの見解に対しては，抽象的なアイデアである編集方針を保護するものであるとして，あくまで具体的な表現（電話番号）のみを素材とし，その選択・配列に限り編集著作物と評価すべきとの批判もある。

この編集著作物・データベースの著作物における「素材」の理解は，アイデアと表現の線引きを巡る問題の1つである。抽象的な編集方針はアイデアとして保護が否定されるべきであるが，職業分類体系等のある程度具体的な素材の選択・配列は，著作権法が多様化を目指す表現として，有力説の指摘する通りそれ自体独立の編集著作物となりうると思われる。但し以上のように解するとしても，編集物の性質に照らし，実用性・機能性による制約や，後発創作者の他の選択・配列の余地が十分に残されているかが慎重に検討されるべきであろう。

第3章 権利の主体

第1節　総　　説
第2節　著 作 者
第3節　共同著作
第4節　職務著作
第5節　映画の著作物の取扱い

第1節　総　　説

著作者は著作（財産）権と著作者人格権を享有するとされており（17条1項），著作者が権利の主体となる。著作者とは，「**著作物を創作する者**」（2条1項2号）と定められている。著作物を現実に創作した者が著作者となり，その著作物に係る権利が帰属する（**創作者主義**）。著作物の創作に複数の者が関与した場合，その著作物は**共同著作物**となることがある（2条1項12号⇒第3節）。この場合，その共同著作物の著作者は特別な規律に服することが定められている（⇒第8章第4節）。

以上に加え，著作権法は権利の主体に係る例外的なルールとして，いわゆる**職務著作**（15条⇒第4節），及び**映画の著作物**に係る特別な取扱い（16条・29条⇒第5節）を定める。

第2節 著作者

1 著作者の認定

著作者は著作物を創作する者である（2条1項2号）。その認定は，著作物の創作，すなわち，創作的表現の作成が誰の手によるか，という客観的な判断に基づく。

そのため，単なる著作物の発注やアイデア・資金の提供をしたに過ぎない者は，創作的表現の作成に関与していないため，（たとえそれなしでは著作物が創作されなかったとしても）著作者に該当しない。例えば，裁判例として，詩集の編纂に際し，収録候補の詩等の案を示した者について，その収集は企画案ないし構想に過ぎないと判断された事例（最判平成5・3・30判時1461号3頁〔智惠子抄〕〈判コレ84〉）や，編者として表示された者について，実質的にはアドバイザーの地位に留まるものと判断された事例（知財高決平成28・11・11判時2323号23頁〔著作権判例百選〕）が挙げられる。

また，単なる表現のキーボード入力作業等，表現の作成に物理的に関与していても，そこに行為者の創作性が発揮されていなければ，その行為者は著作者に該当しない。例えば，裁判例として，銅像の創作に際し，その塑像制作工程において，助手として準備や粘土づけ等に関与した者について著作者に該当しないとした事例（知財高判平成18・2・27平17(ネ)10100・10116〔ジョン万次郎像〕）が挙げられる。

しかし実際の著作者の認定は難しい場面も多い。例えば，裁判例として，インタビュー記事の著作者が問題となった事案で，インタビューを受けた者の発言は，出版者の企画に沿った記事を作成するための素材となったに過ぎず，インタビューを受けた者は記事の著作者ではないと判断されたものがある（東京地判平成10・10・29知財集30巻4号812頁〔SMAP大研究〕）。また，建築の著作物の著作者について争われたものとして，東京地判平成29・4・27平27(ワ)23694〔ステラマッカートニー青山〕がある。

2 著作者の推定

著作者であることを証明するためには，原則として，その著作物の創作過程を主張して立証する必要がある。しかし，実際上その立証は困難である場合が多い。そこで著作権法14条は，著作物の原作品に，又は著作物の公衆への提供もしくは提示の際に，その氏名もしくは名称（実名），又はその雅号，筆名，略称その他実名に代えて用いられるもの（変名）として周知のものが著作者名として通常の方法により表示されている者を，著作者として推定するとしている（法律上の推定）。

通常の方法とは，例えば，絵画の原作品であれば著作者名をサインすること，書籍であれば表紙等に「○○著」と記載すること等を指す。

周知の変名については，変名が有名であるという趣旨ではなく，変名がある実在人を指すことが社会的に認識される状態であることを指す。

なお，無名，変名の著作物については，著作者の実名を登録することで，著作者の推定を受けることができる（75条1項・3項）。

第3節　共同著作

1 総　　説

著作物に係る創作的表現の作成に，複数の者が関与することも多い。例えば，小説の著作物を作者の許諾を得て，新たに別の者がそれを元にした映画の著作物を創作した場合には，その映画の著作物はその小説の著作物の二次的著作物になる（⇒第4章第2節**5**）。また，歌詞と楽曲や，小説と挿絵等のように，外形上複数の著作物が一体的に利用されるものの，各々独立の著作物としても利用可能な場合については，講学上，**結合著作物**と呼ばれ，法律上は，各々別個の著作物として扱われる（⇒**2**(3)）。

これらの場合に加え，複数人が1つの論文を執筆するなど以下の一定の要件をみたすものを，**共同著作**と呼び，それによって創作された著作物を**共同著作物**と呼ぶ（2条1項12号）。著作権法は共同著作物について，「二人以上の者が

共同して創作した著作物であって，その各人の寄与を分離して個別的に利用することができないもの」をいうとしており（2条1項12号），①**2人以上の者の創作行為**，②**共同性**，③**分離利用不可能性**の3つの要件に整理される。共同著作物については，保護期間や権利の行使等に関して，共同で創作された著作物であることを重んじるような特殊な取扱いが定められている（⇒第8章第4節）。上記の要件は，そのような特殊な取扱いに服せしめてよい関係にあるかどうかを吟味するためのものと考えられる。

2 要 件

(1) 2人以上の者の創作行為

共同著作物に該当するためには，まずその著作物を「二人以上の者が……創作」する必要がある。これは，2人以上の者が，前述の創作的表現の作成に関与していなければならないこと（⇒**1**）を指す。

そのため，著作物の作成に関与していても，アイデアの提供や単なる校正作業を行っただけの者については，ここでいう創作的表現の作成に関与したとはいえず，共同著作には該当しないこととなる。

裁判例では，闘病記について，その口述者に加え，その口述を基に文章化し，追加の質問や必要な修正等を加えた協力者についても，単なる補助者としての関与に留まらず，自らの創意を働かせて創作に従事していたと認められるとして，両者による共同著作を認めたものがある（大阪地判平成4・8・27知財集24巻2号495頁〔静かな焔〕〈判コレ85〉）。

(2) 共 同 性

次に，共同著作物に該当するためには，「二人以上の者が共同して」著作物を創作する必要がある（**共同性**）。

共同性については，死亡した著者の書籍を別の者が補訂する，いわゆる遺著補訂の場合について，死亡した著者と遺著補訂を行った者との共同著作物となるか，それとも死亡した著者の著作物を元にした二次的著作物となるか，議論がある。

裁判例では，著者死後の遺稿に基づき第三者が著作物を完成させた事例にお

いて，著者と第三者との間で生前に互いに共同で著作物を創作することを合意していたことはなく，また著者が仮に完成を望んでいたとしても，著者は誰が当該第三者になるのか知らなかったことから，著者において当該第三者との間で共同して著作物を創作する意思を有していたと認めることはできないと判断し，共同著作物ではなく，二次的著作物に該当すると判断したものがある（東京地判平成 25・3・1 判時 2219 号 105 頁〔基幹物理学〕）。

　しかし，条文の文言からして，共同性について，共同の意思の問題と理解するのではなく，客観的にみて創作行為が共同して行われていたかどうかを検討するものと理解する立場もある（原作とそれを元にした漫画との関係について，その創作の過程に鑑み，共同著作物ではなく二次的著作物と判断した，最判平成 13・10・25 判時 1767 号 115 頁〔キャンディ・キャンディ最高裁〕〈判コレ 95〉参照）。もっとも，このような立場からしても，遺著補訂の場合は共同著作物にはならないことになる。

(3)　分離利用不可能性

　最後に，共同著作物に該当するためには，「その各人の寄与を分離して個別的に利用することができないもの」である必要がある（**分離利用不可能性**）。

　分離利用不可能性については，各人に係る部分を切り離して各々利用することができるかが問われる。そのため，物理的に分離することが可能であっても，その分離された部分を別個に利用することができなければ，分離不可能と判断され，共同著作物に該当することになる。分離利用可能な結合著作物（⇒**1**）の場合と区別するための要件といえる。

　裁判例では，ある書籍のイラストと説明文からなる部分について，分離して利用することも可能な結合著作物であるとした一方，別の書籍に掲載されている四コマ漫画については，漫画を描いた者とその漫画の基本的な構成や吹き出し部分の台詞について具体的な指示をした者との関係で，その寄与に係る分離利用不可能性を認め，共同著作物に該当すると判示したものがある（東京高判平成 10・11・26 判時 1678 号 133 頁〔だれでもできる在宅介護〕）。

第4節　職務著作

1 総　説

　現代社会においては，法人内部での会議資料や報告書等，職務に際し著作物の創作が行われることが多い。新聞社やソフトウェア開発会社等，それ自体を生業とする企業も存在する。そこで，一定の要件をみたす場合について，実際の著作物の創作者である従業員等ではなく，その法人その他使用者を著作者とする制度が，**職務著作**である（15条1項）。その結果，法人等は当該著作物に係る著作権と著作者人格権を有することになる（17条1項）。

　職務著作につき，最高裁は，「法人等において，その業務に従事する者が指揮監督下における職務の遂行として法人等の発意に基づいて著作物を作成し，これが法人等の名義で公表されるという実態があることにかんがみて，同項〔15条1項〕所定の著作物の著作者を法人等とする旨を規定したもの」と述べている（最判平成15・4・11判時1822号133頁〔RGBアドベンチャー〕〈判コレ86〉）。

　実際上も，職務著作が成立するような場合に，現実に著作物を創作した者に著作権・著作者人格権の帰属を認めると，著作者が多数人になったり，外部からわかりにくかったりするため，著作物の利用に際して大きな障害となる。特に著作者人格権は移転が認められない点で，法人等の元に集中させる手段がなく，その弊害は大きいものと解される。一方，法人等は著作物の創作に一定のリスクをとっており，またその著作物に係る責任を負っている等，その権利を法人等に帰属させる必要性も認められる。加えて，その業務に従事する者には法人等から報酬が支払われていると想定される。このような理由から，著作権法は法人等を著作者としていると理解されている。

　もっとも，上述の通り，法人等が著作者となることによって，著作権だけでなく，著作者人格権も法人等に帰属することになる。この点については，著作者のこだわりを保護するための権利である著作者人格権を，実際の創作者ではない法人等に帰属させることが適切か，法人等の内部で作成される著作物の性質や，著作者人格権の性質等とも関連して，議論がなされている。

2 要　件

(1)　法人等の発意

　職務著作が成立するためには，まず「法人その他使用者」（法人等）の発意が
要請される。ここでいう「法人その他使用者」には，自然人，国，会社等のほ
か，法人格を有しない社団又は財団で代表者又は管理人の定めがあるものも含
まれる（2条6項）。

　この要件については，法人等が業務に従事する者に直接指示する場合や法人
等の承諾の下に創作される場合のほか，「法人等と業務に従事する者との間に
雇用関係があり，法人等の業務計画に従って，業務に従事する者が所定の職務
を遂行している場合には，……業務に従事する者の職務の遂行上，当該著作物
の作成が予定又は予期される限り，『法人等の発意』の要件を満たす」とされ
ている（知財高判平成18・12・26判時2019号92頁〔宇宙開発事業団プログラム〕〈判
コレ87〉。知財高判平成22・8・4判時2101号119頁〔北見工業大学〕同旨）。

(2)　法人等の業務に従事する者

　次に，職務著作の成立には，「法人等の業務に従事する者」による創作であ
ることが必要である。

　この要件について最高裁は，雇用関係がある場合はこれに該当するとした上
で，「雇用関係の存否が争われた場合には，……法人等と著作物を作成した者
との関係を実質的にみたときに，法人等の指揮監督下において労務を提供する
という実態にあり，法人等がその者に対して支払う金銭が労務提供の対価であ
ると評価できるかどうかを，業務態様，指揮監督の有無，対価の額及び支払方
法等に関する具体的事情を総合的に考慮して，判断すべきものと解する」と述
べている（前掲〔RGBアドベンチャー〕）。

　更に，上記の基準によって雇用関係が認められない場合（例えば，派遣労働に
おける派遣労働者と派遣先企業との関係等）であっても，職務著作の成立を認める
べきかについては，争いがある。裁判例においては，雇用関係のない事例にも
上記の基準が適用されている（例えば，大阪地判平成17・1・17判時1913号154頁
〔セキスイツーユーホーム〕，知財高判平成18・9・13判時1956号148頁〔グッドバイ・

キャロル〕。但しいずれも創作者の独立性が高いと評価できる事例であって，職務著作の成立は否定されている。一方，ゲーム開発において，開発期間中には雇用関係がなく，また無報酬で労務を提供していた者について，雇用企業による勤怠管理等がなされており，後にその者が当該企業の取締役となり，当該期間の報酬の後払い的な性質を含む報酬が支払われた等の事情を踏まえ，職務著作の成立を肯定した事例として，東京地判平成28・2・25判時2314号118頁〔神獄のヴァルハラゲート〕がある。なお，前掲〔RGBアドベンチャー〕の基準に言及せず，地図作成のための現地調査に係る業務受託者について，職務著作の成立を肯定した事例として，東京地判令和4・5・27令元(ワ)26366〔ゼンリン住宅地図〕も参照)。

(3) 職務上作成する著作物

次に，職務著作の成立には，**「職務上作成する著作物」**であることが必要である。

これは，法人等の業務に従事する者に与えられた職務として著作物が作成されることを意味する。そのためであれば，たとえ勤務時間外での創作に係るものであっても，職務著作の対象となりうる（留学期間中に作成されたプログラムについて，研修目的等から職務上作成されたと認めたものとして，前掲知財高判平成18・12・26〔宇宙開発事業団プログラム〕)。

一方，職務と直接の関係なく作成された著作物は，この要件を充足しない。

(4) 公表名義

次に，職務著作の成立には，「法人等が自己の著作の名義の下に公表するもの」であることが必要である（**公表名義**)。この判断にあたっては，著作の名義が問題とされるので，例えば発行者として法人等の名義が記載されていても，この要件を充足しないであろう。

この点に関連して，例えば従事する者の肩書として法人等の名義が記載されている場合，あるいは全体としては法人等の手による新聞記事において担当記者の名義が表示されている場合等，法人等と実際の創作者（従事する者）の名義がともに表示されている場合が問題となりやすい。この問題については，15条の適用に際し微妙な判断をせずに済むよう，実際の創作者が特定される限り

213

職務著作の成立を否定する見解もあるが，その創作者の名義の表示が，単に内部的な分担（責任）を明らかにしたもの（内部分担表示）か，対外的な著作の名義の表示であるかを判断し，法人等の著作の名義といえるかを検討する見解が有力である（創作者の名義のほか，肩書として法人等の記載があった場合につき，知財高判平成 18・10・19 平 18(ネ)10027〔計装工業会講習資料〕〈判コレ 88〉。結論としては，実際の創作者が著作者と判断された）。

また，「公表するもの」となっていることから，実際に法人等の名義で公表されたものに限らず，公表が予定されるものも含まれる。最終的な公表の有無で著作者の地位が変動するのは好ましくないと考えられたためである。したがって，職務著作にあたる著作物について，法人等の公表の前に，従事する者が勝手に自己の氏名で公表すれば，公表権・氏名表示権の侵害となる。更に，「公表を予定していない著作物であっても，仮に公表するとすれば法人等の名義で公表されるべきもの」も含まれるとされている（前掲知財高判平成 18・12・26〔宇宙開発事業団プログラム〕。東京高判昭和 60・12・4 判時 1190 号 143 頁〔新潟鉄工〕も参照。）。

なお，プログラムの著作物については，著作者名を公表することが予定されていない，あるいは名義が付されず公表される場合等が多いことに鑑み，法人等名義の公表が要件とされていない（15 条 2 項）。

(5) 別段の定め

以上の要件をみたす場合であっても，著作物の作成の時における契約，勤務規則その他に別段の定めをすることによって，従事する者を著作者とすることができる（一方，以上の各要件をみたさない場合に，勤務規則等で法人等を著作者とすることを定めたとしても，著作者の地位を変動させることは認められない）。

この別段の定めは，「作成の時」に存在する必要がある。事後的な契約等によって著作者の地位の変動を認めることは適切ではないためである。

第5節　映画の著作物の取扱い

第5節　映画の著作物の取扱い

1 映画の著作物の著作者

　映画の著作物（⇒第4章第2節4(3)）の著作者について，著作権法は「制作，監督，演出，撮影，美術等を担当してその映画の著作物の全体的形成に創作的に寄与した者」と規定する（16条）。但し，例えば会社の従業員が社内用のプレゼン映像を作成した場合等，先述の職務著作に該当する場合は除かれている（同条但書）。

　「映画の著作物の全体的形成に創作的に寄与した者」とは，一貫したイメージをもって映画制作の全体に参加している者を指すとされ，具体的には，映画のプロデューサー，監督，ディレクター等（モダン・オーサーとも呼ばれる）が該当しうる（例えば，前掲知財高判平成18・9・13〔グッドバイ・キャロル〕）。

　ここでは実際に著作物の全体的形成に寄与していることが重要であり，例えばある者の役割がプロデューサーとされていても，映画の著作物の著作者に該当するかは，その関与の仕方による（肯定されたものとして，東京地判平成14・3・25判時1789号141頁〔宇宙戦艦ヤマト〕〈判コレ89〉，否定されたものとして，東京地判平成15・1・20判時1823号146頁〔超時空要塞マクロス第1審〕）。

　一方，「その映画の著作物において翻案され，又は複製された小説，脚本，音楽その他の著作物の著作者」は，映画の著作物の著作者からは除かれる。具体的には，映画の著作物において翻案された原作小説の著作者や，映画でそのまま複製され使用された楽曲の著作者等（クラシカル・オーサーとも呼ばれる）は，映画の著作物の著作者には該当しない。もっとも，その映画の利用については，自らの著作物に係る著作権を行使することができる。

　この規定については，映画の著作物は，その創作に関与する者が多数に上ることから，映画の著作物の利用・流通の促進のため，創作者主義（⇒第1節）を修正し，著作者を特別に限定したものであるとする見解もあるが，立法時の議論等も参照すると，あくまで2条1項2号における著作者の概念を具体化した注意規定に過ぎないものと理解する見解も有力である。

215

2 映画の著作物の著作権者

(1) 総　　説

　著作権法は，映画の著作物の著作者の参加約束を条件に，映画製作者に著作権が帰属する旨を定めている（29条1項）。その趣旨として，映画の著作物に関しては，映画製作者による多大な製作費の投資が求められる例が多いこと，多数の著作者全てに著作権行使を認めると映画の著作物の円滑な利用が妨げられることなどが指摘される（知財高判平成24・10・25平24(ネ)10008〔テレビCM〕〈判コレ90〉参照）。

(2) 要　　件

　映画製作者とは，「映画の著作物の製作に発意と責任を有する者」を指すとされ（2条1項10号），裁判例においては，「映画の著作物を製作する意思を有し，著作物の製作に関する法律上の権利義務が帰属する主体であって，そのことの反映として同著作物の製作に関する経済的な収入・支出の主体ともなる者」と理解されている（前掲知財高判平成18・9・13〔グッドバイ・キャロル〕。大阪地判平成31・3・25平30(ワ)2082〔婚礼ビデオ第1審〕，大阪高判令和元・11・7令元(ネ)1187〔同控訴審〕も同旨）。29条の趣旨からして，映画製作に係るリスクやコストを負担することが重視されている。例えば，劇場用映画の場合，映画製作者に該当するのは，通常は映画会社等であろう。

　また，著作者による製作の**参加約束**については，映画の著作物の製作について参加する約束で足り，著作権を映画製作者に帰属させる意思までは要求されない。典型的には，映画監督と映画製作者との間で，映画製作に参加する旨の契約が締結された場合が該当しよう。

　なお，職務著作（⇒第4節）及びテレビ放送用固定物の特則（⇒(3)）が適用される場合については，この限りではない（29条1項括弧書）。

(3) 効　　果

　上記の要件をみたす場合，著作権法は，映画の著作物の著作権が「映画製作者に帰属する」と定める。

第5節　映画の著作物の取扱い

　この点については，映画の著作物の著作権が，その著作者の下にいったん帰属した後，直ちに映画製作者に移転するという見解もあるが，著作者による著作権の二重譲渡の懸念等に鑑み，原始的に映画製作者に帰属するとする見解も有力である（この場合，著作物の創作者ではない映画製作者が著作権を原始的に取得する点で，創作者主義（⇒第1節）の例外と理解されることになる）。

　29条1項により映画製作者に帰属するのは映画の著作物の著作権に限られ，映画の著作物に係る著作者人格権や，映画の著作物において翻案・複製された著作物の著作権等は，本条項の対象ではない。

　なお，裁判例においては，監督の承諾の下，「実演家が考案した演技であっても，これを当該映画における演出，美術，カメラワークの下で映像化した場合には，当該映画自体については，映画製作者が著作権を有する」と判断したものがある（東京地判平成26・4・30平24（ワ）964〔遠山の金さん〕）。但し，同じ実演家による同様の演技を用いた被告映像に関して，当該原告映画製作者の著作権を侵害したものと判断したことについては，評価が分かれている。

　ちなみに，専ら放送事業者が放送のための技術的手段として製作する映画の著作物については，立法当時の番組制作・利用の実情に合わせて，映画製作者である放送事業者に帰属する著作権が一部に限定されている（29条2項。但し職務著作が成立する場合を除く）。有線放送事業者に関しても，概ね同旨の規定が存在する（29条3項）。

> ### Column Ⅲ3-1　未編集のフィルムの取扱い
>
> 　東京高判平成5・9・9判時1477号27頁〔三沢市勢映画製作〕〈判コレ91〉では，製作中止によって残された未編集・未使用のフィルムに係る映像の著作権の帰属をめぐって，29条1項の適用があるか否かが問題となった。裁判所は，争いになった未編集・未使用のフィルムについては，「著作物と認めるに足りる映画は未だ存在しない」としつつ，「撮影収録された映像は，それ自体で創作性，したがって著作物性を備えたものというべきである」とした上で，その未編集・未使用のフィルムに係る「映像著作物」の著作権は，監督としてその撮影にかかわった著作者に帰属すると判断し，29条1項の適用を認めなかった。
>
> 　これに対しては，単なる風景ビデオ等，編集を経ない映像についても，映画の著作物と評価する場合があることと平仄が合わないとして，29条1項の適用を認めるべきとする有力な見解もある。

第4章
著作権の効力と制限

第1節　総　説
第2節　著作権に含まれる権利（支分権）
第3節　著作権の制限
第4節　保護期間

第1節　総　説

　著作物を創作した者（著作者）には，著作権と著作者人格権（⇒第5章）が原始的に帰属する（17条1項）。著作権・著作者人格権は創作と同時に成立し，その享有にはいかなる方式（文化庁への登録等）の履行も要しない（同条2項。この無方式主義につき，⇒第1章第2節**1**(1)）。

　著作権法上の**著作権**とは，21条から28条に規定された権利の総称である（17条1項参照）。著作権に含まれる個別の権利（複製権，上演権・演奏権等）を，講学上**支分権**と呼ぶ。著作権者は各支分権を「専有」し，他人が無断で権原なく支分権に該当する行為を行うことを禁止することができる。

　著作権法は，著作権の対象となる著作物の利用行為を各支分権として21条から28条により法定する（⇒第2節）とともに，各支分権に該当する利用行為であってもなお著作権の効力が及ばない場合について**権利制限**に関する規定（私的複製や引用等）を定めている（⇒第3節）。また著作権の効力の時間的な制限として，**保護期間**の規定（51条以下）を設けている（⇒第4節）。著作権法は，これらの権利の効力と制限の規定により，著作物の創作と利用の適切なバランスを図ろうとしている。本章では，これらの規定について扱っていく。

第 2 節　著作権に含まれる権利（支分権）

1 総　　説

(1)　支分権の束としての著作権

　前述の通り，著作権法上の「著作権」とは，支分権（21 条〜28 条の権利）の総称である。著作権法は，著作権の及ぶ利用行為（法定利用行為）を各支分権の限定列挙により明示することで，著作権者の権利が及ぶ範囲を明示し，他者の行動の自由を確保している。

　現行著作権法は，特許法の「業としての実施」等のような概括的な利用概念ではなく，著作物の主要な利用形態ごとに別個の支分権として規定をすることで，多種多様な著作物とその利用状況に対応した細やかな規律を行おうとしている反面，譲渡権と複製権の関係等規律が複雑なものとなっている面もある。新たな利用形態の発達に伴い，支分権の追加や内容の拡大（公衆送信権・貸与権）もなされてきた。

　各支分権に該当しない著作物の使用行為は，みなし侵害規定（113 条）の適用を受ける場合を除き，著作権の侵害とならない。特に書籍を黙読する行為・絵画を鑑賞する行為・音楽を聴く行為等，著作物を最終的に享受する行為の多くは支分権の対象外の行為とされている。このことは，各支分権が主にメディアによる著作物の利用行為（出版（複製），公の上演，放送等）を権利対象とするものとして発展してきたことを背景としているが，現在においても著作物の享受の面での私人の自由を確保する点で意義を有する。

(2)　各支分権の分類

　著作権法上の支分権の対象となる利用行為は，大まかには以下のように分類される。

　①著作物の複製（21 条）：著作物を有形的に再製する行為。

　②著作物の公衆への**提示**（22 条〜25 条）：原作品や複製物を媒介とせずに上演・演奏・上映・公衆送信・公衆伝達・口述により公衆に対して著作物を提示

する行為（無形的利用行為）と，原作品の展示により公衆に対して著作物を提示する行為。

③著作物の公衆への**提供**（26条～26条の3）：著作物の原作品・複製物を公衆に譲渡・貸与する行為等（頒布権（26条）につき⇒ Column Ⅲ4-1 「**公衆概念と支分権**」参照）。

④二次的著作物の創作・利用（27条・28条）：翻訳・翻案等により二次的著作物を創作する行為（27条）と創作された二次的著作物を利用する行為（28条）。

2以下では，それぞれの分類ごとに，各支分権について解説する。

Column Ⅲ4-1　公衆概念と支分権

各支分権のうち，著作物の無形的な利用行為（上演権，公衆送信権等）や原作品の提示行為（展示権）は，「**公に**」（「**公衆**に直接見せ又は聞かせることを目的として」の意。22条参照）行われるもののみが権利の対象となる。ここでは，行為者の主観的な目的が問題となるため，結果として誰も見なかった・聞かなかったとしても，「公に」に該当しうる。また譲渡権・貸与権の侵害となるのは，原作品・複製物の公衆への譲渡・貸与の場合のみである。頒布権の場合には，公衆への提示を目的とした公衆でないものへの譲渡・貸与を含む（2条1項19号）。

このように，無形的な利用行為や展示，譲渡・貸与に係る支分権については，公衆に対する行為（頒布権の場合は，公衆への上映の準備行為としての譲渡・貸与も含む）であることが権利侵害の重要な要件となる。

「**公衆**」とは一般的には不特定多数を意味するが，著作権法上の「公衆」の概念の場合，「特定かつ多数」の者を含むことが明示されている（2条5項）。また現行著作権法の起草担当者らの理解においては，不特定少数の場合も公衆に含まれるものとされ，更にここでいう「特定」とは「行為者との間に個人的な結合関係があるもの」を意味するものと解されてきた。以上の解釈を踏襲する裁判例として，東京地判平成16・6・18判時1881号101頁〔NTTリース〕（プログラムの複製物のリース先の変更につき貸与権侵害肯定），知財高判令和3・3・18判時2519号73頁〔音楽教室控訴審〕〈判コレ92〉（音楽教室からみて生徒は公衆に該当すると判断）がある。

これに対して，公衆概念についてより柔軟な一般論を示す裁判例もある。名古屋地判平成15・2・7判時1840号126頁〔社交ダンス教室〕では，一般論として「著作物の種類・性質や利用態様を前提として著作権者の権利を及ぼすことが社会通念上適切か否かという観点をも勘案して判断」すべきと述べている（但し結論として，社交ダンス教室でのCDの演奏につき，演奏の時点で受講生の数が限定されていたとしても，受講生には誰でもなることができる（前掲〔音楽教

室控訴審〕でも同様の事情が考慮されている）ことから「公に」にあたるとの判断がされた）。更に，東京地判平成 25・12・13 平 24（ワ）24933〔祈願経文〕では，事前の人的結合関係の強弱のみを判断基準とすべきではないことが明示的に述べられており，結論としても公衆にあたらないとの判断がされている。

支分権における公衆の概念の判断については，人的結合関係の有無のみを一律の判断基準とするのではなく，私人の活動の自由にも配慮しつつ，各支分権が保護する著作権者の利益を害するか否かを，具体的な事案における行為者と行為の相手方の関係に照らして判断すべきであろう。

なお公衆該当性の判断にあたっては，その前提として利用行為を行っている主体が問題とされる。例えば最判昭和 63・3・15 民集 42 巻 3 号 199 頁〔クラブキャッツアイ〕〈判コレ 118〉では，カラオケスナックによる客の歌唱が営業主の行為と評価されて演奏権侵害が肯定された。最判平成 23・1・18 民集 65 巻 1 号 121 頁〔まねき TV〕〈判コレ 119〉では，動画転送サービスの利用者が利用者自身に動画を送信しているのではなく，サービス提供業者が利用者に動画を送信しており，またサービス提供業者と契約を締結すれば何人も利用者となれることから「不特定」人への送信として公衆送信にあたるとの判断がされた。他方前掲〔音楽教室控訴審〕及び最判令和 4・10・24 令 3（受）1112〔音楽教室上告審〕では，生徒の演奏につき第 1 審と異なり音楽教室経営者による演奏ではなく生徒自身による演奏と評価している。⇒この主体の認定については，第 7 章第 1 節**5**参照。

(3) 著作物の保護範囲（依拠と類似性）

著作権の効力は，「その著作物」（21 条〜27 条）又は「当該二次的著作物」（28 条）を利用した場合，すなわち，当該著作物に「依拠」し，かつ当該著作物と同一又は類似の表現（「類似性」）について法定の利用行為を行ったといえる場合にのみ及ぶ。類似性（著作物の保護範囲）の判断は，特許権でいえば特許発明の技術的範囲の判断に対応する。依拠と類似性の要件は，著作者人格権にも共通するものであるため，権利の侵害に係る第 7 章第 1 節でまとめて扱う。

2 著作物の複製（21 条）

複製権とは著作物を複製する権利（21 条）であり，複製とは「印刷，写真，複写，録音，録画その他の方法により有形的に再製すること」をいう（2 条 1 項 15 号）。具体的には，書籍の印刷，コピー機による複写等，複製物から著作物を直接視認可能な場合の他，CD への録音・ハードディスク内への保存・コ

221

ピー等，作成された物から機械を通じて著作物が視聴可能となる場合も「複製」に含まれる。手書きによる正確な模写も，「その他の方法」による有形的再製の一例である。無体物としての著作物が有形的に再製されていれば複製に該当するため，演劇の著作物の上演を録画する行為は演劇の著作物の複製にあたり，建築の著作物を設計図に従って完成させる行為は建築の著作物の複製にあたる（同項15号イ・ロ。これらは確認規定である）。原作品や複製物を展示すること，鏡等に映すことは，「有形的再製」にあたらず，複製に該当しない。

　上演・演奏等の無形的な利用行為と異なり，複製権の侵害については公衆への提示・譲渡等を目的とすることは要件とされてない。その趣旨については，新たに再製された複製物については様々な利用が反復して行われる可能性があることから，支分権としては複製全般に権利が及ぶものとし，例外的に私的使用の場合の権利制限規定（30条）が定められていると説明されている。

　著作権制度は歴史的には出版分野を中心に発達し，複製権は出版行為の中核となる権利であった。かつては限られたメディア（出版社，レコード会社等）のみが複製技術を利用可能であったが，現在においては個人による複製も容易となっており，私的複製に係る権利制限を巡る議論が活発となっている。

　コンピュータの使用や通信に伴う著作物の一時的蓄積（特に，電源を落とすことでデータが消失するような過渡的・瞬間的なもの）については，これらが全て複製権の侵害となれば著作物の円滑な利用が大幅に妨げられる事態も生じかねない。そこで従来の議論では，適切な権利制限規定も設けられていなかったことから，反復して利用可能とはいえない一時的蓄積は規範的な意味において「複製」に該当しないとする解釈が有力であった。しかしその後，平成21年改正や平成30年改正による権利制限規定の拡充（47条の4第1項等）により，一時的蓄積も複製に該当するものとした上で権利制限規定の解釈等により対応すべきとの見解が有力となっている。

3 著作物の公衆への提示（22条〜25条）

(1) 上演権・演奏権（22条），口述権（24条）

　著作物を公に上演し・演奏する行為は，**上演権・演奏権**の権利対象となる。後述するように，これらの録音物等を公衆に聞かせるために再生する行為も含

まれる。

演奏とは，音楽の著作物を演ずる行為（楽器の演奏の他，歌唱を含む）を意味し，上演とは，演奏以外の方法により著作物を演ずる行為を意味する（2条1項16号）。劇場での演劇やコンサートでの演奏の他，落語や漫才等も上演に含まれうる。

生の演奏・上演のみならず，これらを録音・録画した複製物を再生すること・電気通信設備を用いて伝達することも，上演・演奏に該当する（但し公衆送信又は上映に該当する場合には，当該再生・伝達行為は上演・演奏ではなく公衆送信・上映として扱われる。2条7項）。

上演権・演奏権は，「**公に**」，すなわち，公衆に直接見せ又は聞かせることを目的として行われた場合にのみ権利が及ぶ（⇒公衆の解釈については Column Ⅲ4-1 「公衆概念と支分権」）。なお前掲知財高判令和3・3・18〔音楽教室控訴審〕は，演奏技術等の習得のために教師が生徒に手本を示すための演奏も「聞かせる」目的で行われたものと認定している。

公の上演・演奏であっても，38条1項の非営利・無料・無報酬の要件をみたす場合には，権利の侵害とならない（⇒第3節**8**）。

また言語の著作物については，演劇的ではない（上演に該当しない）形で，朗読等の方法により著作物を公に口頭で伝達する行為につき**口述権**（24条）が認められている。録音物の再生，権利制限規定等については上演・演奏と同様の規律がされている。

(2) 上映権（22条の2）

上映権とは，「著作物を公に上映する」権利である。「上映」とは，「著作物（公衆送信されるものを除く。）を映写幕その他の物に映写する」行為と定義されている（2条1項17号）。スクリーンへの映写が典型例であるが，液晶画面等への表示も上映に該当すると解されている（アーケードゲーム機を設置し客に遊ばせる行為が上映権の侵害にあたるとされた事例として東京地判昭和59・9・28無体集16巻3号676頁〔パックマン〕がある）。

演奏権・上演権の場合と同様，非営利・無料・無報酬の公の上映は権利の侵害とはならない（38条1項）。

2条1項17号の括弧書により，映写のために著作物を公衆に送信する行為は上映ではなく公衆送信に該当する。また公衆送信された著作物を受信して行う画像・映像の映写行為は，上映に該当せず公の伝達として公衆伝達権（23条2項）の対象となる。この点は，特に38条の適用において重要な意味を有する。

昭和45年の全面改正時，上映権は映画の著作物の上映特有の権利として規定されていたが，平成8年に採択されたWIPO著作権条約8条への対応や，マルチメディアソフト等の普及を背景に著作物一般についてディスプレイへの表示に係る権利を認めるべきとの意見も踏まえて，平成11年改正により，「映画の著作物の上映」を伴わない「著作物の上映」（例えば，静止画の表示等）についても上映権が認められている。

上映権に係る「公に」の概念については，元来は，劇場用映画を念頭に主に同時に多数人に見せることを意味していたものと思われるが，裁判例では，カラオケボックス内での映像の再生についても行為主体である店主からみて顧客が不特定多数であることを理由に「公」の上映であると判断されている（東京地判平成10・8・27知財集30巻3号478頁〔ビッグエコー〕）。

(3) 公衆送信権・公衆伝達権（23条）

著作者は，その著作物について公衆送信する権利を専有する（**公衆送信権**，23条1項）。

「公衆送信」とは，公衆によって直接受信されることを目的として無線通信又は有線電気通信の送信を行うことを意味する。キー局からローカル局へのテレビ番組の送信は，公衆によって「直接」受信することを目的としないため，公衆送信に該当しない。

プログラム以外の著作物については，同一の構内での送信は公衆送信に該当しない（2条1項7号の2）。例えば，コンサート会場内でマイクを通じて後方のスピーカーから再生する行為の場合，マイクからスピーカーへの送信は公衆送信に該当せず，再生行為が「演奏」と評価され（2条7項参照），38条1項の適用等を受ける。

プログラムの著作物については，社内LAN等により個々の端末に送信して利用される場合等への対応のため，同一構内の送信も公衆送信に該当するもの

とされている。

公衆送信には，**放送・有線放送**，**自動公衆送信**が含まれる。「公衆によって同一の内容の送信が同時に受信されることを目的として行」われる公衆送信のうち，無線通信によるものが「放送」（2条1項8号），有線電気通信によるものが「有線放送」（2条1項9号の2）と定義されている。権利制限（44条等）や著作隣接権等に係る規定において，公衆送信一般ではなく放送・有線放送のみを適用対象とするものがある。

自動公衆送信とは，放送・有線放送に該当しない（すなわち，公衆による同時の受信を目的としない）公衆送信の中で，公衆からの求めに応じ自動的に行うものを意味する（2条1項9号の4）。自動公衆送信の場合，送信行為自体の把握が困難な場合も多く，その準備段階となる**送信可能化**行為についても，公衆送信権の対象とされている（23条括弧書）。送信可能化行為の例としては，インターネットに接続されているサーバー（ユーザーの求めに応じて自動的にファイルが送信されるもの）にファイルをアップロードする行為（2条1項9号の5イ参照）や，共有フォルダにファイルを蔵置したままパソコンをインターネットに接続する行為（同号ロ参照）等があげられる。これらの行為を行えば，送信が一度もされていない時点においても公衆送信権の侵害となる。

既存のサイトにリンクを貼る行為は，リンク先のサイトのコンテンツの公衆送信には該当しない（大阪地判平成25・6・20判時2218号112頁〔ロケットニュース24〕，知財高判平成30・4・25判時2382号24頁〔Twitterリツイート控訴審〕）。もっとも，リンク先での公衆送信権侵害の事実を知りながら故意にリンクを貼る行為については不法行為責任を問われる可能性もある。また令和2年改正により，リーチサイト・リーチアプリに関するみなし侵害規定（113条2項から4項参照）が導入されている（⇒第7章第1節**4**参照）。

従来，著作物の送信に係る権利は，ラジオやテレビを念頭に著作物を一方的に公衆に同時に送信する行為に係る放送権・有線放送権のみが認められていたが，送信形態の変化・ネットの普及に対応して改正が進められ，平成9年改正後の著作権法では，公衆からの求めに応じた異時の自動公衆送信（オンデマンド型の送信）をも権利対象とする現在の公衆送信権の規定が整備されている。

公衆送信権侵害の判断において重要となるのが，送信元からみて送信先が

「公衆」といえるのかとの点であり，その前提として，送信の主体が誰かということが問題となる（⇒ Column Ⅲ4-1 「公衆概念と支分権」）。

　また著作者は，「公衆送信されるその著作物を受信装置を用いて公に伝達する」権利（**公衆伝達権**，23条2項）も専有する。具体的には，音楽番組の放送を受信して大型スクリーンに映写する行為は，上映ではなく，公衆伝達に該当する（2条1項17号も参照）。

　演奏・上演・上映と公衆送信，公衆伝達の区別は，特に38条の適用において意義を有する。38条1項により非営利・無料・無報酬での演奏等が演奏権の侵害とはならないのに対して，公衆送信は38条1項の適用対象外である。他方，営利目的による公の上映は上映権の侵害となる（38条1項参照）が，放送された番組を受信して行う公衆伝達の場合通常の家庭用受信装置を用いてする場合には営利目的でも公衆伝達権の侵害とならない（38条3項）。

(4) 展示権（25条）

　展示権は，美術の著作物の原作品又は未発行の写真の著作物の原作品につき認められる，これらの原作品を公に展示する権利である。これらの原作品の展示に該当しない場合（新聞広告の切抜きを掲出する行為）は，展示権の対象とはならない。

　美術の著作物の原作品等に限って展示権が認められている趣旨は，美術作品においては原作品が特別な社会的な価値が認められる場合が多いことに照らし，これらの展示に係る経済的な利益を著作権の対象とすることが適切と考えられたためである。

　美術の著作物の**原作品**には，肉筆による絵画だけではなく，手摺りの版画や原型から鋳造された彫刻等も含まれると解されている。原作品の厳密な定義は難しいが，展示権の趣旨に鑑み，オリジナルの作品としてその展示に複製物と異なる特別な社会的な価値が認められるものが原作品にあたるといえよう（コンピュータ上で創作されたデジタル画像等の場合，原作品と評価すべきものが存在しないとの考え方も成り立ちうるであろう）。

　写真の著作物においては，フィルム写真につきネガ（フィルム）だけではなくこれから直接現像したもの（ポジ）も原作品に該当するものとされている。

このように原作品が多数生じうるため，写真の著作物の展示権は未発行の場合に限り認められている。

なお45条により，所有権者やその同意を得たものによる展示は，原則として展示権の侵害とはならない。このため著作権者が原作品の所有権を他人に譲渡した場合，実際上展示権が機能する局面は，美術の著作物の原作品を屋外に恒常的に設置する場合に限定されている（45条2項参照）。

4 公衆への譲渡・貸与等（26条〜26条の3）

原作品・複製物の譲渡・貸与については，映画の著作物（及び映画の著作物に複製されている著作物（映画中の楽曲等））に認められる**頒布権**（26条）と，これら以外の著作物（以下，映画等以外の著作物と呼ぶ）に認められる**譲渡権**（26条の2），**貸与権**（26条の3）がある。

(1) 譲渡権（26条の2）

映画等以外の著作物については，その著作物の原作品又は複製物を譲渡により公衆に提供する権利（譲渡権，26条の2第1項）が認められている。

但し市販された中古CD・書籍の販売等，譲渡権者又は譲渡権者の同意を得た者により，公衆又は「特定かつ少数の者」に譲渡された原作品・複製物を，公衆に改めて譲渡する行為は，譲渡権の侵害とはならない（26条の2第2項1号・4号）。これは**消尽論**を明文で規定したものであり，譲渡権者に二重の利得を得させる必要はなく，複製物・原作品の流通を円滑にすることを理由とするものである。国内で流通におかれた場合だけではなく，海外で流通におかれた場合（並行輸入）についても同様である（26条の2第2項5号。国際消尽。但し，国内頒布目的商業用レコードの還流防止措置（113条10項）につき⇒第7章第1節**4**(8)及び **Column Ⅲ4-2** 「コンテンツの流通を巡る諸問題」参照）。この他，裁定制度の利用等により流通におかれた場合にも譲渡権は及ばない（26条の2第2項3号・4号）。26条の2第2項各号に該当しないことについて複製物等の入手時点で善意・無過失であった者を保護する規定（113条の2）も設けられている（⇒第7章第1節**4**(3)参照）。

譲渡契約の際に消尽しない旨の特約が付されていた場合，当該特約が当事者

227

間での譲渡禁止特約としての債権的な効力を有するとしても，26条の2第2項各号の要件をみたす限り当該譲渡権は消尽したものとして扱われるべきであろう。すなわち，当該特約の違反は，債務不履行とはなるが，譲渡権の侵害とはならないこととなる。

譲渡権は，平成8年のWIPO著作権条約等への対応のために平成11年改正で創設された権利であるが，従前から複製権の侵害によって作成された物を情を知って公衆に譲渡する行為は複製権の侵害とみなされている（113条1項2号）ため，譲渡権が独自の意義を有する場合は，極めて限定的なものとなっている。例えば，複製のみが許諾されたにもかかわらず，当該複製物が第三者に譲渡された場合等である。

(2) 貸与権（26条の3）

貸与権とは，映画等以外の著作物の複製物を公衆に貸与することについての権利である（26条の3）。書籍や音楽CDのレンタルの他，プログラムの複製物のリースについても貸与権が及びうる（前掲東京地判平成16・6・18〔NTTリース〕。同事件につき⇒ Column Ⅲ4-1 「公衆概念と支分権」内の記述参照）。

貸与権は，昭和59年改正により創設された権利である。昭和45年の著作権法の全面改正時においても，貸本業等による複製物の貸与は行われていたが，貸与行為それ自体の著作権者に与える経済的影響は小さく，貸本業者等への書籍の販売により著作権者は十分な利益を得ることができるとの考慮から，映画の著作物等以外の貸与については特別な権利は定められていなかった。

しかし，特に家庭内での複製機器の普及を背景として，新たなビジネスモデルとして貸レコード業が登場した結果，短期のレンタルと家庭内による複製が繰り返されることでレコード等の売上げが減少したことが問題視された。そこで貸レコードに関する議員立法等を経て，昭和59年の改正により，映画等以外の著作物の公衆への貸与に係る貸与権が創設された。なお書籍・雑誌の貸与については，貸本業への配慮から附則4条の2により貸与権の適用除外とされていたが，平成16年改正により同条は削除されている。

形式的には貸与に該当しない場合であっても，実質的に貸与と同様の使用権原を取得させる行為（例えば，3日後に代金の90％の価格で買い戻す特約付きの譲渡

等）は，著作権法上は貸与に該当する（2条8項）。

　他方で，レンタカーにおけるエンジン制御プログラム等のように，形式的には複製物の貸与に該当する場合であっても，当該著作物が貸与の主たる目的ではない場合には，貸与権は及ばないとする解釈が有力である。

　図書館内や漫画喫茶内で閲覧に供する行為については，貸与に該当しないと解されている。また38条4項により，図書館による館外貸出等，非営利・無料での貸与は貸与権の侵害とならない。

(3)　頒布権（26条）

　映画の著作物（及び映画の著作物に複製されている著作物，以下，映画の著作物等と呼ぶ）については，譲渡権・貸与権が認められない代わりに，頒布権が認められる。

　映画の著作物には，「映画の効果に類似する視覚的又は視聴覚的効果を生じさせる方法で表現され，かつ，物に固定されている著作物」も含まれる（2条3項）ため，ゲームの画面表示等も静止画像に近い事案を除けば，基本的に映画の著作物となる。

　著作物一般について**頒布**とは，公衆への譲渡又は貸与を意味する（2条1項19号前段。26条以外で「頒布」概念を使用する規定の例として113条1項2号等参照）。映画の著作物等の場合，更に「これらの著作物を公衆に提示することを目的として」公衆ではない者に譲渡又は貸与をする行為（2条1項19号後段）も含まれ，この行為を指して「後段頒布」とも呼ばれている。後段頒布の典型例は，映画の公の上映のためにフィルムを特定の映画館に譲渡又は貸与する行為である。この後段頒布を権利対象とする点で，頒布権は譲渡権・貸与権よりも権利内容が広い。

　頒布権は，現行著作権法制定（昭和45年）以前からの劇場用映画フィルムの配給制度（フィルムが映画館に貸与され，上映期間終了後映画会社に返却され，また別の映画館に数次貸与されるとの流通形態）を念頭に置いて立法された権利であり，そのために後段頒布も権利対象とされている。

　譲渡権（26条の2第2項参照）とは異なり，頒布権については消尽論についての明文の規定が設けられていない。これも頒布権が元来配給制度を念頭に映画

第3編　第4章　著作権の効力と制限

館によるフィルムの転売行為を頒布権の侵害とする趣旨で消尽しない権利と想定されていたことに由来する。

そこで問題となったのが家庭用ゲームソフトの中古販売における頒布権侵害の成否である。下級審ではその結論と理由づけが分かれていたが，最判平成14・4・25民集56巻4号808頁〔中古ソフト〕〈判コレ94〉は，著作物の複製物の譲渡につき，特許の国内消尽論と同様の考慮により（最判平成9・7・1民集51巻6号2299頁〔BBS〕〈判コレ54〉引用），商品の円滑な流通を妨げるべきではないこと，権利者に二重の利得を得させる必要性がないこと等を理由として，「公衆に提示することを目的としない家庭用テレビゲーム機に用いられる映画の著作物の複製物の譲渡については，……当該著作物の複製物を公衆に譲渡する権利は，いったん適法に譲渡されたことにより，その目的を達成したものとして消尽」すると判示し，中古ゲームソフト販売につき頒布権侵害を否定した。

この〔中古ソフト〕最高裁判決の解釈は，家庭用ゲームソフトの流通形態が，配給制度とは大幅に相違し，26条の2第2項で消尽論が明記されているCDや書籍とほぼ同様の流通形態であることに鑑み，商品の円滑な流通を確保する必要性が高いことから中古販売を適法とすべきとの実質論に基づくものである。そのため，劇場用映画の家庭用DVDの中古販売にも射程が及ぶものと考えられる（東京地判平成14・1・31判時1791号142頁〔中古ビデオソフト〕参照）。

並行輸入等については，〔中古ソフト〕の直接の射程外となるが，家庭での視聴・享受のための複製物の流通形態に鑑みれば26条の2第2項5号と同様の解釈をするべきであろう（同判決以前に侵害を認めた裁判例としては，東京地判平成6・7・1知財集26巻2号510頁〔101匹ワンチャン〕があった）。

他方で〔中古ソフト〕は，貸与権との平仄や配給制度を前提とした従前の議論との整合性にも配慮し，「貸与する」権利や「公衆に提示することを目的」とする複製物（劇場用フィルムやアーケードゲーム機）の譲渡については，同判決による消尽論の射程外とすることを判示の文言上明らかにしている。

> **Column Ⅲ4-2**　**コンテンツの流通を巡る諸問題**
>
> 　特許権における消尽論は，適法に譲渡された特許製品の再譲渡に加え，特許製品の使用・貸与をも消尽の対象とする（〔BBS〕参照）。これに対し〔中古ソフト〕は，著作権における消尽の一般論を複製物の再譲渡のみを対象とするも

のとして展開している。

著作権の場合，複製物が適法に譲渡された後も，当該複製物を公衆に貸与する行為（26条の3参照），当該複製物を用いて公の上演・演奏や公衆送信等を行う行為についてはそれぞれ対応する支分権が及ぶ。これらの行為については複製物の譲渡代金とは別に，改めて著作権者に利得を得る機会をそれぞれの支分権により確保している。他方で支分権の対象とならない著作物の使用行為（CDを聞く行為），権利制限の対象となる行為（CDの非営利演奏）については，複製物の譲渡代金にこれらの使用・利用に係る対価も実質的に含まれている（但し適法な入手経路を前提としない点で，消尽論と規律は異なる）とみることもできよう（このような観点から，権利制限・消尽論・侵害主体を巡る問題状況を考察するものとして前田健「著作権の間接侵害論と私的な利用に関する権利制限の意義についての考察」知的財産法政策学研究40号（2012年）179頁以下参照）。

またゲームソフト等の中古販売を著作権の対象とすべきとの議論からは，無許諾の中古販売を適法とする現行のルールの下で権利者は新品の価格をその後の中古流通も想定して設定しており，中古品の流通を著作権者がコントロールできるようになれば新品をより安価に供給できるとの主張もされている。実際に還流防止措置（113条5項。⇒第7章第1節**4**(8)）は，購買力の低い途上国で正規品を日本への逆輸入を防ぐことで安価に提供することを可能とする趣旨で設けられたものである。

独占市場において，供給者による**価格差別**（各需要者の支払意欲に応じて価格を設定すること）が適切に実現されれば，単一の独占価格を設定するよりも，理論上は，供給量が増大し社会の総余剰を増加させる。そこで需要者間での転売等を禁じ知的財産権を価格差別のための手段として正当化する考え方もある。医薬品の裁定実施権等についても同様の議論がある。

しかし，権利者に複製物の流通をコントロールする権利を認めた場合，現在の状況のように取引コストが大きい場合は，中古品の販売の度に権利者に許諾を取りにいかなければならず，基本的には流通の阻害を生じさせる可能性が高い。〔中古ソフト〕はこのような懸念に基づくものといえよう。またその結果としてゲームソフトについては，中古品との競争により権利者が一定期間経過後に廉価版を提供する等の形で限定的な価格差別が実現されている状況にある。

他方で近時オンラインでのコンテンツの流通が普及しつつある。しかし公衆送信を受信して作成された著作物の複製物は，「譲渡」されたものではないために26条の2第2項等は適用されず，またコンテンツを他者に「転売」（送信）する行為は，自己のPCから当該データを消去したとしても公衆送信権の侵害となりうる。このように従来の消尽論はデジタルでのコンテンツの流通には及ばないと解されている。その実質的な理由として，権利者等との直接の取引が容易であり「転売」が法的・技術的に制限されている結果コンテンツが安価に

供給されていることや，有体物の場合と異なりデータが譲渡人に残ることが多い等が指摘されているが，これに対してユーザーの権利という視点等から「デジタル消尽」の考え方を認めるべきとの議論もある（これらの議論状況につき奥邨弘司「電子書籍の中古販売・流通」ジュリスト1463号（2014年）43頁以下参照）。

また書籍・CDにつき，従来は出版社・レコード会社等により複製物の流通がコントロールされ小売店間の価格競争がほぼ存在しなかった（いわゆる再販制度）。他方，オンラインのコンテンツの流通では，グーグル・アップル・アマゾン等の巨大なプラットフォーマーによる寡占が問題となりつつある。このような流通を巡る問題について，競争政策の観点からの議論も続いている。

5 二次的著作物の創作と利用（27条・28条）

(1) 翻訳権・翻案権等（27条）

27条の権利（翻訳権，編曲権，変形権，翻案権）は，翻訳，編曲，変形，翻案（脚色・映画化等）により，二次的著作物（⇒第2章第3節**1**）を創作する行為を権利対象としている。条文上は翻訳，編曲等の用語は使い分けられている（47条の6参照）が，以下ではまとめて翻訳・翻案として言及する。創作的な表現を付加しない翻訳・翻案は，27条にいう翻訳・翻案には該当しないと解されている。

27条と28条の権利は，著作権者に翻訳・翻案を通じた著作物の派生的な作品（二次的著作物）の創作と利用に係る権利を認めるものである。二次的著作物からの収入が原著作物の著作権者の主要な経済的利益となることも多い一方で，過度にその保護を認めることは新たな創作活動を阻害するものとなりかねない。そこで類似性の判断（⇒第7章第1節**3**）や権利制限規定の解釈（⇒第3節）が，原著作物を創作的表現を付加せずにそのまま利用する場合と比べて一層重大な問題となる。

著作物の翻訳・翻案には何らかの改変が伴うため，翻訳権・翻案権と同一性保持権（20条1項）との関係が問題となる。特に翻訳・翻案に必然的に伴う改変については，著作者が翻訳権・翻案権を譲渡した場合等に「意に反」さない，あるいは「やむを得ないと認められる改変」（20条2項4号）として侵害を否定する解釈等が有力である。他方，著作物の受け手が改変を認識できる場合には

20条1項の「同一性」を害する「改変」に該当しないとする立場（⇒第5章第4節**2**(3)）からは，翻訳・翻案に伴う改変と認識できるものであればおよそ同一性保持権の侵害とはならないことになる。

(2) 二次的著作物の利用に関する原著作者の権利（28条）

28条は，27条所定の行為により創作された**二次的著作物**につき，**その利用**（複製，公衆送信等）**に係る原著作物の著作者の権利**を規定するものである。例えば，Aが著作権を有する小説をBが翻訳して公に口述すれば，翻訳行為は翻訳権の侵害，口述行為は28条により翻訳版（二次的著作物）につきAが有する口述権の侵害となる。

条文の規定の仕方として，21条から26条の3において「その著作物（二次的著作物を含む）」等と規定するのではなく，28条を独立の支分権とした趣旨は，契約時の許諾・譲渡範囲の明確化（61条2項参照）と，特定の種類の著作物に限り認められる支分権が異なる種類の原著作物の著作者にも認められることを「同一の種類の権利」として明文化した点にあろう。例えば小説の著作権者は，当該小説を翻案した映画につき頒布権を有することになる。

二次的著作物中の一部分を利用する行為につき東京高判平成12・3・30判時1726号162頁〔キャンディ・キャンディ控訴審〕は，当該部分が原著作物の創作的表現を引き継いでいるかを問わず原著作者の権利を及ぼすものとみなした趣旨の規定と28条を理解している（上告審である最判平成13・10・25判時1767号115頁〈判コレ95〉は，控訴審の結論は維持したが28条の解釈は不明瞭である）。

しかしこのような解釈は，その創作した表現が利用されていない場合（例えば，原作中に何の言及もない漫画の登場人物の絵等）にまで創作者に権利を認めるものとして，学説等からは強く批判されている。

批判説の指摘の通り，二次的著作物の一部分の利用につき28条の権利が及ぶ場合は，当該部分が原著作物との関係で二次的著作物と評価できる場合に限るべきである。この判断は利用行為ごとに通常の類似性判断を行うものに他ならない。同様に二次的著作物を更に翻訳・翻案した作品についても，当該作品が原著作物との関係で二次的著作物と評価される場合にのみ28条の権利が及ぶと解すべきであろう。

第3節　著作権の制限

1 総　説

　著作権法は，著作物の無断利用行為を禁止することにより，創作インセンティブを保障し，もって文化の発展を促している。

　他方で，既存の著作物を利用することで新たな創作活動・表現活動が生まれる場合がある。また，全ての著作物利用を市場取引に委ね，利用の度に常に著作権者からの許諾を必要とすると，高い**取引費用**ゆえに利用が進まなくなるおそれもある（**市場の失敗**）。更に，著作物の利用が表現の自由や学問の自由など憲法的価値を体現している場合もあるし，一定の公益目的・政策目的を実現するために利用行為を許容することで，社会的便益がもたらされる場合もある。

　このような場合には，著作権者の利益を過度に害さない限りにおいて，著作物の自由利用を保障することがかえって文化の発展に寄与することになる。著作権法1条が「文化的所産の公正な利用に留意しつつ，著作者等の権利の保護を図り，もって文化の発展に寄与する」と述べる趣旨もここにある。そこで，著作権法は，30条以下で，著作物の自由利用を積極的に保障するという見地から，一定の利用行為に対し，著作権の効力を制限する規定を設けている。

　もっとも，著作権の効力を制限する方法は権利制限規定に限られるわけではなく，著作物（2条1項1号）概念から除外する（アイデアの利用など），あるいは，支分権の対象となる法定利用行為に含めない（私的領域内での演奏など）といった方策もある。また，30条以下の規定は，あくまで著作（財産）権の制限規定に過ぎず，著作者人格権には影響がないとされている（50条）ものの，権利制限規定の趣旨によっては，著作者人格権侵害が否定される場合もあるし，著作者人格権固有の権利制限規定も設けられている（⇒第5章）。以上のように，30条以下の権利制限規定も，著作権法上の権利行使を制限するための完結的な規定ではない。

　また，我が国著作権法の権利制限規定は限定列挙であり，権利制限の一般条項は設けられていない。しかも，既存の権利制限規定は，規定の適用対象を明

確にすることを優先するあまり，規定が過度に細分化され断片化している。しかし，情報技術の発展等により，著作権法制定時には想定されておらず，現状の権利制限規定では対処できない問題が発生した場合に，立法府による個別対応では十分な対処が困難でもある。そこで，アメリカのフェア・ユース規定など，より一般性・柔軟性の高い権利制限規定を導入し，司法府による事案に即した柔軟な解決を可能にすべきとの主張も有力となっている。もっとも，非享受利用（30条の4）のように，ある程度の一般性・包括性を備えた規定が導入されたほか，引用などにみられるように，規定のより柔軟な適用・運用を志向する立場も有力になりつつある。

　なお，権利制限規定で許容されている利用行為を禁じる旨の契約も，規定の趣旨と抵触する契約（権利制限のオーバーライド）であるという理由だけで直ちに無効となるわけではない。契約自由を原則としながらも，個別の事案によっては，公序良俗違反（民90条）となる場合もある。

2 私的使用のための複製（30条）

(1) 意　義

　30条1項は，私的使用目的，すなわち，個人的又は家庭内その他これに準ずる限られた範囲内で使用する目的で著作物を複製する行為について複製権を制限している。テレビ番組を家庭内で録画する行為や，書籍をスキャンしデジタルデータとして保存する行為（いわゆる自炊行為）などがその例である。

　私的使用のための複製に対して権利が制限される理由としては，以下の点が挙げられる。すなわち，個人の私的領域内での行為自由を保障する必要性があること，閉鎖的な私的領域内での軽微・零細な利用にとどまるのであれば，これを許容しても著作権者への経済的打撃が小さく，他方，零細かつ多数行われる複製行為に対し権利行使を認め著作権者の許諾を常に要するとすると，高い取引費用ゆえに利用が進まなくなるおそれがある（市場の失敗）ことである。

(2) 要　件

　本条の権利制限の要件は，①複製の目的が私的使用目的であること，②複製の主体が私的使用を行う者であることである。そのほか，複製の客体に特段の

限定はなく，著作物でありさえすれば，公表・未公表を問わず，また，それが
適法に作成・入手されたものか否かも問わない（例外として，後述する30条1項
3号・4号）。以上の要件を充足するのであれば，私的な翻訳・翻案も許される
と解される（47条の6第1項1号）。

①私的使用目的とは，個人的に又は家庭内その他これに準ずる限られた範囲
内において使用する目的をいい，複数人で使用する場合にも，当事者間に家庭
内に準じた緊密で閉鎖的・個人的な関係がなければならない。したがって，企
業等の内部で業務上使用するために行われる複製は，私的使用のための複製に
はあたらず，複製権侵害を構成すると解されている。しかし，企業内複製全て
を一律に違法とすることには異論もあり，例えば，社長のために秘書が購入済
み書籍を拡大コピーする，出張先の社員に購入済み書籍の必要ページをファッ
クス送信するなど，既に対価を支払済みと評価できる範囲の利用については，
30条を類推適用する，あるいは，「個人的に……使用する」ものと評価し，複
製権を制限すべきであるとの有力な主張もある。なお，私的使用目的は複製時
に存在していなければならない。但し，複製時には私的使用目的であったが，
その後，私的使用以外の目的で複製物を頒布したり公衆に提示すると，複製を
行ったものとみなされ，原則として複製権侵害を構成する（49条1項1号。更に，
同条2項1号も適用される）。

次に，②複製は，原則，私的使用を行う者自身が行わなければならない。し
かし，複製の過程に他人の行為が介在していても，「使用する者」自身の複製
と評価される場合がある。この点が問題となった事例として自炊代行業者によ
る複製がある。

> **Column Ⅲ4-3**　**自炊代行**
>
> 　いわゆる自炊とは，書籍を裁断した上で，これをスキャンしデジタルデータ
> として保存（複製）する作業であるが，本文で述べたように，この作業を個人
> が自ら行う場合には30条1項により適法となる。しかし，この作業にも手間
> と費用がかかるため，これを代行する業者が登場し，種々のサービスが提供さ
> れるに至り，その適法性が問題とされるにようになった。
>
> 　まず，①業者が機材（裁断機とスキャナ）と場所を提供し，自炊は利用者自
> 身が行うというサービス形態がある。利用者は，業者が公衆の使用に供する目
> 的で設置した自動複製機器を用いた複製行為を行っているものの，(3)(a)で後

述するように，附則5条の2により30条1項1号は適用されず，侵害は否定
される。業者の行為も適法行為の幇助に過ぎず，「複製の実現における枢要な
行為」（最判平成23・1・20民集65巻1号399頁〔ロクラクⅡ〕〈判コレ120〉。
⇒ Column Ⅲ7-2 「規範的行為主体の認定についての裁判例と学説の展開」）に
もあたらないので，やはり適法である。

　次に，②業者が店内に裁断済みの本を備え置き，その中から利用者が選んだ
書籍を自らその場でスキャンしデジタルデータを持ち帰るというサービス形態
もある。複製を行っているのは，複製物を「使用する者」である利用者自身で
ある。よって，30条1項の適用がある。また，業者が利用者に裁断済み書籍
を貸し出す行為も，店舗内での行為であることから「貸与」（26条の3）には
あたらない（⇒第2章 4(2)）。したがって，著作権侵害は一切生じないと解さ
れている。もっとも，選択可能な複製対象コンテンツを業者が選別・調達して
おり，これにより特定の1つの著作物について大量の複製が誘発されうること
を理由に，業者の行為を「複製の実現における枢要な行為」にあたるなどとし
て複製権侵害の成立を認めるべきであるとの見解も有力である。

　以上に対し，実際に訴訟で争われたサービス形態として，③利用者が所有す
る書籍の裁断・スキャン等を業者が代行するサービス（自炊代行業）がある。
知財高判平成26・10・22判時2246号92頁〔自炊代行〕〈判コレ96〉は，業
者が複製主体であると結論づけた上で，業者は複製物を「使用する者」ではな
いとして，業者について複製権侵害を肯定した。本判決は，この要件の趣旨に
ついて，「『その使用する者が複製する』との限定を付すことによって，……閉
鎖的な私的領域における零細な複製のみを許容し，私的複製の過程に外部の者
が介入することを排除し，私的複製の量を抑制するとの趣旨・目的を実現しよ
うとした」としている。更に，利用者による業者の複製行為に対する管理支配
の程度が小さいことなどを理由に利用者が業者を手足として複製させていると
の関係は認められないとし，また，たとえ裁断済みの書籍が廃棄されることで，
複製により複製物の量が増えるわけではないとしても，「複製」（2条1項15号）
該当性判断が左右されるわけではないとも述べている。もっとも，②と反対に，
複製対象コンテンツを利用者自身が選別・調達しており（著作権者への対価の
支払を伴う），また，裁断済み書籍が廃棄されるのであれば，複製により複製
物の量が増えるわけでもないため，このような複製は30条1項により許容さ
れるべきではないかとの有力な反論もある。

(3) 例　　外

　私的使用のための複製であっても，30条1項各号に該当する複製に対しては，
権利は制限されず，これらの行為は複製権侵害を構成する。

(a) 公衆の使用に供することを目的として設置された自動複製機器による複製

(1項1号)　　公衆の使用に供される自動複製機器を用いた複製については，個別の複製行為は私的領域内での使用目的で行われるとしても，全体としてみれば，当該機器により大量の複製が行われ，著作権者への経済的打撃が大きくなりうるために，権利制限の例外とされている。具体的には，レンタルビデオ店に設置された自動複製機器を用いた DVD の複製がこれにあたる。

但し，文書・図画については権利の集中管理制度が整っていないことを理由に，「専ら文書又は図画の複製に供する」自動複製機器は，「当分の間」，30 条 1 項 1 号から除外されることになっている（附則 5 条の 2）。例えば，コンビニ等に設置されているコピー機を用いた私的複製は，30 条 1 項柱書により適法となる。

(b)　技術的保護手段の回避による複製（1項2号）　　デジタル技術の進歩により，個人でも高品質な複製を容易に行うことが可能となったのに伴い，権利者側も著作物等に予め技術的保護手段（デジタル著作権管理（DRM））を施し，侵害の未然防止を図るようになった。しかしながら，このような技術的保護手段を回避する技術もまた次々生み出されており，技術的保護手段による侵害防止を実効あらしめるため著作権法はその回避を規制する条項を設けるに至った。

著作権法の規律対象となる技術的保護手段とは，電子的方法・磁気的方法など人の知覚で認識できない方法により著作権等の侵害を防止・抑止する手段である。これには，著作物等のコピーを制限するコピー制御信号のように著作物等の利用に際して機器が特定の反応をする信号を付加する信号方式（令和 2 年改正で，ライセンス認証が含まれることが明確化された）と著作物等を暗号化（スクランブル化）する暗号方式（平成 24 年改正で追加）がある（以上，2 条 1 項 20 号）。30 条 1 項 2 号によれば，このような技術的保護手段を回避することによって可能となった複製をその事実を知りながら行うことは，たとえその複製が私的使用目的であったとしても，複製権は制限されず，侵害を構成する。

更に，著作権法は，技術的保護手段の回避をその機能とする装置等の譲渡等（120 条の 2 第 1 号），業として技術的保護手段の回避を行う行為（同条 2 号）に対して刑事罰を科している（⇒不正競争防止法による民事的救済につき第 6 編第 5 章第 1 節）。そのほか，「技術的利用制限手段」（2 条 1 項 21 号）の回避行為等について侵害とみなす規定もある（113 条 6 項・7 項。⇒第 7 章第 1 節 **4**(6)）。

第3節　著作権の制限

(c)　**違法配信物のダウンロードによる録音・録画（1項3号）**　　近時，インターネット上に違法配信された著作物が，個別にみれば私的使用目的とはいえ全体としてみれば極めて大量にダウンロードされるようになったため，違法アップロードに対する権利行使（23条1項）のみでは十分な権利保護を達成できないとして，平成21年改正により追加されたのが30条1項3号である。なお，平成24年改正により，更に一定の場合には刑事罰が科されることとなった（⇒第7章第3節）。

　本号によれば，著作権を侵害する自動公衆送信であることを知りながら（重過失により知らない場合を含まない（2項）），ダウンロードの上，録音・録画する行為は，たとえ私的使用目的であったとしても複製権侵害を構成する。あくまで，「録音」・「録画」すなわち，音の固定（2条1項13号）と影像の連続的な固定（同項14号）のみが侵害となるため，テキストファイル・静止画像・プログラム著作物等は本号の対象とはならない。また，楽曲や動画などを単に視聴するだけでは侵害を構成しない。なお，動画投稿サイト上で動画を視聴する際には，動画のデータが利用者のコンピュータのキャッシュに蓄積される。これはそもそも録画（複製）にあたらない，あるいは，録画にあたるものの，47条の4により複製権侵害が否定されると解されている。

(d)　**違法配信物のダウンロードによる録音・録画以外の複製（1項4号）**　　令和2年改正では，インターネット上の海賊版対策の強化を目的として，1項4号が追加され，違法ダウンロードの範囲が拡大された。本号により，録音・録画以外の複製についても，著作権を侵害する自動公衆送信であることを知りながら行う場合（重過失により知らない場合を含まない（2項））には，たとえ私的使用目的であったとしても複製権侵害が成立することとなった。例えば，画像・テキストファイル・漫画・プログラムなどをダウンロードして複製する行為がこれに該当する。

　もっとも，情報収集等の過度の萎縮を防止するため，以下のような例外が設けられている。まず，翻訳以外の方法で創作された二次的著作物が，原著作者の許諾なくアップロードされた場合に，違法アップロードであることを知りながらこれをダウンロードして複製を行っても，侵害を構成しない。また，数十ページで構成される漫画のうち1コマから数コマのみをダウンロードするなど

239

軽微なダウンロードが行われた場合や，「著作権者の利益を不当に害しないと認められる特別な事情」がある場合にも，侵害は否定される。

一定の場合には，刑事罰も科される（119条3項2号。⇒第7章第3節）。

(4) 私的録音・録画補償金（3項）

(1)で述べたように，私的使用目的での複製に対する権利制限が許容されるのは，それが私的領域内での軽微・零細な利用にとどまることを理由とする。しかし，複製技術の進歩により，個人でも品質の劣化のない複製物を容易に作成することが可能となったため，このような高品質な複製が大量に行われうるに及び，著作権者への経済的打撃を問題視する見解もあらわれた。そこで，平成4年改正により，政令（著作権法施行令1条）で定めるデジタル機器を用いて，政令（同施行令1条の2）で定めるデジタル記録媒体に録音・録画する行為については，たとえ私的使用目的であったとしても，著作権者に対する「相当な額の補償金」の支払が義務づけられることになった。著作権者はこのような行為を差し止めることはできないものの，一定額の補償金を取得することができるのである。立法当時の技術水準では，著作権者自身による補償金の個別徴収が現実的ではなかったため，録音・録画機器や記録媒体の販売価格に上乗せされた形で購入者が負担した補償金を，機器等の製造業者等が指定管理団体に支払うという集中管理制度が設けられた（104条の2以下）。

もっとも，私的録画補償金については，知財高判平成23・12・22判時2145号75頁〔東芝〕が，チューナーとしてデジタルチューナーのみを搭載する録画機器は，補償金支払の対象となる機器（著作権法施行令1条）にあたらないと判断したため，地上デジタルテレビ放送完全移行後は，私的録画補償金の徴収は行われていなかった。また，私的録音補償金についても，パソコンのハードディスクやスマートフォンなどが政令指定されていないため，その徴収額は僅少なものにとどまっている。但し，令和4年の著作権法施行令改正により，私的録画補償金制度の対象機器に，アナログチューナーを搭載しないブルーレイディスクレコーダーが新たに追加された。

本制度は，あくまで立法当時の技術水準を背景とした補償金の徴収・分配システムであり，技術水準の向上により個別の著作物利用に対する課金が可能と

第3節　著作権の制限

なりつつあるため，廃止も含めた抜本的な制度の見直しを検討すべきである。

③ 付随的利用・非享受利用等（30条の2〜30条の4）

(1) 付随対象著作物の利用（30条の2）

30条の2は，いわゆる「写り込み」に関する権利制限規定である。

1項によれば，写真撮影・録音・録画・放送（生放送を含む）・スクリーンショットなど（「複製伝達行為」）を行って作品等（「作成伝達物」）を作成・伝達する際に，複製伝達行為のメインの被写体（「複製伝達対象事物等」）と一緒に写り込んだ事物等（「付随対象事物等」）に係る著作物（「**付随対象著作物**」）を，当該複製伝達行為に伴って利用することができる。例えば，映画（「作成伝達物」）の撮影（「複製伝達行為」）に際して，町の風景（「複製伝達対象事物等」）の中に広告のイラスト（「付随対象著作物」）が一緒に写り込んで複製されたとしても，複製権侵害は成立しない。このように，1項は，他者の著作物が写り込んだものを作成・伝達する段階を対象としている。

他方，2項は，作成・伝達されたものを更に利用する段階を対象としている。すなわち，1項により複製伝達対象事物等と一緒に付随対象著作物が写り込んだ形で作成された作成伝達物を更に利用することができる。例えば，上記のイラストが写り込んだままの映画を上映しても，上映権侵害は成立しない。なお，同項に基づいて作成された複製物を公衆に譲渡することもできる（47条の7）。

もっとも，30条の2の適用により権利制限を受けるためには，付随対象著作物が作成伝達物のうち軽微な構成部分であることや，付随対象事物等の複製伝達対象物等からの分離困難性の程度などを勘案して，正当な範囲内での利用と認められること，著作権者の利益を不当に害さないことが必要である。分離困難ではなかったという一事をもって当然に権利制限が否定されるわけではなく，総合考慮により「正当な範囲内」かどうかが判断されることになる。

(2) 検討の過程における利用（30条の3）

30条の3は，平成24年改正で設けられた規定であり，著作権者の許諾等を得て著作物を利用する際に，その利用に関する検討過程において必要と認められる限度で，かつ，著作権者の利益を不当に害さない限りにおいて，いずれの

241

方法によるかを問わず，著作物を利用することができるとする。許容される利用行為に限定はないので，翻案等も認められる。例えば，漫画キャラクターの商品化を企画するに際し，社内会議用の資料や企画書・提案書等に当該漫画を複製して掲載する行為がこれにあたり，最終的に適法に行われる著作物利用の準備として行われる利用行為に過ぎないため，許容される。本条に基づいて作成された複製物を公衆に譲渡することもできる（47条の7本文）が，本条の目的以外の目的で譲渡することは譲渡権侵害を構成する（同条但書）とともに，複製を行ったものとみなされ，原則として複製権侵害を構成する（49条1項1号。更に，同条2項2号も適用される）。

なお，平成24年改正時の立法過程では，既存の他の権利制限規定に基づく利用の過程で行われる利用行為も，新たな権利制限規定の対象とすべきとされていた。しかし，個々の権利制限規定に基づく利用の過程で行われる前段階の利用行為など，合理的な範囲内で行われる利用行為は，本条の対象とされていない。その理由は，そもそも当該権利制限規定それ自体によって適法となると解されているためである。

(3) 非享受利用（30条の4）

(a) **意義**　30条の4は，平成30年改正で設けられた規定であり，著作物に表現された思想・感情を享受させること（鑑賞等）を目的としない場合（**非享受利用**）には，必要と認められる限度で，かつ，著作権者の利益を不当に害さない限りにおいて，いずれの方法によるかを問わず，当該著作物を利用することができるとする。本条は，ある程度の一般性・包括性を備えた柔軟な規定であるところに大きな特徴がある。30条の3と同じく，許容される利用行為にも限定はない。

但し，予測可能性確保の見地から，1号から3号に，一定の利用態様が例示されている。もっとも，これらはあくまで例示であって，各号に該当しない場合にも，柱書の要件に該当する限り，侵害を免れることになる（例えば，リバース・エンジニアリングに伴う利用）。

30条の4は，著作物に表現された思想・感情の享受を目的としていない場合に限って，権利制限を認める規定である。それゆえ，たとえ利用行為の主目

的がそれらの享受以外のところにあったとしても，同時に享受目的をも有する場合には，本条の適用が認められないと考えられている。また，非享受利用により著作権者の利益を不当に害することとなる場合にも，侵害は免れない。

　本条に基づいて作成された複製物を公衆に譲渡することもできる（47条の7本文）が，複製物を当該著作物に表現された思想・感情の享受目的で公衆に譲渡することは譲渡権侵害を構成する（同条但書）。また，この複製物を思想・感情の享受目的で利用すれば複製を行ったものとみなされ，原則として複製権侵害を構成する（49条1項2号。更に，同条2項3号も適用される）。

　(b)　**技術開発又は実用化のための試験の用に供するための利用（1号）**　平成30年改正前の30条の4に相当する。本号は，録音・録画等の技術開発・実用化試験に必要と認められる限度で，著作物を利用することができるとする。例えば，テレビ番組の録画技術を開発する際，その技術を検証するために，実際にテレビ番組を録画する行為や，スピーカーの開発に際して，性能をテストするために，公に音楽を再生する行為がこれに当たる。このような行為は，試験に供すること目的として行われる利用行為であって，人による著作物の思想・感情の享受を目的とするものではないからである。

　(c)　**情報解析の用に供するための利用（2号）**　平成30年改正前の47条の7の権利制限を更に拡充させた規定である。例えば，AI開発のための「機械学習」として著作物を大量に入力・複製する行為が本号に該当しうる。このような行為は，情報解析を目的として行われる利用行為であって，人による著作物の思想・感情の享受を目的とするものではないからである。

　(d)　**人の知覚による認識を伴わない利用（3号）**　コンピュータによる情報処理過程における利用など，人の知覚による認識を伴わない行為は，人による著作物の思想・感情の享受を目的としない行為であるため，本号に該当する。

4　図書館等における複製等（31条）

　以下では，令和5年に施行される規定に基づいて解説している（条文番号も，令和5年に施行される規定に従っている）。

　31条は，知識の普及や情報の保存（アーカイブ化。6項参照）・拡布という図書館等の公共的役割が十分に果たせるよう，一定の場合に，営利を目的としな

い事業として行われる図書館等の資料を用いた著作物の複製等について，著作権を制限し，これを許容するものである。

本条における複製等の主体は，図書館等である。図書館等は，利用者の求めに応じ，その調査研究に供するために既公表著作物の一部分（政令で定めるものについてはその全部）の複製物を提供することができる（31条1項1号）。それゆえ，事典の一項目が著作物と認定された場合，その一部分しか複製できないとした裁判例も存在する（東京地判平成7・4・28知財集27巻2号269頁〔多摩市立図書館〕〈判コレ97〉）。

利用者本人による複製については，これを「図書館が利用者を手足として用いている」と評価することができれば，31条1項1号の適用により，著作物の一部複製が許される。但し，利用者本人による複製が私的使用目的であれば，30条1項1号，附則5条の2により適法となり，著作物の全部複製が可能となる。また，令和3年改正により，一定の図書館（31条3項）は，著作権者の利益を不当に害さない限り，非営利事業として，当該図書館に利用者情報を事前登録した利用者に対し，既公表著作物の一部分（政令で定めるものについてはその全部）を公衆送信すること（データの流出を防止・抑止する技術的措置を講じる必要がある）や，公衆送信に必要な複製を行うことが可能となった（同条2項）。公衆送信された著作物を受信した利用者は，これを複製することができる（同条4項）。但し，2項に基づく公衆送信を行う場合には，相当な額の補償金を著作権者に支払わなければならない（同条5項）。補償金の分配については，特別な制度（104条の10の2〜104条の10の8）が設けられている。

図書館等や利用者が31条1項1号・2項・4項に基づく複製等を行うに際しては，翻訳することもできる（47条の6第1項2号）。31条1項1号に基づいて作成された複製物を公衆に譲渡することもできる（47条の7本文）が，同号の目的以外の目的で譲渡することは譲渡権侵害を構成する（同条但書）。また，31条1項1号・2項1号・4項に規定された目的以外の目的で複製物を頒布，公衆に提示することは複製を行ったものとみなされ，原則として複製権侵害を構成する（49条1項1号。更に，同条2項1号も適用される）。

なお，31条7項は，国立国会図書館が絶版等資料を他の図書館等に自動公衆送信することを許容しており，利用者は，近隣の図書館等において当該絶版

等資料の閲覧や複製物の提供を受けることができる（31条7項1号。この複製物の作成・提供については，47条の6第1項2号・47条の7・49条1項1号・同条2項1号が適用される）。令和3年改正により，図書館等は，利用者から料金を受けないことを条件に，利用者に対し，当該絶版等資料を受信装置を用いて公衆伝達すること（ディスプレイ等を用いて見せること）も可能となった（31条7項2号）。更に，同改正により，国立国会図書館は，絶版等資料（3月以内に復刻等がされる蓋然性が高いものを除く。同条10項・11項）を，国立国会図書館に利用者情報を事前登録した利用者に対し直接に自動公衆送信すること（デジタル方式の複製を防止・抑止する技術的措置を講じる必要がある）ができるようになった（同条8項）。31条9項により，これを受信した者は，複製（同項1号。47条の6第1項2号・49条1項1号・同条2項1号の適用あり）や受信装置を用いた公衆伝達（31条9項2号。非営利・無料など一定の要件を充足する必要がある）を行うこともできる。

5 引用（32条）

(1) 意　義

論文執筆において他人の学説を批判するなど，表現活動を行う際には他者の著作物を利用する必要性が生じる場合がある。このような場合に著作権の効力が常に及ぶとすると，表現活動が著しく制約され，表現の自由が制限を受けることになりかねない。そこで，32条1項は，既公表著作物の引用のうち，公正な慣行に合致し，かつ，引用の目的上正当な範囲内で行われるものに対しては，著作権が制限される旨を定めている。同項では，「引用して利用することができる」と規定されており，権利制限が認められる利用行為を限定していない。したがって，他者の著作物の複製のみならず，複製を行って出来上がった作品の譲渡や公衆送信なども許容される（譲渡については，47条の7にも確認的に規定されている）。

また，32条2項では，国などが一般に周知させることを目的として作成・公表した資料等の著作物を，説明材料として刊行物に転載する行為を原則として許容している。

以下では，1項の引用についてのみ解説する。

(2) 要　件

(a)　引用の判断枠組み　32 条 1 項の判断基準に関しては，最判昭和 55・3・28 民集 34 巻 3 号 244 頁〔モンタージュ写真第 1 次上告審〕〈判コレ 98・106〉が，旧法下の事件であり，かつ，傍論ではあるものの，以下の 2 つの要件を提示していた。**明瞭区別性**（引用した側の表現部分と引用された側の表現部分とが明確に区分されていること）と，**主従関係**（量的及び内容的にみて，引用した側の表現部分が主，引用された側の表現部分が従という関係が成立すること）である。この 2 要件は，現行法下においても，その後の下級審裁判例で長らく用いられていた（例えば，東京高判昭和 60・10・17 無体集 17 巻 3 号 462 頁〔藤田嗣治〕など）。

　しかしながら，明瞭区別性と主従関係の 2 要件で判断を行う立場（二要件説）に対しては，現行 32 条 1 項の文言と整合的でないこと，二要件説に立つ裁判例でも，実際の判断においては多様な考慮要素が用いられており，雑多な判断要素がこの 2 要件（特に「主従関係」要件）に押し込まれたために，判断基準が不明確になっているという問題点が指摘されていた。

　そこで，裁判例でも，引用が，公正な慣行に合致し，引用の目的上正当な範囲内で行われていることという 32 条 1 項の文言に忠実な要件論を示すものがあらわれる（例えば，東京地判平成 13・6・13 判時 1757 号 138 頁〔絶対音感〕，東京高判平成 14・4・11 平 13(ネ)3677・5920〔同控訴審〕〈判コレ 99〉，東京高判平成 16・11・29 平 15(ネ)1464〔創価学会ビラ写真〕，知財高判平成 22・10・13 判時 2092 号 135 頁〔絵画鑑定証書〕〈判コレ 100〉など）。これら 32 条 1 項に書かれた要件自体が，ある程度の抽象性をもち，幅のある要件であることから，引用を行う側の作品の目的・主題，引用目的，引用方法・態様，引用された部分の内容・性質，引用の分量（引用される側の表現全体に占める被引用部分の割合），引用が著作権者の経済的利益に及ぼす影響の有無・程度など様々な要素を考慮する場として，従来の 2 要件よりも適しているという側面もあった。

(b)　32 条 1 項の各要件　このように，近時は 32 条 1 項の要件に忠実な判断を行う立場が一般的になりつつあるが，その各要件の捉え方については未だ差異がある。①既公表著作物であることが要求されるのは条文上明らかであるものの（⇒「公表」の意義については，第 5 章第 2 節**2**），裁判例・学説の中には，②「引用」という用語本来の意味からは，この行為に該当するというために，

なお明瞭区別性と主従関係の2要件がみたされなければならないと説く立場もある（例えば，東京地判平成16・5・31判時1936号140頁〔中国詩〕など）。しかし，近時は，②引用要件について32条1項に規定のない明瞭区別性・主従関係の2要件を要求せず解釈する立場も有力となっている。その立場の中には，「引用」とは，自身の表現のために他者の著作物を引いて利用する行為全般を指すという考え方もある。

　次に，③**公正慣行要件**（引用が公正な慣行に合致するものであること）については，引用の作法が，従前から認められてきたルールや慣行のうち「公正」と評価されるものに従ったものでなければならないことを要求するものとして，これを④**正当範囲要件**（引用がその目的上正当な範囲内で行われること）とは別の独立した要件と捉える立場もある（前掲東京高判平成14・4・11〔絶対音感控訴審〕など）。確かに，公正な慣行が実際に確立している場合には，独立した要件としての意義はある（なお，ツイッター上でのスクリーンショットによる著作物の転載について，東京地判令和3・12・10令3(ワ)15819〔スクショツイートNTTドコモ〕は，このような手法はツイッターの規約に違反するものであるとして，これを理由に公正な慣行に合致しないと判示した。これに対し，知財高判令和4・11・2令4(ネ)10044〔スクショツイートTOKAIコミュニケーションズ〕は，「そもそもツイッターの運営者の方針によって直ちに引用の適法性が左右されるものではない上，スクリーンショットの投稿がツイッターの利用規約に違反するなどの事情はうかがえない」と述べつつ，スクリーンショットによる引用が批評という引用目的に照らし必要性があることをも理由として，公正な慣行に反するとはいえないとした）。しかし，そもそも引用に関する慣行自体が成立していない場合や裁判所がある分野の特定の慣行それ自体が「公正」といえるかを判断することが困難である場合には，この要件は重視されず，前述の様々な要素を斟酌した「総合考慮」を行い，その結果，「公正な慣行に合致し，引用目的上正当な範囲内で行われた」といえるかという形で，公正慣行要件と正当範囲要件がまとめて判断されることも多い（例えば，前掲知財高判平成22・10・13〔絵画鑑定証書〕）。

　もっとも，総合考慮を行うといっても，どの判断要素を重視するかによって結論が異なりうる。とりわけ，32条1項の趣旨目的を表現活動の支援・表現の自由の保護と捉えた上で，引用目的について，あくまで，自身の表現活動の

中で，報道・批評・研究などを行うために他者の著作物を引用するという目的に限定されなければならないと理解すると，例えば，鑑定対象の特定や鑑定証書の偽造防止という目的のために，絵画鑑定証書の裏側に著作物たる絵画の縮小コピーを貼付するという行為は，利用者自身の表現活動を前提としない点で，②あるいは④の要件を充足せず32条1項による保護を享受できないと考えるべきことになろう。このような事例で引用該当性を認めた前掲知財高判平成22・10・13〔絵画鑑定証書〕の判旨には反対することになる。

　いずれにしても，権利制限規定を限定列挙し，権利制限の一般規定をもたない現行著作権法を前提に，表現活動の支援・表現の自由の保護に資すると実質的に判断された引用行為に対しては，32条1項の適用を柔軟に認め，利用行為を許容すべきだとの見解が近時有力となっている。更に，パロディを巡る問題を，同項の活用により解決すべきとする見解もある。なお，未公表著作物の利用であることなどを理由に適法引用には該当しないとしたものの，権利濫用により権利行使を否定した事案として，知財高判令和3・12・22判時2516号91頁〔弁護士懲戒請求書〕がある。

(3)　その他の問題

(a)　**引用する側の著作物性**　　32条1項の適用を認めるためには，引用する側が著作物（思想・感情を「創作的に」表現したもの（2条1項1号））でなければならないかについて争いがある。32条1項を，新たな著作物の「創作」を支援するための規定だと理解し，著作物性を要求する立場もある（東京地判平成10・2・20知財集30巻1号33頁〔バーンズコレクション〕〈判コレ102〉など）。しかし，旧著作権法で明示されていたこの要件を，現行法は条文から除外している。更に，時事の報道をみれば明らかなように，必ずしも著作権法にいう創作性のない表現行為であったとしても，他人の思想・表現を参照・批評・解説するという表現行為は保護されなければならないのであって，引用する側の著作物性は不要と考えるべきである（前掲知財高判平成22・10・13〔絵画鑑定証書〕）。

(b)　**出所明示のない引用**　　引用に際しては，出所の明示が義務づけられる（48条1項1号・3号）。しかし，著作権侵害罪（119条1項）よりも軽い出所明示義務違反罪（122条）が規定されているため，出所明示のない引用であっても

当然には著作権侵害を構成しない。

但し，裁判例の中には，出所明示が必要であるということが「公正な慣行」として確立していると認定された事案で，当該慣行に反して出所を明示していない引用を著作権侵害としたものもある（前掲東京高判平成 14・4・11〔絶対音感控訴審〕）。

(c) **要約引用**　47 条の 6 第 1 項 2 号によれば，他人の著作物を引用するにあたって，これを翻訳することも許容される。しかし，同号には「翻案」が列挙されていないことから，著作権法を形式的に適用すれば，他人の著作物を要約して引用することは許されず侵害を構成することになる。

但し，裁判例の中には，著作物原文の趣旨に忠実に行われる要約引用を許容するものもあり（東京地判平成 10・10・30 判時 1674 号 132 頁〔血液型と性格〕），学説でもこれを認める見解が有力である。

6 教育のための複製等（33 条〜36 条）

33 条から 36 条は，教育活動の円滑な遂行や，秘密性が求められる試験の実施を保障するために，著作権を制限する規定である。具体的には，①教科用図書等への掲載（33 条），②教科用図書代替教材への掲載等（33 条の 2），③教科用拡大図書等の作成のための複製等（33 条の 3），④学校教育番組の放送等（34 条），⑤学校その他の教育機関における複製等（35 条），⑥試験問題としての複製等（36 条）である。

(1) 学校その他の教育機関における複製等（35 条）

このうち，35 条 1 項によれば，非営利教育機関において教育を担任する者・授業を受ける者は，授業の過程で利用するために必要な限度で，かつ，著作物の種類，用途，複製部数や，複製・公衆送信・伝達の態様に照らして著作権者の利益を不当に害さない限りにおいて，既公表著作物の複製・公衆送信・公衆伝達を行うことができる。生徒に配布するために問題集・ドリルなど市販されている著作物の大部分を複製するなど，市場における著作物の売上げに大きな影響を与える（著作物に対する需要を奪う）場合には，著作権者の経済的利益を不当に害するとして，本条 1 項の適用は認められない。

35条1項で許容される行為は、教育の質の向上などに資するとして近時注目を集めているICT活用教育（情報通信技術を活用して行う教育）を推進する一環として、平成30年改正により、全ての公衆送信と公衆伝達にまで拡大された。但し、公衆送信を行う場合には、平成30年改正前から権利が制限されていた本条3項に該当する場合を除き、教育機関の設置者が、著作権者に補償金を支払う必要がある（35条2項）。補償金の分配については、特別な制度（104条の11～104条の17）が設けられている。

35条1項に基づいて利用を行う際には、翻訳・編曲・変形・翻案を行うことができる（47条の6第1項1号）ほか、慣行がある場合に出所明示義務が課される（48条1項3号）。また、本条1項に基づいて作成された複製物を公衆に譲渡することもできる（47条の7本文）が、同項の目的以外の目的で譲渡することは譲渡権侵害を構成する（同条但書）とともに、複製を行ったものとみなされ、原則として複製権侵害を構成する（49条1項1号。更に、同条2項1号も適用される）。

(2) 試験問題としての複製等（36条）

次に、36条1項によれば、入学試験等の試験・検定の目的上必要と認められる限度で、当該試験・検定の問題として既公表著作物の複製・公衆送信（放送・有線放送を除く）を行うことができる。試験問題には秘密性が要求されるところ、著作物の利用にあたって、事前に著作権者の許諾を要するとすれば、試験問題の漏洩の可能性が生まれ、試験・検定の公正な実施に支障を来しかねないためである。他方、このような利用行為が、市場における著作物の売上げに大きな影響を与える（著作物に対する需要を奪う）という事態はほとんど生じない。但し、公衆送信については、不特定多数者に対する送信が行われる可能性などもあることから、著作物の種類・用途・公衆送信態様に照らして著作権者の利益を不当に害する場合には著作権者の許諾を要するとされている（36条1項但書）。

以上の趣旨から、秘密性が要求されない市販の教材・問題集などに対しては、本条は適用されない（知財高判平成18・12・6平18(ネ)10045〔国語テスト〕〈判コレ101〉参照）。

なお，試験問題への複製・公衆送信が営利目的で行われる場合には，著作物の利用から生じた利益を著作権者にも還元させるべく，複製・公衆送信を行った者は使用料相当額の補償金を著作権者に支払わなければならない（36条2項）。

36条1項による著作物の利用に際しては，翻訳を行うことができる（47条の6第1項2号）ほか，作問上の必要から著作物の改変を行うことも，「やむを得ないと認められる改変」（20条2項4号）として同一性保持権侵害（⇒第5章第4節）を構成しないと考えられる。本条1項に基づいて作成された複製物を公衆に譲渡することもできる（47条の7）。また，慣行がある場合には出所明示義務が課される（48条1項3号）。

7 障害者のための複製等（37条〜37条の2）

37条・37条の2は，障害者福祉という社会的要請から，視覚障害者等（37条）・聴覚障害者等（37条の2）による著作物の享受を十分に保障するため，一定の利用行為について著作権を制限している。

8 営利を目的としない上演等（38条）

38条は，著作物の上演行為など著作物を公衆に提示する行為の一部について，非営利・無料で行われることなどを条件に，権利を制限する規定である。非営利・無料などの要件をみたすのであれば，頻繁に大規模な著作物の提示行為が行われることは少なく，著作権者への経済的不利益も限定されるとの理解によるものであろう。

38条1項は，既公表著作物を，非営利・無料・無報酬で公に上演・演奏・上映・口述する行為を許容している。非営利すなわち「営利を目的とせず」という要件に関しては，無料という要件とは別に規定されていることに鑑みて，著作物の提示行為が無料で行われていても，客の来集を図るなど間接的にでも営利につながればこの要件を充足せず，侵害を構成すると考えられている（カフェのBGMなど）。また，いずれの名義をもってするかを問わず，著作物の提示につき対価を受ければ，徴収した料金の使途にかかわらず「無料」とは認められない（令和5年施行後の31条7項2号参照）ので，チャリティーコンサートに対しても本条を適用することはできない。更に，「報酬」とは，いずれの名

義をもってするかを問わず，実演等を行う者に対して支払われる対価をいう。報酬が支払われる場合には，本条の適用を受けることはできない。

38条2項は，放送される著作物を，非営利・無料で有線放送又は地域限定特定入力型自動公衆送信（特定入力型自動公衆送信（2条1項9号の6）のうち，専ら当該放送に係る放送対象地域で受信されることを目的として行われるもの。34条1項参照）する行為について権利を制限している。難視聴対策等として行われる有線放送・自動公衆送信を許容するものである。

38条3項は，放送・有線放送・特定入力型自動公衆送信・放送同時配信等（2条1項9号の7。但し，放送・有線放送終了後に開始されるものを除く）がされる著作物を，非営利・無料又は家庭用受信装置を用いて公に伝達する行為を許容している。大型スクリーンを用いた伝達も，非営利・無料であれば著作権侵害を構成しない（但し，100条，100条の5により放送事業者，有線放送事業者の伝達権侵害を構成しうる（102条参照））。

貸与権に対する制限については，映画以外の著作物と映画著作物を区別して規定している（38条4項・5項）。

38条に係る利用行為については，47条の6の適用がない。形式的には，例えば，学校の文化祭で短縮・簡略化のために著作物を翻案して上演することは認められないことになる。また，38条1項に関しては，慣行がある場合には出所明示義務が課される（48条1項3号）。

⑨ 報道等のための利用（39条〜41条）

報道の自由や政治的な表現の自由を保障するために，①時事問題に関する論説の転載等（39条），②政治上の演説等の利用（40条），③時事の事件の報道のための利用（41条）に対する権利制限規定が設けられている。

このうち，41条によれば，写真・映画・放送等によって時事の事件を報道する場合には，当該事件を構成し，又は当該事件の過程において見られもしくは聞かれる著作物を，報道目的上正当な範囲内において複製すること及び当該事件の報道に伴って利用することができる。本条は，報道の自由を保障し，事件の正確な報道を可能にする必要があるとともに，報道目的の利用である限り，著作物の市場が侵食され著作権者の経済的利益を不当に害するという事態もほ

とんど生じないために設けられた規定である。

「事件を構成」する著作物とは，事件の主題となっている著作物でなければならない。また，「事件の過程において見られ，若しくは聞かれる著作物」とは，事件を報道しようとするときに，その利用を避けることができない著作物に限られる。例えば，報道する事件の対象に著作物が含まれる場合のみならず，スポーツ等の入場行進で流れる楽曲のように報道する過程で見たり聞いたりされる著作物も本条の対象となる。

著作物のどのような利用行為が時事の報道にあたるのかが問題となることがある。例えば，絵画展の開催及び出品作品等の報道記事に絵画を複製する行為については，41条の適用が認められている（前掲東京地判平成10・2・20〔バーンズコレクション〕）。他方，本判決では，前売り券の発売告知・主催者の挨拶文を掲載した記事に絵画を複製する行為については，同条の適用が否定されている。

41条に基づいて利用を行う際には，翻訳を行うことも許される（47条の6第1項2号）。これに対し翻案は同号に掲げられていないものの，要約引用と同様にこれを許容すべきとの見解も存在する。また，本条に基づいて作成された複製物を公衆に譲渡することもできる（47条の7本文）が，本条の目的以外の目的で譲渡することは譲渡権侵害を構成する（同条但書）とともに，複製を行ったものとみなされ，原則として複製権侵害を構成する（49条1項1号。更に，同条2項1号も適用される）。出所表示の慣行がある場合にはその表示をする必要もある（48条1項3号）。

10 公的機関の活動に関する利用（42条〜43条）

公的機関の円滑な活動を保障するために，①裁判手続等における複製（42条），②行政機関情報公開法等による開示のための利用（42条の2），③公文書管理法等による保存等のための利用（42条の3），④国立国会図書館法によるインターネット資料及びオンライン資料の収集のための複製（43条）について著作権が制限されている。なお，令和4年改正（未施行）により「裁判手続における公衆送信等」の規定が42条の2に追加される。それに伴い，現行42条の2・42条の3の条文番号が，それぞれ42条の3・42条の4に変更される。

253

第3編　第4章　著作権の効力と制限

11 放送事業者等による一時的固定 (44条)

本条は，放送等を円滑に実施できるようにするための権利制限規定である。

12 美術・写真著作物の原作品等の利用等 (45条〜47条の2)

(1) 美術・写真著作物の原作品等の利用

(a) **美術著作物の原作品の展示と公開美術著作物の利用 (45条〜47条)**　美術著作物は，これが化体した有体物を展示し美的鑑賞の対象とすることがその本来的な利用態様の1つといえる。したがって，美術著作物の原作品 (⇒その概念につき第2節 **3** (4)) の所有権を取得したとしても，公の展示行為が展示権侵害を構成するというのでは，原作品の取引安全が阻害されかねない。そこで，45条1項は展示権を制限し，原作品の所有者又はその許諾を得た者による原作品の展示を認めている。また，47条によれば，著作権者の利益を不当に害さない限り，展示著作物の解説・紹介のために当該著作物をカタログ等に掲載するための複製や，上映，自動公衆送信，上映・自動公衆送信に必要な複製を行うこと (1項・2項)，展示著作物の所在情報を提供するために複製・公衆送信を行うこと (3項) ができる (本条に基づいて利用を行う際には，変形・翻案を行うことも許される (47条の6第1項3号)。また，出所明示義務がある (48条1項1号・2号，2項) ほか，47条1項・3項の行為については，47条の7，49条1項1号・2項1号も適用される)。

ところで，原作品が一般公衆の見やすい屋外に恒常設置されると，誰もが自由に当該作品にアクセス可能となる。このような場合に公衆によるその美術著作物の利用が全て著作権侵害を構成するとなると，公衆による行動の自由に対する過度の制約をもたらしかねない。そこで，46条は，原則として，屋外恒常設置された原作品に係る著作物の利用を「いずれの方法によるかを問わず」許容している (複製物の譲渡が許容されることについては，47条の7にも確認的に規定されている)。但し，慣行がある場合には出所明示義務が課される (48条1項3号。さらに，同条3項1号も適用される)。

他方で，この広い利用が無制限に許容されるとなると，著作権者への経済的不利益も大きなものとなりうる。そこで，46条各号に列挙された特に著作権

254

者への不利益が大きいと考えられる行為については，著作権者の許諾を要する。

　更に，たとえ原作品の所有者といえども，屋外恒常設置自体を著作権者に無断で行うことはできないとされている（45条2項）。著作権者は，屋外恒常設置を許諾する段階で，その後の利用も視野に入れた対価獲得機会が保障されているわけである。

　なお，どのようなケースが「一般公衆の見やすい屋外の場所に恒常的に設置する場合」にあたるかは議論となりうる。原作品が公園や建物の外壁に固定されているケースがこれにあたるのは当然である。その上で，裁判例の中には，公道を定期運行することが予定された市営バスの車体に作品を描くこともこれに該当すると述べたものがある（東京地判平成13・7・25判時1758号137頁〔バス車体絵画〕〈判コレ103〉）。同事案では，表紙絵での利用についても，専ら美術の著作物の複製物を販売しているものではないとして，46条4号の適用が否定されている。

　(b)　写真著作物の原作品の展示と公開写真著作物の利用（45条～47条）　　写真著作物の原作品についても，美術著作物と同様の趣旨から，所有者による原作品の展示（45条1項）と著作物のカタログ等への掲載等（47条）が認められている。

　しかし，美術著作物と異なり，屋外恒常設置された原作品の自由利用は許容されておらず（46条），他方で原作品の所有者による屋外恒常設置は，著作権者の許諾を得ることなく行うことができる（45条2項）。

　(c)　美術著作物・写真著作物の複製物の展示と利用　　美術著作物・写真著作物の複製物については，そもそもその展示には展示権が及ばず，屋外恒常設置も含め自由に行うことができる（25条・45条2項参照）。他方，著作物のカタログ等への掲載等や，屋外恒常設置された複製物の自由利用は許容されていない（46条・47条参照）。

　しかし，屋外恒常設置された美術著作物の利用者からみれば，それが原作品であれば自由に利用でき，複製物であれば利用には許諾が必要となるところ，この区別が困難なことも多く，美術著作物の複製物の利用に対しても46条を類推適用し，原作品と平仄を合わせるべきとの見解も有力となっている。

　(d)　建築著作物の利用（46条）　　建築著作物については，それが原作品で

あろうと複製物であろうと，また一般公衆の見やすい場所に設置されていない
ものであろうとも（個人の邸内の五重塔や東屋など），46条各号に該当しない限り，
自由利用に供される。

(2) 美術の著作物等の譲渡等の申出に伴う複製等（47条の2）

例えば，絵画をインターネットオークションにかける際，原作品の所有者が
作品を紹介するために，オークションページに絵画を掲載する行為が必要とな
る。そこで，平成21年改正により本条が設けられ，このような行為が許容さ
れることとなった（47条の7・48条1項2号・49条1項1号の適用がある）。

13 プログラムのインストール・バックアップ等（47条の3）──

47条の3第1項は，プログラム著作物の複製物の所有者が自らコンピュー
タでこれを使用する際に，必然的に行われる複製等（インストール，バックアッ
プなど）を許容している（47条の6第1項6号により翻案も許される。他方，49条1
項4号，同条2項4号の適用がある）。

14 電子計算機における付随的利用・軽微利用 (47条の4・47条の5)──

47条の4は，著作物をコンピュータで円滑・効率的に利用する際に必要と
なる付随的利用行為（1項）や，著作物をコンピュータで利用できる状態を維
持・回復するために必要となる利用行為（2項）を，必要と認められる限度で，
かつ，著作権者の利益を不当に害さない限り，いずれの方法によるかを問わず
広く許容する規定である（但し，47条の7，49条1項6号・2項6号の適用がある）。
例えば，ウェブサイト閲覧に伴うブラウザキャッシュなどコンピュータにおけ
る円滑・効率的な情報処理過程に必然的に伴う記録（47条の4第1項1号），サー
バ管理者がインターネット上での送信障害防止等のために行う記録（同項2
号），動画共有サイトにおいてファイル形式を統一するために行う複製など，
円滑・効率的な情報提供の準備に必要な情報処理を目的とする複製・翻案（同
項3号），修理業者が，スマートフォンの修理の際に，保存されている音楽や
映像を取り出して一時的に保存し，修理後，再度スマートフォンに戻す行為

第3節　著作権の制限

（同条2項1号），スマートフォンの買い換えの際に，保存されている音楽や映像を取り出して一時的に保存した後，新しいスマートフォンに移し替える行為（同項2号）や，サーバ上の著作物の滅失・毀損に備えてバックアップをとる行為（同項3号）がこれに該当する。

　47条の5は，コンピュータを用いた情報処理による新たな知見・情報の創出及びその結果提供に付随する軽微な利用行為を，必要と認められる限度で，かつ，著作権者の利益を不当に害さない限り，いずれの方法によるかを問わず広く許容する規定である（但し，47条の7・48条1項3号・同条3項1号・49条1項1号・6号・同条2項2号・7号の適用がある）。インターネット情報検索サービス事業（検索エンジンサービス事業）に伴う複製等についてのみ規定していた平成30年改正前の47条の6から，権利制限の対象を拡大した。例えば，書籍の検索など所在検索サービスに伴う利用行為（1項1号），論文の剽窃検証など情報解析サービスに伴う利用行為（1項2号）がこれに該当し，更に，1号・2号以外の行為で，政令で定める行為も含まれる（1項3号）。また，1項各号に掲げる行為の準備を行う者にも権利制限が認められる（2項）。

15 権利制限の補完規定

（1）翻訳，翻案等による利用（47条の6）

　これまでみてきた権利制限規定は，原則として，著作物をそのままの形で利用する行為を許容するものである。これに対して，47条の6は，著作物を翻訳・翻案等した上での利用（二次的著作物の創作と利用）を一定の範囲で認めることで権利制限規定を補完している。但し，30条の2・30条の3・30条の4・33条の2第1項・40条1項・46条・47条の4・47条の5第1項については，それぞれの規定自体が翻案を認めている。

　本条は，要約引用（47条の6第1項2号は翻訳のみを許容）や編曲等を加えた非営利上演等（47条の6第1項に38条に関する規定なし）を文言上認めていないなど，立法論的には疑問が残る規定である。

（2）複製権の制限により作成された複製物の譲渡（47条の7）

　47条の7本文は，複製権を制限する規定のうち，複製後に公衆に譲渡され

ることが想定されているものにつき，複製権が制限された結果作成された複製物の譲渡について，譲渡権を制限している。したがって，複製物の公衆への譲渡がそもそも想定されていない私的使用目的の複製（30条）などは含まれていない。複製権の制限が特定の目的に限定される場合には，当該目的以外の目的で譲渡することは許されない（47条の7但書）。

(3) 出所の明示（48条）

本条は，権利制限規定により許容される著作物の利用に際して，合理的な方法・程度により著作物の出所を明示する義務を規定している。義務が常に要求される場合（48条1項1号・2号）と慣行があるときにのみ要求される場合（3号）がある。また，47条の6などに基づき創作された二次的著作物の利用に際しては，原著作物の出所明示義務が課される（48条3項）。なお，出所明示義務違反は著作権侵害を構成しない（⇒出所明示義務違反と引用における公正慣行要件との関係につき **5** (3)(b)）。

本条は，著作者の氏名表示権（⇒第5章第3節）とは別に，原典へのアクセスを容易にするための規定である。

(4) 複製物の目的外使用等（49条）

本条は，権利制限規定の趣旨を貫徹させるため，権利制限規定により権利が制限された結果作成された複製物・二次的著作物を，許された目的以外の目的で頒布又は公衆に提示した場合，当該頒布・提示の時点で複製（1項）・翻案（2項）を行ったものとみなしている（「複製権侵害」・「翻案権侵害」とみなされるわけではないので，仮に他の権利制限規定に該当すれば適法となる）。したがって，例えば，31条1項1号の目的外頒布（譲渡）のように，本条により複製を行ったものとみなされると同時に，47条の7により譲渡権侵害ともなるケースがある。

第4節 保護期間

1 原 則

(1) 保護期間の制度趣旨

　第1編で述べたように，著作権法をはじめとする知的財産法の多くは，創作活動へのインセンティブを保障するために排他権を付与すると同時に，一定期間の経過により権利が消滅する旨を定めている。技術や文化は先人が生み出したものを土台に段階的に発展していく性質をもち，既存の情報の利用を許容することが，新たな情報創作を促進するという側面を有する。それとともに，とりわけ著作権法では，表現の自由など憲法上の諸権利との衝突も生じる。これらのことから創作インセンティブとして必要な限度をこえて独占を認めるべきではなく，それゆえ**保護期間**が定められているのである。

　保護期間については，しばしばこれを延長すべきであるという議論が行われてきた。しかし，以上のように創作インセンティブとして必要な限度をこえて長期にわたる保護を認めることは，期間延長により生み出される便益を独占の弊害が上回ることになり，妥当ではない。とりわけ，既存著作物の保護期間を延長することは，創作インセンティブという観点からは，正当化できない。保護期間の延長は，権利者の探索困難性など，権利者不明の著作物（孤児著作物。⇒ Column Ⅲ8-1 「権利者不明著作物（孤児著作物）問題」）が抱える問題を増大させることにもなる。

　しかし，CPTPP 発効と同時に 2018 年 12 月 30 日に施行された改正法により，保護期間が 50 年から 70 年に延長された。もっとも，改正法の附則により，施行日の前日に存在している著作物にのみ改正法は適用され，既に保護期間が満了し著作権が消滅した著作物には適用されない。いったん消滅した著作権が復活することはないのである。

(2) 保護期間の算定

　著作権は，何らの方式の履行を要することなく（17 条 2 項），創作時に発生

し（51条1項），原則として，著作者の死後70年が経過するまで存続する（51条2項）。但し，著作権法は暦年主義（57条）を採用しており，実際には，著作者が死亡した年の翌年の1月1日から70年が経過した12月31日に著作権が消滅することになる（後述する著作物の創作や公表時が基準となる場合も同様である）。著作者の正確な死亡日などを確認することが非常に困難となることも多く，保護期間の計算を簡便な方法で行えるようにするための措置である。保護期間満了後は著作権侵害を理由とした差止請求はできなくなるが，保護期間満了前に行われた侵害行為に対する損害賠償請求を行うことは可能である。

　共同著作物については，共同著作者のうち最後に死亡した著作者の死後70年まで権利が存続する（51条2項括弧書）。1つの著作物に複数の著作者がいる場合に，保護期間が最も長くなるよう算定することにより，著作者間の公平を図るのがその趣旨である。このことから，法人と個人の共同著作物の場合には，法人著作者に適用される公表後70年（53条1項）ではなく，個人著作者の死後70年まで著作権が存続すると解される。他方，二次的著作物の保護期間は，原著作物とは独立に算定される（最判平成9・7・17民集51巻6号2714頁〔ポパイネクタイ〕〈判コレ82〉）。両者は別個の著作物であり，原著作物と二次的著作物のうち一方の保護期間が満了していても，他方の著作物について著作権が存続している場合もありうる（但し，後述する映画著作物については特則（54条2項）がある）。

2 例　外

(1) 無名・変名の著作物（52条）

　無名・変名の著作物の保護期間は，著作物の公表後70年をもって満了する（52条1項）。このような著作物については著作者が誰でいつ死亡したかを特定することが困難となるため，特則が設けられた。

　したがって，このような趣旨が妥当しない場合には，原則通り著作者の死後70年が経過するまで著作権は存続する。すなわち，公表後70年が経過する前に著作者の死後70年が経過していると認められる場合（52条1項但書），変名の著作物における著作者の変名が誰のものであるかが周知である場合（52条2項1号），実名登録があった場合（同項2号），もともと無名・変名の著作物であ

ったものに，実名又は周知の変名を著作者名として表示して当該著作物を公表した場合（同項 3 号）である。

(2) 団体名義の著作物（53 条）

　法人等団体名義の著作物の保護期間も，著作物の公表後 70 年をもって満了する（53 条 1 項）。但し，その著作物が創作後 70 年以内に公表されなかったときは，創作後 70 年で保護期間は満了する。この規定の趣旨は，団体名義の著作物のうち，①法人等が著作者となる職務著作の場合と②自然人が著作者となる場合に分けて説明することができる。

　①団体名義の著作物のうち，法人等が著作者となる職務著作の場合には，著作者の死亡を観念することができず，解散時を基準時にすると，事実上永久に著作権が存続することになるためである。なお，プログラム著作物に係る職務著作物の場合，誰の名義で公表したかにかかわらず法人等が著作者となる（15 条 2 項）。そこで，プログラム著作物については，個人名義で公表されても法人等が著作者となる場合には，団体名義の著作物とみなして（53 条 3 項），53 条 1 項が適用される。

　②団体名義の著作物のうち，自然人が著作者となる場合には，名義が著作者本人ではないため，著作者が誰でいつ死亡したかを特定することが困難となるためである。したがって，もともと団体名義の著作物であっても，著作者である個人が実名・周知の変名を著作者名として表示して当該著作物を公表した場合には，著作者たる自然人を特定できるため，原則通りその著作者の死後 70 年が経過するまで著作権は存続する（53 条 2 項）。

(3) 映画の著作物（54 条）

　映画の著作物の保護期間も，著作物の公表後 70 年をもって満了する。但し，その著作物が創作後 70 年以内に公表されなかったときは，創作後 70 年で保護期間は満了する（54 条 1 項）。

　映画著作物の創作には多数人が関与するため，16 条をもってしても，誰が著作者で，また誰が最後に死亡したかを特定することは著しく困難となるため，公表時・創作時が基準時とされた。但し，最判平成 21・10・8 判時 2064 号

120頁〔チャップリン〕のように，旧著作権法下で創作された独創性のある映画著作物について，著作者が映画会社ではなく監督とされる場合には，その保護期間は監督の死後38年となる（旧著作22条の3・3条1項・52条1項）。そして，現行法附則7条によれば，旧著作権法の保護期間（監督の死後38年）が平成15年改正前の現行著作権法の保護期間（公表後50年）よりも長い場合には，前者が適用される。

　また，映画著作物に利用されている原著作物（原作小説・脚本など）の著作権は，当該映画の利用に関する限り，映画著作物の著作権と同時に保護期間が満了し消滅するものとされている（54条2項）。映画著作物の著作権が消滅しても，原著作物の著作権が残存する限り，映画著作物の自由利用が妨げられるためである（したがって，当該映画著作物の利用から離れた原著作物の利用については，原則通り著作者の死後70年まで著作権が存続する）。この趣旨からすれば，同項の「原著作物」には，映画著作物に複製されている著作物も含まれるものと解すべきである。

(4) 継続的刊行物・逐次刊行物の公表時（56条）

　(1)から(3)の著作物は公表時が保護期間の起算点となるところ，著作権法は，継続的刊行物と逐次刊行物について，起算点となる公表時を定めている。継続的刊行物とは，新聞や雑誌のように，冊・号・回を追って公表される著作物であり，毎冊・毎号・毎回の公表時が起算点となる。他方，逐次刊行物とは，連載小説や連載漫画のように，一部分ずつが逐次公表されて最終的に完成する著作物であり，最終部分の公表時が起算点となる。但し，連載漫画であっても，一話完結形式で毎回読み切りの漫画は，逐次刊行物ではなく継続的刊行物にあたるとされている（前掲最判平成9・7・17〔ポパイネクタイ〕）。

> **Column Ⅲ4-4　戦時加算・相互主義**
>
> 　外国著作物の保護期間について特に留意すべきものとして，戦時加算と相互主義がある。まず，戦時加算とは，第二次世界大戦中，連合国民の著作権が我が国で実質的に保護されていなかったとして，「日本国との平和条約」（サンフランシスコ平和条約）15条(c)が戦時期間を保護期間に加算することを義務づけたものである。そして，この条約を受けた「連合国及び連合国民の著作権の特例に関する法律」4条において，連合国又は連合国民が有していた日本著作

権について，戦時期間，すなわち，第二次世界大戦への日本の参戦日である1941年12月8日からサンフランシスコ平和条約発効日の前日までの期間に相当する期間が保護期間に加算されることが規定されている。各連合国との平和条約締結日が異なるため，加算される期間も国によって異なる。例えば，アメリカ，イギリス，フランス，カナダ，オーストラリア，スリランカについては，3794日（約10年）が加算される。

　次に，相互主義とは，外国人に権利を与える場合，当該外国人の本国が自国民に対し同様の権利を与えていることを条件とすることをいう。ベルヌ条約は保護期間に関しては相互主義を採用しており，7条(8)で，「保護期間は，著作物の本国において定められる保護期間を超えることはない。」と定めている。これを受けて我が国著作権法も，ベルヌ条約加盟国等である外国を本国とする著作物で，その本国で定められる著作物の保護期間が51条から54条までに定める保護期間よりも短い場合には，当該著作物の保護は，本国で定められる保護期間に限定されることとしている（58条）。

第5章 著作者人格権

第1節　総　　説
第2節　公　表　権
第3節　氏名表示権
第4節　同一性保持権
第5節　著作者の名誉又は声望を害する方法による著作物の利用
第6節　著作者人格権侵害の救済
第7節　著作者の死後における人格的利益の保護

第1節　総　　説

1　総　　説

　著作権法には，著作権のほかに，**著作者人格権**として，**公表権**（18条），**氏名表示権**（19条），**同一性保持権**（20条）が定められている。加えて，著作者の名誉又は声望を害する方法によりその著作物を利用する行為も著作者人格権を侵害するものとみなされる（113条11項。そのほかみなし侵害については⇒第7章第1節**4**）。これらは著作者の人格的利益を保護するためのものである。

　著作者人格権の享有主体は著作者である（17条1項）。職務著作（15条）により法人が著作者となる場合には，その法人が著作者人格権を有する。また，共同著作の場合には，その行使にあたって特別な規律に服する（64条⇒第8章第4節**2**）。

著作者人格権は著作者の人格的利益を保護するものであるから，**一身専属性**を有するものであって，譲渡することができず（59条），相続も認められない。また，著作者人格権は著作者の死亡（法人が著作者の場合は法人の解散）により消滅する。もっとも，後述の通り，著作者の存しなくなった後においても，一定の行為が禁止される（60条）。

著作者人格権は，著作権とは別個独立の権利である（二元論）。したがって，著作権を譲渡した後であっても，著作者は一身専属である著作者人格権を行使することができる（歴史的には，著作権を出版社等に譲渡して失った著作者の権利として，著作者人格権が認められてきた背景もある）。また，著作権侵害にならない著作物の利用行為であっても，なお著作者人格権侵害の成否は問題となりうる。

なお，著作者人格権侵害とならない場合でも，著作者の人格的利益が保護される場合がある。最判平成17・7・14民集59巻6号1569頁〔船橋市西図書館〕〈判コレ113〉では，公立図書館において，図書館職員が職務上の義務に反して書籍を除籍・廃棄した事案で，公立図書館で著作物が閲覧に供されている著作者に関連し，「著作物によってその思想，意見等を公衆に伝達する利益」は，その著作者の「法的保護に値する人格的利益」であると判示されている（⇒第7編第1節**2**）。

2 著作者の同意

一身専属性との関係で，著作者人格権の**不行使特約**や**放棄**の可否が問題となる。

まず，著作者自身が著作者人格権の及ぶ行為について具体的に同意すれば，原則として著作者人格権侵害は生じないと考えられ，著作権法の条文もそれを想定しているものと解される（18条2項・19条2項・20条1項）。

しかし，著作者人格権の一般的な放棄や，著作者人格権の及ぶ行為についての包括的な同意等が許されるか否かは，著作者人格権の人格権としての性質や，著作物の経済的利用との調整等と絡んで，議論がある。この点は，著作者が真に望んで同意をすれば有効と解されるが，契約の内容や同意等の範囲の理解において，そのように認定できるか難しいケースも多いであろう。

なお，雑誌への俳句の投稿に関して，「添削をした上掲載することができる

第3編　第5章　著作者人格権

との事実たる慣習」を認めたうえで，その俳句の添削（改変）に係る同一性保持権侵害を否定した裁判例がある（東京高判平成10・8・4判時1667号131頁〔俳句添削〕）。

第2節　公 表 権

1 総　説

著作物を公表するか否か，またどのように公表するかは，著作者の人格的利益に大きくかかわり，その評価にも大きな影響を及ぼすものである。**公表権**は，未公表の著作物を公表するか否か，またその公表の時期や方法を著作者が決定する権利である（18条1項）。

もっとも，公表権の対象となる公衆への提供・提示行為については，通常，著作者は著作権を行使すれば足りる場面も多い。

なお，著作者の公表権は，その著作物を原著作物とする二次的著作物についても及ぶ（18条1項後段）。二次的著作物と同時に原著作物も公衆に提供・提示されると評価できるからである。

2 内　容

(1)　「著作物でまだ公表されていないもの」

著作物の**公表**とは，著作物が発行（3条1項）された場合や，著作権を有する者やその者から利用許諾を受けた者によって上演等の方法で公衆に提示された場合等（4条1項，ほか同条2項以下も参照）を指す。

したがって，当該著作物について権限を有しない第三者が著作物を公にしても，その著作物は公表されたとはいえない。また，権限を有する者により公表された著作物であっても，著作者の同意を得ていない場合は，著作者の意思を尊重し，公表権との関係では，その著作物は未公表のものとされる（18条1項括弧書）。

他方，一度公表された著作物については，公表権は及ばない（学校関係者に約300部配布された学年文集に掲載された詩が，既に公表されたものと判断された裁判

266

例として，東京地判平成 12・2・29 判時 1715 号 76 頁〔中田英寿〕〈判コレ 104〉）。

(2) 公衆への提供・提示

公表権は，(1)で触れた未公表の著作物について，公衆（⇒ Column Ⅲ 4-1
「公衆概念と支分権」）への「提供」（複製物の譲渡等），又は「提示」（上演や展示
等）の可否や，その方法・時期を決定する権利である（著作者であるミュージシ
ャンが自己の作曲した音楽の音源を芸能レポーターに提供し意見を求めたところ，それ
がワイドショーで同意なく放送された事例について，公表権侵害が肯定された裁判例と
して，東京地判平成 30・12・11 判時 2426 号 57 頁〔ASKA 未公表曲〕）。なお，例え
ば美術の著作物以外の著作物の展示行為のように，公衆への提供・提示は，支
分権該当行為である必要はない。一方で，公衆に該当しない範囲への提供・提
示については，公表権の対象とはならない。

3 例　外

(1) 同意の推定

以下の場合には，一定の方法で著作物を公衆に提示等することについて，著
作者の同意が推定される（18 条 2 項）。そのため，同意がないことにつき，著
作者が立証責任を負う。具体的には，①未公表の著作物に係る著作権を譲渡し
た場合（1 号），②未公表の美術の著作物又は写真の著作物の原作品を譲渡した
場合（2 号），③29 条により映画の著作物の著作権が映画製作者に帰属した場
合（3 号）である。①②については，当事者の合理的な意思を反映したもので
あり，③についても，監督等による参加約束が認められる場合には，公表につ
いても映画製作者に委ねられたとするのが合理的と考えられたのであろう。

(2) 情報公開法等との関係

更に，行政機関等による情報公開，及び公文書管理との関係で，一定の要件
の下で，みなし同意となる場合（18 条 3 項）や，適用除外の場合（18 条 4 項）
が規定されている。但し，これらに基づく公衆への提供等は，権限を有する者
による行為ではないため，これによって著作者の公表権が失われることはない。

第3編　第5章　著作者人格権

第3節　氏名表示権

1 総　説

　著作物に氏名を付するか否か，またどのように氏名を表示するか（実名や変名）は，著作者の人格的利益に大きな影響を与える。このような点に鑑み，著作物の氏名表示に関する著作者の人格的利益を保護するための権利が，**氏名表示権**である（19条1項）。

　氏名表示権は，著作者名を表示するか否か，また表示の際に，実名か変名かを決定する権利である。著作者の意に反する氏名の表示は，たとえ著作者の実名の表示であったとしても，氏名表示権の侵害となりうる。

　なお，公表権について述べたのと同様に（⇒第2節**1**），原著作物の著作者の氏名表示権は二次的著作物についても及ぶ（19条1項後段）。二次的著作物については，二次的著作物の著作者だけではなく，原著作者の氏名についても，原著作者として適切に表示しなければならない。

2 内　容

　氏名表示権は，①著作物の原作品に表示する場合（例えば，絵画の原作品に著作者の氏名を表示する場合）と，②著作物の公衆への提供・提示に際して著作者名を表示する場合（例えば，小説の複製物である文庫本に，著作者の名前を表示する場合）の，2つの場面で機能する権利である。主に公衆への提供・提示の際の表示を対象とするが，原作品に表示する場合は，公衆への提供等が要件となっていない。美術作品の原作品等については，意に反する氏名表示が付されていると，公衆への提供・提示の前であっても，将来誤った氏名表示のまま公衆への提供・提示されてしまう蓋然性が高いためと考えられる。なお，公表権におけるのと同様，公衆への提供・提示は，著作物の支分権該当行為である必要はない（最判令和2・7・21民集74巻4号1407頁〔Twitterリツイート上告審〕〈判コレ105〉参照）。

　著作者名の表示の方法は，例えば本の表紙に著作者の名前を印刷する等，

268

様々なものがあるが，いずれにしても「著作者名として」表示する必要があり，監修等の名目で著作者の氏名を表示しても，氏名表示権の問題が生じよう。

また，上記②の場合は，著作物の公衆への提供・提示に際しての著作者名の表示が要件とされており，著作物の提供・提示を伴わない場合には，氏名表示権の侵害にはならない。例えば，秘密とされていた著作者の実名を暴露することも，著作物を提供・提示しないのであれば，氏名表示権の問題は生じない。

3 例 外

(1) 既存の著作者名の表示

著作物の利用の度に，著作者に著作者名の表示について確認をとることは負担が大きいため，著作者の別段の意思表示がない限り，既に著作者の表示しているところにしたがって表示すれば足りるとされている（19条2項）。通常は，そのような表示が著作者の現在の意思にも合致すると考えられたためである（なお，その趣旨は無名の著作物について無名のまま利用する場合にも及びそうであるが，そのような事例で本項の適用を否定したものとして，東京地判平成30・2・21平28（ワ）37339〔沖国大ヘリ墜落事故映像〕）。

(2) 著作者名の表示の省略

また，著作者名の表示は，①「著作物の利用の目的及び態様に照らし著作者が創作者であることを主張する利益を害するおそれがないと認められるとき」であって，かつ，②「公正な慣行に反しない限り」，著作者名の表示を省略することが認められている（19条3項）。例えば，喫茶店において有線放送でBGMがかけられている場合等が挙げられよう。

(3) 情報公開法等との関係

更に，公表権の場合と同様，行政機関等の情報公開，公文書管理との関係でも，一定の場合に，適用除外が認められている（19条4項各号）。

> **Column III 5-1** 最判令和2・7・21民集74巻4号1407頁〔Twitterリツイート上告審〕〈判コレ105〉の検討
> 原告である本件写真の著作者Xは，本件写真の隅に©マークとともに自己

の氏名をアルファベット表記した文字等（本件氏名表示部分）を付加した画像（本件写真画像）を自己のウェブサイトに掲載していた。氏名不詳者 A は，著名な SNS である Twitter において，他の画像とともに本件写真画像を複製した画像（本件元画像）を無許諾でツイートに添付して投稿したところ，さらに氏名不詳者 B ら（本件各リツイート者ら）が，当該ツイートをリツイートした。これについて，X が，Y ら（米国 Twitter 社ら）に対し，上記 A，B を含む者の発信者情報の開示を請求したのが，Twitter リツイート事件である。著作権侵害の成否も含め争点は多岐にわたるが，以下に紹介する B のリツイート行為による氏名表示権侵害の成否との関係では，B が本件元画像を含む A のツイートをリツイートするにあたり，本件リンク画像表示データを自動的に送信したことで，本件元画像についてトリミングした形のインラインリンクが設定された結果，B のタイムライン（本件各ウェブページ）上では，本件氏名表示部分を含む画像の一部が表示されない状態の画像（本件各表示画像）が表示されていたことから，X は B らによる氏名表示権の侵害を主張した。なお，本件表示画像をクリックすれば，本件氏名表示部分を含む本件元画像を表示することができる。

　原審（知財高判平成 30・4・25 判時 2382 号 24 頁〔Twitter リツイート控訴審〕〈判コレ 93〉）は氏名表示権侵害と（後述する）同一性保持権侵害を認めたところ，最高裁は氏名表示権侵害に関する上告受理申立て理由を取り上げて，Y らの 19 条 2 項の主張につき，以下のように判示した（なおその他，本文の通り 19 条 1 項についても判断を下したほか，プロバイダ責任制限法上の論点についても判断を下している）。

　「前記事実関係等によれば，X は，本件写真画像の隅に著作者名の表示として本件氏名表示部分を付していたが，本件各リツイート者が本件各リツイートによって本件リンク画像表示データを送信したことにより，本件各表示画像はトリミングされた形で表示されることになり本件氏名表示部分が表示されなくなったものである（なお，このような画像の表示の仕方は，ツイッターのシステムの仕様によるものであるが，他方で，本件各リツイート者は，それを認識しているか否かにかかわらず，そのようなシステムを利用して本件各リツイートを行っており，上記の事態は，客観的には，その本件各リツイート者の行為によって現実に生ずるに至ったことが明らかである。）。また，本件各リツイート者は，本件各リツイートによって本件各表示画像を表示した本件各ウェブページにおいて，他に本件写真の著作者名の表示をしなかったものである。

　そして，本件各リツイート記事中の本件各表示画像をクリックすれば，本件氏名表示部分がある本件元画像を見ることができるとしても，本件各表示画像が表示されているウェブページとは別個のウェブページに本件氏名表示部分があるというにとどまり，本件各ウェブページを閲覧するユーザーは，本件各表

示画像をクリックしない限り，著作者名の表示を目にすることはない。また，同ユーザーが本件各表示画像を通常クリックするといえるような事情もうかがわれない。そうすると，本件各リツイート記事中の本件各表示画像をクリックすれば，本件氏名表示部分がある本件元画像を見ることができるということをもって，本件各リツイート者が著作者名を表示したことになるものではないというべきである」。

　本判決は，19条2項に係る上告受理申立て理由に対するものではあるが，リツイートの結果，氏名表示が見えないようにトリミングされた形で画像が表示されると，たとえクリックすれば氏名表示のある元画像を閲覧することが可能であったとしても，氏名表示がされたとは言えないとするものである。その射程は19条1項における氏名表示の有無や，リツイートに限らないインラインリンクについても及び得るものと考えられる一方，「別個のウェブページ」を強調する点や，ユーザーが「通常クリックするといえるような事情」を要求する点については議論もあろう。

　加えて，上記のような事態はそもそもTwitterのリツイートの仕様により生じたものとも考えられるところ，学説上，本件のような発信者情報開示請求訴訟において，被告プロバイダが自己に責任の生じるような訴訟行動をとりにくいことが既に指摘されている。この点，本判決の林景一裁判官の反対意見は，この仕様を決定した者がTwitter社であることを重視し，Bらは著作者人格権侵害をした主体とは言えないと指摘している。また，本件で仮に氏名表示が認められないとしても，その省略の可否をめぐり，19条3項の適用は争われていない点にも留意が必要であろう。

　ところで，最高裁は判断しなかったが，先述の通り，原審〔Twitterリツイート控訴審〕では，リツイートによってトリミングされた本件各表示画像について同一性保持権侵害も認められている（類例として，本件と同じく発信者情報開示請求訴訟であるが，Twitterのプロフィール画像における丸いトリミング表示について同一性保持権侵害を肯定した，知財高判令和3・5・31令2(ネ)10010・10011〔Twitterプロフィール〕も参照）。一方で，知財高判令和4・10・19令4(ネ)10019〔トレース指摘ツイート〕は，Twitter上でのイラストのトリミング表示について，イラストの改変等に該当する余地を指摘しつつも，（また投稿者が改変の主体に該当するかを措きつつ）後述する「やむを得ないと認められる改変」（20条2項4号）に該当するとして，同一性保持権侵害を認めなかった。

第3編　第5章　著作者人格権

第4節　同一性保持権

1 総　説

　著作者は自己の著作物の表現についてこだわりや思い入れを有し，著作物を無断で改変される等すると，その人格的利益に大きな影響を受けるおそれがある。著作物の同一性を害するような著作物の改変を阻止する権利が，**同一性保持権**（20条1項）である。

2 内　容

　同一性保持権は，著作物及びその題号に係る意に反する改変を禁ずる権利である。

(1) 題　号

　まず，著作物に対する改変だけではなく，**題号**（通常は短い表現であり，著作物にあたらない場合が多い）に対する改変についても同一性保持権が及ぶ（題号の改変について同一性保持権侵害が認められた裁判例として，例えば大阪地判平成13・8・30平12(ワ)10231〔毎日がすぷらった〕〈判コレ107〉）。

(2) 「意に反して」

　著作者の**意に反する**改変とは，議論はあるものの，著作者の主観的意図に反する改変を指し，名誉・声望を害することは要件ではないと考えられている。改変が著作者の主観的意図に反するものであれば，改変の結果に係る社会的評価が低下しなくても，同一性保持権の侵害となるとした事例もある（東京高判平成3・12・19知財集23巻3号823頁〔法政大学懸賞論文〕では，送り仮名や読点に係る調整等些細な改変であっても同一性保持権侵害に当たるとされた）。

(3) 「改変」

　ここでいう**改変**とは，判例上，「他人の著作物における表現形式上の本質的

な特徴を維持しつつその外面的な表現形式に改変を加える行為」を指すとされている（最判平成10・7・17判時1651号56頁〔本多勝一反論権（「諸君！」）〕。最判昭和55・3・28民集34巻3号244頁〔モンタージュ写真第1次上告審〕〈判コレ98・106〉も参照）。そのため，著作物の内容自体を大きく変えなくても，外形的な表現を改変することは，同一性保持権侵害となりうる。一方，改変の程度が極めて大きく，もはや元の著作物の本質的特徴が失われるに至った場合には，同一性保持権侵害とはならない。また，同一性保持権は改変行為を対象とするものであるから，著作物の原作品や複製物を完全に破壊・破棄する行為には，同一性保持権は及ばないと解されている。

　なお，私的領域内での改変については，条文上特に制限がないことや，また50条によって，私的複製（30条1項）の権利制限等が影響を与えないとされていること等から，形式的には同一性保持権侵害になると解されるものの，批判も強い。

　また，同一性保持権は，あくまで著作物の改変行為自体を対象とするものとされており，改変後の著作物の利用はこれにあたらないと考えられている。それを理由に，改変後の著作物の利用について，輸入や頒布等一部のみなし侵害行為（113条1項⇒第7章第1節**4**(2)(3)）を除いて，同一性保持権侵害を否定する見解（改変後の著作物の放送について，東京地判平成15・12・19判時1847号95頁〔記念樹フジテレビ〕）がある一方で，当該利用行為を客観的にみて，みなし侵害行為に該当しない場合についても，同一性保持権侵害を肯定する見解がある（何者かによって著作物を一部改変して作成された複製物を，自らのホームページに掲載する行為について，東京地判平成19・4・12平18(ワ)15024〔聖教グラフ〕）。

　この点，改変後の著作物について，改変をされていないとの誤認を惹起することが問題であるとの理解を念頭に，著作物の受け手が，改変があったことを把握できる場合については，同一性を害する改変にはあたらないとする考え方が近年主張されている。この考え方からは，パロディや私的領域での改変は同一性保持権の侵害とはならず，一方で改変された著作物の公衆への提供・提示行為は，みなし侵害行為に該当しない場合についても同一性保持権侵害になりうることとなろう。

第3編　第5章　著作者人格権

Column Ⅲ5-2　最判平成 13・2・13 民集 55 巻 1 号 87 頁〔ときめきメモリアル〕〈判コレ 108〉の検討

　ときめきメモリアル事件は，恋愛シミュレーションゲームにおいて，メモリーカードの特殊なセーブデータを用いて，ゲームのストーリーを改変することについて，最高裁が著作物であるゲームソフトに係る同一性保持権侵害を認め，そのような特殊なセーブデータを記録したメモリーカードを輸入，販売した者の不法行為責任を肯定した事例である。

　最高裁はまず，本件ゲームソフトの影像を著作物と評価した上で，その同一性保持権侵害の成否について，以下のように述べる。本件の「事実関係の下においては，本件メモリーカードの使用は，本件ゲームソフトを改変し，被上告人の有する同一性保持権を侵害するものと解するのが相当である。けだし，本件ゲームソフトにおけるパラメータは，それによって主人公の人物像を表現するものであり，その変化に応じてストーリーが展開されるものであるところ，本件メモリーカードの使用によって，本件ゲームソフトにおいて設定されたパラメータによって表現される主人公の人物像が改変されるとともに，その結果，本件ゲームソフトのストーリーが本来予定された範囲を超えて展開され，ストーリーの改変をもたらすことになるからである」。

　また，本件メモリーカードの輸入，販売について，「専ら本件ゲームソフトの改変のみを目的とする本件メモリーカードを輸入，販売し，他人の使用を意図して流通に置いた上告人は，他人の使用による本件ゲームソフトの同一性保持権の侵害を惹起したものとして，被上告人に対し，不法行為に基づく損害賠償責任を負うと解する」と述べた。

　本件で最高裁は，まずゲームのプログラムとは別に，本件ゲームソフトの影像を著作物と評価した上で，本件メモリーカードのデータによって主人公のパラメータが書き換えられる結果，本件ゲームソフトのストーリーが当初予定されていた範囲をこえた展開となり，ストーリーが改変されたと判断している。ゲームはプレイヤーの操作で展開が変わりうるものであるが，それは通常は予定されたものであり，意図せぬデータを用いてその予定された範囲をこえたことが問題視されたものであろう。関連して，大枠としてのストーリーの範囲内で，多彩なゲーム展開が予定される狩猟ゲームにおいて，アイテムの所持数や装備品の数値等を書き換えてゲームを有利に進める改造について，ソフトがもともと予定している大枠としてのストーリーの範囲内において，プレイヤーの選択の結果やプレイに応じてゲーム展開を変化させるにとどまり，ソフトのストーリーが本来予定されていた範囲を超えて展開する状況を作出したとまではいえないとして，同一性保持権侵害を否定した裁判例がある（大阪地判令和 3・5・12 平 30(わ)2469〔MONSTER　HUNTER　4G〕）。

　次に，最高裁は，本件メモリーカードの使用が本件ゲームソフトに係る同一

第4節　同一性保持権

性保持権侵害を構成すると判示している。本件メモリーカードは，ユーザーが私的領域において使用するものであると考えられることからすると，最高裁は，私的領域における改変行為であっても，同一性保持権侵害を構成すると解していると思われる。これに対して，改変ツールである本件メモリーカードを輸入，販売していた輸入業者が，ユーザーを手足として，自ら本件メモリーカードにより同一性保持権侵害を行ったと理解することもできる。このように解すると，最高裁は，私的領域における同一性保持権侵害の成否については，述べていないことになろう。

　加えて本件では，本件メモリーカードの輸入業者が被告となったものであるが，最高裁は，専ら本件ゲームソフトの改変のみを目的に使用されるもの（本件メモリーカード）を，他人の使用を意図して流通に置いたことから，同一性保持権侵害を惹起したものとして，不法行為責任を認めている。この判示からすると，特定のゲームソフトの改変以外の用途を有するものの流通については，本判決の射程外と考えられよう。また，本件は不法行為に基づく損害賠償請求が問題となったものであるが，差止請求がなされた場合の取扱いについても，その判旨からは明らかではないといえよう。これらの点については，侵害主体論（⇒第7章第1節**5**参照）とも関連する問題である。

3 例　　外

　20条2項では，著作者の意に反する改変があったとしても，以下の場合に同一性保持権侵害とならないことを定めている。

(1) 学校教育の観点からの制限

　教科用図書等への掲載（33条1項・4項）等の権利制限規定に基づいて著作物を利用する場合に，学校教育の目的上やむをえない範囲で，用字等の改変が認められている（20条2項1号）。学校教育上の必要性を考慮した規定であり，例えば，言語の著作物を小学生向けの教科書に掲載する過程で，仮名を振ったり，難しい漢字を平仮名に直したりする等の改変を認めるものである。

(2) 建築物に係る制限

　建築物の増築・改築・修繕・模様替えによる改変についても，同一性保持権が制限される（20条2項2号）。建築物の有する実用性を考慮し，所有権者等の利益に配慮した規定である。建築物とあるのは，建築の著作物のほか，建築物

275

と一体化している他の著作物についても本号の適用が及ぶ趣旨である。裁判例においては，本号の対象は「経済的・実用的観点から必要な範囲の増改築であって，個人的な嗜好に基づく恣意的な改変や必要な範囲を超えた改変」は対象ではないとするものと（東京地決平成15・6・11判時1840号106頁〔ノグチ・ルーム〕），そのような制限はないとするものがある（大阪地決平成25・9・6判時2222号93頁〔新梅田シティ〕〈判コレ109〉）。「やむを得ない」という文言がないことや，模様替えという文言があることからすると，後者が支持されよう。

(3) プログラムの著作物に係る制限

プログラムの著作物については，デバッグやバージョンアップ，リプレース等のため，同一性保持権が制限される（20条2項3号）。プログラムの実用性が重視されたため，このような大幅な制限が認められている。本号により，プログラムの著作物について同一性保持権が問題となることはほとんどない。

(4) 「やむを得ないと認められる改変」に係る制限

1号～3号に加えて，更に包括的なものとして，「著作物の性質並びにその利用の目的及び態様に照らしやむを得ないと認められる改変」も許容されている（20条2項4号）。本号については，「やむを得ない」という文言等に鑑み，制限的な理解をする見解が有力であった（例えば，楽曲を巧く演奏できず，楽曲を正確に再現できなかった場合等）。しかし最近では，パロディ目的での著作物の利用等，改変することによる利益との衡量をする場として本号を活用すべきとする見解も有力である。

裁判例においては，映画のビデオ化に際してのトリミング等（東京高判平成10・7・13知財集30巻3号427頁〔スウィートホーム〕），要約引用（東京地判平成10・10・30判時1674号132頁〔血液型と性格〕），漫画に描かれた人物の名誉のために目隠しを付す行為（東京高判平成12・4・25判時1724号124頁〔脱ゴーマニズム宣言〕），SNSの仕様等によるイラストのトリミング表示（前掲知財高判令和4・10・19〔トレース指摘ツイート〕）について，本号の適用が認められている。

第5節　著作者の名誉又は声望を害する方法による著作物の利用

　著作権法には，上記3つの個別の著作者人格権以外にも，113条11項においてみなし侵害規定（⇒第7章第1節**4**(1)）が置かれている。すなわち「著作者の名誉又は声望を害する方法によりその著作物を利用する行為」を**著作者人格権のみなし侵害**としている。これは，個別の著作者人格権の侵害とは別に，著作者の創作意図の歪曲や，著作物の芸術的価値の毀損から，著作者の人格的利益を保護するためのものである。絵画をポルノショップの看板に利用するといったケースが例として挙げられることが多い。この規定の適用にあたっては，著作者の主観的名誉感情が害されることではなく，社会的評価の低下が要件となる。これに対して，望まない社会的評価を受けるような態様での利用について，本号に該当するものと認めた裁判例がある（知財高判平成25・12・11平25（ネ）10064〔漫画 on web〕〈判コレ 110〉）。

　なお，著作者の名誉権侵害は別途問題となりうる。

第6節　著作者人格権侵害の救済

　著作者人格権侵害についての救済手段として，著作者は，著作権侵害の場合と同様に，差止請求（112条）や損害賠償請求（民709条）をすることが可能である（⇒第7章第2節**2 3**）。

　著作者人格権侵害に基づく損害賠償請求については，精神的損害に対する慰謝料請求等が認められる。判例は，この請求について，著作権侵害に係る慰謝料請求とは別個の訴訟物としている（最判昭和61・5・30民集40巻4号725頁〔モンタージュ写真第2次上告審〕〈判コレ 111・129〉）。

　加えて，**訂正広告，謝罪広告**等の，**名誉回復等のための措置請求**（115条）が認められている。但し，謝罪広告を認めるためには，著作者の社会的名誉声望が害されることが要求される（前掲最判昭和61・5・30〔モンタージュ写真第2次上告審〕）。

　この点，著作物である観音像の頭部のすげ替えが問題となった事例において，

原審（東京地判平成21・5・28平19(ワ)23883〔駒込大観音第1審〕）では，115条における「訂正」のための適当な措置として，すげ替えられた頭部を元に戻す原状回復請求が認められた。他方，控訴審（知財高判平成22・3・25判時2086号114頁〔駒込大観音〕〈判コレ112〉）では，諸事情を考慮の上，原審の認めた原状回復請求については棄却され，事実経緯の広告に係る請求のみ認められた。

なお，著作者人格権侵害に対しては，刑事罰も規定されている（119条2項1号⇒第7章第3節）。

第7節 著作者の死後における人格的利益の保護

1 総　説

著作者人格権は一身専属的なものであるから，著作者の死後（法人が著作者の場合は，その解散後）は，著作者人格権は消滅する。しかし60条は著作者の死後も一定の範囲で著作者の人格的利益の保護を認めている。その趣旨については，様々な説明が試みられているが，著作者の生前の人格的利益の保護を死後も万全のものとするためのものであると解されよう。

2 内　容

60条では，著作物を公衆に提供・提示する場合に限り，著作者が存していればその著作者人格権を侵害することになる行為が禁止される（60条違反が認められた裁判例として，公表権につき，東京高判平成12・5・23判時1725号165頁〔剣と寒紅〕，同一性保持権につき，前掲知財高判平成22・3・25〔駒込大観音〕）。また，みなし著作者人格権侵害も本条の対象に含まれる。

但し，「その行為の性質及び程度，社会的事情の変動その他によりその行為が当該著作者の意を害しないと認められる場合」（60条但書）は禁止されない。例えば故人の私信を，その死の直後に公開するのではなく，死後数百年経ってから歴史的資料として公開する場合等が考えられよう。実際上は，行為の性質やその程度，更に社会情勢の変化等，様々な事情を考慮して判断することとなろう。

第7節 著作者の死後における人格的利益の保護

3 救　済

　60条に基づく請求については，著作者が既に存在しないため，116条所定の著作者に近しい一定の遺族が請求権を有しており，その請求に係る順位も定められている（116条1項・2項）。なお，著作者は遺言により，遺族に代えて請求権者を指定することもできる（3項）。

　本条に基づく民事上の救済は，差止め（112条）や名誉回復等のための措置（115条）のみである。遺族固有の権利を認めたものではないと解されているため，損害賠償請求は認められていない。但し，民法709条に基づく遺族固有の損害賠償請求を認める余地はある。例えば，単に遺族というだけでなく，著作者の作品の整理，研究を続けているなどその作品に対し深い愛着を有しているという事情を考慮して請求を認めた裁判例がある（東京地判平成12・8・30判時1727号147頁〔エスキース〕）。

　また，60条違反は刑事罰の対象でもあり（120条），非親告罪である（123条1項参照）。特に民事上の救済に係る請求権者が全て存しなくなった後や，著作者が法人であった場合は，この刑事罰による保護のみが認められる。

第6章 著作隣接権

第1節　総　　説
第2節　実演家の権利
第3節　レコード製作者の権利
第4節　放送事業者の権利
第5節　有線放送事業者の権利

第1節　総　　説

1 制度の概要

(1) 制度の趣旨

　著作権法の目的たる文化の発展のためには，著作物をはじめとする情報が広く社会に伝達・流通し，多くの者がこれらを享受できることが必要となる。例えば，いくら著作物の創作を奨励しても，創作された著作物が創作者の手元に残ったままでは，文化の発展にはつながらない。著作物をはじめとする情報・コンテンツを流通・伝達させる行為は，著作物の創作行為と同様，著作権法の目的からみても極めて重要な行為である。しかしながら，情報の伝達にも多大な費用・労力がかかるところ，伝達された情報（例えば，CDに録音され伝達される音楽）を他者が自由に無断利用できるとすると，伝達者は当該情報の利用から投下資本を回収することができなくなり，情報伝達のインセンティブが阻害されるおそれがある。また，実演のように，伝達行為が創作行為に準ずるような性質をもつこともある。

280

第1節 総　説

　そこで，著作権法は，情報の伝達を奨励するために，伝達された情報・コンテンツの利用行為に著作権・著作者人格権と類似の権利（財産権たる**著作隣接権**や，人格権たる**実演家人格権**）を付与している。これは，著作物の創作を奨励するために，創作された著作物の利用行為に著作権・著作者人格権を付与していることと対応関係にある。

(2)　制度の枠組み

　このように，著作隣接権等は，著作権や著作者人格権とは独立した権利である（90条）が，保護の枠組み自体はこれらの制度を借用・準用している。例えば，著作隣接権等は，「支分権の束」として構成されているほか，著作隣接権について存続期間（101条）や権利制限規定（102条）が定められ，その譲渡・行使等については，著作権の規定が準用されている（103条）。

　以上の通り，著作権法は，情報の伝達者に対し一定の権利を付与して，これを保護しているが，情報の伝達行為は非常に多様であり，また1つの伝達過程に多くの伝達者が関与することもある。これらの伝達者全てに排他権を認めることは，情報の伝達・流通にコントロールを及ぼしうる者を多数生むことになり，かえって情報の円滑な伝達・流通を阻害することになりかねない。そこで，著作権法は，法的保護の必要性が高いとされた情報伝達者を選択し，保護を与えている。**実演家**（2条1項4号）・**レコード製作者**（2条1項6号）・**放送事業者**（2条1項9号）・**有線放送事業者**（2条1項9号の3）であり（89条），これらは「著作隣接権者」と呼ばれている。

　更に，これら著作隣接権者に対して，あまりに強力な権利を与えることもまた，情報の伝達・流通阻害につながりかねない。そこで，著作隣接権について，限定された支分権のみが認められている（例えば，実演家には，「複製権」一般ではなく「録音権・録画権」のみが認められ，公衆への提供・提示としては，放送・有線放送・送信可能化・譲渡・商業用レコードの貸与の各権利のみが付与されている）。排他権として侵害者に対し差止めを請求できる著作隣接権（112条）とは異なり（89条6項括弧書参照），報酬請求権，補償金請求権や二次使用料請求権のみが認められている場合もある（93条の2第2項・93条の3第2項・94条3項・94条の2・94条の3第2項・95条1項・95条の3第3項・96条の3第2項・97条1項・97

281

条の3第3項・102条6項）。著作者人格権に相当する権利は，実演家人格権として実演家のみに認められている上，その権利の内容も限定されている（90条の2・90条の3。公表権は認められていない）。

著作隣接権については，排他権行使の機会を情報の最初の利用段階に限定し，二度目以降の利用に対しては権利行使を許さないという**ワンチャンス主義**という考え方が取り入れられている（91条2項・92条2項2号・92条の2第2項・95条の2第2項）。ワンチャンス主義により，権利関係が錯綜せず，円滑な情報伝達・流通が促される。

なお，著作物の放送・商業用レコードへの録音等については裁定制度も設けられている（⇒第8章第5節**2**）。

2 権利保護の要件・保護期間

著作権や著作者人格権と同様，著作隣接権・実演家人格権・報酬請求権等は，権利の発生に方式の履行を必要とせず（無方式主義，89条5項），実演・レコードへの音の固定・放送・有線放送という伝達行為が行われたのと同時に権利が発生する（101条1項）。著作隣接権の存続期間は，実演家・レコード製作者の権利が70年，放送事業者・有線放送事業者の権利が50年である（その始期と終期の起算点とともに101条参照）。

保護の客体は著作物に限定されず，客体の著作物性も権利発生の要件とされていない。時事報道など必ずしも創作性を備えない情報であったとしても，その伝達者に保護が与えられる。前述のように，著作物に限らず情報一般の伝達行為を保障することで文化の発展が促されるというのが，著作権法の立場だからである。

第2節　実演家の権利

1 意　義

実演とは，「著作物を，演劇的に演じ，舞い，演奏し，歌い，口演し，朗詠し，又はその他の方法により演ずること（これらに類する行為で，著作物を演

第2節　実演家の権利

じないが芸能的な性質を有するものを含む。）」（2条1項3号）をいい，演じられるものは，芸能的な性質を有するものであればよく，著作物に限定されない。

なお，スポーツは芸能的性質を有しないことが多く，実演に該当しないものが多い。但し，ダンスとしての要素が強いスポーツ（フィギュアスケートなど）などは，芸能的な性質をもつものとして，実演に含まれる可能性はある。

実演家Aの「実演」とは，A自身が行った演奏等それ自体を指し，その物真似など，BがAと同じように再演したとしても，これはBの実演であって，Aの実演ではない。もはやAの権利は及ばない。すなわち，実演家の権利は，同一の実演にしか及ばないのである（このことは，他の著作隣接権でも同様）。

「実演家」とは，「俳優，舞踊家，演奏家，歌手その他実演を行う者及び実演を指揮し，又は演出する者」をいい（2条1項4号），自ら実演を行う者のみならず，オーケストラの指揮者のように，他の実演家による実演を指揮する者も含まれる。

2 権利の内容

(1) 総　説

実演家は，著作隣接権として，録音権・録画権（91条1項），放送権・有線放送権（92条1項）・送信可能化権（92条の2第1項），譲渡権（95条の2第1項），商業用レコードの貸与権（95条の3第1項）を有するほか，報酬請求権（93条の2第2項・93条の3第2項・94条の2・95条の3第3項）・補償金請求権（94条3項・94条の3第2項・102条6項））・商業用レコードの二次使用料請求権（95条1項）と実演家人格権（90条の2・90条の3）をもつ。

このうち，録音権・録画権は，文字通り実演の録音・録画のみが権利の対象となり，それ以外の複製行為（例えば，実演の写真撮影）には権利が認められない（別途，肖像権侵害・パブリシティ権侵害が成立することはありうる）。私的使用目的での録音・録画については権利が制限されるが，私的録音・録画補償金請求権が与えられる（102条1項による30条1項・3項の準用）。

録音権・録画権には特別な権利制限もあり，例えば，実演家の許諾の下で映画著作物に録音・録画された実演を，更に映画として録音・録画する行為（例えば，映画のDVD化）には，録音権・録画権は及ばない（91条2項）。ワンチャ

283

ンス主義の一例である。これに対して，実演家が実演の放送のみを許諾した場合には，そこに録音・録画の許諾が含まれない以上（103条が準用する63条4項参照），当該放送を録音・録画する行為（例えば，放送番組のDVD化）に対し，91条2項は適用されず，実演家は録音・録画権の行使が許される。

このほか，放送権・有線放送権，送信可能化権，譲渡権にもワンチャンス主義に基づく権利制限が設けられている（それぞれ，92条2項・92条の2第2項・95条の2第2項）。但し，放送事業者等が商業用レコードを用いて放送等を行った場合には，実演家に対して二次使用料を支払わなければならない（95条1項）。

譲渡権には，著作権と同様に，消尽の規定も設けられている（95条の2第3項）。

貸与権については，著作権としての貸与権とは異なり，「商業用レコード」（2条1項7号）を対象とする権利のみが認められている（95条の3第1項）。貸与権には，権利行使期間（商業用レコードが最初に販売された日から1年（著作権法施行令57条の2））も設けられており（95条の3第2項），この期間経過後は，報酬請求権のみを行使することができる（同条3項）。

(2) 実演家人格権

他の著作隣接権者と異なり，実演家には実演家人格権という権利が認められている。実演家が著作物等を演ずる際には，その実演家の個性・人格が強く反映され，創作行為に準ずる性質をもつ。そこで，この人格的利益を保護するため，著作者人格権類似の権利が付与されているのである。この権利は，著作者人格権と同様，実演家の一身に専属する（101条の2）。

但し，権利の内容は，著作者人格権よりも制限を受けている。実演家に認められる権利は，氏名表示権（90条の2）と同一性保持権（90条の3）のみであり，公表権は与えられていない。氏名表示権・同一性保持権自体も，著作者人格権より権利の範囲が狭められている。例えば，氏名表示権の例外として，著作者人格権では，著作者の利益を害するおそれがない場合，かつ，公正な慣行に反しない場合に氏名表示の省略が許される（19条3項）のに対し，実演家人格権においては，実演家の利益を害するおそれがない場合，又は，公正な慣行に反しない場合に氏名表示を省略することができるとされ（90条の2第3項），例外

の幅が広くなっている。また，同一性保持権については，著作者人格権では，広く意に反する改変を受けない権利と定められている（20条1項）のに対し，実演家人格権では，自己の名誉・声望を害する改変を受けない権利のみが認められる（90条の3第1項）。名誉・声望は，主観的な名誉感情ではなく社会的評価であり，これが低下するような改変のみが権利侵害を構成する。したがって，私的領域内での改変は非侵害となることが多い。権利制限の幅も，実演家の同一性保持権の方が広くなっており，その利用の目的及び態様に照らしやむをえないと認められる改変のみならず，公正な慣行に反しないと認められる改変についても，同一性保持権は及ばない（90条の3第2項）。

また，実演家の死後も，実演家が生存しているとすれば，その実演家人格権侵害を構成するような行為は禁止される（101条の3）。

第3節　レコード製作者の権利

1 意　義

「レコード」とは，「物に音を固定したもの（音を専ら影像とともに再生することを目的とするものを除く。）」をいう（2条1項5号）。固定する対象は，「音」であって，「音楽」には限定されていないので，鳥の鳴き声など非著作物であってもよい。

また，「レコード製作者」とは，「レコードに固定されている音を最初に固定した者」をいう（2条1項6号）。音の固定は，業として行う必要はなく，個人が趣味で行ってもレコード製作者となる。なお，著作隣接権の趣旨は，情報の伝達に要した費用と労力の回収を法的にバックアップすることにあるから，レコード会社でレコードを製作する場合，物理的に音を固定した従業員ではなく，実際に設備を準備し製作費用を負担する使用者・会社がレコード製作者となる。

2 権利の内容

レコード製作者は，著作隣接権として，複製権（96条），送信可能化権（96条の2），譲渡権（97条の2第1項），商業用レコードの貸与権（97条の3第1項）

第3編　第6章　著作隣接権

を有するほか，報酬請求権（97条の3第3項）・補償金請求権（96条の3第2項・102条7項が準用する同条6項）・商業用レコードの二次使用料請求権（97条1項）をもつ。これらの権利は，実務上，「原盤権」と呼ばれることもある。

　このうち，複製権は，レコード製作者自身が最初に音を固定したレコードの複製のみに及び，同じ音を別途，レコードに固定する行為は，複製権侵害を構成しない。私的使用目的での複製については権利が制限されるが，私的録音・録画補償金請求権が与えられる（102条1項・30条1項・3項）。レコードからレコードに複製する場合のみならず，レコードを他の媒体に複製しても，侵害が成立する。例えば，CDに固定された曲をドラマのBGMとして複製する場合がこれにあたる。実演家の録音権・録画権と異なり，ワンチャンス主義による権利制限が定められていないため，複製権者の許諾の下でレコードが映画著作物に複製された後，その許諾を得ずに，更に映画として複製する行為（例えば，映画のDVD化）に対しては，レコード製作者の複製権が及ぶ。

　ワンチャンス主義による権利制限がないのは，送信可能化権や譲渡権でも同様である。但し，譲渡権には，消尽の規定が設けられている（97条の2第2項）。

　また，レコード製作者には放送権・有線放送権が認められていないが，商業用レコードを用いた放送等について，二次使用料請求権が認められている（97条1項）。

第4節　放送事業者の権利

　「放送」とは，「公衆送信のうち，公衆によって同一の内容の送信が同時に受信されることを目的として行う無線通信の送信」をいい（2条1項8号），「放送事業者」とは，「放送を業として行う者」をいう（同項9号）。テレビ局やラジオ局がこれにあたる。

　放送事業者は，著作隣接権として，複製権（98条），再放送権・有線放送権（99条1項），送信可能化権（99条の2第1項），テレビジョン放送の伝達権（100条）のみを有し，報酬請求権・二次使用料請求権などは与えられていない。

　このうち，複製権は，録音・録画のほか，「写真その他これと類似する方法による複製」にも及ぶ。複製の客体である「放送に係る音又は影像」は，著作

286

物でなくてもよい。権利が及ぶのは、あくまで放送事業者自身が行った「放送に係る音又は影像」であるため、同じ音又は影像を別の放送事業者が放送すれば、当該別の放送事業者が別個に権利を取得する。そのため、複製権は、放送から複製する行為と、放送を受信して行われる有線放送から複製する行為のみに及び、放送を受信して行われる再度の放送から複製する行為には及ばない。例えば、Aの放送をBが受信、再度放送し、このBの放送からCが複製した場合、Cの複製に対しAは権利行使できない。しかし、Bによる権利行使が可能であり、これを通じてAの利益も確保される。また、実演家・レコード製作者と同様、私的使用目的での複製については権利が制限されるが、放送又は有線放送の利用については、私的録音・録画補償金請求権は認められていない（102条1項により30条1項は準用されているが、30条3項は準用されていない）。

　再放送権・有線放送権については、放送事業者が行った放送を受信して行う再放送・有線放送のみに権利が及び、当該再放送を受信して行う再々放送や当該有線放送を受信して行う再有線放送には権利が及ばない。これは、ワンチャンス主義に基づく制限である。

　テレビジョン放送の伝達権に関しては、その対象が放送一般ではなくテレビジョン放送に限定されているほか、放送事業者が行った放送等を大型スクリーンなどの影像拡大装置を用いて公衆に伝達する行為のみに権利が及ぶ。他方、102条1項は38条3項を準用していないため、映像拡大装置を用いた非営利・無料での伝達行為も権利の対象となる。以上の点で、著作権としての伝達権（23条2項）とは異なる。

第5節　有線放送事業者の権利

　「有線放送」とは、「公衆送信のうち、公衆によって同一の内容の送信が同時に受信されることを目的として行う有線電気通信の送信」をいい（2条1項9号の2）、「有線放送事業者」とは、「有線放送を業として行う者」をいう（同項9号の3）。ケーブルテレビや有線音楽放送局などがこれにあたる。但し、放送を受信して行う有線放送は、著作権法上の保護を受けず、この種の有線放送の利用に対しては、以下でみるような支分権は認められない（9条の2第1号括弧書）。

第3編　第6章　著作隣接権

このような有線放送は，受信した放送をそのまま流すだけであり，保護に値しないためだと考えられている。もっとも，放送を受信して行う有線放送からの複製・送信可能化・テレビジョン放送の伝達に対しては，それぞれ放送事業者の権利が及ぶ（98条・99条の2・100条参照）。

　有線放送事業者は，著作隣接権として，複製権（100条の2），放送権・再有線放送権（100条の3），送信可能化権（100条の4），有線テレビジョン放送の伝達権（100条の5）のみを有し，報酬請求権・二次使用料請求権などは与えられていない。権利の内容については，第4節を参照のこと。

第**7**章
権利の侵害と救済

第1節　権利侵害の要件
第2節　民事上の救済
第3節　刑　事　罰

第1節　権利侵害の要件

1 総　　説

　前章までで概説した著作権・著作者人格権・著作隣接権等の侵害に基づく請求を行う場合，原告はどのような事実を主張立証しなければならないのだろうか。大きく分けると，(1)原告が権利を有していること，(2)被告が原告の権利を侵害したことの2つが必要となる。但し，差止請求においては，(2)は，原告の権利を侵害するおそれがある場合を含む。損害賠償請求の場合には，以上に加え，被告の故意・過失，損害及びその額，権利侵害と損害との間の因果関係を主張立証しなければならない。

　差止請求・損害賠償請求に共通する(1)(2)の要件事実のうち，(1)について，原告は，①自身が権利を保有していると主張する客体が「著作物」であること，又は，実演・レコード・放送・有線放送であること，及び，②原告がその客体について権利を取得した原因事実を主張立証しなければならない。②の権利取得原因事実について，著作権侵害の場合には，(i)創作という事実行為を行った著作者であること，(ii)著作者から著作権を譲り受けたこと，(iii)職務著作の要件をみたし著作者たる地位にあること（15条），(iv)映画製作者として著作権

を有していること（29条）のいずれかを主張立証する必要がある。著作者人格権侵害については，上記(i)又は(iii)のいずれかを主張立証しなければならない。著作隣接権侵害においては，(i)自身が実演家等であること，又は，(ii)実演家等から権利を譲り受けたことが，実演家人格権侵害においては，自身が実演家であることが，それぞれ権利取得原因事実となる。

また，(2)の権利侵害について，原告は，①被告が原告の著作物（原告著作物を原著作物とする二次的著作物を含む），あるいは，実演等に依拠し，②これと同一又は類似する著作物，あるいは，これと同一の実演等（著作隣接権には翻案権が含まれておらず，実演や放送された情報それ自体をそのまま利用する行為にしか及ばないため，同一の実演等のみが対象となる。⇒第6章第2節 **1**）につき，③権限なく法定の利用行為など（18条〜28条・113条・90条の2以下）を行っている旨，主張立証しなければならない。これに対して，被告は抗弁（権利制限や存続期間の満了など）を提出することができる。

以下では，既に解説済みのものは省略し，(2)の権利侵害の要件のうち，「依拠」・「類似性」・「みなし侵害行為（113条）」のみを取り上げる。

2 依　　拠

(1) 総　　説

権利侵害を認めるための要件として，まず，他人の著作物等に**依拠**して（すなわち，①他人の著作物等に接し（アクセスし），②これを基にして），著作物等を作成・利用していることが必要である。著作権法上も，権利侵害の成立には，「その著作物」を利用すること（21条以下）が必要と規定しており，当該著作物に依拠していることが要求されていると解することができる。たとえ，他人の著作物と全く同一の著作物が作成されたとしても，独自創作の結果，たまたま同一の著作物となっただけでは，権利侵害は認められない。特許権等と異なり，権利の存在と内容が公示されない以上，自身が創作しようとするものと同一又は類似の著作物等が存在するか否かを完全に調査することは不可能に近く，そのような義務を課すことは創作活動を大きく阻害することになる。そこで，他者の著作物等にアクセスせず，独自に創作したのであれば，たとえ当該他者の著作物等の存在を知らなかったことにつき過失があったとしても，非侵害と

なる（最判昭和53・9・7民集32巻6号1145頁〔ワン・レイニー・ナイト・イン・トーキョー〕〈判コレ114〉）。

また，例えば，著作物Aを複製・翻案して作成された違法複製物又は二次的著作物Bを他者が無断利用する場合，たとえ，当該無断利用者が直接に著作物Aにアクセスしたことがなくとも，複製物・二次的著作物Bに著作物Aの創作的表現がそのままあらわれている以上，間接的に著作物Aに依拠したことになる。

(2) 依拠の主張立証責任と認定手法

このように，依拠とは，①他者の著作物等に接し（アクセスし），②これを基にして，著作物等を作成・利用したことをいうが，①②の主張立証責任はともに原告著作権者等が負担し，被告による独自創作の主張は積極否認となる（②の主張立証責任を被告に負担させる，すなわち，独自創作を抗弁とする見解もある）。

しかしながら，原告著作権者等がこれらの事実を直接に立証することは困難である。そこで，実際には，依拠の蓋然性や可能性，すなわち，原告著作物の誤記などがそのまま被告の著作物に採録されているという事実や，依拠していなければ，これほど似ることはありえないといえるほどに両著作物が酷似しているという事実などを間接事実として，依拠が認められている。

3 類 似 性

(1) 総　　説

著作権・著作者人格権侵害を肯定するためには，法定利用行為の対象が，他者の著作物と同一又は類似の著作物でなければならない。少なくとも**類似性**が認められる必要があるわけである。原告著作物との間で類似性をみたさない著作物の利用行為は，原告著作物とは別個の著作物を利用する行為にほかならず，原告著作権者による権利行使の対象とはならない。著作権法上も，権利侵害の成立には，「その著作物」を利用すること（21条以下）が必要と規定しており，別個の著作物を利用することはもはや侵害を構成しない。

(2) 判断基準

　著作権・著作者人格権侵害における類似性判断は，これらの権利行使を認めることにより，著作権法上の保護を及ぼしてもよい範囲を確定する作業にほかならない。そして，著作権法によって保護が与えられるのは，2条1項1号の著作物性が認められる部分，すなわち，創作的表現に限られる。著作物中の創作的表現部分が共通していない限り，著作権法上の保護を及ぼすことはできないのである。それゆえ，著作物の類似性も，その創作的表現部分が共通している場合に限り肯定される。表現ではないアイデアのみが共通している，あるいは，創作性のない表現のみが共通しているに過ぎない場合には，著作権法上保護される部分を共通にしない以上，類似性は否定される（最判平成13・6・28民集55巻4号837頁〔江差追分〕〈判コレ115〉など。その他，類似性判断に関して，東京高判平成13・6・21判時1765号96頁〔西瓜写真〕〈判コレ73〉，東京高判平成12・9・19判時1745号128頁〔舞台装置〕なども参照）。

　裁判例の中には，照明器具の宣伝用カタログに記載された写真に写り込んでいた書の著作権者が行った複製権侵害の主張に対し，以下の理由で類似性を否定し，複製権侵害を認めなかったものもある（東京高判平成14・2・18判時1786号136頁〔雪月花〕〈判コレ117〉）。すなわち，書は文字の形の独創性，線の美しさと微妙さ，運筆の緩急と抑揚，墨色の冴えと変化などを見る者に感得させる造形芸術であり，これらの美的要素が創作的表現であるところ，本件カタログ写真にはこのような美的要素が再現されておらず，これらを直接感得することはできないというのである。

　なお，従来の裁判例では，しばしば，「**表現（形式）上の本質的な特徴を直接感得**」できない場合に類似性を否定する旨の判示がなされてきた（最判昭和55・3・28民集34巻3号244頁〔モンタージュ写真第1次上告審〕〈判コレ98・106〉，前掲〔江差追分〕，東京高判平成14・9・6判時1794号3頁〔どこまでも行こう〕など）。創作的表現を保護するという著作権法の趣旨に照らせば，同法で保護すべき「表現上の本質的な特徴」とは，表現上の創作性にほかならない。そして，表現上の創作性を直接感得できるのは，創作的表現が共通しているからこそであり，結局，両者は同義だと考えることができる。

第1節 権利侵害の要件

Column Ⅲ7-1 「表現形式上の本質的特徴」の意義と全体比較論

　前掲〔江差追分〕は，①「言語の著作物の翻案……とは，既存の著作物に依拠し，かつ，その表現上の本質的な特徴の同一性を維持しつつ，具体的表現に修正，増減，変更等を加えて，新たに思想又は感情を創作的に表現することにより，これに接する者が既存の著作物の表現上の本質的な特徴を直接感得することのできる別の著作物を創作する行為をいう」。②「そして，著作権法は，思想又は感情の創作的な表現を保護するものであるから……，既存の著作物に依拠して創作された著作物が，思想，感情若しくはアイデア，事実若しくは事件など表現それ自体でない部分又は表現上の創作性がない部分において，既存の著作物と同一性を有するにすぎない場合には，翻案には当たらないと解するのが相当である」と論じている。

　類似性の判断基準について本文で述べた考え方からは，①と②の判示部分は，基本的に同じ内容を述べたものであって，①を具体化したのが②に過ぎないと理解されることになる。

　もっとも，①と②の判示は同じ内容を述べたものではなく，「表現上の本質的な特徴を直接感得」できるかという基準と，創作的表現の共通性という基準は同義ではないという理解もある。たとえ，原告著作物との間で創作的表現部分に共通性が認められたとしても，独自の新たな創作的表現が大幅に加わったことにより，原告著作物と共通する創作的表現部分が被告著作物全体の中で埋没してしまった結果，当該創作的表現が「直接感得」できなくなった場合には，類似性を否定すべきとの立場が存在するのである（この立場を「全体比較論」ということがある）。パロディ等のように，引用などの権利制限規定で対処できない場合に侵害を否定するための手段として，この全体比較論を支持する見解もある（全体比較論をとった裁判例として，知財高判平成24・8・8判時2165号42頁〔釣りゲーム〕〈判コレ116〉）。また，実質的に侵害を否定すべき場合に，「表現形式上の本質的特徴」を規範的に解釈することによりそれを達成しようとする立場もある（そして，前掲〔雪月花〕をこのような規範的解釈を行ったものと位置づける見解もある）。

　しかしながら，著作権法の趣旨は，創作的表現の他者による無断利用を禁じるというところにある以上，いくら独自の創作的表現が加えられていようとも，他者の創作的表現をそのまま無断利用している以上，侵害を肯定すべきである。このように考えると，権利侵害の成否に関しては，被告が何らの創作行為もせず原告著作物と全く同一の著作物を利用しているに過ぎないケースと，創作的表現を共通にするものの独自の創作行為を加えたケースは区別されず，いずれも侵害となる。しかし，被告が独自に加えた創作的表現がないがしろにされるわけではなく，これを第三者が更に無断利用した場合には，同じように権利行使が可能となり，著作権法による保護を享受することができるのである。また，

293

第3編 第7章 権利の侵害と救済

> パロディ等については，引用など権利制限規定の柔軟な適用により対応することも可能である。

4 みなし侵害行為（113条）

(1) 総　説

ここで取り上げる113条は，著作権・著作者人格権・著作隣接権等の対象とはならないものの，著作権者等の利益を害すると考えられる一定の行為を，著作権等の侵害とみなすことにより，差止め・損害賠償・刑事罰の対象とし，もって権利保護の十全化を図る規定である。

(2) 頒布目的での侵害品の輸入（1項1号）

1号は，輸入時に日本国内で作成したとすれば著作権等の侵害となるべき行為によって作成された物を国内頒布目的で輸入する行為を，当該著作権等の侵害とみなす規定である。例えば，海外で複製された海賊版CDを輸入する行為は，複製権侵害とみなされる。

本号では，日本で作成したとすれば，著作権等を侵害するかどうかだけが問題となる。したがって，国外で権利侵害を構成するか否かは問わない。更に，外国で日本の権利者又はその許諾を得た者が作成した場合には，仮にこれを日本で作成したとすれば著作権侵害とはならないため，作成された物を輸入しても1号は適用されず非侵害である。

また，著作権等の侵害となるべき行為にあたるか否かは，輸入時に判断される。作成時に侵害となるような行為であっても，輸入時に日本の権利者から許諾を得ていれば非侵害である。更に，頒布目的が必要であり，自身が利用するための個人輸入は侵害とはみなされない。

(3) 侵害品の頒布・所持・輸出等（1項2号）

2号は，日本国内で著作権等を侵害する行為によって作成された物と，外国で日本ならば著作権等の侵害となるような行為で作成され，輸入された物につき，情を知って，①頒布，②頒布目的での所持，③頒布の申出，④業としての

294

輸出，⑤業としての輸出目的での所持を行う行為を，当該著作権等の侵害とみなす規定である。

「情を知って」という要件は，侵害行為によって作成された物であることを認識していることをいい，海賊版であることを知っている場合がこれにあたる。他方，権利侵害にあたるかが直ちに明確でない場合には，侵害警告を受けたり訴訟提起を知っただけでは，「情を知って」には該当せず，少なくとも仮処分決定・未確定判決・中間判決など公権的判断を受けることが必要だと考えられている（知財高判平成 22・8・4 判時 2096 号 133 頁〔北朝鮮極秘文書〕）。また，過失があっても善意であれば非侵害であり，他方，物品の取得時に善意であっても，当該物品を頒布等する段階，あるいは頒布目的で所持している間に情を知れば侵害とみなされる（下記(4)以下の「情を知って」要件でも同様）。

例えば，著作権者 A の複製権を侵害して B が作成・頒布した物を，C が取得の上，再頒布するというケースでは，A の譲渡権は消尽せず，C の再頒布はその侵害となる。但し，C が取得した時点で，B による頒布が違法であることにつき善意無過失であれば，譲渡権侵害は成立しない（113 条の 2）。しかしながら，その後，再頒布する段階で B による違法複製について悪意となった場合には，本号の適用を受け，再頒布行為は複製権侵害とみなされる。

(4)　リーチサイト・リーチアプリ（2項・3項・4項）

2 項・3 項は，リーチサイト・リーチアプリ（違法にアップロードされた著作物に対するリンク情報を集約するなどして，公衆を侵害著作物等に殊更に誘導する，あるいは，主として公衆による侵害著作物等の利用のために用いられるサイト・アプリ。2 項 1 号・2 号）の規制を目的として，令和 2 年改正により新設された規定である。

2 項は，侵害コンテンツへのリンク提供行為を侵害とみなしている。リンク提供行為自体は，公衆送信行為に該当しないと考えられている（大阪地判平成 25・6・20 判時 2218 号 112 頁〔ロケットニュース 24〕など）ため，一定のリンク提供行為に限って侵害とみなすものである。リーチサイトにおいて又はリーチアプリを用いて，URL（「送信元識別符号」）を提供することにより，侵害著作物等の利用を容易にする行為（「侵害著作物等利用容易化」）を，侵害著作物等であることを知りながら又は知ることができたと認めるに足りる相当の理由がある

（故意・過失）にもかかわらず行った場合には，著作権等の侵害とみなされる。但し，翻訳以外の方法で創作された二次的著作物が，原著作者の許諾なくアップロードされた場合に，これに対するリンク提供行為を行っても，侵害とはみなされない（もっとも，当該二次的著作物が，二次的著作物の著作者の許諾なくアップロードされた場合に，これに対するリンク提供行為を行えば，侵害とみなされる）。

　3項は，リーチサイトの公衆への提示やリーチアプリの公衆への提供を行っている者（リーチサイト運営者・リーチアプリ提供者）が，リンク先の著作物等が侵害著作物等であることについて故意・過失があり，かつ，侵害著作物等利用容易化を防止する措置を講じることが技術的に可能であるにもかかわらず，これを講じない行為を，著作権等の侵害とみなしている。いわば不作為を侵害行為とみなす規定である。但し，汎用的なプラットフォーム・サービス提供者（YouTube・Twitter など）には，原則として，3項の規制は及ばない。また，2項と同様，3項は，翻訳以外の方法で創作された二次的著作物が原著作者の許諾なくアップロードされた場合には適用されない。

　一定の場合には，刑事罰も科される（119条2項4号・5号，120条の2第3号）（⇒第3節）。

(5)　違法作成プログラムの業務上の使用（5項）

　一般に，著作物の「使用」行為は，著作権法上侵害を構成せず，プログラムの使用も本来は自由に行うことができる。しかしながら，プログラムをコンピュータで使用することは，それ自体として大きな経済的価値を生む可能性があるところ，違法に作成された海賊版プログラムが企業等で業として使用されることは，著作権者に大きな不利益を及ぼしかねない。そこで，5項は，一定のプログラム使用行為について，これを著作権侵害とみなしている。侵害とみなされるのは，使用権原取得時（複製物の譲受け，ライセンス契約締結時）に，違法作成について「情を知って」いた場合に限られる。

(6)　技術的利用制限手段の回避行為等（6項・7項）

　「技術的保護手段」を回避することによって可能となった複製（30条1項2号），技術的保護手段の回避をその機能とする装置等の譲渡等（刑事罰のみ。120条の

2第1号），業として技術的保護手段の回避を行う行為（刑事罰のみ。同条2号）
（⇒第4章第3節**2**(3)(b)）に加えて，113条6項は，「技術的利用制限手段」の
回避を行う行為を侵害とみなしている。「技術的保護手段」が著作権等の侵害
行為（著作物等の利用行為）を防止・抑止する手段であるのに対し，「技術的利
用制限手段」とは，電磁的方法により著作物等の視聴（この行為自体には著作権
等の効力は及ばない）を制限する手段である（2条1項21号。いわゆるアクセスコ
ントロール）。技術的保護手段と同じく信号方式と暗号方式がある（⇒第4章第3
節**2**(3)(b)）。但し，技術的利用制限手段の回避行為であっても，それが，制限
手段の研究・技術開発の目的上正当な範囲内で行われる場合など，著作権者等
の利益を不当に害しない場合には，侵害とはみなされない。更に，技術的利用
制限手段の回避をその機能とする装置等の譲渡等（120条の2第1号），業とし
て技術的利用制限手段の回避を行う行為（同条2号）に対して刑事罰を科して
いる。

7項は，技術的保護手段・技術的利用制限手段を回避することをその機能と
する指令符号（ライセンス認証などを回避するための不正なシリアルコードなど）の
提供行為等を侵害とみなしている。この行為は，刑事罰の対象でもある（120
条の2第4号。⇒第3節）。

(7) 権利管理情報の付加・除去・改変（8項）

8項は，「権利管理情報」（2条1項22号）の故意による付加・除去・改変行為，
及び，これらの行為が行われた物を，情を知って頒布等する行為を，当該権利
管理情報に係る著作権等の侵害とみなす規定である。

権利管理情報は，デジタル著作権管理（DRM）の1種である。デジタル著作
物を円滑に流通させるためには，電子透かしなどの技術により，著作物や著作
権者を特定する情報や利用許諾の条件，利用方法に関する情報を著作物に埋め
込むことにより，権利を管理することが有用となる。このような手法により，
侵害の発見が容易となるし，利用者が権利者や利用条件を知ることができるた
めである。しかしながら，このような権利管理情報が無断で除去・改変等され
る，あるいは，虚偽の情報が付加されることは，著作権者の利益を害し，著作
物の円滑な流通に支障を来す。そこで，8項は，このような行為を著作権等の

侵害とみなしているのである。

(8) 国外頒布目的商業用レコードの輸入・頒布・所持（10項）

10項は，国際消尽の例外を認める規定であり，海賊版ではなく真正品の輸入等を禁じるものである。この規定が設けられたのは，同じ楽曲について，国内で適法に販売されるレコードよりも国外で適法に販売されるレコードの方が安い場合，これが国内に還流し（逆輸入され），安い価格で販売されると国内のレコード市場が混乱し，著作権者等に不利益を及ぼしかねないとの理由による。すなわち，価格差別（⇒ Column Ⅲ4-2 「コンテンツの流通を巡る諸問題」）を維持するための規定の一例であり，これは「音楽レコードの還流防止措置」と呼ばれている。

しかしながら，このような措置をとること自体が，かえって市場における自由競争・公正競争を阻害するのではないかとの懸念が立法時にも存在し，そのため厳格な要件が課されている。すなわち，侵害とみなされるのは，①著作権者等の利益が不当に害されること，②輸入・頒布・所持時に，国外頒布目的の商業用レコードであることについて，「情を知って」いること，③最初に国内で発行された日から4年（著作権法施行令66条）を経過した国内頒布目的商業用レコードと同一の国外頒布目的商業用レコードではないことをみたす場合に限られる。

(9) 著作者の名誉・声望を害する利用（11項）

第5章第5節にて述べた通りである。

5 侵害の主体

(1) 総　説

著作権等の侵害に基づく請求の相手方は，原則としては，自ら当該著作権等を侵害した者である。もっとも，損害賠償は，自ら著作権等を侵害していない者に対しても，その者が著作権等を侵害する者を教唆・幇助したならば請求できる（民719条2項）。一方，差止めについては，112条1項の「侵害する者又は侵害するおそれがある者に対し」との文言から，原則として，著作権等を直

接侵害する者のみがその請求の相手方となると解されている。

　近年においては，デジタル・通信技術の発展により，複製・送信などが行われた場合に，あるシステムを利用したユーザーが主体としてそれを行ったのか，そのシステムを運営する者がそれを行ったのかなど，支分権該当行為の主体が誰なのかが直ちには判断できない場面が増えている。これらの者のうち誰が主体といえるかが，後述の間接侵害を認めない限り，差止めできる行為の範囲を画することとなる。

　また，公衆性の判断や権利制限規定の適用においても，支分権該当行為の主体が誰かということが侵害の判断にとって重要となる。

(2) 主体の認定（侵害主体論）

　まず，支分権に該当する行為を物理的に行う者（**物理的行為主体**）は，支分権該当行為の主体となると考えられる。例えば，印刷機を自ら操作して著作物の印刷物を作成した者は，著作物の複製の主体となるし，音楽の著作物について，自ら楽器を手にそれを演奏した者も，著作物の演奏の主体となる。また，自ら物理的に行為を行っている場合でなくても，他者の物理的な支分権該当行為を密接な支配関係によって行わせている者も，当該行為の主体となると考えられている。例えば，印刷会社において，実際に印刷機を操作しているのが従業員である場合であっても，その印刷は会社が従業員を指揮監督して行わせている場合，複製の主体は印刷会社であろう。この考え方を，他者を自らの「手足」のように使う者という比喩から**手足論**と呼ぶことがある。

　物理的行為主体や手足論による主体とはならない者でも，支分権該当行為の主体と認定される場合もある。このようにして認定される主体を講学上**規範的行為主体**ということがある。例えば，出版社が印刷会社に依頼して書籍を印刷させる場合，出版社もその複製行為の主体となると考えられる。また，クラウドサービスの利用者がクラウド上のサーバーに自らが保有するコンテンツを保存し自らの携帯端末で利用できるようにする場合，著作物の複製行為が伴う。この複製行為の主体は，複製機器はサービス提供事業者が用意し，複製機器の操作・管理も事業者が行っている場合でも，当該コンテンツを利用者が提供している場合，利用者となると考えられる。

規範的行為主体の認定手法には様々なものがあり，統一的な基準は明らかではない。

例えば，自らの管理下にあるサーバーにおいて他人が著作物の公衆送信を行っていることを放置した場合に，管理者が公衆送信の主体と認められた裁判例がある（東京高判平成17・3・3判時1893号126頁〔2ちゃんねる小学館控訴審〕）。これは，侵害の場を設けた者が侵害行為を防止する義務があるにもかかわらずこれを放置している場合には，当該行為の主体とみなすという考え方といえる（113条3項はこれを立法化したものともいえる）。

クラブ・キャッツアイ最判（最判昭和63・3・15民集42巻3号199頁〈判コレ118〉）に始まり，ロクラクⅡ最判（最判平成23・1・20民集65巻1号399頁〈判コレ120〉）及び音楽教室最判（最判令和4・10・24令3(受)1112）に至る一連の裁判例においては，複製・演奏等への関与の内容及びその程度などの諸要素を総合考慮して，複製・演奏等の支分権該当行為の主体が判断されてきた（⇒ Column Ⅲ7-2 「規範的行為主体の認定についての裁判例と学説の展開」）。これら最高裁判決が様々な要素を考慮して規範的に行為主体を認定すべきとした点において一致しているのは間違いないが，考慮すべきとされている要素は必ずしも一様ではなく，これらをどう整合的に理解すべきかついては議論が百出している。

> **Column Ⅲ7-2　規範的行為主体の認定についての裁判例と学説の展開**
>
> 　支分権該当行為の主体を規範的にどこまで拡張できるかについては，従来カラオケ法理といわれる考え方が有力とされてきた。これは，物理的な行為主体とはいい難い者を，①管理・支配性，②営業上の利益の帰属に着目して，規範的に行為の主体であると認定する法理である。カラオケ法理は，客・ホステスに歌唱させていたカラオケ店が，演奏の主体と認められたクラブ・キャッツアイ最判（最判昭和63・3・15民集42巻3号199頁〈判コレ118〉）に端を発するものである。この判決では，客が店の管理の下に歌唱をしているものと解され，店は雰囲気を醸成することで客の来集を図って営業上の利益を増大させることを意図していたことなどから，著作権法の規律の観点からは店による歌唱と同視しうるとされた（⇒なおこれを前提とした公衆性の判断については，
> Column Ⅲ4-1 「公衆概念と支分権」）。
> 　上記最高裁判決はあくまで事例判決であるともいえたが，管理支配性・利益の帰属の二要素をメルクマールとするカラオケ法理は，下級審裁判例において，

第1節　権利侵害の要件

ネットワークサービスの事案などにも適用されていった（例として，東京高判平成 17・3・31 平 16（ネ）405〔ファイルローグ〕，東京地判平成 19・5・25 判時 1979 号 100 頁〔MYUTA〕。このようなカラオケ法理の一人歩きには学説からの異論も少なくなかった（上野達弘「いわゆる『カラオケ法理』の再検討」紋谷暢男教授古稀記念『知的財産権法と競争法の現代的展開』（発明協会，2006 年）781 頁参照）。

　このような中，まねき TV 最判（最判平成 23・1・18 民集 65 巻 1 号 121 頁〈判コレ 119〉。⇒詳細については，　**Column Ⅲ 4-1**　「公衆概念と支分権」）及びロクラクⅡ最判（最判平成 23・1・20 民集 65 巻 1 号 399 頁〈判コレ 120〉）は，主体の認定について新たな論理による判断を下した。ともにテレビ番組の転送サービスに関して，利用者ではなくサービス提供者を行為の主体と認定したものである。ロクラクⅡ最判は，放送番組等の複製物を取得することを可能にするサービスにおいて，サービス提供者が，その管理，支配下において，テレビアンテナで受信した放送を複製機器に入力していて，当該複製機器に録画の指示がされると放送番組等の複製が自動的に行われる場合には，その録画の指示を当該サービスの利用者がするものであっても，サービス提供者はその複製の主体であると判断した。すなわち，ロクラクⅡ最判は「複製の主体の判断に当たっては，複製の対象，方法，複製への関与の内容，程度等の諸要素を考慮して，誰が当該著作物の複製をしているといえるかを判断するのが相当である」との基準を立てた上で，「サービス提供者は，単に複製を容易にするための環境等を整備しているにとどまらず，その管理，支配下において，放送を受信して複製機器に対して放送番組等に係る情報を入力するという，複製機器を用いた放送番組等の複製の実現における枢要な行為をしており……サービスの利用者が録画の指示をしても，放送番組等の複製をすることはおよそ不可能なのであり，サービス提供者を複製の主体というに十分である」と判断した。ロクラクⅡ最判は，カラオケ法理のように二要素を特別視する立場はとらず，主体は諸要素の総合考慮により判断されるべきことを明らかにしている。

　ロクラクⅡ最判の理解には諸説ある。事案への当てはめにおいては，自らの管理支配の下，放送というコンテンツを取得して複製に供したことを重視しているように見受けられる（前田健「侵害主体論と著作物の私的利用の集積」パテント 64 巻 15 号（2011 年）103 頁参照）。この点を踏まえて，学説には，同最判は，規範的行為主体の認定手法として，ジュークボックス法理（自らの管理支配下において，自動的な機器とコンテンツを利用者の使用に供する者は，当該機器の操作を利用者が行う場合でも，当該機器によって当該コンテンツを対象として実現される支分権該当行為の主体となるという考え方（大渕哲也「著作権侵害に対する救済(1)」法学教室 356 号（2010 年）142 頁参照）を採用したとの理解もある（上野達弘「著作権法における差止請求の相手方」判タ 1413 号（2015 年）51 頁）。

301

その後の下級審裁判例には，演奏の主体につき，ロクラクⅡ最判を踏まえつ
つも，①演奏の実現にとって枢要な行為がその管理・支配下において行われて
いるか否かによって判断すべきとし，②著作物の利用による利益の帰属も考慮
に入れることができると述べるものがある（東京地判令和2・2・28平29(ワ)
20502・25300〔音楽教室第1審〕。知財高判平成28・10・19平28(ネ)10041〔ライ
ブハウス〕も，一般論として①のみを述べたが，あてはめでは②も考慮している）。
これは，ロクラクⅡ最判後もカラオケ法理はなお有効との理解に基づくものと
いえよう。しかし，知財高判令和3・3・18判時2519号73頁〔音楽教室控訴
審〕〈判コレ92〉は，原審のようにクラブ・キャッツアイ最判を引用すること
なく，ロクラクⅡ最判を忠実に引用する形で演奏の主体について判断した。
　そして，最判令和4・10・24令3(受)1112〔音楽教室上告審〕は，ロクラク
Ⅱ最判こそ引用しないものの，同様に，演奏の目的及び態様，演奏への関与の
内容及び程度等の諸般の事情を総合考慮することにより，演奏の主体を判断す
べきとして，控訴審の判断を維持した。音楽教室における生徒の演奏につき著
作物の利用主体は音楽教室であるとの主張を排斥するに際して，最高裁は，生
徒の演奏は演奏技術の習得・向上を目的とするものであること，教師の関与は
生徒の演奏の補助にとどまること，生徒の演奏は自主的なものであって強制さ
れるものではないこと，受講料の支払は演奏すること自体の対価ではないこと
などに言及している。
　音楽教室上告審は，演奏権侵害の事案であるにもかかわらず，クラブ・キャ
ッツアイ最判を引用しなかった。これを踏まえると，管理支配性と利益の帰属
の二要素を総合考慮の中で考慮することこそ排除されないのだとしても，この
二要素こそが著作物の利用主体の判断基準となるという意味におけるカラオケ
法理を，主体認定の一般的基準として維持することは，もはやできないと思わ
れる。

(3) 間接侵害（教唆・幇助への差止め）

　著作権法112条1項にいう「侵害する者」とは，法律に特別の定めもなく差
止請求の相手方を拡張することは他者の表現活動の自由を脅かすおそれがある
ことから，著作権等を直接侵害する者のみをいうと解する説が有力である（例
えば東京地判平成16・3・11判時1893号131頁〔2ちゃんねる第1審〕）。
　一方，直接侵害を教唆・幇助するいわゆる間接侵害者も「侵害する者」にあ
たる又はそれらの者に対して112条1項が類推適用されるという説も有力であ
る。例えば，大阪地判平成15・2・13判時1842号120頁〔ヒットワン〕〈判コ
レ121〉においては，通信カラオケ装置をリースし，飲食店に著作物である歌

詞・楽曲を演奏・上映などさせていた被告が，侵害行為を幇助している者として 112 条 1 項にいう侵害する者にあたるとされた。同判決は，侵害行為の主体たる者でなく侵害の幇助行為を現に行う者であっても，幇助者の行為が侵害行為に密接なかかわりを有し，幇助者に幇助行為を中止する条理上の義務があり，かつ当該幇助行為を中止して侵害の事態を除去できるような場合には，侵害主体に準じるものと評価できるから，112 条 1 項の「著作権を侵害する者又は侵害するおそれがある者」にあたると判断している。

第 2 節　民事上の救済

1 総　　説

　著作者人格権，著作権，出版権，実演家人格権，著作隣接権（以下本節において，「著作権等」という）を侵害された者は，差止め，損害賠償及び不当利得返還を請求することができる。共同著作物や権利が共有に係る場合，各権利者は，他の権利者の同意を得ないでこれらの請求をすることができる（117 条）。また，無名・変名の著作物について，発行者が請求権を行使できる場合がある旨の規定もある（118 条）。なお，著作者人格権・実演家人格権の侵害に対しては，名誉回復等の措置を請求できるが（115 条），それらについては第 5 章で説明した。

　これらの権利の侵害訴訟においては，特許法と同様の，主に権利者の立証の負担を軽減するための規定が置かれている。例えば，被疑侵害者の具体的態様の明示義務（114 条の 2），損害額の算定・証明に係る規定（114 条・114 条の 4・114 条の 5），文書提出命令制度の特則（114 条の 3）等がある。また，特許法と同様の秘密保持命令制度（114 条の 6 以下）がある。

　管轄については，プログラムの著作物についての著作者の権利に関する訴えについては特許権侵害訴訟と同様に東京地裁又は大阪地裁の専属管轄とされ（民訴 6 条 1 項），それ以外の著作権法上の権利侵害に係る訴えについても，東京地裁又は大阪地裁にも訴えを提起することができるとされている（民訴 6 条の 2）。著作権に係る訴訟についても，一定程度審理の集中が図られている。

2 差止請求権

　著作権等を侵害する者又は侵害するおそれがある者に対し，権利者は，その侵害の停止又は予防を請求することができる（112条1項）。侵害の停止請求とは，現在行われている侵害行為を停止することを求めるものであり，侵害の予防請求とは，将来行われる蓋然性の高い侵害行為をしないことを，予め求めるものである。差止請求権発生の要件は，請求をする者がその著作権等を有していることと，相手方が著作権等を侵害する行為を現に行っていること又はそのおそれがあることである。差止請求には，侵害者の主観的事情（故意・過失）は問われない。

　将来発行予定の著作物に対する予防請求は，侵害行為が予測される場合には，当該侵害行為に対して将来の給付請求として認められる場合があると考えられる（東京高判平成6・10・27知財集26巻3号1151頁〔ウォール・ストリート・ジャーナル〕〈判コレ122〉）。また，著作権等に基づく出版物の事前差止めは，憲法21条の趣旨に照らし，例外的な場合にのみ許容されるという学説もある（最大判昭和61・6・11民集40巻4号872頁〔北方ジャーナル〕参照）。

　権利者は，停止又は予防請求に付随して，それに必要な措置を請求することもできる（112条2項）。同項は，その例として，侵害組成物（例：違法放送に用いられたビデオ），侵害作成物（例：違法に印刷された本），専ら侵害行為に供された機械・器具（例：侵害用途のみに使われていたコピー機）の廃棄を求めることができると定めている。これは，これらの物を侵害者が保有しているとさらなる権利侵害が行われる可能性があるため，侵害の停止又は予防を実効的なものとするために認められているものである。その他，侵害の停止又は予防に必要性が認められ，かつ，相当といえる限り，あらゆる措置を請求しうる。

　著作権等においても，特許と同様に（⇒ **Column Ⅱ7-1** 「**差止請求権の制限を巡る議論**」），過剰差止めの可否や，差止請求権を権利濫用法理により制限することの可否が問題になる場合がある（著作権侵害が写真集177点の写真のうち1点のみでしかも職務著作と誤解していた等の事情を考慮して差止めを権利濫用とした裁判例として，那覇地判平成20・9・24判時2042号95頁〔写真で見る首里城〕〈判コレ123〉）。

なお，差止請求をできるのは原則として著作権等の侵害行為に対してのみである。著作権侵害に関与したが法定の侵害行為を行ったとは直ちにはいい難い者に対して，その行為の差止めを求めることができるかについては，第1節**5**で述べた通りである。

3 損害賠償請求権

(1) 総　説

著作権等を侵害された場合，民法709条に基づいて，損害賠償を請求することができる。損害賠償は，著作権等を直接侵害した者に対してはもちろん，それに関与した者に対しても，民法709条・719条の要件をみたす限りにおいて，請求をすることができる。

また，著作権，出版権，著作隣接権を侵害した者に対し，これらの権利者が不法行為に基づく損害賠償請求をする場合において，損害の額の推定等について特別の規定が設けられている（114条・114条の4・114条の5）。

(2) 故意・過失

不法行為が成立するには，著作権等の侵害が生じたことについて故意又は過失が必要である。著作権の存在は一般には公示されていないので，特許法のように過失の推定規定はない。自らが著作権等の侵害行為をしている場合，当該行為が著作権等の侵害行為に該当することを知っていれば，故意が成立する。また，過失とは，結果発生の予見可能性がありながら必要な回避措置をとらなかったこと（結果回避義務違反）を指し，自らの行為が著作権等の侵害行為に該当することの予見可能性があるときには，過失の存在が肯定される。

著作権等を直接侵害する行為の不法行為責任が問われている場合，依拠性が必要とされるため，複製権侵害行為が問題とされている場合などは，故意の存在が既に証明されていることになる場合も多い。一方，他人が作出したものについて著作権等の侵害行為を行った場合には，著作権等を第三者が有していたことや存続期間が満了していないことなどに予見可能性があったかという形で，過失の有無が問われることになる（旧法下で興行された映画の著作物につき，存続期間が満了したと誤信していた場合に過失を認めた例として最判平成24・1・17判時

2144 号 115 頁〔暁の脱走〕〈判コレ 125〉がある）。出版社や放送局の責任が問われている場合，厳しい調査義務の存在が肯定され，過失が肯定される場合が多いと言われている。

　不法行為責任を問われている行為が，他人の著作権等侵害行為に関与する行為である場合には，過失の有無は，他人が著作権等の侵害行為を行うという結果を回避する義務の違反が肯定できるか否かによって問われることとなる。例えば，カラオケ装置のリース業者のリース先の演奏権侵害の幇助責任に関し，リース業者は，カラオケ装置のリース契約を締結した場合において，相手業者が著作物使用許諾契約を締結又は申込みしたことを確認した上で装置を引き渡す注意義務があるとして，不法行為責任を肯定した最高裁判決がある（最判平成 13・3・2 民集 55 巻 2 号 185 頁〔ビデオメイツ〕〈判コレ 124〉）。

(3) 損　　害

　(a)　**総説**　　不法行為の成立には，損害の発生・因果関係・損害額を，損害賠償請求を行う側が立証する必要があるのが原則である。しかし，著作権法においては，著作権，出版権，著作隣接権といった財産権の侵害の場合は，特許法と同様に損害額の証明に困難が伴うことが多いため，損害額の推定等（114条：特許 102 条に相当），鑑定人に対する当事者の説明義務（114 条の 4：特許 105条の 2 の 12 に相当），相当な損害額の認定（114 条の 5：特許 105 条の 3 に相当）等の特別の規定が置かれている。

　不法行為における損害とは侵害によって生じた権利者の利益状態の差であるから，著作権などの財産権の侵害によって生じる損害には，売上げ減少による逸失利益，使用料相当額や，弁護士費用などの積極的損害なども含まれる。著作者人格権侵害の場合には，精神的損害などが含まれる。

　(b)　**損害額の推定等（114 条）**　　114 条は，財産権侵害において，損害の発生を前提に損害の額の推定又は算定方法を法定するものである。本条は特許法102 条と同趣旨であり，基本的な点は既に第 2 編第 7 章第 3 節 **2** (3) において説明した。ここでは，著作権法特有の点について簡単に述べる。

　(i)　侵害品譲渡等数量による算定（114 条 1 項）　　1 項は，売上げ減少による逸失利益の損害額について，著作権者の証明責任を緩和する規定である。条

文の内容は基本的に特許法 102 条 1 項 1 号と同様であり，「譲渡等数量」に権利者製品の単位数量あたりの利益の額を乗じた額が損害額となる。但し，侵害者は，権利者の販売等の能力をこえていること，又は権利者がその数量を販売することができないとする事情（販売阻害事情）があることを証明して損害額を減らすことができる。算定の基礎は，譲渡「等」数量であって，譲渡した物の数量又は受信複製物の数量である点が特許法と異なる。要するに，公衆送信権侵害の場合には，ダウンロードされた数を基礎に譲渡数量と同じように損害額が算定できる旨が定められている。

また，114 条 1 項の適用を受けるには，売上げ減少による逸失利益が損害として発生していることが必要であり，権利者が著作物を利用する製品を自ら販売していることなど「その侵害の行為がなければ販売することができた物」があることが前提として求められる。すなわち，権利者が販売する製品があり，それと侵害品との間に代替性があることが必要である。侵害品が著作物の一部しか利用していない場合や翻案物の場合など代替性が強くない場合には，114 条 1 項の適用がそもそもないとするか，あるいは適用を認めた上で権利者が販売することができないとする事情として考慮することになる。

なお，著作権法には，特許法 102 条 1 項 2 号のような規定はないが，控除数量分について，別途 3 項による請求が可能と解される。

(ii) 侵害者利益による推定（114 条 2 項）　2 項は，侵害者の侵害の行為により受けた利益の額を権利者が受けた損害の額と推定する規定である。2 項は，特許法と同様，あくまで損害の額を推定するものであって損害の発生を推定するものではないので，損害の発生を別途証明することが 2 項適用の前提となる。

特許法においては，権利者が侵害品と代替性のある製品を製造販売していることが必要とされてきたが，適用要件を緩やかに捉える知財高裁大合議判決が出されている（知財高判平成 25・2・1 判時 2179 号 36 頁〔ごみ貯蔵機器大合議〕〈判コレ 67〉）。著作権法においても，2 項は売上げ減少による逸失利益の損害発生を前提とするものだから侵害品との代替品の販売が 2 項適用の前提として求められるとされてきたが，侵害者と同様の利用方法により権利者が利益を上げられる蓋然性があれば足りるという見解も有力である（東京地判平成 17・3・15 判時 1894 号 110 頁〔グッドバイ・キャロル〕〈判コレ 126〉）。著作権の場合は，著作権

者自身では著作物を利用せずに出版社などに任せる場合も多く，自己利用は不要であると解されよう。

(iii) **使用料相当額**（114条3項）　3項は，権利の行使により受けるべき金銭の額に相当する額を，自己の損害の額とすることができるとの規定である。この額を**使用料相当額**という。3項の適用を受けるのに，何らかの損害があることを証明する必要はないが，損害不発生の抗弁を主張し，仮に不発生を立証することができれば，3項の適用を免れることができる（⇒詳細は第2編第7章第3節 **2**(3)(d)）。

使用料相当額は，当事者間の具体的事情を考慮して，その著作物の利用行為に対して，権利者に支払う対価としていくらが適当であるかを算定する。なお，平成12年改正により「通常受けるべき金銭の額」という文言から「通常」が削除されたのは特許法と同趣旨である（改正法の趣旨に照らして，料率を高めに算定した例として，東京地判平成18・3・31判タ1274号255頁〔国語テスト〕参照）。

4 不当利得返還請求権

他人の著作権，著作隣接権，出版権を侵害した者は，法律上の原因なく他人の財産権によって利益を受け，そのために権利者に損失を及ぼした者として，権利者に対し受けた利益を返還する義務を負う（民703条）。ここでいう利益と損失とは，本来払うべき使用料の支払を免れたこと及びその支払を受けていないことである（侵害利得）から，使用料相当額について返還請求することができる。不当利得返還請求においては，故意・過失は要件とはならない。

> **Column Ⅲ7-3** **プロバイダ責任制限法と著作権侵害**
> 　特定電気通信役務提供者の損害賠償責任の制限及び発信者情報の開示に関する法律（**プロバイダ責任制限法**。以下「法」という）は，インターネット上で著作権侵害や名誉毀損等が生じた場合にプロバイダの負う責任について定めた法律である。プロバイダとは，法2条3号の定義する「特定電気通信役務提供者」のことであり，これには「**アクセスプロバイダ**」（**経由プロバイダ**ともいう。いわゆる**インターネット・サービス・プロバイダ**（**ISP**））のみならず，「**コンテンツプロバイダ**」（掲示板・SNSの運営者などのインターネット上で情報発信する場をユーザーに提供する事業者）も含まれる。
> 　プロバイダ責任制限法が定める事項は，著作権法に関するものとして，大き

く分けて2つある。第1に，プロバイダの損害賠償責任の制限である。情報の流通によって他人の権利が侵害されたとき，関係するプロバイダは，法3条の定める場合に該当するときでなければ，賠償責任を負わない。プロバイダは，当該情報の流通を現実に認識しており，かつ，当該情報の送信を防止することが技術的に可能であるなどの要件を満たさない限り，賠償責任を負うことがない。但し，プロバイダが「当該権利を侵害した情報の発信者」である場合はこの限りでない。著作権侵害の場合，コンテンツプロバイダ自身が著作権侵害の主体であって侵害情報の発信者であると認定されることも想定される（⇒第1節**5**）。その場合は，法の適用対象外となることに留意しなければならない。

第2に，**発信者情報開示請求権**である。インターネット上の権利侵害は匿名で行われることが少なくなく，被害者救済には侵害者の迅速な特定が必要である。より円滑な被害者救済を図るため令和3年改正により発信者情報開示のための非訟手続が創設された。すなわち，従来はコンテンツプロバイダに通信記録を開示させてアクセスプロバイダを特定し，次にアクセスプロバイダに発信者の氏名・住所等を開示させるとの2回の裁判手続が事実上必要であったところ，両プロバイダを当事者として一回の手続により発信者を特定することが可能となった（法8条～18条）。法5条によれば，侵害情報の流通に関与したプロバイダが発信者情報を開示する義務を負うには，少なくとも，侵害情報の流通によって権利が侵害されたことが明らかであること，及び，請求者の損害賠償請求権の行使に必要であることその他開示を受けるべき正当な理由があることが必要である。

なお，発信者情報開示請求事件において，時に著作権法に関する重要な判断がなされることがある（たとえば，最判令和2・7・21民集74巻4号1407頁〔Twitterリツイート上告審〕〈判コレ105〉）。これらについては，①発信者とコンテンツプロバイダには潜在的利害対立があり，発信者からの意見聴取義務（法6条1項）があるとしても，発信者の利害が十分に主張されるかには疑問があること，②侵害が「明らか」であることが要件であるから本来は違法性阻却事由の不存在の証明が求められると解されるものの，実際には侵害訴訟の「前段階」であるとの認識に基づき緩やかに請求が認容されているとの指摘もあること，③著作権侵害に際して複数回の通信が行われたときに，開示の対象はあくまで著作権侵害に係る発信者情報であることから，支分権該当行為を拡張的に解釈して開示を認める裁判例が散見されると指摘されている。著作権侵害に係る発信者情報開示請求に係る判決については，その判示を著作権侵害事件一般に妥当するものと評価できるか慎重に見極める必要があるといえるだろう（谷川和幸「発信者情報開示請求事件における著作権法解釈」NBL1172号（2020年）79頁参照）。

第3節　刑　事　罰

　著作権等の侵害行為は，民事的救済の対象となると同時に，基本的には刑事罰の対象ともなる。近年では，著作権法違反に係る刑事事件の数は民事事件の数よりも多く，海賊版事犯については，刑事罰は著作権の主要なエンフォースメントの1つとして機能している。

　著作権，出版権，著作隣接権（以下，著作権等という）を侵害した者は，私的使用目的の複製などの一定の場合を除き，10年以下の懲役（令和4年改正法施行後は，拘禁刑。以下同じ）もしくは1000万円以下の罰金に処され，又はこれらが併科される（119条1項）。また，著作者人格権・実演家人格権を侵害した者は，5年以下の懲役もしくは500万円以下の罰金に処され，又はこれらが併科される（同条2項1号）。権利侵害行為には基本的には刑罰が科され，特に財産権侵害については，侵害の機会の増大，海賊版抑止の必要性などから，数次にわたる法改正により厳罰化されてきている。

　私的使用目的の複製は，侵害行為に該当する場合でも刑罰の対象とならないとされてきたが，平成24年改正により，インターネット上の違法な音楽・動画ファイル等の流通を抑止する目的で，いわゆる違法ダウンロードの一部に刑罰が科されることとなった。すなわち，正規版が有償で提供されている著作物（有償著作物）の違法にアップロードされた録音・録画物を，そのことを知りながらダウンロード（デジタル方式の録音・録画）して著作権等を侵害した場合には，刑事罰の対象となる（119条3項1号）。さらに，令和2年改正により，漫画の海賊版被害が深刻となったことなどを受けて，違法ダウンロード全般（デジタル方式の複製）も刑事罰の対象とされている。但し，情報収集活動の過度の萎縮を避けるため，録音・録画と同じく，有償著作物を違法にアップロードされたことを知りながらダウンロードする場合に限定するとともに，軽微なもの・（翻訳以外の）二次的著作物のダウンロード，及び，著作権者の利益を不当に害しないと認められる特別な事情がある場合を違法化の対象外とし，継続的に又は反復して行った場合に限って刑事罰を科すこととしている（同項2号）。また，平成19年の映画の盗撮の防止に関する法律（映画盗撮防止法）の制定に

310

より，映画の盗撮については著作権法 30 条 1 項は適用されず，私的使用目的であっても刑事罰の対象となることとされている（同法 4 条）。

この他，インターネット上の海賊版対策を目的として，令和 2 年改正によりリーチサイト規制が導入された際に，リーチサイト・リーチアプリにおいて侵害コンテンツへのリンクを提供する行為が著作権等を侵害する行為とみなされ刑事罰の対象にもされるとともに（113 条 2 項・120 条の 2 第 3 号），リーチサイトを公衆に提示する行為（119 条 2 項 4 号）及びリーチアプリを公衆に提供する行為（同項 5 号）も，一定の要件のもと刑事罰の対象とされた。サイトの運営・アプリの提供行為が，113 条 3 項に該当しない限り著作権等の侵害とはみなされないのに，およそ刑事罰の対象とされた理由は，個々の著作権者等の利益を害するというより，多数の著作権等の侵害を助長し社会的な法益侵害を及ぼすものといえるからである。なお，自動複製機器の営利目的の供用（119 条 2 項 2 号），113 条のみなし侵害行為の一部（同項 3 号・6 号，120 条の 2 第 4 号～6 号），著作者・実演家が存しなくなった後の人格権侵害となるべき行為（120 条），技術的保護手段・技術的利用制限手段の回避及びその回避装置等の譲渡等（120 条の 2 第 1 号・2 号），著作者名の虚偽表示（121 条），出所明示義務の違反（122 条）などについても，刑事罰が科される。

著作権法の違反の罪は全てが故意犯であって過失犯はない。また，多くが親告罪であるが（123 条 1 項），これは，著作権，著作者人格権はあくまで私権であり，権利者の事後的許諾により適法化される場合や黙示的に権利者がその利用を寛容している場合も少なくないことから，刑事責任を追及するか否かは，あくまで被害者たる権利者の判断を待ってから行うことが適当であると考えられるからである。但し，TPP11 協定の発効を受けて，権利者の告訴がなくても海賊版等に対処できるようにするため，一定の悪質な著作権等侵害行為が非親告罪とされた（平 30・12・30 施行）。非親告罪となるのは，①有償著作物を，②侵害行為の対価として財産上の利益を得る目的，又は，有償著作物の提供・提示により権利者の得ることが見込まれる利益を害する目的で，③原作のまま，④公衆に譲渡・公衆送信（又はこれらのために複製）する行為であって，⑤有償著作物の提供・提示により権利者の得ることが見込まれる利益が不当に害されることとなる場合に限られる（同条 2 項）。いわゆる海賊版の販売・ネット配信

等に対象を限り，同人誌等の二次創作活動がその対象とならないよう配慮されている。

著作権法違反の罪の教唆及び幇助も犯罪となる（刑 61 条・62 条）。著作権侵害の幇助については，著作権侵害に用いられた機器・装置などを提供する者がどこまで刑事罰の対象となるのか。それが「不特定多数者に対する幇助」であり，必ずしも著作権侵害につながるとは限らない「中立的行為による幇助」である場合，特に問題となる。最高裁は，適法用途にも著作権侵害用途にも利用できるファイル共有ソフト Winny をインターネットを通じて不特定多数の者に公開提供する行為につき，被告人が常時 Winny の利用者に対して著作権侵害のために利用することがないよう警告を発していたなどの事実関係の下では，現に行われようとしている具体的な著作権侵害を認識・認容しながら行ったものではないことは明らかなうえ，例外的とはいえない範囲の者がそれを著作権侵害に利用する蓋然性が高いことを認識・認容していたとまで認めることが困難であるとして，著作権法違反罪の幇助犯の故意が欠けるとして，被告人を無罪としている（最決平成 23・12・19 刑集 65 巻 9 号 1380 頁〔Winny〕〈判コレ 130〉）。

第8章
権利の活用

第1節　総　　説
第2節　著作権の譲渡等
第3節　著作物の利用許諾，出版権
第4節　著作権の共有・共同著作物
　　　　の著作者人格権
第5節　著作権の取引の円滑化

第1節　総　　説

　著作権，著作隣接権は，財産権として取引が可能である。著作権者は，排他権としての著作権を有することで，著作物を自ら独占的に利用して収益をあげることができるし，そのような地位を他者に譲渡したり出版社などの事業者に利用許諾をして，対価を得ることもできる。

　また，著作物利用のニーズには様々なものが存在する。著作物を利用する場合は，権利制限規定の適用がある場合は別として，原則は，利用の前に権利者から利用許諾を得ておく必要がある。

　著作物の利用許諾は事前に個別に得ておくことが原則であるが，それを当事者に任せるだけでは取引が円滑に進まない場合も多い。利用を円滑に進めるために権利制限規定を設けることも考えられるが，そのために自由使用を認めることは必ずしも相当ではない。昨今は，取引を円滑化するための様々な仕組みの整備の必要性が議論されている。これらに関し，本章では，著作権の譲渡・利用許諾に関するルールと制度，権利者が複数いる場合の扱い，及び，著作権

の取引を円滑にするための様々な制度について述べる。

第2節　著作権の譲渡等

1 譲　　渡

(1)　総　　説

　著作権，著作隣接権は，他の財産権と同様に，譲渡することができる（61条
1項・103条）。一方，著作者人格権・実演家人格権は一身専属性があり，譲渡
することができない（59条・101条の2）。

　著作権の譲渡は，当事者の意思表示のみによってその効力を生ずる。著作権
を譲渡する契約の成立には書面などの方式はなんら必要としないし，特許権な
どとは異なり著作権の移転の効力の発生に登録などの形式も必要ない。但し，
著作権の移転の効力を第三者に対抗するには，登録を経る必要がある（77条1
号）。著作権を譲渡する契約は黙示で行われることもあり，当事者の合理的意
思解釈により著作権の譲渡契約が認定されることもある。

(2)　一部譲渡

　著作権，著作隣接権は，特許権や物権とは異なって，その一部を譲渡するこ
とができる（61条1項・103条）。著作権を，内容，場所，時間により分割して
譲渡することができる。複製権，翻案権などの支分権ごと，あるいは，複製権
のうち録音権のみなどの譲渡，期限を定めた譲渡などができると解されている。

　しかし，細分化した譲渡がどこまでできるかには議論があり，際限のない細
分化に対しては否定的な見解も有力である。著作権の移転契約が書面でなされ
るとは限らないことなどからすると権利関係の錯綜を招きやすいので，取引の
安全の観点からは，細分化を認めることには慎重であるべきである。一方で，
著作権法には，後述の出版権のほかは，特許法における専用実施権のような，
物権的な権利を設定することによる利用許諾の仕組みがないので，現実の取引
のニーズに応えるためには，一部譲渡を積極的に認める必要性がある。少なく
とも，各支分権や録音権・録画権などに分割して譲渡すること，明確な期限を

314

定めて譲渡することなど，それが社会的に混乱なく受け入れられる範囲であれば，一部譲渡は積極的に認められると考えられる。

(3) 譲渡の範囲

著作権，著作隣接権は，上述の一部譲渡の制約や強行規定に反しない限り，当事者の意思に従って，自由にその全部又は一部を譲渡することができる。権利のどの範囲が譲渡されたかに争いがあるときは，当事者の合理的意思解釈によって確定される。

(a) **翻案権等の留保の推定（61条2項）**　もっとも，著作権を譲渡する契約において，翻案権等の27条又は28条に規定する権利については，譲渡の目的として特掲されていないときは，これらの権利は譲渡した者に留保されたと推定される（61条2項）。例えば，画像投稿サイトに，自らが創作したキャラクターの絵を投稿した場合において，その規約に「投稿作品の著作権は本サイトに帰属する」と定められていたとしても，キャラクターの絵を翻案してグッズを作成する権利，作成した物を利用する権利は元の著作権者に留保されたと推定される。本規定の趣旨は，このような画一的フォームによる著作権譲渡を念頭に，経済的弱者の地位にある著作権者を保護する必要性があるからなどと説明される。しかし，この規定の合理性については疑問視する見解もある。

本規定は，あくまで推定であるので，明示・黙示を問わず，これと異なる当事者の合理的意思を認定できれば，27条・28条の権利は譲渡されたものと認められる。自治体のマスコットキャラクター公募の際に，翻案権等の特掲がなかった場合においても，キャラクターの立体使用の予定が明示されていたことなどを根拠に，推定の覆滅が認められた例がある（大阪高決平成23・3・31判時2167号81頁〔ひこにゃん〕〈判コレ132〉）。また，プログラムやデータベースのような，頻繁な翻案等が予定される著作物の著作権が譲渡された場合には，契約書に明文で特掲されていなくても，推定が破られる場合も少なくないと考えられる（知財高判平成18・8・31判時2022号144頁〔システムK2〕）。

(b) **未知の利用方法に係る権利の譲渡**　契約時には未知の新たな利用方法に関する権利について，必然的に明示の意思表示がなされていないので，譲渡の範囲に含まれるかが争いとなることがある。例えば，契約時になかった支分

権が後から創設された場合，技術の進歩により新たな利用形態が生じた場合などに問題となる。このようなときは，原則に従い，当事者の合理的な意思解釈によって譲渡された範囲を決することになる。

　たとえば，一部譲渡において内容が「放送権」などと限定されていたのだとすれば，未知の利用方法がそれに含まれるかの解釈を行えばよい。一方，「一切の権利」など包括的な形で譲渡の対象が示されている場合には，未知の利用方法も含めて譲渡されたと解釈される場合も多いだろう（契約条項，契約締結時の諸事情，対価の相当性などを総合考慮し，「一切の権利」に契約後立法された実演家の「送信可能化権」も含まれるとした例として，東京地判平成 19・4・27 平 18(ワ) 8752・16229〔HEAT WAVE〕〈判コレ 131〉がある）。

2 信　託

　著作権，著作隣接権の信託とは，委託者が受託者に権利を譲渡するなどし，受託者は，一定の目的に従って，権利の管理・処分等を行うものである。信託は，信託契約，遺言などによって行われる。信託は，後述の著作権の集中管理において活用されてきたが，平成 16 年の信託業法の改正により，従来はできなかった著作権等の知的財産権の信託業が多種多様に可能となった。これを受けて，著作権等の管理・運用に信託が更に活用され，資金調達の手段としても活用されることが期待される。

3 担 保 権

　著作権，著作隣接権，出版権に対しては，質権を設定することができる。また，譲渡担保も可能である。設定には特に何の方式も要さないが，質権の設定を第三者に対抗するには，登録が必要である（77 条 2 号・88 条 1 項 2 号・104 条）。

　著作権者，著作隣接権者は，設定行為に別段の定めのない限り，質権が設定された場合でも権利を行使することができる（66 条 1 項・103 条）。したがって，所有権に対して抵当権が設定されたときのように，権利者は担保権を設定しても，権利の活用を継続することができる。但し，出版権を設定するには，質権が設定されているときは，質権者の承諾が必要である（79 条 2 項）。

　著作権，著作隣接権を目的とする質権は，権利の譲渡・利用について権利者

が受けるべき金銭その他の物に対しても行うことができる（66条2項・103条。物上代位）。

第3節　著作物の利用許諾，出版権

1 利用許諾

(1) 総　説

　著作権者は，他人に著作物の利用を許諾することができる（63条1項）。利用許諾を得た者は，その許諾に係る利用方法及び条件の範囲内において，その著作物を利用することができる（同条2項）。利用許諾に係る著作物を利用することができる権利を，**利用権**という（同条3項）。著作隣接権についても同様である（103条）。

　利用許諾は，権利者の意思表示によってその効力が生じる。権利者と利用者との契約によることが通常だが，権利者が自由利用の宣言をなすなどの単独行為により許諾を与えることもできる。利用許諾は要式行為ではないので，成立に文書等は必要ではない。

　利用許諾とは，排他権である著作権について，無断で著作物を利用する者に対し行使できる著作権侵害に基づく請求権を，行使しないことを約するものである。したがって，利用許諾は，当該権利者との関係で，当該利用行為を行っても権利侵害とならない権原を与えるものに過ぎず，特許法における専用実施権のような排他的地位をもたらすものではない。なお，利用許諾の際に，他の者に利用許諾をしない債務を権利者が負う場合，これを**独占的利用許諾**と呼ぶことがある。

(2) 利用許諾の範囲

　利用許諾は，利用方法及び条件の限定を付すことができる（63条2項参照）。限定は，強行規定に反しない限り，当事者の意思に従って自由に付すことができる。どの範囲で利用許諾がなされたかに争いがあるときには，当事者の合理的意思解釈によって確定されるのが原則である。

(a) **放送・有線放送の許諾と録音・録画の許諾（63条4項）**　但し，63条4項は，放送又は有線放送の許諾については，契約に別段の定めがない限り，録音又は録画の許諾を含まないとしている（103条で隣接権にも準用）。法は，放送・有線放送の許諾と録音・録画の許諾を峻別し，放送の許諾が与えられても，44条（実演家権については93条1項も利用可能）の権利制限に該当する範囲でしか，録音・録画を認めないこととしている。また，実演家権については，放送・有線放送の許諾を与えたのか，録音・録画の許諾を与えたのかで，ワンチャンス主義の適用があるかの差もある（⇒第6章）このような放送・有線放送と録音・録画の峻別に合理的な根拠があるかについては疑問視する見解もある。

(b) **放送・有線放送の許諾と同時配信の許諾**　63条5項によれば，権利者が放送同時配信等を業として行う一定の事業者（特定放送事業者等）に対し，放送番組・有線放送番組での著作物利用を許諾した場合には，別段の意思表示をした場合を除き，放送同時配信等の許諾を含むものと推定される。放送同時配信等とは，放送とのインターネット同時配信に加えて，いわゆる追っかけ配信や見逃し配信も含む概念である（2条1項9号の7）。この規定は，放送番組の同時配信等に係る権利処理を円滑化することを目的として，令和3年改正により創設されたものである。放送番組には数多くの著作物が利用されているが，現実的には，放送事業者が関係する全ての権利者と明確に契約を締結するには相当の困難が伴う。その結果，権利者が同時配信されても構わないと考えている場合でも「フタかぶせ」（明確な許諾が取れていない部分を視聴できないようにすること）が行われているとされている。このため，放送と放送同時配信等の権利処理が同時にできるよう，本規定が設けられた。

なお，本規定の創設と合わせて，放送に関する権利制限規定を放送同時配信等にも適用できることとしている（34条1項，38条3項，39条1項，40条2項，44条，93条。但し，38条3項については同時配信及び追っかけ配信のみ）。また，著作物の放送に係る裁定制度を，放送同時配信等についても利用できることとされた（68条）。

(c) **未知の利用方法に係る利用許諾**　譲渡のときと同様に，許諾時になかった支分権が後から創設された場合，技術の進歩により新たな利用形態が生じた場合など，未知の利用方法が許諾の範囲に含まれるか争いになることがある。

これも原則に従い，当事者の合理的な意思解釈によって許諾された範囲を決することになる。

利用許諾において個別の利用態様の限定がある場合には，未知の利用方法がそれに含まれるかの解釈を行えばよい。その際には，著作権者は許諾した利用態様について対価を受け取っていることに鑑み，未知の利用方法が当初想定された利用態様と経済的に同視しうるかどうかが1つの大きな基準となるといえるだろう。一方，包括的な利用許諾がなされている場合には，未知の利用方法も含めて許諾されたと解釈される場合も多いだろう。

(d) **利用許諾違反の法的効果**　利用許諾に示された利用方法や条件に違反した場合，当該許諾が契約に基づくものであれば債務不履行責任は問いうるが，著作権侵害の責めは負うであろうか。利用方法や条件としては，利用の態様・形態，利用場所，利用時間，対価の額等様々なレベルのものがあるが，それらの違反は全て著作権侵害となるか。この点，利用許諾違反が，当事者間の債務不履行の問題ではなく著作権侵害となるのは，重大な違反行為が行われた場合に限ると解する立場が一般的である。

重大な違反行為とはどのような場合がそれにあたるかについて見解は分かれており一致を見ないが，ライセンス料不払いで利用を継続しても著作権侵害とならず，債務不履行に留まると一般的には考えられている。なお，63条6項（103条で準用）は，送信可能化の許諾に付せられた条件のうち「送信可能化の回数」と「送信可能化に用いる自動公衆送信装置」についての違反は，著作権侵害とはならない旨を定めている。この点における違反は，自動公衆送信装置の保守点検の際などに起こりうる事態であるため，重大な違反行為とはいえず著作権侵害とはならないことを明確化する趣旨であるとされている。

(3) 利用許諾の当事者と第三者の関係

(a) **侵害者との関係**　利用権は，あくまで，利用者が著作権等の権利者に対して有する債権である。一般に著作権者は同じ利用態様につき，同時に複数人に対して利用許諾を出すことができるのであるから，第三者が著作権侵害行為を行った場合であっても，利用権者がその地位に基づいて，当該第三者に対して何らかの権利行使をすることはできないのが原則である。

但し，独占的利用権者にあっては，特許における独占的通常実施権者の場合と同様に，権利侵害行為を行った第三者に対して，固有の損害賠償請求をなしうると解する見解が一般的である。また，差止めについても特許と同様，権利者の差止請求権を代位行使できる（民423条）と解する説が有力である（⇒特許法における同様の議論につき，第2編第8章第5節**5**）。

(b) **利用許諾の新旧当事者間の関係**　利用権は，著作権者の許諾がなければ，第三者に譲渡することができない（63条3項・103条）。利用権者が誰かは著作権者に大きな影響を与えるので，同意なしにはその地位を移転することができないとするものである。利用権を譲渡する場合，利用許諾契約があるときは，契約上の地位の移転として行われることになる。

一方，著作権が譲渡された場合，新たな著作権者に対して，利用権者は自らの利用権を対抗することができる（63条の2）。令和2年改正により，特許法と同様の当然対抗制度（⇒第2編第8章第5節**4**）が導入された。これにより従来不安定だったライセンシーの地位が強化され，安心して著作物利用を継続することができるようになった。

2 出 版 権

(1) 総　　説

著作物の利用権は，基本的には債権であって，一定の独占的利用権の場合を除き，侵害者に対して何らかの請求をすることはできない。しかし，出版については歴史的に著作物利用の典型的な形態であったことから，**出版権**という物権的な利用権（用益物権類似の権利）が設けられている。出版権者は侵害者に対し差止請求，損害賠償請求をなすことができ（112条・114条，民709条），登録により第三者対抗要件を備えることができる（88条1項1号）。

従来は，出版権が設定できるのは，文書・図画としての出版に限られていたが，平成26年改正により，紙媒体による出版のみならず，CD-ROM等による出版やインターネット送信による電子出版も出版権の対象とできることとなった（79条）。これは，電子書籍が増加する一方で，インターネット上での海賊版被害が増加していることから，出版権者による違法送信に対する差止めを可能にすることなどを目的とするものである。

(2) 出版権の内容

(a) **出版権の設定と内容**　　出版権は，複製権又は公衆送信権を有する者（複製権等保有者）が，出版行為（文書又は図画としての出版（紙媒体だけでなくCD-ROM等による出版も含む））又は公衆送信行為（インターネット送信による電子出版）を引き受ける者に対し設定することができる（79条1項）。出版権の設定は，当事者の意思表示によりその効力を生じ，何らの方式も要さない。但し，実務上は，書面による出版権設定契約書が交わされる必要があるとの運用がなされているので，書面がないときに当事者の合意を証明することは難しい。

　　出版権者は，設定行為の定めるところにより，頒布の目的をもって原作のまま文書又は図画として複製する権利（80条1項1号，第1号出版権）及び原作のまま記録媒体に記録された著作物の複製物を用いてインターネット送信を行う権利（同項2号，第2号出版権）の全部又は一部を専有する。出版権は，第1号出版権・第2号出版権の全部について設定することもできるし，例えば，第1号出版権のうちの紙媒体による出版のみに設定することもできる。

　　出版権の存続期間は設定行為で定めたところによるが（83条1項），定めがないときは，最初の出版行為等から3年で消滅する（同条2項）。また，出版権には関係する著作権の権利制限規定が準用される（86条）。

(b) **複製権等保有者と出版権者の権利義務**　　複製権等保有者は，設定行為に別段の定めがある場合を除き，設定行為の範囲内での出版行為，公衆送信行為はできなくなる（但し，80条2項に例外）。もっとも，侵害者に対しては，出版権設定後でも，差止請求は可能であると解される（⇒第2編第8章第4節**4**）。

　　一方，出版権者は，設定行為に別段の定めがある場合を除き，出版義務及び継続出版義務を負う（81条）。これに違反した場合，複製権等保有者は出版権の消滅の請求をすることができる（84条1項・2項）。出版権の譲渡，質権の設定については，複製権等保有者の承諾が必要である（87条）。また，サブライセンスは，平成26年改正前はできないと定められていたが，現在では，明文で複製権等保有者の許諾を得た場合に限り可能であるとされた（80条3項）。

(3) 著作者の人格的利益保護

　　著作者は，出版権者がその著作物を改めて複製したり公衆送信を行う場合に

おいて，正当な範囲内で修正又は増減を加えることができる（82条1項。修正増減権）。これは，著作物の内容が時間の経過により著作者の意に沿わないものとなった場合などにおいて，著作者の人格的利益を保護するための規定である。出版権者は，改めて複製しようとするときにはその都度，著作者に対する通知義務を負う（同条2項）。

また，著作者が複製権等保有者である場合は，その著作物の内容が自己の確信に適合しなくなったときは，その著作物の出版行為等を廃絶するために，出版権者に通知して出版権を消滅させることができる（84条3項，出版権消滅請求権）。これも同様に著作者の人格的利益保護のための規定である。但し，出版権者には通常生ずべき損害を予め賠償する必要がある（同項但書）。

第4節　著作権の共有・共同著作物の著作者人格権

1 著作権の共有

（1）　総　　説
　共同著作物の著作者は，その著作物について著作権を共有する。また，著作者が一人の場合であっても，持分権の譲渡が行われることなどにより，著作権の共有が発生することもある。著作権も財産権の一種であり，権利者相互の関係は，法令に特別の定めがない限り，準共有として民法249条以下の規律を受ける（民264条）。著作権法は，65条に共有著作権について特則を置いており，ここに定められた事項は民法に優先して適用される。本節では，著作権法独自の規律を中心に解説する。

（2）　共有著作権の行使
　(a)　**権利の一体的行使の原則**　　共有著作権は，その共有者全員の合意によらなければ，行使することができない（65条2項）。ここでいう「行使」とは，著作権の内容を具体的に実現する積極的行為のことを指すとされている。すなわち，他者への著作物の利用許諾，出版権の設定，自己利用などを指す。侵害者に対する差止請求などは「行使」には含まれず，それぞれ単独で行うことが

可能である（117条）。民法249条は，各共有者は共有物の全部について持分に応じた使用ができるとし，また，252条では共有物の管理に関する事項は各共有者の持分の過半数で決するとされているが，著作権法では全員の合意が必要とされている。著作物の利用行為は多種多様であり，それを誰に行わせるかは財産権としての著作権の価値を決定づける行為ともいえることから，原則として全員の合意を求めることとしたものと考えられる。但し，予め著作権を代表して行使する者を定めることはできる（65条4項・64条3項）。代表権に制限を加えることもできるが，善意の第三者にそれを対抗することはできない（65条4項・64条4項）。

(b)　**正当な理由**　　もし共有者間で著作物の利用に関して合意が調わない場合，著作物の利用は完全にストップし他の共有者が利益を上げることもできないのであろうか。この点，著作権法は，**正当な理由**がない限り，権利行使についての合意の成立を妨げることができないとしている（65条3項）。共有者の一部が合意の成立を妨げている場合，それに正当な理由がない限り，他の共有者は反対する共有者から同意の意思表示を命ずる判決（民執177条）を得て，著作物の利用を進めることができる。なお，反対する共有者の合意を得ずに，他の共有者が著作物の利用を自らし又はさせた場合に，反対する共有者が正当な理由がなく合意の成立を妨げていることを，被疑侵害者が抗弁として主張し侵害を否定できるかについては，肯定説と否定説とで見解が分かれている。

「正当な理由」とはどのような理由がそれにあたるかについては議論がある。1つの考え方として，権利行使ができないことによる一方の共有者の不利益と権利行使により他方の共有者が被るおそれのある不利益とを，共有者の主観的判断も含めて，総合的に比較衡量し，不行使の不利益が行使の利益を上回るときに正当な理由が認められるという見解がある。裁判例には，著作物の内容を学問的に見直す必要を感じていることなども考慮して，比較衡量のうえ正当な理由の存在を認めたものがある（東京地判平成12・9・28平11(ワ)7209〔戦後日本経済の50年〕〈判コレ133〉）。一方で，著作物の利用円滑化を重視し，比較衡量において経済的利益のみを考慮の対象とする見解も有力である。更に，合意が成立しないときには共有物分割請求（民256条）が可能なことにも鑑み，非排他的な利用について他の共有者が金銭的補償を申し出ている場合には，原則と

して合意の成立を妨げる正当な理由はないという見解もある。

　なお，ある作品 X が①A と B の共同著作物である場合，②A の著作物を原著作物とする B が著作者である二次的著作物である場合，③A が著作者である著作物 X₁ と B が著作者である著作物 X₂ との結合著作物である場合のいずれにおいても，X の利用には A，B 双方の同意が必要となる（但し，③の場合は，それぞれからのみ同意を得れば，X₁ 又は X₂ を個別に利用することが可能である）。しかし，②③の場合は共有とは異なり，65 条 3 項に相当する規定がないので，A 又は B は正当な理由がなくても同意を拒むことができる。

(3)　共有著作権の持分権の処分

　共有著作権については，各共有者は，他の共有者の同意を得なければ，その持分を譲渡し，又は質権の目的とすることができない（65 条 1 項）。これは，前記の通り，共有著作権の行使は一体的に行使する必要があるので，知らぬ間に持分が譲渡されることを防ぐため，他の共有者の同意を必要とするものである。但し，権利の行使と同様，正当な理由（他の共有者が持分の買取りを申し出ているなど）がない限り同意を拒むことはできない（同条 3 項）。

2　共同著作物の著作者人格権

(1)　権利の一体的行使の原則

　共同著作物の著作者人格権は，著作者全員の合意によらなければ行使することができない（64 条 1 項）。ここでいう「行使」とは，著作者人格権の内容を具体的に積極的に実現する行為であり，未公表作品の公表時期の決定，著作者名の表示の変更，著作物の内容の変更などを指す。侵害者に対する差止請求等は各著作者が単独で行える（117 条）。これは，このような「行使」を行うことは必然的にそれを望まない著作者の人格的利益を害することになるため，予め全員の合意を必要とするものである。予め権利を代表して行使するものを定めることはできる（64 条 3 項。代表権に制限を加えた場合につき同条 4 項）。

(2)　信義に反した合意の拒絶

　もっとも共同著作物の各著作者は，64 条 1 項の合意の成立を信義に反して

妨げることができない（64条2項）。著作者の一部の反対で権利の行使が絶対にできないとすることは，逆に他の著作者の人格的利益の侵害を認めることになるし，著作物の利用も滞るからである。一方で，共有著作権の場合と異なり，合意の拒絶は**信義に反して**いなければ許されるとしており，著作者のこだわりなどに基づく拒絶も基本的に尊重されると解されている。信義に反しているとされるのは，嫌がらせで反対する場合や，社会通念上許容されるべき軽微な人格的利益の侵害しかない場合などに限られる。

　著作者の一部が信義に反して合意の成立を妨げている場合，他の著作者は，同意の意思表示を命ずる判決（民執177条）を得て，権利の行使をすることができる。

第5節　著作権の取引の円滑化

1 著作権の集中管理

(1) 総　　説

　著作物を利用する場合，事前に各著作権者から許諾を得る必要があるのが原則である。しかし，各著作物について各著作権者から許諾を得る作業は，利用者にとって，その利用価値に比して多大な時間と労力を要する場合も少なくない。この点は著作権者にとっても同様であり，利用許諾を与えたいと思っていても取引費用の観点からそれを断念せざるをえない場合がある。

　著作権の**集中管理**とは，上記のような問題を解決するための仕組みの1つであり，集中管理団体が多数の著作権等の権利の委託（信託・委任）を受け，利用者に対する著作物利用の許諾などの権利の管理を行うという仕組みのことである。集中管理団体は，利用者との利用許諾契約の締結，使用料の徴収，徴収した使用料の権利者への分配，侵害者に対する訴訟遂行などを行う。

　著作権の集中管理は，特に音楽の分野で活用されており，集中管理団体として日本音楽著作権協会（JASRAC）などがある。デジタル化・ネットワーク化により著作物の利用形態が多様化していく中，著作物の利用を円滑化するため，著作権の集中管理の役割がより一層期待されている。一方で，集中管理団体間

の競争のあり方を巡って議論があり，音楽著作権の管理事業者の行為が独禁法違反に問われた事件もある（最判平成 27・4・28 民集 69 巻 3 号 518 頁〔JASRAC〕）。

(2) 著作権等管理事業法

著作権の集中管理を行う者は，著作権等管理事業法の「著作権等管理事業」を行う者（**著作権等管理事業者**）として，文化庁長官の登録を受ける必要がある（同法 3 条）。また，著作権等管理事業者は，管理委託契約約款の届出（同法 11 条），使用料規程の届出（同法 13 条 1 項）をする必要がある。著作権等管理事業者は，正当な理由がなければ利用の許諾を拒んではならない（同法 16 条）。そして，使用料規程を定める際の利用者からの意見の聴取（同法 13 条 2 項）が定められており，シェアが大きいなど一定の要件の下，文化庁長官から指定を受けた指定著作権等管理事業者にあっては，利用者との協議は義務であり（同法 23 条 2 項），使用料規程についての裁定制度も設けられている。文化庁長官の関与の下，適切な条件で集中管理が行われることが企図されているといえよう。

2 裁定による著作物の利用

利用者は，一定の要件の下，文化庁長官の**裁定**を受け補償金を支払うことにより，著作物を利用することができる。これは，強制許諾ともいわれ，権利者と利用者の間で自発的な利用許諾が行われることが取引費用の点から望めないときに，利用を円滑化するため，強制的に利用権を設定することを認めた制度である。

現在裁定制度としては，①著作権者不明等の場合（67 条・67 条の 2），②公表された著作物の放送・放送同時配信等（68 条），③最初の販売から 3 年経過した商業用レコードの録音を用いた他の商業用レコードの製作（69 条）の 3 種類が定められている。②③は実際には利用されていないが，①については，下記の権利者不明著作物問題の解決のため，積極的な役割を果たすことが期待されている。

> ■ Column Ⅲ8-1　**権利者不明著作物（孤児著作物）問題**
> **権利者不明著作物**又は**孤児著作物**（orphan works）とは，利用者が相応の努力を払っても，権利者又はその所在を知ることができない著作物をいう。保護

期間が長期化した著作物の権利者を探し当てることは一般に困難であること，権利者情報の情報源の整備が行われていないこと，近年の情報化社会の下，著作者の増大・多様化及び著作物利用行為の増大・多様化が進んでいることなどから，権利者不明著作物の増大は深刻な状況を呈しており，権利者不明著作物への対応は，世界的に喫緊の課題となっている。我が国はこの問題に対処するため，67条において著作権者不明等の場合における裁定制度を有している。

権利者不明著作物は，①公表されていること（又は相当長期間にわたって公衆に提供・提示されていることが明らかであること），②著作権者の不明等の理由により「相当な努力」を払ってもその著作権者と連絡ができないこと（著作権法施行令7条の5で定める場合であること。更に細部は文化庁長官が定め告示する）を要件に文化庁長官の裁定を受け，かつ，③通常の使用料相当額の補償金（文化庁長官が定める）を供託すれば，著作物を利用することができる。

平成21年の法改正により，「相当な努力」を払った場合を政令で明確化することとなり，裁定申請中からも利用を開始できる制度が新設され（67条の2），著作隣接権についても本制度を利用できることとなった（103条）。更に，平成26年には「相当な努力」の内容を緩和するため告示（平成21年文化庁告示第26号）の改正が行われ，平成28年にも一度裁定を受けた著作物の利用をしやすくするための告示の改正が行われ，平成29年に裁定の申請手数料の値下げがされた（著作令11条）。このように継続的に改善は図られているが，なお利用者にとって負担が大きい面もあり必ずしも十分に問題を解決できていないという指摘もある。今後も本制度の改善を継続するとともに，他の権利の制限などの選択肢も視野に入れて，適宜の政策手段を採用していく必要があるだろう。

3 登　録

著作権法は，75条以下に登録制度を設ける。我が国は無方式主義をとっているので登録は保護の要件とはなっていないし，権利者情報を包括的に集約する機能があるわけでもないので，登録が取引の中で果たしている役割は限定的である。

著作権法には，無名・変名の著作物の著作者を推定するための実名の登録（75条），最初の発行・公表の年月日を推定するための第一発行年月日・第一公表年月日の登録（76条），プログラムの著作物の創作年月日を推定するための創作年月日の登録（76条の2），権利の移転・質権の設定等を第三者に対抗するための登録（77条。⇒第2節）が定められている。

第4編
意匠法

第1章 意匠法総説

第1節　意匠法の意義と機能
第2節　意匠法の特徴

第1節　意匠法の意義と機能

　意匠法は「意匠の保護及び利用を図ることにより，意匠の創作を奨励し，もって産業の発達に寄与することを目的とする」（1条）。もっとも，発明の場合と比較して，意匠の創作を奨励することが産業の発達に結びつく理由を説明することは簡単ではない。この点については，創作物としての意匠に保護すべき価値を見出す立場のほか，意匠の創作によって物品等を差別化し，その保護によって需要者の混同を防止することで，不正な競争を阻止し，流通秩序を維持することが可能となる点に注目する立場や，より良い意匠の創作・採用により，需要者の購買意欲を掻き立てて需要を喚起し，もって国家の経済発展が促される点に注目する立場等がある。ここでの考え方の違いは，意匠の類似を検討する際に影響を及ぼすことになる。

第2節　意匠法の特徴

1 特許法類似の制度

　意匠法は特許法に類似した制度を採用しており，意匠の**創作者**は**意匠登録を受ける権利**を取得する。職務発明制度の準用があり（職務創作（職務意匠）。15

条3項，特許35条），また冒認出願に係る取扱い（26条の2・29条の3等）も概ね特許法と同様である。

　また，意匠権を取得するには，先願主義の下で，意匠登録出願をしなければならない点も，特許法と同様である。その上で，審査官による審査を経て，意匠登録要件を充足する場合には，登録査定・意匠登録を受けることで，意匠権が付与される。もっとも，出願書類における図面等の重要性や，訂正審判が用意されていない点等，違いも存在する。特に意匠法においては，公開された特許技術を基にした技術の累積的進歩といった事情（⇒第2編第1章第1節(3)）は，特許法ほどには重視されていない。むしろ，発明と比較して模倣の簡単な意匠に関しては，その公開のデメリットが非常に大きいものと解されている。そのため，意匠法には出願公開制度が用意されておらず，また更には，意匠登録を受けた後，一定期間の間，登録意匠の意匠公報への掲載を防ぐ秘密意匠制度が用意されている（14条1項）。

　意匠権の効力についても，特許法と概ね同様であり，意匠に係る業としての実施（⇒第4章第1節**1**）につき，絶対的な権利として，排他的独占権を取得する。但し，意匠権は登録意匠及びこれに類似する意匠に係る業としての実施に及び（23条），また存続期間は出願から25年である（21条1項）。

　そのほか，意匠権の活用や実施権についても概ね同様の制度となっている。

　国際的側面に関しては，特許法と同様，パリ条約に係る優先権制度の適用を受ける（15条1項，特許43条1項～4項・8項及び9項・43条の3）。また意匠に係る国際出願制度として，ハーグ協定のジュネーブ改正協定に基づく出願が認められている（60条の3以下）。

2 他の知的財産法との関係

　意匠法はデザイン保護を主目的とした制度であるが，デザインは他の知的財産法においても保護されうる。例えば，機械部品の形態等については，発明や考案として，特許法や実用新案法による保護を受けられる。また，商品の立体的形状に関しては，商標法において立体商標としての保護（⇒第5編第2章第3節**2**(3)(b)(i)）を受けられる。加えて，一部のデザインについては，著作権法において，応用美術としての保護を受けられるものもあろう（⇒第3編第2章第

2節**4**(2))。更に，不正競争防止法は，他人の商品の形態を模倣した商品を譲渡等する行為を，不正競争として規制の対象としており（不正競争2条1項3号⇒第6編第3章），意匠法同様のデザイン保護法としての側面を有する。また，不正競争防止法に関しては，商品形態が商品等表示として保護される場合も想定される（同項1号・2号）。各制度の特徴を理解し，その組合せによってデザインを保護していこうとする姿勢が重要である。

第2章
意匠の登録要件

第1節　総　　説
第2節　意　　匠
第3節　工業上の利用可能性
第4節　新　規　性
第5節　創作非容易性
第6節　不登録事由

第1節　総　　説

　意匠法は，以下に紹介するように，一定の要件をみたす意匠を保護する（3条1項柱書参照）。

　なお，既に触れたように，意匠法では特許法同様の**先願主義**も採用されている（9条）。同一又は類似の意匠については，先願主義の下，原則として最先の出願人のみが意匠登録を受けることができる。

　但し，同一人が相互に類似する意匠を出願する場合にあっては，1つのデザインコンセプトに基づくバリエーションの意匠を保護することを認めるべく，**関連意匠**という特殊な制度によって，例外的に，権利範囲の重複する意匠について保護を受ける余地を認めている（10条）。具体的には，類似する意匠のうち1つを本意匠とし，それに類似する他の意匠を関連意匠として出願することで，9条の適用を受けず，いずれの意匠についても意匠登録を受けることができる。更に，令和元年改正により，まず，①連鎖的に類似する意匠も関連意匠として追加できるようになった（なお大元の本意匠を基礎意匠と呼ぶ）。また，②

333

本意匠の登録後，その意匠が公開されていても，なお基礎意匠の出願から10年間，関連意匠出願が可能となったことで，一種の新規性喪失の例外としても機能することとなった。本意匠，関連意匠とも，通常の意匠の場合と同様の権利範囲を有する。もっとも，関連意匠は同一人にすべての権利が帰属するために例外的に重複登録を認めるものであることから，例えば登録後にこれらに係る意匠権を分離して移転することが禁止される（22条1項）等，特則が設けられている。

第2節 意 匠

1 意匠の定義

意匠法2条1項は，意匠について，「物品（物品の部分を含む。以下同じ。）の形状，模様若しくは色彩若しくはこれらの結合（以下「形状等」という。），建築物（建築物の部分を含む。以下同じ。）の形状等又は画像（機器の操作の用に供されるもの又は機器がその機能を発揮した結果として表示されるものに限り，画像の部分を含む。……以下同じ。）であって，視覚を通じて美感を起こさせるものをいう」と規定している。この点，令和元年改正前は，①物品の意匠のみが保護対象とされていたが，同改正を経て，保護対象は①物品の意匠，②建築物の意匠，③画像の意匠の3つとなった。

以下では，物品の意匠に関する説明を行った上で，建築物の意匠，画像の意匠については，その後に説明することにする。

2 物品の意匠

物品の意匠については，条文から，①物品性，②物品の「形状，模様若しくは色彩若しくはこれらの結合」（形状等）であること，③視覚性，④美感の4つの要件が導かれる。

(1) 物 品 性

物品の意匠に該当するためには，物品と一体のもの，すなわちその意匠が物

品に係るものでなければならないとされている（物品性）。ここでの物品とは，立法当時の保護の必要性に鑑みたものか，一般に有体物である動産を指すと理解されている。先述の通り，令和元年改正まではこの物品の意匠のみが意匠法の保護対象とされていたが，新たに建築物の意匠と画像の意匠が独立して保護対象に追加されたことで，従来物品の意匠に該当しないとして保護できなかった意匠の一部も新たに保護されることとなった。もっとも，物品性を欠くシンボルマークやタイプフェイス，VRオブジェクト等，引き続き意匠法による保護を受けられないデザインも存在する。

　また，その物品が独立して取引の対象となるものであることも要求される（東京高判昭和53・7・26無体集10巻2号369頁〔ターンテーブル〕〈判コレ134〉参照）。例えば自動車は当然含まれるし，自動車の部品であるタイヤも，独立して取引の対象となることから，その意匠は物品性を充足する。一方，コップの取手部分等，独立して取引の対象とならない物品の一部分等については，後掲の部分意匠の例外（⇒**5**）を除いて，保護を受けることができない。

　加えて実務上，上記の要件をみたすものであっても，一定の形状等をもちえないもの（例えば液体や粒状物等一定の形態をもたないもの）については，物品性を欠くと理解されている。もっとも，例えば砂糖菓子の意匠のように，（粒状物で構成されていても）一定の固定した形態を維持することが可能であれば，保護の対象となりうる。

(2) 「形状，模様若しくは色彩若しくはこれらの結合」（形状等）

　物品のデザインであれば，何でも意匠の保護対象になるわけではない。意匠法は後述の視覚性と相まって，物品の意匠として保護対象とするデザインの要素を「形状，模様若しくは色彩若しくはこれらの結合」に限定している。したがって，その他のデザインの要素（例えば質感）については，条文上掲げられておらず，現行法下では保護されないと理解されるが，そのような限定が本当に必要かは異論もあろう。また，条文の文言とは異なるが，物品の意匠である以上は，形状のない意匠は予定されていないとして，実務上は，模様単独，色彩単独，及び模様と色彩の結合したものは意匠に含まれないと解されている（一方，模様や色彩を限定しない形状のみの意匠は許容されている）。

なお，近時は文字もデザインの重要な一部と考えられることから，原則として意匠の要素になると理解されている。

(3) 視 覚 性

意匠は「視覚を通じて」美感を生じさせるものと定義されている（視覚性）。そのため，「物品を分解しなければ見えないような部位」，例えば内部構造等については，意匠法の保護を受けることができない（知財高判平成20・1・31平18（行ケ）10388〔発光ダイオード付き商品陳列台〕参照）。一方で，ピアノの鍵盤や冷蔵庫の中のデザイン等，通常の使用時に視覚を通じて認識することのできる形状等については，視覚性を充足すると考えられる。

また，精密部品等，微細な物品についても，肉眼でその形態を把握することができないため，原則として意匠法の保護対象ではない。しかし裁判所は，現代社会における微細な物品の成型技術・加工技術の発展やその取引の実情から保護の必要性を指摘し，一方で意匠が取引時に視覚によって認識されないときは意匠の利用といえないとも指摘した上で，「意匠に係る物品の取引に際して，現物又はサンプル品を拡大鏡等により観察する，拡大写真や拡大図をカタログ，仕様書等に掲載するなどの方法によって，当該物品の形状等を拡大して観察することが通常である場合」には，肉眼によって認識できなくても，意匠法の保護を受けうると判示している（知財高判平成18・3・31判時1929号84頁〔コネクター接続端子〕〈判コレ135〉。結論は否定）。

(4) 美 感

意匠は美感を起こさせるものでなければならない。もっとも，美とは何かを行政機関や司法機関が判断するのは困難と思われ，また適切でもないと考えられることから，ここでの美感は，視覚を通じて人間の心理に与える感覚的な影響一般と理解すれば足りよう。実際上，この要件が問題となった事例はほとんど見あたらない。

3 建築物の意匠

上述したように，物品は動産であることが求められていたため，不動産であ

第 2 節 意 匠

る建築物のデザインは保護されてこなかった（但し，組立家屋のように流通にお
いて動産として扱われるものについては別論であった。組立家屋については，東京地判
令和2・11・3平30(ワ)26166〔組立家屋〕も参照）。

　もっとも，店舗デザインに代表されるように，空間デザインも重視されるよ
うになり，企業等のブランド価値向上に資するものとなっているところ，その
デザイン開発投資は保護されるべきとの判断から，新たに意匠法の保護対象と
して建築物の意匠が認められることとなった（なお，建築物のデザインについて
は，別途著作権法によっても保護されるが，その範囲は限られる⇒ Column Ⅲ2-2 「タ
イプフェイス，建築，設計図の著作物性」。また商品等表示としての保護も考えられる
が，保護されるには周知性の獲得が必要となる⇒第6編第2章第1節 **2** (3)）。

　意匠法上の建築物に該当するためには，上記の立法趣旨に鑑み，審査実務上，
土地の定着物であって，かつ人工構造物であることが求められ，自然物を主た
る要素としているスキーゲレンデやゴルフコースなどの形状等については，意
匠法上の意匠とはならないとされている。他方，建築物は店舗やホテルのよう
な人の立ち入ることが想定されているものに限らず，橋梁やダムといった土木
構造物も含む。但し，店舗の内部構造であれば建築物の意匠となり得るが，橋
梁の内部構造のように通常視覚を通じて認識できないものについては，視覚性
の観点から建築物の意匠には含まれない。そのほかの要件は物品の意匠と同様
である。

4 画像の意匠

　上述したように，物品は有体物であることが求められていたため，無体物で
ある画像のデザインは直接には保護されていなかった。但し，画像を表示する
画面等を備えた物品が広まり，またグラフィック・ユーザー・インターフェー
ス（GUI）等の重要性が増していった状況にも鑑み，従来，物品の意匠の枠内
で，後述する部分意匠（⇒**5**）として一部の画像を保護する運用が存在してい
た。しかし，その運用においては，あくまで物品の意匠（の一部）として保護
されるという建前から，解釈上，その画像は，当該物品に記録されている必要
があり，また当該物品に表示される必要があると解されていた（後者につき，
旧2条2項も参照）。

337

しかし，上記の2要件は，例えばインターネットを介して提供される画像や，壁面や体表等へ表示される画像の保護を困難にしていたことから，令和元年改正により，物品性を排除した新しい画像の意匠というカテゴリを創設し，これを保護対象に加えることとした。保護対象となる画像については，2条1項の定義から，いわゆる操作画像（「機器の操作の用に供される」画像）と表示画像（「機器がその機能を発揮した結果として表示される」画像）に限られることになる。前者の例としては，スマートフォンのアプリの操作画像が，後者の例としてはデジタル時計の時刻表示画像が挙げられる。これは，意匠法による保護の適する範囲を画するとともに，著作権法による保護が念頭に置かれるコンテンツ（例えば映画の一場面の映像やゲームソフトの映像等）を保護対象から排斥する趣旨も有すると指摘される。そのほか，視認性，美感の要件については，物品の意匠等と同様である。

5 部分意匠

2 (1)で述べたように，従来は，物品の部分については，たとえそれが特徴的なものであっても，それ自体として取引対象性がない限り意匠登録を受けることはできなかった。しかしある登録意匠の特徴的な部分を含みつつ，他の部分を大幅に変えることで，全体としては登録意匠と類似しないような巧妙な模倣が行われる危険性があることに鑑み，平成10年改正において，当該部分それ自体を意匠登録の対象とする部分意匠制度が導入された（2条1項括弧書）。部分意匠でない意匠は，部分意匠と対比して全体意匠と呼ばれる。部分意匠については，意匠登録出願の際，後述する図面の記載において，実線／破線を用いる等，意匠登録を受けようとする部分とそうでない部分とを区別するのが一般的である。なお，建築物の意匠，画像の意匠についても，部分意匠による出願が認められている。

第3節　工業上の利用可能性

意匠登録を受けるためには，その意匠が，工業上利用することができるものでなければならない（3条1項柱書。**工業上の利用可能性**）。意匠法による保護を

与えることによって，産業の発達に寄与するような意匠を取り出すための要件と解される。

　工業上の利用可能性をみたすには，同一のものを複数製造したり，建築したり，作成したりできることが必要であると解されており，一品製作物である絵画の意匠等はこの要件をみたさない。もっとも，実際上この要件が問題となる場面は少ない。

第4節　新　規　性

1 新　規　性

　①公然知られた意匠（3条1項1号），②刊行物記載意匠（同項2号。①②を合わせて，公知意匠と呼ぶ），③ ①②に類似する意匠（同項3号）については，新規性を欠くとして，意匠登録を受けることができない（同項柱書）。これは，公知意匠については，新しく意匠法による保護を与えるべき理由がなく，一方で保護を与えてしまうと，却って産業の発達を阻害しかねないことを理由とする。また，公知意匠に類似する意匠についても，公知意匠と同様に新規性を欠くとしている点に注意する必要がある（⇒意匠の類似については第5章）。

　時期的基準や地域的基準等は特許法と同様である。なお，特許法と異なり，公然実施された意匠が規定されていないが，意匠の定義からして，実施されれば公然知られる（3条1項1号）と考えられたため，敢えて規定されていない。

　また，特許法同様の要件下で，新規性喪失の例外も定められている（4条）。もっとも，意匠にあっては，市場調査等のため，新規性喪失の例外に期待せざるを得ない場面も多く，適用要件について緩和を求める声もある。

2 拡大先願

　意匠法においても**拡大先願**が規定されている（3条の2）。

　もっとも，意匠法においては，意匠登録を受ける等して先願意匠が意匠公報に掲載された場合に，先願意匠の公報発行前の後願意匠が，先願の「願書の記載及び願書に添付した図面，写真，ひな形又は見本に現された意匠の一部と同

一又は類似であるとき」に，拒絶されるという仕組みである。

　もちろん，後願意匠が先願意匠の全部と同一又は類似であれば，それは先後願（9条）の問題であり，また先願意匠が意匠登録を受け意匠公報に掲載された後に，その全部又は一部と同一又は類似の後願意匠が出願されれば，それは先願意匠の意匠公報によって公知になっているため，新規性（3条1項）の問題となるが，上記場面については，いずれの条文によっても拒絶されることはない。

　しかしそのような後願意匠について考えるに，意匠登録を受けた意匠登録出願等に係る書類は意匠公報により公開されるが，その願書等に現された意匠の全部だけではなく，その一部の意匠も，公知になることは明らかであり，それと同一又は類似の後願意匠は，保護の必要性を欠く。更に，余計な意匠権が生じれば，権利関係が錯綜することにもなる。拡大先願（3条の2）はこのような場合の後願について拒絶するためのものである。

　例えば，自動車の意匠が先願である場合に，その一部であるタイヤと同一又は類似のタイヤの意匠や，その一部であるボンネット部分と同一又は類似のボンネット部分に係る部分意匠が後願であった場合に適用される。

　特許法29条の2但書と同様の，同一出願人に係る例外も規定されている（意匠3条の2但書）。デザイン開発のプロセス上，先に完成品の意匠を出願した後に，その部品や部分についても追加で保護を受けたいというニーズに応えるものである。適用にあたっては，同一の出願人によるものであって，かつ先願意匠の意匠公報発行前までに出願された後願である必要がある。

第5節　創作非容易性

1 創作非容易性

　意匠法3条2項は**創作非容易性**を定める。これは，当業者からみて公知の形状等又は画像に基づいて容易に創作することができる意匠については，意匠登録を受けることができないとするものである。そのような意匠は保護の必要性を欠き，また保護をしてしまうと却って産業の発達を阻害しかねないことを理

由とする。

　ここでは公知の意匠に限らず，例えば公知の模様のみ（意匠の定義に該当しないので意匠ではない）から容易に創作することのできる意匠についても，対象となる点に注意する必要がある。そのため，例えば公知のモチーフを付した公知のノートパソコンは，たとえ今までそのようなノートパソコンがなく，新規性があるとしても，創作容易であったと判断されうる。

　創作非容易性を満たさない例としては，公知意匠を寄せ集めたような意匠や，公知の自動車の意匠をミニカーの意匠に転用した意匠等が挙げられる。

　時期的基準や地域的基準等は特許法の進歩性と同様である。

2 公知意匠に類似する意匠（3条1項3号）との関係

　公知意匠に類似する意匠（3条1項3号）と，公知意匠から容易に創作することのできる意匠（3条2項）とは，一見同様のものに思われるものの，前者は公知意匠と，需要者の視点において類似するものが対象となるのに対して（⇒第5章第3節**1**），後者は公知意匠を含む形状等又は画像から，当業者の視点において創作容易であるものが対象となるのであって，1つの意匠が両方に該当する（両方の拒絶理由を有する）場合はありうるものの（但し，その場合は3条1項3号が優先適用される。3条2項括弧書），両者は異なる趣旨に出た規定である（最判昭和49・3・19民集28巻2号308頁〔可撓伸縮ホース〕〈判コレ136〉）。なお，上記判例等に鑑み，平成18年改正により24条2項が新設され，意匠の類似の判断主体が需要者であることが明文化された（⇒第5章第3節**1**）。

第6節　不登録事由

　意匠法は，公益的な見地から，以下の3つの**不登録事由**を規定している（5条）。すなわち，①公序良俗を害するおそれがある意匠（例えば，他国の国旗を表した意匠等），②他人の業務に係る物品等と混同を生ずるおそれのある意匠（例えば，他人の著名な標章そのままを表した意匠等），③物品の機能を確保するために不可欠な形状のみからなる意匠，建築物の用途にとって不可欠な形状のみからなる意匠，画像の用途にとって不可欠な表示のみからなる意匠（例えば，互換

性確保のために標準化された形状等）は，意匠登録を受けることができない。

第3章 意匠権に関する手続

第1節 出願手続
第2節 審判・審決取消訴訟

第1節 出願手続

1 意匠登録出願

意匠の保護を受けるためには，意匠登録出願をしなければならない（6条1項）。意匠登録出願に際しては，**願書のほか，原則として意匠登録を受けようとする意匠を記載した図面**（例外的に，写真，ひな形もしくは見本。同条2項）を添付する必要があり，この願書の記載と図面等によって意匠登録を受けようとする意匠が認定される。物品等の外観のデザインを保護する制度であることから，図面等が重視される点は，特許出願と異なる特色であろう。また願書の記載事項として重要なのは，出願意匠に係る物品又は意匠に係る建築物若しくは画像の用途である（6条1項3号）。これらは意匠の類似範囲に影響を及ぼすからである。そのほか，変形する玩具など，機能に基づいて変化する意匠については，動的意匠としての登録を受けるために，願書にその旨の記載等を行うことが要請されている。

意匠登録出願については，審査の便宜のため，意匠ごとに出願しなければならないとされている（一意匠一出願の原則。7条。但し，1つの願書で複数の出願を一括してできるようになっている。施行規則2条の2参照）。この点について，知財高判平成28・9・21判時2341号127頁〔容器付冷菓〕〈判コレ137〉では，物

343

品の意匠に関するものであるが，一意匠というためには，社会通念に照らし，意匠に係る物品が1つの特定の用途及び機能を有する一物品であること（物品の単一性），及び出願図面に表される形態が全体的なまとまりを有して単一の一形態であること（形態の単一性）の両方をみたすことが求められると判示された。

但し一意匠一出願の原則には例外がある。

まず，一組の家具セット等，一定の物品等の組合せであって，かつ組物全体として統一がある意匠については，**組物の意匠**として出願し，1つの意匠として保護を受けることができる（8条，意匠法施行規則8条・別表）。この組物の意匠の保護は，2以上の物品等において全体的な統一感を持たせるようなデザイン創作が行われることに鑑みて導入された制度である。その趣旨から，新規性や創作非容易性等について，組物全体として審査され，また権利範囲に関しても，組物全体として意匠の類似が判断され，その権利も組物にのみ及び，その構成物品等には及ばないとされている。ちなみに令和元年改正により，部分意匠出願も可能となった。

また，特徴的な店舗デザインやオフィスデザイン等の模倣を阻止し，そのデザイン投資を保護する観点から，令和元年改正により，新たに**内装の意匠**の出願が認められるようになった。すなわち，内装（「店舗，事務所その他の施設の内部の設備及び装飾」）を構成する物品等に係る意匠は，内装全体として統一的な美感を起こさせるときは，一意匠として出願をし，意匠登録を受けることができる（8条の2）。こちらも，建築物や什器等，複数の意匠が含まれるものの，まとめて1つの内装の意匠として保護を受けることができる。そして，組物の意匠と同様，その登録可能性や権利範囲はあくまで内装の意匠全体として検討されることになる。

2 審査・査定・登録

意匠登録出願がされると，全ての出願について方式審査・実体審査が行われる。特許法における審査請求制度（⇒第2編第4章第3節2）は存在しない。また出願公開制度（⇒第2編第4章第2節2）も存在しないため，出願意匠は，意匠登録を受けて意匠公報に掲載されるまでは非公開であり，また拒絶された意

344

匠登録出願等は公開されないのが原則である。

　意匠登録出願についても補正が可能であるが，願書の記載又は図面等の補正については，その要旨の変更とならない範囲に限られ，これに違反する補正は却下される（17条の2第1項）。これらの書類は審査対象や権利範囲に大きくかかわるもので，過度の補正による先願主義の潜脱を防ぐためである。

　但し，要旨変更補正による補正却下決定の謄本送達後3月のうちに，新たに補正後の意匠について意匠登録出願を行った場合，手続補正書を提出したときまで出願時を繰り上げることを認める特例を規定している（17条の3）。手続補正書を提出してから，補正却下決定がなされるまでに時間がかかる場合があることを想定した制度である。

　なお，意匠登録を受けた後に要旨変更補正であることが認められた場合には，出願時が手続補正書の提出時に繰り下がるペナルティを受ける（9条の2）。違法な手続により意匠登録を受けたものであるが，一方で後述の通り登録後に訂正を行うことができないことにも鑑みた規定である。例えば侵害訴訟において，問題となっている意匠権の出願過程で要旨変更補正があったことが明らかになった場合，出願時が繰り下がり，無効の抗弁との関係で新たに公知意匠の存在が認められたり，相手方に先使用権が認められたりといった影響が生じうる。

　特殊な出願として，7条違反の場合に対応する制度としての**分割出願**（10条の2），特許出願や実用新案登録出願からの**変更出願**（13条）のほか，**パリ条約による優先権**に基づく出願が認められている（15条1項，特許43条1項〜4項・8項及び9項，43条の3⇒第2編第4章第5節**4**）。加えて，**ハーグ協定のジュネーブ改正協定に関する出願**（国際登録出願，国際意匠登録出願）に対応するための規定も整備されている（60条の3以下）。

　審査官の審査の結果，拒絶理由が発見されなければ**登録査定**を受け（18条），拒絶理由が発見されれば拒絶理由通知を経て（19条，特許50条），**拒絶査定**（17条）が行われる点は，特許法と同様である。拒絶理由には先述の意匠登録要件のほか，一意匠一出願の原則違反，条約違反，冒認出願も含まれる（17条各号）。

　登録料を納付し，意匠登録を受けると意匠権が発生し（20条1項），意匠公報に掲載される（20条3項）。但し，意匠登録出願人は，一定の時期に**秘密意**

匠の請求を行うことで，最大で意匠権の設定登録の日から3年間，願書及び図面等の意匠公報への掲載を防ぐことができる（14条・20条4項）。この秘密意匠の制度は，意匠が物品等の外観であって模倣が容易であることや，意匠公報に掲載された意匠によってそのデザイン動向が容易に把握されてしまうこと等から，その必要性が認められる。また一方で，先述のように，特許法で保護する技術と比較して，意匠は累積的な進歩が相対的に想定しにくく，一定期間非公開とすることの影響が小さいことから，その許容性も認められるため，導入されたものである。例えば早期に出願し，意匠登録を受けておきつつ，製品発表会まで当該意匠を秘密にしておくといった使い方が想定される。

第2節　審判・審決取消訴訟

1 審　判

　意匠法においても，特許法と同様に，**拒絶査定不服審判**（46条），**意匠登録無効審判**（48条）が規定されている（⇒第2編第5章第2節参照）。意匠法には異議申立て制度は用意されていないため，意匠登録無効審判の請求は利害関係人に限らず，何人でも可能である（48条2項）。無効理由の種類も概ね特許法と同様，拒絶理由と重複するものが大半である。

　特許法にはない制度として，**補正却下決定不服審判**（47条）が挙げられる。特許法と異なり，意匠法における願書の記載等の補正の範囲は限られており，その可否の判断は比較的簡単にできると考えられたため，要旨変更補正の有無のみを判断する審判制度を用意している。したがって，要旨変更補正として補正却下の決定（17条の2第1項）を受けた意匠登録出願人は，その補正の適否をめぐって補正却下決定不服審判で争うか，判断を受け入れた上で補正後の意匠について新出願を行うか，あるいは諦めるかを，選ぶことになる。

　一方で，訂正審判等，意匠登録後にその内容を修正する手段は認められていない。補正可能な範囲に鑑みると，制度を設けてもその範囲は限られると考えられるため，必要性がないと判断されたものと思われる。

　そのほかの手続等については，概ね特許法と同様である。

第2節 審判・審決取消訴訟

② 審決取消訴訟

　意匠法においても，特許法同様，審決に対して審決取消訴訟を提起できる。その手続については，特許法と概ね同様である（⇒第2編第5章第4節参照）。

第4章 権利の効力と活用

第1節　意匠権の効力と活用
第2節　権利侵害の要件
第3節　意匠権の制限
第4節　意匠権侵害に対する救済

第1節　意匠権の効力と活用

1 総　説

　意匠権は**業として**登録意匠及びこれに**類似**する意匠の**実施**をする権利を専有する（23条，但し専用実施権設定範囲は除く）。具体的な実施行為については，各意匠ごとに整理されている（2条2項各号）。例えば物品の意匠であれば，物品の製造，使用等である。特に画像の意匠については，物品の意匠と大きく異なり，画像記録媒体等に関する譲渡等のほか，媒体を伴わない画像の作成や電気通信回線を通じた提供等も実施行為となっている。また，意匠権は登録意匠と同一の意匠だけでなく，それに類似する意匠についても及ぶことに注意する必要がある。

　なお，専用実施権・通常実施権の設定・許諾等権利の活用の場面の規律については，概ね特許法と同様である。

2 存続期間

　意匠権の**存続期間**は，意匠登録出願の日から25年である（21条1項）。但し，

348

先述の関連意匠については（⇒第2章第1節），基礎意匠の意匠登録出願の日から25年とされている（同条2項）。本意匠とそれに類似する関連意匠の意匠権については権利の重複部分が生じるところ，関連意匠出願によるその実質的な延長を防ぐ必要があるためである。もっとも，（基礎意匠とは直接類似しないものも含む）全ての関連意匠に係る意匠権の存続期間につき，基礎意匠を基準としたことの説明としては不十分と思われ，基礎意匠を中心とした意匠群全体を一律かつ簡明に処理しようとする政策的判断も含むものと思われる。

第2節　権利侵害の要件

1 直接侵害

　意匠権も特許権と同様，業としての意匠の実施についてのみ権利が及ぶ（23条）。また第1節で触れた通り，意匠権はその登録意匠と同一又は類似の意匠に対して権利が及ぶ。そのような意匠を業として実施することで，意匠権侵害が成立する。同一性・類似性については第5章で詳述する。

2 利用関係

　1で触れたように，意匠権は同一又は類似の意匠の実施に対して及ぶ。しかし，例えばタイヤの意匠権を有する意匠権者が，そのタイヤに類似するタイヤを装着した自動車を製造・販売する被疑侵害者を意匠権侵害で訴えた場合，どうなるであろうか。被疑侵害者が実施しているのが，タイヤの意匠であるとすれば，意匠権の直接侵害となるが，自動車の意匠であるとすれば，タイヤの意匠と自動車の意匠は（物品・意匠（形状等）の両面で）非類似であり（⇒第5章），少なくとも直接侵害とはならないことになる。この点につき実務上は，比較対象となる物品は「流通過程に置かれ，取引の対象とされる独立した物品」と解されており（例えば，東京地判平成16・10・29判時1902号135頁〔ラップフィルム摘み具〕〈判コレ138〉），先の例でいえば，比較対象は被疑侵害者が製造・販売する自動車であって，その部品であるタイヤではないことになろう。

　しかしその上で，実務では，直接侵害は成立しなくても，登録意匠が利用さ

れていると評価して，意匠権侵害の成立を認めている（**利用関係に基づく侵害**）。
ここでいう利用とは，裁判例においては「ある意匠がその構成要素中に他の登
録意匠又はこれに類似する意匠の全部を，その特徴を破壊することなく，他の
構成要素と区別しうる態様において包含し，この部分と他の構成要素との結合
により全体としては他の登録意匠とは非類似の一個の意匠をなしているが，こ
の意匠を実施すると必然的に他の登録意匠を実施する関係にある場合をいう」
と判示されている（大阪地判昭和46・12・22無体集3巻2号414頁〔学習机〕〈判コ
レ139〉）。典型的には，部品の意匠と，その部品を利用した完成品の意匠の関
係がこれにあたるであろう。26条においては，後願登録意匠が先願登録意匠
を利用するものである場合には，後願登録意匠権者は，（先願意匠権者の許諾の
ない限り）自らの意匠を実施してはならないとされており，その理は実施者が
無権利者であっても当然当てはまると考えられる。そのため，上記のような利
用関係に基づく侵害が肯定されるのである。先の例では，直接侵害は成立しな
いが，利用関係に基づく侵害が成立すると理解されることになろう。

　もっとも，以上のように利用関係に基づく侵害を別類型と整理し，特に一度
は非類似とされた意匠について再度利用関係に基づく意匠権侵害を検討し，こ
れを肯定することについては，23条の文言にも，特許法における利用関係の
取扱いとも合わない等として，比較対象を取引対象となる物品等に限定せず，
一定の場合にその一部との比較も認めることで，あくまで意匠の類否という1
つの類型において意匠権侵害の成否を判断すべきとする見解も有力である。

3 間接侵害

　意匠法にも間接侵害が規定されているところ（38条），従前は物品の意匠に
関して，いわゆる専用品型間接侵害（同条1号）と，侵害物の譲渡等のための
所持に係る間接侵害（同条3号）だけが規定されていたが，非専用品たる部品
の分割輸入事例に対応する等のため，令和元年改正により，いわゆる多機能型
間接侵害が新たに導入された（同条2号。間接侵害については⇒第2編第6章第3
節）。加えて，令和元年改正で導入された建築物の意匠と画像の意匠について
も，各々これら3類型の間接侵害が規定されるに至った（同条4号〜9号）。

350

第3節　意匠権の制限

　意匠権の制限は，概ね特許法と同様である（⇒第2編第6章第4節参照）。

　まず意匠法においても**消尽論**が認められると考えられている。

　次に，意匠権の効力が及ばないものとして，調剤行為を除く特許法の規定が準用されている（36条，特許69条1項・2項）。

　また法定実施権についても，特許法と同様，**先使用権**（29条）をはじめ，中用権（30条），権利消滅後の法定実施権（31条・32条）が規定されている。特徴的な制度として，**先出願による通常実施権**が挙げられる（29条の2）。先出願者において，その出願が新規性欠如によって拒絶された場合，後願排斥効が与えられず（9条3項），また特許法と異なり出願公開制度も用意されていないことから，自らがその出願意匠を実施しようとした場合に，先使用権がない限り，出願意匠と類似する後願登録意匠に係る意匠権を侵害してしまうことになる。先出願による通常実施権は，後願の出願前の実施を要求せずに，公知意匠と同一又は類似の出願意匠の実施を妨げられる不利益を救済し，出願人間のバランスをとるために，一定の要件の下で，先出願者に，その出願意匠について後願登録意匠に係る意匠権に対する法定実施権を認めたものである。

　また，**無効の抗弁**（41条，特許104条の3）も準用されている。なお意匠法には訂正審判等が規定されていないことから，訂正の再抗弁は認められない。

第4節　意匠権侵害に対する救済

　意匠権侵害に対しては，特許権侵害の場合と同様，**差止請求権**（37条1項）や**損害賠償請求権**（民709条）等の行使が可能である。また特許法同様に，意匠権侵害やその損害額を立証するための様々な制度が用意されている（39条以下）。加えて，刑事罰も規定されている（69条以下）。

　なお，**秘密意匠**については上記の救済に一定の制限がかかる。まず差止請求権に関しては，不意打ち防止のため，相手方に願書及び図面等を含む一定の書類を以て警告をした後でなければ，行使することができない（37条3項）。また，

第4編　第4章　権利の効力と活用

過失推定（40条）に関しては，秘密意匠の場合には適用されない（40条但書）。意匠権の内容として重要な願書及び図面等が意匠公報に掲載されていないことから，過失推定を認める前提を欠くためである。指定期間が経過し，願書及び図面等が意匠公報に掲載された後であれば，上記の制限は解除されると考えられる。

第5章
同一性・類似性

第1節 総　説
第2節 物品の類似
第3節 形状等の類似
第4節 部分意匠の取扱い

第1節 総　説

1 総　説

　意匠法においては，新規性（3条1項）や意匠権の効力（23条）等，様々な場面で意匠の同一・類似（以下ではまとめて類似と扱う）が問題となる。

　最高裁は3条1項3号における**意匠の類似**を判断するに際して，「意匠は物品と一体をなすものであるから……まずその意匠にかかる物品が同一又は類似であることを必要とし，更に，意匠自体においても同一又は類似と認められるものでなければならない」と判示しており，またこの理は権利範囲（23条）とも共通することを念頭に置いていると解される（最判昭和49・3・19民集28巻2号308頁〔可撓伸縮ホース〕〈判コレ136〉）。したがって，物品の意匠が類似するためには，まず物品が類似し，更に意匠（形状等）が類似する必要があると解されている（なお，令和元年改正により，建築物の意匠と画像の意匠が追加されたが，これらの意匠についても以下で簡単に言及する）。

353

第4編　第5章　同一性・類似性

2 意匠の類似に係る3つの立場

　意匠法の目的で触れたように（⇒第1章第1節），意匠法の意義ないし意匠の本質については議論のあるところであり，その影響は，意匠の類似に係る議論にも及んでいる。主に以下の3つの立場が指摘されている。

　(a)　創作説　　意匠の創作に保護の価値を見出す立場であり，同一の創作体の範囲といえるものを意匠の類似の範囲と理解する。また，その判断主体もデザイナー等当業者を基準にすることが素直な帰結である。

　(b)　混同説　　意匠保護の趣旨を，物品等の混同防止による流通秩序の維持と考える立場であり，需要者において混同が生じるおそれの有無により，意匠の類似を判断する。その判断主体は需要者であると理解される。

　(c)　需要説　　意匠のもつ需要喚起機能に注目し，その保護を意匠法の目的と考える立場であり，需要者において喚起される需要が共通するときに，意匠が類似するとする。

　意匠の類似の判断主体が需要者であることは条文上明らかではあるが（24条2項），これだけでは決め手にはならないとする指摘もある。もっとも，実際の裁判例においては，いずれの立場を採用しているか明らかにされることは少なく，後述のように特に理由は示さずに判断基準を説示することが多い。

第2節　物品の類似

　既に述べたように，最高裁は意匠と物品の一体性から，物品の意匠の類似については，**物品の類似**を要求しているものと解される。また実質的な考慮として，権利範囲（あるいはサーチの範囲）を限定する政策的な意図も背景にあるとの指摘もある。他方，条文上要求されているわけではない等として，物品の類似は，意匠の類似の要件としては不要であるとする見解もある。

　物品の類似は，実務上は，物品の用途・機能に基づいて判断され，これらに共通性があれば類似すると判断される。実際に問題となった事例として，化粧用パフは通常はファンデーション等を顔に塗布する機能を有するが，他方で洗顔用品としての用途・機能も有すると認定して，クレンジングとマッサージを

354

用途とするゲルマニウムシリコンブラシとの物品の類似が肯定されたものがある（大阪地判平成 17・12・15 判時 1936 号 155 頁〔化粧用パフ〕〈判コレ 140〉）。

ところで，建築物の意匠と画像の意匠については，先述のように，願書においてその用途の記載が求められている（6 条 1 項 3 号）。そして，物品の意匠に関する物品の類似の必要性については，両意匠にも当てはまるものと思われることから，現在の審査実務においては，建築物の意匠や画像の意匠の類似には，その用途・機能の共通性が必要であるとされている。

第 3 節　形状等の類似

1 判断基準

形状等の類似について，審査の場面においては，需要者（取引者を含む）を基準に，まず両意匠を認定した上で，その形状等の共通点と差異点を明らかにし，それらを個別に評価した上で，全体的な美感の類否を判断するとされる。

一方，物品の意匠に係る権利侵害の場面では，概ね以下の判断基準が用いられる。すなわち，裁判例においては，物品の類似を前提としつつ，「意匠の類否を判断するに当たっては，意匠を全体として観察することを要するが，この場合，意匠に係る物品の性質，用途，使用態様，さらに公知意匠にはない新規な創作部分の存否等を参酌して，取引者・需要者の最も注意を惹きやすい部分を意匠の要部として把握し，登録意匠と相手方意匠が，意匠の**要部**において構成態様を共通にしているか否かを観察することが必要である」等と説示されている（例えば知財高判平成 23・3・28 平 22（ネ）10014〔マンホール蓋用受枠〕）。

両者は，実質的には同様の判断をしているものと理解されている。

なお，建築物の意匠や画像の意匠にあっても，基本的な点では概ね共通するものと解される。

2 実　例

例えば，意匠権侵害事例として，長柄鋏事件（大阪地判平成 22・12・16 平 22（ワ）4770〈判コレ 141〉）をみてみると，本件は長柄鋏に係る意匠の類似が問題と

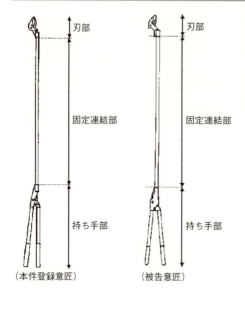

なったものであるが，裁判所は要部について，「長柄鋏の需要者は，刃部の形状，……長柄鋏全体に占める固定連結部や柄部の長さの比率及び柄部の形状について注目すると考えられる」とした上で，このうち，持ち手部の柄部の形状は公知意匠参酌等により要部とならず，刃の形状や長さの比は要部になるとした。一方，被告は持ち手部の（柄部と固定連結部との）ジョイント部分の形状も要部とすべきと主張したが，裁判所は長柄鋏の需要者の注意は向かわないとしてその主張を認めず，結果意匠の類似が認められた。

第4節 部分意匠の取扱い

　部分意匠については，その類似性に関する特別の規定はないが，物品の意匠に係る部分意匠についての従来の実務では，意匠に係る物品の類似と，当該部分の形状等の類似に加え，当該部分の用途・機能の共通性，及び当該部分の物品全体に占める位置，大きさ，範囲の共通性も必要であると解されている。裁判例においても，当該部分の認定方法に係る判旨ではあるが，「一定の機能及び用途を有する『物品』を離れての意匠はあり得ず，部分意匠においても，部分意匠に係る物品において，意匠登録を受けた部分がどのような機能及び用途を有するものであるかを，その類否判断の際に参酌すべき場合があ」るとし，また，「物品全体の形態との関係における，部分意匠として意匠登録を受けた部分の位置，大きさ，範囲についても，破線などによって具体的に示された形状を参酌して定めるべき場合がある」としている（知財高判平成28・1・27 平27（ネ）10077〔包装用箱〕参照）。建築物の意匠や画像の意匠に係る部分意匠が問題

第4節　部分意匠の取扱い

となる場合も，基本的には同様の基準が採用されよう。但し，これら4つの事項が独立の要件なのか否か，またそれがどういう理由で正当化されるのかといった点については，部分意匠の捉え方や，物品の類似の根拠等と絡んで，なお議論がある。特に当該部分の位置等の参酌については，あまり厳しく共通性を要求すると，容易に権利侵害を回避されてしまい，部分意匠の制度趣旨を没却しかねないため，注意が必要である。

第5編
商標法

第1章

商標法総説

第1節　商標法の意義と機能
第2節　商標法の特徴
第3節　商標法の国際的側面

第1節　商標法の意義と機能

1　商標法の目的

　商標法は，商標を保護することにより，商標の使用をする者の業務上の信用の維持を図り，もって産業の発達に寄与し，あわせて需要者の利益を保護することを目的とする（商標1条）。商標法は，特許法などと異なり，「産業の発達への寄与」のみならず「需要者の利益の保護」を目的としていることが特徴である。また，特許法などのように創作の奨励ではなく，商標に「業務上の信用」を蓄積・維持させることを掲げている点も特徴である。商標法は営業上の標識を保護しており，特許法などの創作法と対置して，不正競争防止法（不競法）2条1項1号・2号とともに**標識法**に分類される。

　商標権は，商標権者のみが，登録した商標を，予め指定された商品又は役務に使用できる状況を保護しようとするものである。このような状況が実現されれば，良質の商品やサービスを提供する商標権者は，それを識別させるために，同じマークを付して提供を継続することができるようになる。商標に「業務上の信用」を蓄積して維持するとは，商標権者のこのような営みを指すのである。そしてその結果として，商標は，同じマークを付された商品・サービスの出ど

360

第1節　商標法の意義と機能

ころは同一であると需要者が期待できる作用（これを**出所表示機能**（出所識別機能）という），及び，同じマークを付された商品・サービスは一定の質を備えていることを需要者が期待できる作用（これを**品質保証機能**という）を果たすようになる。

　商標法が目的とする「需要者の利益の保護」とは，上記のような，需要者が商標を通じて簡便に，その商品・サービスの出所と品質を判断できる利益の保護である（⇒**2**(2)）。また，このように需要者が適切に商品・サービスを選択できる環境を整えることで，公正な品質競争が成立し，良質の商品・サービス提供に対する投資が促されることとなる。これが，商標法の目指す「産業の発達への寄与」といえるだろう。

2 商標の機能

(1)　商標の3つの機能

　商標は，上述の出所表示機能，品質保証機能，及び広告宣伝機能という3つの機能を果たしているといわれる。

　出所表示機能にいう出所というのは，その商品の製造者を意味することもあれば，販売者を意味することもある。例えば，スーパーで販売されている商品には，その製造元を示すマークが付されていることもあれば，そのスーパーがどこかに委託して製造させている商品にそのスーパーのプライベートブランドを示すマークが付されている場合もあるだろう。その商品の品質をコントロールしているのは誰かを示すのが出所であるといえよう。

　品質保証機能は，商標が出所表示機能を果たす結果，商標権者に同一の商標の下，一定の品質の商品を提供するインセンティブが確保され，品質の維持に努める結果として実現されるものである。

　広告宣伝機能とは，商標の出所表示機能，品質保証機能をこえて，商標自体が有するに至った価値についていうものである。すなわち，商標が一定の品質の商品に使用され続けると，人々が商標自体に一定の良いイメージ（いわゆるブランドイメージ）を抱くようになる。そして，その段階に至った商標は，商品の「声なき商人」として営業上の価値を有するに至る。このように，商標を商品・サービスに付すことで，商標それ自体が商品・サービスに対する需要を差

361

別化する作用を，**広告宣伝機能**という。商標などのブランドイメージを弱めることを**希釈化**（ダイリューション。⇒希釈化の定義については第6編第2章第2節**1**）と呼ぶ。

　商標法は，これらの商標の機能のうち，主として出所表示機能を保護している。需要者による出所の混同を防止し，出所を低コストで認識させる方途を確保するのが商標法の目的といえる。出所表示機能が保護される結果として，品質保証機能も保護される。商標法においては，商標の広告宣伝機能は直接の保護の対象とはなっておらず，不正競争防止法によって保護される場合がある（⇒第6編第2章第2節**1**）。

(2)　サーチコスト理論

　以上の商標の果たす機能については，経済学的観点からは次のように説明できる。

　需要者は，ある財の購入の可否を判断する際には，その財の性質を知る必要がある。しかし，需要者がその財の性質を予め探索すること（サーチすること）はコストが高い場合も少なくない。例えば，ある食品の味について購入前に知るには厳密には試食するしかない。購入経験のある人から情報を集めるという可能性も考えられるが，商標がなければ，その経験者の購入したものが，自分が購入しようとするものと同じかどうかの保証もない。しかし，商標があれば，需要者は，その商標をみるだけで，購入しようとする財の性質を知ることができる。商標は，このような需要者のサーチコストを低減するという機能を果たしている。

　このサーチコスト理論によれば，商標法が保護しようとする「需要者の利益」とは，商標をみるだけという低いサーチコストで商品・役務の性質を判断できる利益であるということになる。商標が出所表示機能を果たし品質保証機能を果たせば，需要者のサーチコストは低減する。また，普通名称（⇒第2章第3節**2**(1)）が商標登録することができないのは，需要者に最も簡単に品質を伝達できる方法の1つが独占され，需要者のサーチコストをかえって増大させる結果になるからである。

362

第2節　商標法の特徴

1 登録主義と使用主義

　商標法は，商品・サービスの出所・品質を伝達するマークを保護するが，そのようなマークが保護されるためには，特許庁への出願を経て商標として登録されていることを要件とする**登録主義**を採用している。

　これに対し，マークが現実に市場で使用されていることなどを要件として保護する使用主義という考え方もある。例えば，不正競争防止法では，「商品等表示」が実際に使用され，「需要者の間に広く認識されている」又は「著名」な状態に至っている場合に保護を認めている（2条1項1号・2号）が，これは使用主義を採用するものといえる。

　登録主義を採用することのメリットは，未使用の段階における登録を認めることで，商標権者が，排他権の下で商標に対する信用蓄積を開始できることにある。これを商標法の発展助成機能ともいう。一方，デメリットもあり，予め必要以上に商標権を取得する動きが助長され，実際には使われない権利が増加し，他人に権利を売りつけることを目的とした出願行動が誘発される場合すらある。

　商標法は，使用主義をとらないことのデメリットを緩和するため，様々な規定を置いている。商標登録の要件として，自己使用の意思を要求すること（⇒第2章第3節**1**），記述的商標等の場合は識別力を獲得してはじめて登録できること（3条2項⇒第2章第3節**2**(7)），結果的に不使用となった商標は，不使用取消制度（50条）の対象となることなどがその例である。

2 商標法の基本構造

　商標権とは，登録商標をその指定商品・指定役務について使用できる権利（専用権）である（25条）。そして，商標権の禁止権としての効力は，登録商標と類似する商標を指定商品・指定役務に類似する商品・役務に使用する行為や，それらの予備的行為に対しても及ぶ（37条。⇒専用権と禁止権について第4章第1

363

節**1**)。

　商標法の特徴は，既に述べた通り登録主義を採用していることである。その
ため，商標の登録要件について数多くの定めがあり（⇒第2章），また，それに
伴う手続に関する規定についても特許法に類似する形で多くの規定がある（⇒
第3章）。

　商標登録出願の際には，登録商標の使用をする商品・役務を予め指定するこ
とが求められる。このようにして指定された商品又は役務を**指定商品**又は**指定
役務**という。その商標が登録要件をみたすか否かは，基本的にこの指定商品・
役務との関係において判断され，また，効力も使用される商品・役務との関係
において判断されることには注意が必要である。

第3節　商標法の国際的側面

　商標法に関する国際条約として，特許法とも共通する，工業所有権の保護に
関するパリ条約，知的所有権の貿易関連の側面に関する協定（TRIPS協定）の
ほか，標章の国際登録に関するマドリッド協定，商標法条約などがある。

　特に実務上重要なものとして，標章の国際登録に関するマドリッド協定の
1989年6月27日にマドリッドで採択された議定書（通称，**マドリッド協定議定
書（マドリッド・プロトコル）**）について説明する。マドリッド協定議定書は，上
記のマドリッド協定（1891年制定）とは独立した条約として，マドリッド協定
の問題点を克服し，より多くの国が参加できるような商標の国際登録制度を確
立することを目的に採択されたものである。これは，締約国の1つに商標出願
又は商標登録をした場合において，その出願又は登録を基礎に，保護を求める
締約国を指定して国際事務局に国際出願をして国際登録を受けると，その指定
国において商標の保護を確保することができるという制度である。但し，指定
国の官庁が期間内に拒絶の通報をした場合はこの限りでない。同議定書は，
2000年から我が国においても効力を生じている。これにより，日本の特許庁
に商標出願をし，特許庁を通じて国際出願をすることで，簡便に外国での商標
保護を受けることが可能となった。

第2章
商標の登録要件

第1節　総　　説
第2節　商　　標
第3節　積極的登録要件
第4節　商標登録を受けること
　　　　ができない商標

第1節　総　　説

　商標法は商標を保護する。商標法による登録が認められるためには，それが
「商標」であることを要する。そして，登録を受けるためには，商標は，①自
己の業務に係る商品・役務について使用をする商標であること（3条1項柱書），
②識別力があること（3条1項各号・2項）の積極的登録要件をみたし，③4条1
項各号のいずれにも該当しないこと（消極的登録要件）が必要である。

　また，商標法も先願主義を採用しており，類似の商品・役務についての類似
の商標の出願が競合した場合，最先の商標登録出願人のみが登録を受けること
ができる（8条1項。但し，4条1項11号でも拒絶できるので，無効理由となるが拒
絶理由にはならない（15条1項1号参照））。類似の範囲では重複登録を禁じて最
先の出願人にのみ登録を許すことで，登録商標への安定した信用蓄積を可能と
する趣旨である。この趣旨から鑑みれば，先に信用の蓄積を開始した者に権利
を与える先使用主義という考え方もありうるが，先使用の証明は困難で法的安
定性に欠けるとの判断の下，我が国では先願主義が採用されている。

第5編　第2章　商標の登録要件

第2節　商　　標

1 商標の定義

　商標とは，「標章」であって，(ⅰ)業として商品を生産し，証明し，又は譲渡する者がその商品について使用をするもの，又は，(ⅱ)業として役務を提供し，又は証明する者がその役務について使用をするものである（2条1項1号・2号）。つまり，①「標章」であって，②一定の主体が，その③商品・役務について，④使用をするものでなければならない。

2 標　　章

　商品等に付されるマークのうち，商標法上の「標章」と認められるのはその一部である。出所を表示するマークとして機能するものには様々なものがあり，現実には，商品の容器，包装，色，においなどといった様々なものがその役割を果たしうる。実際，不競法2条1項1号による保護される「商品等表示」（⇒第6編第2章）には，「標章」ではカバーされないものも含まれる。しかし，商標法では，登録制度の下で運用することに適し，かつ，出所表示機能を果たすものの一部のみを「標章」と認めている。

　商標法2条1項は，**標章**とは「人の知覚によって認識することができるもののうち，文字，図形，記号，立体的形状若しくは色彩又はこれらの結合，音その他政令で定めるもの」であると定めている。平成26年改正前は，標章は，文字・図形などの視認可能なものに限られ，色彩のみ，音，におい等は保護の対象外となっていた。また，動き，ホログラム，位置といった商標については適切な出願方法等がないため保護を受けることが困難であった。法改正により「標章」の定義を現行のものに改めるとともに，政令等の諸制度の整備を行って，動き，ホログラム，色彩のみ，音，位置の5つの類型について新しいタイプの商標として商標登録が可能となった。将来，においなどについて，「その他政令で定めるもの」として，更に追加することも可能となっている（2条1項。使用行為については2条3項10号に基づいて追加できる）。

366

第 2 節 商　標

③ 商標の使用主体

　商標は，業として商品（役務）を生産・証明・譲渡（提供・証明）する者が，使用するものでなければならない。「生産」とは，特許法と異なり自然物の採集なども含み，商品を本来の用途のために利用できる状態にすること全般を含む。「証明」とは商品・役務の質を保証するような行為を指す。商標とは，一定の事業者が，自らの商品・役務について使用するものである。

④ 商品・役務

　商標は，商品・役務について使用するものでなければならないので，使用される対象が商品・役務に該当しなければならない。

　商品とは，商取引の目的たりうるべき物のことである。商品は，商取引の対象となり市場における流通性があることが必要である。原則として有体物であることが想定されるが，電子書籍のデータなどの無体物も，流通性があれば商品となる（2条3項2号参照）。流通性のない場合には，役務の提供と位置づけられることになる。不動産，無償品（販促品，パンフレット等）も「商品」に含まれるかについては見解が分かれている（販促品のTシャツは「商品」にあたらないので，それに商標を付する行為が侵害にあたらないと判断した例として，大阪地判昭和62・8・26無体集19巻2号268頁〔BOSS〕〈判コレ142〉がある。但し，商標的使用の問題として処理すべきだったとの批判もある。商標的使用については，⇒第4章第3節**１**(5)参照）。また，通説は証券・商品券等は商品にはあたらないと解している。

　役務とは，サービスのことである。すなわち，他人のために行う労務又は便益であって，独立して商取引の目的たりうるべきものである。なお，小売及び卸売の業務において行われる総合的サービス活動に使用される商標は，商品に使用されると評価できる場合もあるが，役務に使用される商標としても保護を受けることができる（2条2項，小売等役務商標制度）。

　標章は，商品について使用されているといえなくても，見方を変えれば，役務について使用されていると評価しうる場合がほとんどである。平成3年改正により役務について使用する標章（役務商標又はサービス・マーク）も商標とし

367

て保護されるようになった現在では，「商標」として保護しうるかの局面において，商品・役務該当性を問題にする必要性は小さい。それが意味をもつのは，出願等において指定商品や指定役務をどのように分類するかという実務上の処理の場面や，侵害時において「商品」に付されていないので侵害にはあたらないと判断する場面などである。

5 商標の使用（2条3項）

いかなる行為が標章（商標もこれに含まれる）の使用にあたるかは，2条3項に詳細な定義がある。2条3項は商標権の侵害行為の定義（25条参照）と同時に不使用取消審判における使用の定義（50条）にもなる。商標権が保護する利益を考えれば，出所の混同を惹起する行為一般を侵害と定義することもあり得るのかもしれない。しかし，実際には，原則としては実質的観点を問うことなく（但し第4章第3節**7**参照），定型的に判断できるようにすることで，予測可能性と権利行使の実効性を高める役割を果たしている。

(1) 商品についての使用

3項1号・2号は，商品についての使用を定義する。商品自体やその包装に標章を付する行為（1号），その付したものの譲渡，引渡し，譲渡・引渡しのための展示，輸出，輸入，電気通信回線を通じた提供が使用にあたる（2号）。

令和3年改正により，「輸入」行為には，外国にある者が，外国から国内に，他人をして持ち込ませる行為が含まれるものとされた（2条7項）。海外事業者が，郵送などにより，模倣品を国内に持ち込む行為を商標権の侵害と位置づけることを狙ったものである。

(2) 役務についての使用

3項3号〜7号は，役務についての使用を定義する。まず，役務は，商品のように直接標章を付することができないので，それに関連する物に標章を付する行為が使用となる。すなわち，①役務の提供にあたりその提供を受ける者の利用に供する物（飲食サービスにおける食器，運送サービスにおける車両など）（3号），②役務の提供を受ける者の当該役務の提供に係る物（クリーニングサービ

スにおける顧客の衣類，修理サービスにおける修理対象品など）（6号）に標章を付する行為は使用となる。3号に関して，それを用いて役務を提供する行為（4号）も使用にあたる。

また，役務の提供の用に供する物（3号と異なり，飲食店における調理器具のような提供者が用いる物であってもよい）に標章を付して，役務の提供のために展示する行為も使用にあたる（5号）。

平成14年改正において，電磁的方法により映像面を介した役務の提供にあたって，その映像面に標章を表示して役務を提供する行為も，使用に該当することとなった（7号）。ネットワーク等を介したサービスの提供に対応するためのものである。

(3) その他

8号は，商品・役務の広告・価格表・取引書類に標章を付して展示等する行為は，使用に該当すると定めている。広告などに標章を付する行為は，商標に信用を蓄積していくうえで重要な行為である。なお裁判例には，メタタグ（ディスクリプションメタタグ）に商標を記述し，検索結果に表示されるサイトの説明文に商標が表示されたケースにおいて，本号に該当するとした例がある（大阪地判平成17・12・8判時1934号109頁〔クルマの110番〕〈判コレ143〉）。他方，メタタグ（キーワードメタタグ）にキーワードとして商標を用いたが，検索結果表示のサイトの説明文には商標が表示されなかったケースにおいて，使用が認められなかった例もある（大阪地判平成29・1・19平27(ワ)547〔バイクシフター〕）。さらに，検索連動型広告に関する商標の使用が問題となった事例として，大阪高判平成29・4・20判時2345号93頁〔石けん百科〕〈判コレ144〉がある。

また音商標について特別の規定（2条3項9号）が定められ，立体商標について解釈を明確化する規定（2条4項）が置かれている。

第3節　積極的登録要件

1 自己使用の意思

　商標登録を受けるには「自己の業務に係る商品又は役務について使用をする」(3条) ものであることが必要である。商標は使用されてはじめて信用が蓄積されて，保護すべき実態を備えるものといえる。しかし，登録要件としては，出願人が現に使用する商標のみでなく将来自己の業務に使用をする意思を有している商標でもよいと解されている。商標法は，未使用の段階における登録を認める登録主義を採用している (⇒第1章第2節**1**)。使用の意思の有無は，様々な証拠を元に，客観的にみて将来に使用する蓋然性の有無によって判断される。

　商標は出所を表示する機能を有するので，原則として，出願人自身の業務について使用をするものでなければならず，他人に使用させるために登録することはできない。但し，グループ内の子会社に使用をさせるなどのケースにおいては，自己の業務該当性を緩やかに判断すべきという見解が多数である。このようなケースでは，緩やかに自己使用を解しても商標の出所表示機能との齟齬はきたさない。なお，団体商標制度 (7条) 及び地域団体商標制度 (7条の2) については，団体自身が使用するものでなくても，団体の構成員に使用をさせる商標であれば登録することができる (⇒ Column V2-1 「団体商標・地域団体商標」)。

　一方で，他人の商標が登録されていないという事実を利用して不正な目的で当該商標を出願すること (いわゆる「悪意の出願」) 等に対処するため，使用の意思を厳格にみる必要もある。裁判例には，悪意の出願に該当すると思われる事案において，「多岐にわたる指定役務について商標登録出願をし，登録された商標を収集しているにすぎない」として，使用の意思を否定したものがある (知財高判平成24・5・31判時2170号107頁〔アールシータバーン〕〈判コレ145〉)。

第3節　積極的登録要件

2 識別力・独占適応性

　3条1項1号から6号に該当する商標は登録を受けることができない。6号は，前各号に掲げるもののほか「需要者が何人かの業務に係る商品又は役務であることを認識することができない」商標は登録を受けることができないと定める。一方で，3号から5号に該当しても，「需要者が何人かの業務に係る商品又は役務であることを認識することができる」との要件をみたせば，商標登録を受けることができる（3条2項）。「需要者が何人かの業務に係る商品又は役務であることを認識することができる」ことは，**識別力**（又は特別顕著性）と呼ばれる。以上の条文の文言から，3条は，一般的に，商標が，自他商品の識別力を備えていることを求めていると理解することができる（識別力説）。

　一方，3条の趣旨について，特定人による独占使用を認めることが公益上適当でないから登録要件を欠くという説明（「独占適応性説」）も有力である。すなわち，1項各号に該当する商標を登録させないのはそれが識別力を欠くからではなく，そのような商標を独占させると，他の競争者や需要者に不相当なコストを負わせることとなるからだと説明する。

　裁判例は，少なくとも識別力説に加えて，独占適応性説をも併せて考えていると解される（最判昭和54・4・10判時927号233頁〔ワイキキ〕〈判コレ146〉参照）。

(1) 普通名称（3条1項1号）

　(a) **普通名称**　　指定商品・役務の普通名称を普通に用いられる方法で表示する標章のみから商標は登録を受けることができない（1号）。**普通名称**とは，取引界において，その商品又は役務の一般的名称であると意識されるに至っているものをいう。商品「アルミニウム」について「アルミ」といった略称や，商品「箸」について「おてもと」といった俗称も普通名称に含まれる。普通名称か否かは指定商品との関係で判断されるので，パソコンに「りんご」とつけることは問題ない。

　普通名称は識別力を欠く場合が多いうえ，独占適応性を欠くと考えられる。普通名称の独占を許すと，当該商品・役務を扱う他の業者は，自らの商品・役務の内容を需要者に伝達する最も簡便な方法を失い，需要者のサーチコストは

371

増大することになる。

(b) **普通に用いられる方法** 「普通に用いられる方法……のみ」とは特殊な態様を除く趣旨である。例えば，特殊な字体や構成で普通名称を表示する場合，音商標において極めて特殊な音階によって普通名称を読み上げる場合などは普通に用いられる方法で表示するとはいえない。このような場合には，他の方法で普通名称を当該商品・役務を表示することには権利が及ばないこととなるので，登録を禁止すべき理由がないからである。

(c) **普通名称化** かつて普通名称でなかった商標が時間の経過とともに普通名称となること（「普通名称化」）が起こることがある。例えば，「ホッチキス」はかつてステープラーの一商標に過ぎなかったが，現在では一般的名称と広く認識されるに至っている。査定時において普通名称化した商標は登録できないし，事後に普通名称化した場合には権利制限の対象（26条1項2号・3号）となる。

(2) 慣用商標（3条1項2号）

指定商品・役務について慣用されている商標（「慣用商標」）は登録を受けることができない（2号）。**慣用商標**とは，多数の同業者が一般的に使用しているために当該業界での識別力を失っている商標のことである。清酒について「正宗」，屋台における中華そばの提供について「夜鳴きそばのチャルメラの音」などがそれにあたるとされる。慣用商標は，普通名称と同様に，識別力を欠くうえ独占適応性も欠くといえる。

(3) 記述的商標（3条1項3号）

(a) **総説**

(i) **趣旨** その商品の産地や品質，その役務の質や効能・態様などの，その商品・役務の特徴・数量・価格を普通に用いられる方法で表示する標章のみからなる商標は登録を受けることができない（3号）。すなわち，その商品・役務の属性を記述するに過ぎない商標（「記述的商標」）は登録することができない。

3号の趣旨は，主に独占適応性説の観点から次のように説明できる。例えば，

372

黒色をした「ゆで卵」についての商標「黒たまご」は，一般には，商品情報を最も簡便に伝達する手段であり，先に出願したとの一事をもって，特定人による独占に適すると考えることはできない。しかし，使用により信用が蓄積し，「黒たまご」という言葉が商品の特徴を記述する言葉ではなく，商品の出所を表示するものと意識されるに至った場合には，独占による弊害よりも，サーチコストの低減という便益の方が勝る可能性がある。また，この場合には，結果として他の者が「黒たまご」という言葉を標章として使わなかったことを意味し，独占の弊害は相対的に小さいことを示している。したがって，記述的商標は原則として登録を認めないが，使用により出所表示機能を現実に果たすようになった場合に限って登録を認める（3条2項）としたのだと理解できる。

(ii) **解釈**　「産地」「販売地」「役務の提供の場所」とは，需要者・取引者が，その商品・役務がその場所で販売・提供等されているであろうと一般に認識する場所であり，現実にその土地でそれらがなされている必要はない。例えば，「コーヒー」を指定商品とする「GEORGIA」という商標は，需要者・取引者に米国のジョージア州において生産されているものであろうと一般に認識されるなら，たとえ実際には別の場所で生産されていても，3号に該当する（最判昭和61・1・23判時1186号131頁〔GEORGIA〕〈判コレ147〉）。

「品質」「質」「原材料」「効能」「用途」を普通に用いられる方法で表示するだけの商標は，3号に該当する。例えば，「全国共通の取扱店で利用できる食事券の発行」という役務についての「全国共通お食事券」という商標は，記述的商標であって3号に該当する。

なお著作物の題号については，定期刊行物のタイトルなど出所表示と認識できるものは別として，一般的には商品の内容を構成するものと認識されるので，3号に該当し登録することはできないとされている。

記述的かどうかは指定商品・役務との関係で判断されるので，パソコンに「黒たまご」という商標をつけても3号には該当しない。

(b) **立体的形状・新商標の扱い**

(i) **立体商標**　商品やその包装の立体的形状が出所表示として用いられることがある。立体的形状も標章の定義に含まれ，商標として保護を受けることができるが，安易に独占を認めることは，商品そのものの独占や，特許法・意

匠法を潜脱して立体的形状の半永久的な保護を認めることになりかねない。そのため，その機能実現のために当然に備える特徴のみで構成される立体的形状は，4条1項18号により登録できない（なお，知財高判令和元・11・26令元（行ケ）10086〔ランプシェード〕は，ランプシェードの立体的形状は，最適な光のコントロールを得るために必要だとの主張を排斥し，同号に当たらないと判断している）。また，そこまでに至らない立体的形状であっても，立体的形状は原則的にその商品の形状を普通に用いられる方法で表示するものとして3条1項3号に該当し，使用により識別力を獲得しない限り（3条2項）登録できないという運用が実務上なされている。

多くの裁判例においては，商品等の機能又は美感に資することを目的とする形状（①客観的にみてそのような目的のために採用されていると認められる形状，②同種の商品等について機能又は美感上の理由による形状の選択と予測しうる範囲の形状）は，原則として，3号に該当し，③需要者において予測しえないような斬新な形状であるが，専ら商品等の機能向上の観点から選択された形状も3号に該当するとされている（以上につき，知財高判平成20・5・29判時2006号36頁〔コカ・コーラ〕〈判コレ150〉等参照）。これによれば，3号に該当しないのは，商品等の機能又は美感とは無関係に採用された形状に限られる。

もっとも，裁判例の中には，新規で個性的であり基本的な識別力が認められれば，3号に該当しないとの判断をしたものもある（知財高判平成20・6・30判時2056号133頁〔シーシェルバー〕）。しかし，機能又は美感と関係する形状に独占を認めることには前記の弊害があることに照らせば，使用により3条2項の識別力を獲得して，十分なサーチコスト低減の便益が現にあることが示されない限りは，登録を認めるべきではないと考えられる。

(ii) 新しいタイプの商標　新しいタイプの商標のうち色彩のみからなる商標，音商標については，3号又は6号の該当性が問題になる。色彩・音が，商品・役務の当然に備える特徴であれば4条1項18号（⇒第4節**8**）により登録できないし，そこまで至らなくても，商品の特徴を普通に用いられる方法で表示するものとして3号に該当する場合は少なくない（色彩のみからなる商標の3号該当例として，知財高判令和2・8・19令元（行ケ）10146〔油圧ショベル〕）。例えば，「携帯電話機」について銀色のみからなる商標のようにその市場において商品

の魅力の向上に通常使用される色彩,「目覚まし時計」について「『ピピピ』というアラーム音」などのような商品が通常発する音は,3号に該当して登録を受けることができない。

(4) ありふれた氏・名称（3条1項4号）

「氏」とは自然人の氏のことであり,「名称」とは法人等の表示のことである。ありふれた氏・名称を普通に用いられる方法で表示する標章のみからなる商標とは,例えば「山田商店」のような文字商標がこれにあたる。このような商標は通常識別力がなく,また3条2項に該当しない限りは特定人に独占させることに適さない。

(5) 極めて簡単でかつありふれた標章（3条1項5号）

極めて簡単で,かつ,ありふれた標章のみからなる商標は登録を受けることができない（5号）。例えば,かな1文字のみの商標,ローマ字1〜2字のみの商標,円などの極めて単純な図形などがこれに該当する。このような商標はふつう識別力がなく,また3条2項に該当しない限りは特定人に独占させることに適さない。

(6) その他識別力を欠く商標（3条1項6号）

3条1項6号は,前各号に掲げるもののほか,「需要者が何人かの業務に係る商品又は役務であることを認識することができない商標」は登録を受けることができないとする。6号は,1号〜5号までの総括条項として識別力を欠く商標は一般に登録することができないとしている。例として,「平成」の文字商標,出所の表示とは認識されない標語（キャッチフレーズ）,単なる地模様などがこれにあたるとされる。6号は文言上は明らかに識別力を問題にしているが,実務上は独占適応性も少なからず考慮されて,同号該当性が判断されていることが指摘されている。新しいタイプの商標は6号該当性も問題になる。色彩のみからなる商標は2号・3号に該当するものを除き原則として6号に該当し（知財高判令和2・3・11金判1597号44頁〔ライフルホームズ〕〈判コレ151〉参照）,音商標も6号に該当する場合がある。

(7) 使用による識別力の獲得（3条2項）

(a) **趣旨**　3条1項3号から5号に該当する商標であっても，使用をされた結果「需要者が何人かの業務に係る商品又は役務であることを認識することができるもの」，すなわち識別力を獲得したものについては，登録を受けることができる。例として，「あずきバー」（3号）（知財高判平成25・1・24判時2177号114頁〔あずきバー〕），「HONDA」（4号），「JR」（5号）を挙げられる。

　本規定により登録が認められるのは，3号から5号に該当する商標は，先に出願されたとの一事をもって独占適応性を有するとはいえないが，使用により現に識別力を獲得した場合には，保護の便益の方が勝るからである。すなわち，3号から5号に該当する商標は，未使用の段階では類型的には出所表示機能を果たさないと考えられ，独占を認めると他の事業者の自らの商品・役務の内容を伝達する選択肢を狭め，需要者のサーチコストはかえって高まると考えられる。しかし，使用の結果，需要者へ商品・役務の出所を効率的に伝達するものとなり，それにより出所表示機能を果たすようになった場合には，独占に不適応とまではいえず，保護を認める方が需要者のサーチコスト低減に貢献するからである。

　なお，1号・2号・6号が対象とされないのは，識別力を獲得した商標はそもそもこれらに該当しなくなるからといえる。更に，普通名称については，使用により識別力を獲得したとしても，独占適応性の観点から独占を認めるべきでないとも考えられる。

(b) **識別力獲得の判断**　3条2項の要件をみたすには，何人かの出所表示として，その商品又は役務の需要者の間で全国的に認識されている必要がある。一地方における認識では足りず，全国的に認識されている必要があると解するのが通説・実務である。識別力の獲得の有無は，取引の実情を総合考慮して判断される。具体的には，商標の使用状況，需要者の認識を示す様々な証拠を基に判断されることになる。

　本項により登録が認められる指定商品・役務の範囲は，現に使用により識別力を獲得した範囲に限られるとされてきた（東京高判平成3・1・29判時1379号130頁〔ダイジェスティブ〕）。この考えに従えば，「あずきバー」が使用により識別力を獲得したのが「あずきを原材料とする棒状のアイス菓子」に限られると

するならば，それ以外の「もなか」や「ようかん」を指定商品に含む場合には，3条2項の要件をみたさないことになる。しかし，近時の裁判例は，指定商品に識別力を獲得していない商品を含む場合でも登録を認める傾向があることが指摘されている（例えば知財高判平成24・9・13判時2166号131頁〔Kawasaki〕）。

> **Column V2-1　団体商標・地域団体商標**
>
> 　団体商標（7条）とは，団体が自己又はその構成員に使用させる商標のことである。団体商標制度は平成8年改正により導入された。その趣旨は，団体自身は使用せず構成員に使用させる商標も登録を受けることができるようにすることにある（自己使用要件の緩和）。これにより，単一の主体を出所として表示するための商標ではなくて，「集団」を緩やかに出所として表示させるために本制度を利用できることとなった。この制度は，例えば，羊毛製品についての団体が「ウールマーク」について商標登録を得て，一定の品質を備えて当該団体の認証を経た製品には当該団体商標を付すといったように用いられる。団体商標を登録できる主体は，法人格を有する社団（会社は除く）・事業組合などの法律により設立された組合（又はこれに相当する外国の法人）に限られる。
>
> 　地域団体商標（7条の2）は団体商標の一種であるが，次のような違いがある。①登録要件が緩和されており，地名＋普通名称のような記述的商標の登録がしやすくなっている（同条1項本文・1号～3号）。一方，②主体要件が厳しく，当該団体の構成員への加入の自由が保障されている団体である必要がある。1項では，特別の法律により設立された組合について，当該特別の法律において正当な理由がないのに，構成員たる資格を有するものの加入を拒み，又はその加入につき現在の構成員が加入の際に付されたものよりも困難な条件を付してはならない旨の定めのある者に限るとしている。
>
> 　①について，一般に記述的商標については3条1項3号に該当し3条2項の要件をみたすことが求められるが，地域団体商標の場合，使用をされた結果「その構成員の業務に係る商品又は役務を表示するものとして需要者の間に広く認識されている」ものであれば足りる。すなわち，全国的な認識は不要であり，隣接都道府県に及ぶ程度の需要者に認識されていることをもって足りる。
>
> 　地域団体商標は「神戸ビーフ」のような地域名と商品名から成る商標の登録を容易にし，地域ブランド化の動きを支援してその適切な保護を図ることを目的としている。類似の目的をもった制度として平成27年に施行された地理的表示法（特定農林水産物等の名称の保護に関する法律）もある。地理的表示制度は，財産権を付与するのではなく，不正な使用を行政が取り締まることに特徴がある。同様の政策目的に対して，財産権を付与する制度と行政規制に基づく制度との2つが併存していることとなり，それぞれの長所に応じた活用がなされることが期待される。

第5編　第2章　商標の登録要件

第4節　商標登録を受けることができない商標

1 総　　説

　3条の要件をみたした商標でも，4条1項1号～19号の不登録事由に該当する商標は登録を受けることができない（消極的登録要件）。これらは審査における拒絶理由である（15条1号）と同時に，無効理由となる（46条1項1号）。但し，3条・4条1項8号・10号～15号・17号違反には無効審判請求について除斥期間（47条1項）が設けられている（⇒第3章第2節*1*(1)）。

2 公的団体等の標章と同一又は類似の商標（4条1項1号～6号・9号）

(1)　4条1項1号～6号

　国，地方自治体，国際機関など公益的な機関の表示と同一又は類似の商標のうち，本号の定めるものは登録を受けることができない。趣旨としては，それらの機関の権威・尊厳の尊重，国際信義が挙げられる。公的機関のもつ公益性に鑑みれば，それらを特定人に独占させることや，それらに関して出所の混同が生じることは，特に抑止することの必要性が高いので，登録を認めるべきではないといえよう。

　国旗，菊花紋章，勲章等（1号），パリ条約，WTO，商標法条約の加盟国等の紋章などで経済産業大臣が指定したもの（2号），国際機関（国連，IMF，ILOなど）を表示する標章で経済産業大臣が指定したもの（但し，周知性を獲得したか，関係があるとの誤認のおそれがない場合は除く）（3号），赤十字など（4号），政府・地方公共団体の監督用・証明用の印章・記号で，類似の商品・役務に使用し，かつ経済産業大臣が指定したもの（5号），国・地方公共団体（及びこれらの機関），非営利目的の公益に関する団体，非営利目的の公益に関する事業を表示する著名な標章（6号）が対象である。これらと同一又は類似の商標（5号の場合は，これらと同一又は類似の標章を有する商標）は登録できない。

　但し，6号の商標については，これらの団体が自らの標章について出願する

378

場合には登録を受けることができる（4条2項）。

(2) 博覧会の賞と同一又は類似の標章を有する標章（4条1項9号）

政府・地方公共団体が開設する博覧会，特許庁長官の定める基準に適合する博覧会，外国政府等が開設する国際博覧会の賞と同一・類似の標章を有する商標は，登録を受けることができない。但し，その賞を受けた者が商標の一部としてその標章を使用するものを除く。これらの博覧会の権威・尊厳の尊重をするとともに，商品の品質等について賞を受けたとの誤解を生じることを防ぐためのものである。

③ 公序良俗に反する商標（4条1項7号）

(1) 総　説

公の秩序又は善良の風俗（公序良俗）を害するおそれがある商標は登録を受けることができない。公の秩序とは国家・社会の秩序をいい，善良の風俗とは社会における一般的な道徳観念をいう。本号は，これらを維持することをその趣旨とするとされている。

公序良俗を害するおそれがある商標の例として，まず，その構成自体が公序良俗に反するもの（例：差別用語そのままの文字商標）が挙げられる。

また，その商標の使用ないし独占が公序良俗違反になるものも本号に該当する。例えば，指定商品・役務について使用することが公序良俗に反するもの（例：神仏の姿を商標として指定商品に付することで不快感を感ずる者が多数いる場合），救急車のサイレン音などが，これに該当すると考えられている。他の法律によって使用が禁止される商標（例：名称独占が認められている国家資格等を表す商標など），不正の利益を得る目的などで歴史上の人物名を用いる商標も，本号に該当するとされる場合がある。

このほか，国際信義に反する商標も本号に該当するとされる。また，出願主体の属性，出願経緯に照らして公序良俗違反とされる場合もある。これらについては，議論があるので，下記で詳述する。

(2) 国際信義に反する商標

「国際信義に反する」という概念を通じて，本号は拡大的に適用される場合がある。「シャンパンタワー」中の「シャンパン」という語の使用（知財高判平成24・12・19判時2182号123頁〔シャンパンタワー〕），著名な画家であるサルバドール・ダリを想起させる「ダリ／DARI」の商標登録（東京高判平成14・7・31判時1802号139頁〔ダリ〕），外国業者である他人の商標につき，当該会社との交渉のさなかに無断で出願を行った場合（東京高判平成11・12・22判時1710号147頁〔ドゥーセラム〕）が，国際信義に反すると指摘されつつ，本号に該当するとされた例がある。このほか，国際的に著名な他人の著作物の題号を利用した商標に，国際信義を根拠として7号を適用した例もある（知財高判平成18・9・20平17(行ケ)10349〔赤毛のアン〕）。

これらの処理については，国際信義という曖昧な概念を用いることに対する批判も強い。これらの商標を登録すべきでないとしても，それぞれ，地理的表示制度との関係，歴史上の人物名の7号該当性，悪意の出願の7号該当性，他人の著作物・題号の利用の7号該当性というそれぞれの文脈で検討されるべきとの指摘もできる。

(3) 出願主体に着目した公序良俗違反

いわゆる悪意の出願（⇒第3節**1**）に関して，最近の裁判例においては，出願から登録までの経緯に照らして，その登録を認めることが社会的相当性を欠くと認められる場合において，結論として7号の適用を認めるものが多いと指摘できる（例えば，知財高判平成22・8・19平21(行ケ)10297〔Asrock〕。団体の分裂に伴うものとして知財高判平成18・12・26平17(行ケ)10032〔極真〕）。

一方，このような7号の拡大的な適用には慎重な見解も有力である。出願主体に着目して公序良俗違反が認められる場合もあること自体は認めつつも，商標法は類型を分けて4条1項各号で個別的具体的に要件を定めているのだから，悪意の出願のケースでも，まずは4条1項8号・10号・15号・19号該当性を検討すべき旨を述べた裁判例がある（知財高判平成20・6・26判時2038号97頁〔コンマー〕〈判コレ153〉）。

第4節　商標登録を受けることができない商標

4 他人の肖像，氏名等を含む商標（4条1項8号）

(1) 総　　説

　他人の肖像，氏名・名称，著名な雅号・芸名・筆名，これらの著名な略称を含む商標は登録を受けることができない。法人の名称も「他人の名称」に含まれる。但し，例えば「株式会社月の友の会」が名称なのであって，「月の友の会」はあくまで略称にすぎない（最判昭和57・11・12民集36巻11号2233頁〔月の友〕）。本号の趣旨は，自らの氏名等を商標に使われることがない人格的利益を保護することにあると解されている。したがって，故人の氏名は本号の対象とはならない。

　本号の対象となる商標は，上記の肖像・氏名等を「含む」商標である。単に形式的に，氏名等を「含む」だけでは不十分で，その商標がその他人を想起・連想させるものであることを要する（知財高判平成21・10・20平21(行ケ)10074〔INTELLASSET〕。被告の著名な略称「INTEL」を想起させないと判断）。具体的な人格的利益侵害のおそれまでは不要だが，少なくとも，抽象的な人格的利益侵害のおそれは必要と考えられるからである。

　なお，本号により登録を受けることができないのは，出願時及び査定時に，他人の氏名等を含む商標である（4条3項）。第三者が商標登録を阻むために，故意に名称を変更することなどがありうるためである。

(2) 著　名　性

　雅号・芸名・筆名，氏名・名称等の略称は，著名である場合に限り不登録事由となる。これらは自由に選択できるものであるから，第三者に過度の負担をかけないよう，人格的利益との調整を図る趣旨である。法人等の名称が「株式会社」の部分を省略すれば略称として扱われるのも同様の趣旨である。氏名・名称の場合は人格的利益が優先され，著名性は求められない規定となっている。

　著名であるか否かは，本号の趣旨が人格的利益の保護にあることに照らせば，商品・役務の需要者のみを基準とするのではなく，その略称が本人を指し示すものとして一般に受け入れられているか否かを基準として判断すべきである（最判平成17・7・22判時1908号164頁〔国際自由学園〕〈判コレ154〉）。

381

(3) 他人の承諾

　その他人の承諾を得ていれば，他人の氏名等を含む商標であっても登録を受けられる（4条1項8号括弧書）。他人の承諾が必要な場合には，出願時に，承諾書を添付することを求める運用がなされている。近時の裁判例では，同姓同名の者が複数いる場合には，その者が著名か否かを問わず，その全員からの承諾が必要になるとされている（知財高判平成28・8・10平28(行ケ)10065〔山岸一雄大勝軒〕）。しかし，このような運用に対しては，氏名を含む商標の登録の途を事実上閉ざすことになるとの批判も強い。最近の裁判例には，著名なドラッグストアの音商標について，取引の実情に照らし，人の氏名を指し示すものとして認識されるといえないから，本号に該当しないと判断したものがある（知財高判令和3・8・30判時2519号66頁〔マツモトキヨシ〕）。近時の厳格な傾向に一石を投じるものといえよう。立法論としては，8号の要件としての「他人の氏名」について一定の知名度を有することを要するなどとすべきであろう。

　出願時にはその他人の承諾があったが，査定時にはその承諾が撤回されていたケースにおいて，4条3項の文言からは，なお商標登録を受けられるのではないかが争われることがある。判例は，出願時に8号本文に該当する商標について商標登録を受けるためには，査定時において8号括弧書の承諾があることを要するとしている（最判平成16・6・8判時1867号108頁〔LEONARD KAMHOUT〕〈判コレ155〉）。

5 出所の混同を生ずるおそれのある商標（4条1項10号〜15号）

(1) 周知商標と類似する商標（4条1項10号）

　（出願人からみて）他人の業務に係る商品・役務を表示するものとして「**需要者の間に広く認識されている**」商標を，周知性を有する商標（周知商標）という。周知商標と同一・類似の商標であり，かつ，同一・類似の商品・役務について使用する商標は，登録を受けることができない。このような場合に類似する商標の登録を認めると，両者が併存する事態となり，需要者に混同を生じ，需要者のサーチコストをかえって高めてしまうといえる（⇒「類似」概念については第5章）。

　本号により登録を受けることができないのは，出願時及び査定時に本号に該

第4節　商標登録を受けることができない商標

当するものである（4条3項）。出願時に他人の商標に周知性がまだないのなら，その後周知性を獲得していても登録を受けることができる。

周知商標には，最終消費者まで広く認識されている商標のみならず，取引者の間に広く認識されている商標を含む。また，全国的に認識されている商標のみならず，ある一地方で広く認識されている商標も含まれる。大都市をもつ都道府県を除けば，少なくとも1県をこえる範囲で広く認識されている必要があると解されている。この点につき，「全国にわたる主要商圏の同種商品取扱業者の間に相当程度認識されているか，あるいは，狭くとも一県の単位にとどまらず，その隣接数県の相当範囲の地域にわたって，少なくともその同種商品取扱業者の半ばに達する程度の層に認識されていることを要するものと解すべき」と述べた裁判例がある（東京高判昭和58・6・16無体集15巻2号501頁〔DCC〕）。このように本号における周知性は，不競法2条1項1号の周知性とは異なるため，これと区別するため「広知性」と呼ぶことがある。

(2)　先願の登録商標と類似する商標（4条1項11号）

先願に係る他人の登録商標と同一・類似の商標であって，その指定商品・役務と同一・類似の商品・役務に使用をする商標は登録を受けることができない。本号は，先願主義の帰結であり，最先の出願人のみ登録を許すことで，混同の可能性のある範囲では単一の出願人しか登録を認めないのである。既登録商標側からみると，同一・類似の商標についての後の出願を排除する効力があることになり，これを後願排除効と呼ぶことがある。

先願に係る8条1項との違いは，本号は先願の既に登録された商標が対象なのに対し，8条1項では登録済みか否かは無関係である。また，本号違反は拒絶理由・無効理由となるが，8条1項違反は無効理由となるのみである。したがって，審査段階では，審査官は既登録の商標のみを対象にサーチをすればよく，もし重複登録が発覚した場合には事後的に後願が無効となることになる。

4条1項10号は使用された結果周知性を有する商標であれば，未登録商標にも適用される。これに対し，本号は，未使用であっても登録された商標であれば適用される。

本号の解釈にとって重要なのは，重複登録が禁止される範囲を画する「類

似」概念である。詳細は，侵害時における類否の判断とまとめて第5章で述べるので，ここでは省略する。

(3) 登録防護標章と同一の商標（4条1項12号）

他人の登録防護標章と同一の商標であって，その指定商品・役務について使用をする商標は登録を受けることができない。これは，防護標章制度の趣旨に基づくものである。

> **Column V2-2　防護標章登録**
>
> 　商標権の排他的効力は登録した指定商品・役務と同一・類似の範囲に及ぶが，類似の範囲をこえた商品・役務に使われても侵害に問うことはできない。しかし，広く知られた商標の場合特に，そのような場合でも混同が生じることにより，商標権者の信用が毀損される事態は生じうる。このようなとき，不競法2条1項1号・2号の保護を受けることができるが，要件をその都度逐一立証しなければならないことは不便であるといえる。また，実際には使用しない商品・役務にまで，予め指定商品・役務を拡張して登録しておくこともできない（3条1項・50条1項など参照）。
>
> 　そのため，商標法は，防護標章制度を設け，需要者の間に広く認識されている登録商標，すなわち著名な登録商標について，防護標章登録を認めている。登録要件は，①登録商標が「自己の業務に係る指定商品を表示するものとして需要者の間に広く認識されている」こと（条文の文言にかかわらず，著名性を有することを要すると解されている（知財高判令和2・9・2令元(行ケ)10166〔Tuché〕)），②その登録商標と同一の標章についてであること，③登録を受けようとする指定商品・指定役務について混同のおそれがあることである（64条）。ここでいう混同のおそれは，広義の混同のおそれであり，出所が同一であると混同する場合にとどまらず，別個の出所ではあるが関連性を有すると誤解する場合も含む。
>
> 　防護標章登録を受けると，その指定商品・役務について，登録防護標章と同一の標章を使用する行為等が侵害とみなされる（67条）。また，指定商品・役務と同一・類似の範囲について，登録防護標章と同一の範囲について，他人が登録を受けられなくなる（4条1項12号）。防護標章登録により上記の範囲で，商標権の使用禁止効，後願排除効の範囲を拡張できる。

(4) 種苗法による登録品種と同一又は類似の商標（4条1項14号）

種苗法（⇒第7編第3節参照）による品種の名称と同一・類似の商標であって，その品種の種苗・それと類似の商品・役務について使用をするものは登録を受

けることができない。種苗法では，その品種の種苗について登録した名称の使用をする義務があり，当該品種以外の種苗にその名称を使用してはならない（22条）。これらの規定の趣旨は，その品種の種苗と名称との間に1対1の対応関係を成立させ，需要者の混乱を防ぎ，サーチコストの低減を図ることにあると理解できる。本条の趣旨は，登録品種の名称について特定の者に独占的使用権が生じることを防止することで，上記の種苗法の趣旨を妨げないようにすることにあるといえる。この不登録の趣旨は，普通名称が登録できない理由に近い。

(5) 混同を生ずるおそれがある商標（4条1項15号）

他人の業務に係る商品・役務と混同を生ずるおそれがある商標は，登録を受けることができない。出所混同を生じるおそれのある商標は，既に信用の蓄積が開始されている別の商標の出所表示機能を阻害することから，需要者のサーチコストを増大させるものであり，商標法の趣旨に反し登録させるべきではないと考えられる。10号から15号の規定は，混同が生じる可能性がある商標の登録を防ぐことにその趣旨がある。10号・11号は類似性の要件等により定型的にこれを判断している。これに対して本号は，10号・11号の類似性の要件はみたさなくても，既存商標の高い周知性・著名性や使用態様に基づいて混同のおそれが認められる場合に適用される（⇒ Column V5-1 「『類似性』と『混同のおそれ』」）。

本号により登録を受けることができないのは，出願時及び査定時に本号に該当するものである（4条3項）。出願時に混同のおそれがないのなら，その後混同のおそれが生じていても登録を受けることができる。

本号にいう「混同を生ずる」とは，**出所の混同**を指し，同一の主体を出所とするものと誤認すること（**狭義の混同**）のみならず，いわゆる**広義の混同**も含む（最判平成12・7・11民集54巻6号1848頁〔レールデュタン〕〈判コレ157〉）。最高裁によれば，広義の混同とは，その他人の業務に係る商品・役務であると誤認し，その商品・役務の需要者が商品・役務の出所について混同するおそれがある場合のみならず，その他人と経済的又は組織的に何等かの関係がある者（いわゆる親子会社，同一の表示の下，商品化事業を行うグループ等）の業務に係る商

品・役務であると誤認し，その商品・役務の需要者が商品・役務の出所について混同するおそれがある場合をいう。

〔レールデュタン〕は，広義の混同も含まれる根拠につき，本号の規定は，周知表示又は著名表示へのただ乗り（いわゆるフリーライド）及び当該表示の希釈化（いわゆるダイリューション）を防止するものであり，その趣旨からすれば，企業経営の多角化，同一の表示による商品化事業を通して結束する企業グループの形成，有名ブランドの成立等，企業や市場の変化に応じて，周知又は著名な商品等の表示を使用する者の正当な利益を保護するためには，広義の混同を生ずるおそれがある商標をも商標登録を受けることができないものとすべきであると述べている。広義の混同を含むとする結論は妥当だが，フリーライド・希釈化は，広義の混同がない場合でも侵害を認めるべきことの正当化根拠として用いられるものであり（不正競争2条1項2号参照），これを広義の混同の根拠とするのは理論的に疑問があるといえよう。

6 品質の誤認を生ずるおそれのある商標（4条1項16号）

商品の品質・役務の質の誤認を生ずるおそれがある商標は，登録を受けることができない。品質の誤認を生じさせる商標は，需要者の商品・役務の内容を知るためのサーチコストをかえって増大させ，商標法の目的に反するおそれがある。したがって，誤認のおそれがあるものは登録をさせないのである。

「誤認を生ずるおそれ」とは，商標が表す商品・役務の品質等と実際の商品・役務の品質等との間にずれがあり，その商品・役務が有する品質等を需要者が誤認する可能性がある場合をいう。誤認を生ずるおそれの有無は指定商品・役務との関係で判断される。「つつみのおひなっこや」という商標は，それが「堤人形」（仙台の郷土の土人形であり，ひな人形などがある）に対して使用される限り品質誤認のおそれはないが，「土人形」「陶器製の人形」一般に使用されると品質誤認のおそれがある（知財高判平成23・10・20判時2143号125頁〔堤人形〕参照）。また，誤認のおそれは社会通念にしたがって客観的に判断されるので，「江戸前すし」のように地域との密接な関連性が希薄となり一般的な製法と認識されるに至っている場合は，すし屋で提供される握りずし全般に使用しても，誤認のおそれはないと考えられる。（一方で，誤認のおそれがないとして

第4節　商標登録を受けることができない商標

も，上記「つつみのおひなっこや」「江戸前すし」には，当該指定商品の品質を普通に用いられる方法で表示する標章のみからなる商標（3条1項3号）か否かの問題がなお残ることには注意を要する）。

7 ぶどう酒又は蒸留酒の産地を表示する標章を有する商標（4条1項17号）

ワイン・蒸留酒の産地を表示する標章を有する商標は，一定の場合には登録できない。①日本産の場合は，その産地について特許庁長官の指定があるとき，②外国産の場合は，その国がWTOの加盟国で，その国において他の産地産のものにその標章を使用することが禁止されているときは，当該産地以外の地域を産地とするワイン・蒸留酒に使用する商標は登録を受けることができない。本号は，地理的表示に関するTRIPS協定23条(2)を国内法化するものである。この規定により例えば，山梨産のワインに「ボルドー」という商標を登録することはできない。

本号は，具体的な品質誤認の有無は問わない。本号の趣旨は地理的表示の保護を図ることそのものにあるからである。また，出願時に17号に該当していなければ，査定時に17号に該当しても登録することができる（4条3項）。

8 商品等が当然備える特徴のみからなる商標（4条1項18号）

商品等（商品・商品の包装・役務）が当然に備える特徴のうち，政令で定めるもののみからなる商標は登録を受けることができない。すなわち，商品・商品の包装が当然に備える立体的形状・色彩・音，役務の提供の用に供する物が当然に備える立体的形状・色彩・音は登録を受けることができない（商標法施行令1条）。商標制度は，商品・役務あるいは商品のデザイン自体の独占を認めその競争を制限することを意図するものではない。商標権を通じて事実上商品自体等の独占を認める結果となると，半永久的に独占が続くおそれもあり，自由競争を不当に害するおそれがある。

本号にいう「商品等……が当然に備える特徴」とは，商品等の性質から通常備える立体的形状・色彩・音や，商品等の機能を確保するために不可欠な立体的形状・色彩・音などを指すと解される。本号の趣旨に照らし，その特徴を商

標として独占することを認めることが，商品自体の独占につながることになるのか等により，判断すべきと考えられる。例えば，「自動車のタイヤ」につき，丸い形状・黒の色彩，「焼き肉の提供」についてジュージューと肉の焼ける音などが本号に該当する（3条1項3号・3条2項も参照）。

9 周知又は著名な商標であって不正目的で使用されるもの（4条1項19号）

(1) 総説

他人の業務に係る商品又は役務を表示するものとして日本国内又は外国における需要者の間に広く認識されている商標と同一又は類似の商標であって，不正の目的をもって使用をするものは登録を受けることができない。

本号の趣旨は，主として，外国で周知な商標について外国での権利者に無断で不正の目的をもってなされる出願・登録を排除すること，及び，全国的に著名な商標について希釈化から保護することにある。本号は，従来は7号の適用によって処理されていた問題を処理できるよう，平成8年改正で設けられた。

以上の趣旨から，商標自体の類似性は要件となるが，それを使用する商品・役務の類似性は要件とならない。また，本号により登録を受けることができないのは，出願時及び査定時に，本号に該当する商標である（4条3項）。

(2) 不正の目的

「不正の目的」とは，「不正の利益を得る目的，他人に損害を加える目的その他の不正の目的をいう」と規定されており，図利加害目的その他の取引上の信義則に反する目的のことをいう。

不正の目的があるとして本号が適用されると想定されているのは，(i)外国の周知な他人の商標について，日本で登録されていないことを奇貨として，高額で買い取らせたり，外国の権利者の国内参入を阻止したり，国内代理店契約を強制したりする目的で，先取的に出願した場合，(ii)国内の著名商標について，希釈化や汚染化（⇒第6編第2章第2節**1**）の目的をもって出願した場合，(iii)その他の周知な商標について信義則に反する不正の目的で出願した場合である。

例えば，洋服等について「CAMEL」を含む商標を登録しようとした事案において，①本件引用商標が，タバコの分野のみならず米国及び日本において需要者の間に広く認識されていたこと，②原告は本件引用商標についての周知著名性を十分に認識していながらあえて出願したこと，③原告は本件の出願前にも既に本件引用商標に類似する商標登録の出願を行っていたこと，④原告の使用商品は本件商標登録前に，ディスカウント店において「キャメル」商標の名の下に世界の著名なブランド商品と並べられて広告されていたこと等の事情を総合勘案すると，出願時及び登録査定時において，本件引用商標の著名商標が有する信用又は名声に便乗して利益を得ようとの不正の目的があったと判断した事例がある（知財高判平成20・9・30平20(行ケ)10079〔CAMEL〕)。

(3) 周知性・著名性

本号の適用の要件である「需要者の間に広く認識されている商標」とは，10号と同じ文言ではあるが，必ずしも同一のものとは考えられていない。これを，立法経緯などに照らし10号のような周知性では足りず，全国的な著名性を要するとする見解もある。しかし，どの程度の周知性が必要かは，どのような商標が保護にふさわしいかという観点から，本号の「不正の目的」という要件との関係で相対的に決めるべきものと考えられる。

前記(i)の類型に係る外国の商標については，日本以外の国の１つにおいて周知であることは必要であるが，必ずしも複数の国において周知であることを要しないと解されている。

前記(ii)の類型では，一定以上の業務上の信用を獲得した商標のみが，類似の商標を排除するという保護を与えるにふさわしいといえるから，国内の商標を希釈化から保護するには，著名性を要すると考えられる。

前記(iii)の類型では，具体的事案に照らして不正の目的と相関的に判断するべきである。必ずしも全国的な著名性は要しない。

第**3**章
商標権に関する手続

第1節　出願手続
第2節　審判等・審決取消訴訟

第1節　出願手続

1 商標登録出願

（1）出願書類

　商標登録出願は，特許出願と同様に，特許庁長官に対して願書を提出して行われる（5条1項柱書）。

　特許法とは異なり，商標登録出願は，商標の使用をする1又は2以上の商品・役務を指定して，商標ごとに行わなければならない（6条1項）。1つの願書で出願できる商標は1つであり，複数の商標を1つの願書で出願することはできない（一商標一出願の原則。違反は拒絶理由となる（15条3号））。しかし，政令で定める商品・役務の区分に従っている限りは（6条2項），1つの商標につき複数の商品・役務を指定して出願することは可能である。願書にも指定商品・役務やその区分を記載しなければならない（5条1項3号）。1つの商標を1つの商品や役務に使用するごとに別々に出願しなければならないとすると，出願人の負担が重くなるとともに，既存の商標権を調査するコストも大きくなるためである。

　商品・役務の区分については，商標法施行令（2条・別表）が45種類の区分（商品が34分類，役務が11分類）を規定している（「第5類 薬剤」，「第15類 楽器」，

390

「第36類 金融，保険及び不動産の取引」など）。区分ごとに区分けさえしていれば，1つの商標について複数の区分にわたる複数の商品・役務を指定して出願することも可能である（一出願多区分制）。

また，動きの商標・ホログラム商標（5条2項1号），立体商標（同項2号），色彩商標（同項3号），音の商標（同項4号），位置商標（同項5号，商標法施行規則4条の7）について登録を受けようとする場合には，その旨を願書に記載しなければならない（5条2項柱書）。更に立体商標以外のものについてはその商標の詳細な説明を願書に記載し，特に音の商標については，これを記録した光ディスクを願書に添付する必要もある（5条4項，商標法施行規則4条の8）。

(2) 商標登録出願により生じた権利

特許法上の特許を受ける権利に相当する権利として，商標法では，**商標登録出願により生じた権利**が認められている（13条2項）。特許を受ける権利と同様の権利である。但し，創作法たる特許法では，発明という創作行為を基点に特許を受ける権利の発生を認めることが可能であるが，標識法たる商標法では創作行為に重きを置かず，商標登録出願によって発生する権利と規定されている。

権利の内容は概ね特許を受ける権利と同様である（⇒第2編第3章第3節）。但し，冒認出願（商標登録により生じた権利を承継しない者による出願）に対して登録がなされた場合には無効理由となる（46条1項4号）ものの，拒絶理由とはされていない（15条参照）。また，特許法74条に相当する移転請求権も定められていない。

2 金銭的請求権等と出願公開

13条の2は，出願された商標を指定商品・役務に無断使用した者に対し，無断使用により出願人が被った損失に相当する額の**金銭的請求権等**を認めている。これは，出願人が商標登録前に既に商標の使用を開始している場合に，当該商標に化体した業務上の信用を保護することを目的としている。排他権である商標権の発生前である以上，差止めまでは認められない。

この権利は，特許法における補償金請求権（⇒第2編第4章第2節 **2** (2)）と

類似した権利であるが，以下の点で違いがある。①出願は要件とされているものの出願公開が要件とされていない。②権利行使に常に警告が必要とされている。③「業務上の損失」の発生が必要とされている。これは，業務上の信用が害されたことによる損失を意味するところ，業務上の信用は出願人による商標の使用により蓄積されるものである。したがって，出願人が出願商標を使用していることも要件となる。④信用回復措置も請求可能である（5項による特許106条の準用）。これは，補償金請求権が出願公開の代償として与えられる権利であり，出願公開によって可能となる模倣からの保護を主たる目的としているのに対し，金銭的請求権等は，出願人による出願商標の使用により生じた業務上の信用保護を直接の目的とするためである。

　金銭的請求権等が認められていることに伴い，出願内容を公開する制度も設けられている（12条の2）。特許法上の出願公開制度と異なり，商標法では出願後すみやかに**出願公開**が行われるものとされている。金銭的請求権等が出願時に発生するためである。

3 審査・査定・登録

　商標登録出願がなされると，全ての出願に対して，方式審査・実体審査が行われる。特許法のような審査請求制度は存在しない。

　商標登録出願についても補正が可能である。但し，意匠法と同様に（⇒第4編第3章第1節**2**），願書記載の指定商品・役務又は商標登録を受けようとする商標についてした補正が，これらの要旨を変更するものであるときは，審査官は決定をもってその補正を却下しなければならない（16条の2）。補正却下決定に対し，出願人は補正却下決定不服審判（45条）の請求か，補正後の商標について新たな出願を行うことができる（17条の2第1項による意匠17条の3の準用）。また，商標登録を受けた後に要旨変更補正であることが認められた場合には，出願時が手続補正書の提出時期に繰り下がる（9条の4）。以上の点も，意匠法と同様である。更に，特許法と異なり，商標権設定登録後の訂正は認められておらず，訂正審判制度もなく，無効審判内での訂正も許されない点も意匠法と同様である。

　特殊な出願として，出願分割（10条），通常の商標登録出願・団体商標登録

出願・地域団体商標登録出願相互間での出願の変更（11条），防護標章登録出願・商標登録出願相互間での出願の変更（12条・65条）が可能であるほか，パリ条約による優先権に基づく出願も認められる（9条の2・9条の3参照）。

特許法・意匠法と同様に，審査の結果，拒絶理由（15条各号）が発見されれば拒絶理由通知を経て（15条の2・15条の3），拒絶査定（15条）が行われ，拒絶理由が発見されなければ登録査定が下される（16条）。そして，登録料を納付し商標登録を受けると（18条2項），商標権が発生し（同条1項），商標公報に掲載される（同条3項）。

第2節　審判等・審決取消訴訟

1 審 判 等

(1) 総　　説

商標法は，**登録異議の申立て**（43条の2），**拒絶査定不服審判**（44条），**補正却下決定不服審判**（45条），**商標登録無効審判**（46条），**商標登録取消審判**（50条・51条・52条の2・53条・53条の2）について定めをおいている。このうち，登録異議の申立て・拒絶査定不服審判・商標登録無効審判の手続については概ね特許法と同様であり（⇒第2編第5章第2節**2 4**，第3節），補正却下決定不服審判は意匠法と同様である（⇒第4編第3章第2節**1**）。

但し，無効審判に関しては，例えば以下の点で特許法と違いがある。まず，後発的無効理由（46条1項5号～7号）が実務上重要な役割を果たしている。無効理由の存否については，査定時を基準に判断されるが，一定の要件については，査定時に加え出願時にも各号に該当することが必要とされる（4条3項）。また，商標登録無効審判には**除斥期間**の定め（47条）がある。47条は，特定の無効理由（例えば，3条，4条1項8号・11号～14号違反など主に私的な利益にかかわる無効理由）について，設定登録日から5年経過後は，審判請求することができないと定めている。これは，たとえ過誤登録であったとしても，無効審判請求が行われないまま一定期間が経過したときは，登録された商標に一定の信用が蓄積していることが多く，商標登録がされたことにより生じた既存の継

続的な状態を尊重し維持することを優先させるという趣旨である。

以下では，商標法に特有の制度である商標登録取消審判のみを取り上げて説明する。

(2) 不使用取消審判

50条1項によれば，商標権者・専用使用権者・通常使用権者のいずれもが継続して3年以上日本国内で登録商標を使用していない場合には，何人も，その商標登録を取り消すための審判を請求することができる。商標法による保護は，商標の使用によって蓄積された業務上の信用に対して与えられるものであるところ，登録商標が一定期間使用されない場合には，保護すべき信用が形成されていない，あるいは，いったん形成された信用が消滅していると考えられる。他方，不使用商標に対して排他権たる商標権をそのまま維持しておくことは，権利者以外の商標使用希望者の商標選択の自由を害することになる。そこで，このような弊害が生じるのを防止すべく設けられたのが，**不使用取消審判**である。

登録商標が継続して3年以上不使用の場合には，何人もこの審判を請求することができる。但し，不使用に正当な理由があれば，取消しを免れる（50条2項但書）。また，過去に3年以上不使用の時期があったとしても，審判請求の登録前3年以内に使用がされていれば取り消されない（50条2項本文）。現在の使用により信用が化体している以上，これを保護する方が商標法の趣旨に適うためである。しかしながら，審判請求されることを知った後，審判請求前の3月以内に駆け込み的に登録商標を使用したとしても，正当な理由がない限り，不使用取消しを免れない（50条3項）。

また，取消しを免れるには，登録商標と同一の商標が使用されていなければならない。商標法は登録商標と類似する商標の使用に対しても商標権の効力を及ぼしている（37条）ところ，これは類似商標の使用により生じうる出所混同を防止するためである。にもかかわらず，商標権者自身が登録商標Aではなくその類似商標Bを使用すると，登録商標Aそれ自体とは類似しないが，商標権者が使用している類似商標Bと類似する商標Cを他者が使用した場合，互いに類似する商標Bと商標Cを別主体が使用することによる出所の混同を

防止することができなくなる。なぜなら，商標Cは登録商標Aとは非類似であるため，Aに係る商標権侵害を構成しないからである。そこで，商標権者等による類似商標の使用を抑制し，登録商標の使用を促すためにこのような要件が設けられたと推察される。このような趣旨からは，登録商標の書体のみに変更を加えた同一文字の商標や，平仮名を片仮名に変更しただけの商標など（商標B）は，たとえ登録商標Aと完全に同一ではなくとも，商標Bと類似する商標Cはなお登録商標Aそれ自体とも類似すると評価することができ，商標権の効力を及ぼすことが可能である。そこで，38条5項括弧書によれば，以上のような「社会通念上同一と認められる商標」の使用によっても，不使用取消しを免れる。

　前述のように，不使用取消審判は信用形成がなされていない登録商標を取り消す制度であるため，たとえ形式的に登録商標の使用（2条3項）にあたる行為（⇒第2章第2節**5**）が行われていたとしても，それが信用形成に向けられた出所識別表示としての使用（「商標的使用」。⇒第4章第3節**1**(5)）でなければ，「登録商標の使用」とは認められないと解するべきである（東京高判平成13・2・28判時1749号138頁〔DALE CARNEGIE〕〈判コレ158〉）。しかし，商標的使用でなくともよいとする立場もある（傍論ながら，知財高判平成28・9・14平28(行ケ)10086〔LE MANS〕）。

　複数の指定商品・役務についてまとめて審判請求された場合には，商標権者は「請求に係る指定商品又は指定役務のいずれか」で使用していることを証明しさえすれば，複数の指定商品・役務全体について取消しを免れる（50条2項）。一部取消しは認められないのである。しかしながら，審判請求人は，複数の指定商品・役務のうち，特定の指定商品・役務を選択して審判請求をすることができる。この場合，商標権者は「請求に係る指定商品又は指定役務のいずれか」で使用していることを証明できなければ，当該指定商品・役務についてのみ取消しが認められることになる。不使用取消審判の対象は，審判請求人の請求に係る指定商品・役務を単位とするのである。

　不使用取消審判において商標登録を取り消すべき旨の審決（不使用取消審決）が確定したときは，審判請求登録日に商標権は消滅したものとみなされる（54条2項）。無効審決と同様の遡及効（46条の2第1項）が認められているわけで

はない。

(3) 不正使用取消審判等

　商標権者が，指定商品・役務についての類似商標の使用，指定商品・役務と類似する商品・役務についての登録商標又は類似商標の使用により，故意に出所混同や品質誤認を生じさせた場合，当該登録商標を審判により取り消すことができる（51条）。商標権者は指定商品・役務（と同一の指定商品・役務）について登録商標（と同一の商標）を使用する権利を専有するのみであり（25条），37条により反射的に可能となったに過ぎない類似範囲の使用によって故意に出所混同等を生じさせることは不正な商標使用と考えられるため，このような制裁規定が設けられた。

　また，4条1項11号は，「他人」の既登録商標と類似する商標の登録を拒絶する要件であるところ，自身の既登録商標と類似する商標であれば，登録が認められる。その後，商標権者が，商標権の1つを他者に譲渡した場合，類似商標が別の主体に帰属するため，混同が生じうる。そこで，商標権者の1人が，不正競争目的で登録商標を使用し，他の商標権者等の商品・役務と混同を生じさせたときには，制裁として当該登録商標は取消審判の対象となる（52条の2）。

　専用使用権者・通常使用権者が品質誤認・出所混同を惹起するような不正使用を行った場合にも，登録商標は取消審判の対象となる（53条）。

　更に，パリ条約同盟国等において商標に関する権利を有する者の代理人・代表者が，権利者の許諾を得ずに行った出願に基づき商標登録がされた場合に，当該権利者はこの登録を取り消すために審判を請求することが可能とされている（53条の2）。

② 審決取消訴訟

　審決や登録異議申立てにおける取消決定に対しては，**審決取消訴訟**の提起が可能であり，その手続は概ね特許法と同様である（⇒第2編第5章第4節）。

　最大判昭和51・3・10民集30巻2号79頁〔メリヤス編機〕〈判コレ36〉（⇒第2編第5章第4節**3**）の射程も商標法上の審決取消訴訟に及ぶ。しかし，最高裁は，不使用取消審決の取消訴訟において，審判段階で主張・立証されていな

かった使用の事実を商標権者が主張・立証することを認めている（最判平成3・4・23民集45巻4号538頁〔シェトア〕〈判コレ159〉）。不使用取消審決取消訴訟における商標権者側の主張の場合には，訴訟で当該主張が許容されなかった場合，結果的に商標登録が取り消され，商標権者が別途使用の事実を主張・立証する機会が残されないためである。

　また，審決後に生じた事情を審決取消訴訟で顧慮することが許されるのかという問題もある。例えば，既登録商標と類似する商標であるとして拒絶審決が下された後，当該既登録商標が不使用取消しされた場合などにこの種の問題が生じる。多くの裁判例は，審決の違法性の有無は審決時を基準に判断すべきであり，その時点で登録要件が充足されていなかったという事実に変わりがない以上，拒絶審決を取り消すべきではないとしている。これに対して，審決後に生じた事由によって拒絶理由や無効理由（他人の既登録商標と類似する商標が存在することによる誤認混同のおそれなど）が実質的には解消された以上，審決を取り消すべきであるとの有力な批判もある。

第4章

権利の効力と活用

第1節　商標権の効力
第2節　権利侵害の要件
第3節　商標権の制限
第4節　商標権侵害に対する救済

第1節　商標権の効力

1 総　説

　25条によれば，「商標権者は，指定商品又は指定役務について登録商標の使用をする権利を専有する」。商標権者は，指定商品・役務（と同一の商品・役務）についての登録商標（と同一の商標）の使用を独占的に行うことができ，他者による無断使用を排斥・禁止することができる。

　これに加えて，37条1号は，①指定商品・役務（と同一の商品・役務）についての登録商標に類似する商標の使用，②指定商品・役務に類似する商品・役務についての登録商標（と同一の商標）の使用，③指定商品・役務に類似する商品・役務についての登録商標に類似する商標の使用が，商標権者に無断で行われた場合，これを侵害とみなすと規定している。

　このように，商標権の効力は，**商品・役務の類似性**と**商標の類似性**が認められる範囲にまで及ぶことになる。但し，商標権者は25条により**商品・役務の同一性**と**商標の同一性**が認められる範囲でのみ，独占的な使用権が認められているに過ぎず，類似範囲の使用は，37条により他者の無断使用の禁止によっ

第1節　商標権の効力

て反射的に可能となっているに過ぎない。

　商標権者は，他の知的財産権と異なり，他人の商標と抵触した場合でも，自身の登録商標と同一の範囲の商標は独占的に使用することができる（この権利は**専用権**と呼ばれる。⇒第3節**6**(2)）。これに対し，自身の登録商標と類似範囲の商標については，他者の無断使用を禁止することができるのみである（この権利は**禁止権**と呼ばれる）。商標は，商標権者の使用による信用の蓄積がなされてはじめて意義をもつものであり，使用の継続を確保することが重要となる。そこで，商標権者に対し登録商標そのものを使用させることで，登録商標自体に対する信用形成・蓄積を促すために，専用権の範囲が限定されていると考えられる。

　但し，たとえ，指定商品・役務についての登録商標の使用であっても，先願に係る他人の特許権・実用新案権・意匠権や，商標登録出願前に発生した著作権等と抵触関係に立つ場合には，抵触部分について登録商標を使用することはできない（29条）。つまり，他人の登録商標と抵触しても自身の登録商標であれば使用が継続できるが，他の知的財産権と抵触する場合には，登録商標の使用を行うことができないことになる。

2　存続期間と更新

　商標権の**存続期間**は設定登録日から10年で満了する（19条1項）。しかしながら，他の知的財産権とは異なり，存続期間の更新が可能とされている（19条2項・3項，20条）。それゆえ，更新を繰り返すことにより，事実上，商標権を永久に存続させることもできる。

　このような制度が設けられているのは，商標権の目的が商標に化体した信用の保護にあり，商標が実際に使用され，商標に信用が蓄積している限りは，それを保護する必要があるためである。しかしながら，そもそも存続期間を定めなければ，同様に商標権を永久に存続させることができる。商標法が存続期間を定め，更新制度を設けているのは，更新に一定の手続と更新料の支払を要求することで，商標権者にこれ以上使用するつもりのない商標権の期間更新を抑制させることにより，不使用が見込まれる商標権の存続を防止し，もって他者による商標選択の自由を保障するためである。

第5編　第4章　権利の効力と活用

第2節　権利侵害の要件

1 直接侵害

　第1節で述べたように，指定商品・役務と同一又は類似の商品・役務につい
て，登録商標と同一又は類似の商標を，商標権者に無断で使用すれば，商標権
侵害となる。すなわち，侵害の成立には，①商品・役務の同一性・類似性，②
商標の同一性・類似性，③商標の使用という要件を充足する必要がある。この
うち，①②の要件は第5章で詳述する。③の「使用」概念は2条3項に定義さ
れており，その詳細は，第2章第2節**5**を参照（⇒いわゆる「商標的使用」に関
して第3節**1**(5)）。

　なお，商標権侵害を構成するのは，「標章の使用」ではなく「商標の使用」
であり，「商標」とは標章を業として使用するものである（2条1項）。それゆえ，
業としての使用のみが商標権侵害となり，家庭内使用は侵害を構成しない。

2 間接侵害

　商標法は，以上の直接侵害のほか，37条2号以下に直接侵害行為の予備的
行為を商標権侵害とみなし，商標権保護の実効性を確保している。

　例えば，2号は，登録商標等を指定商品等やその包装に付した状態で，当該
商品を譲渡・引渡し・輸出のために所持する行為を侵害とみなしている。侵害
品が実際に譲渡・輸出等により拡散する前段階で規制を行うという趣旨である。

第3節　商標権の制限

1 商標法26条による効力制限

(1) 自己の肖像・氏名・名称等の表示（26条1項1号）

　26条1項1号は，自己の肖像・氏名・名称等を普通に用いられる方法で表
示する商標に対しては，商標権の効力が及ばないと規定している。

400

第3節　商標権の制限

　26条の抗弁は，基本的に3条や4条の登録要件と関連している。本号の趣旨は4条1項8号と同様であり，同号違反にもかかわらず過誤登録された後，商標権者が権利行使した場合に，被疑侵害者は後述の無効の抗弁（⇒**3**）と併せてこの抗弁を提出することができる。過誤登録された商標権は無効審判により消滅させることができるものの，審判請求には除斥期間が設けられているため（⇒第3章第2節**1**(1)。無効の抗弁についても除斥期間経過後に抗弁の提出が可能かという問題がある。⇒**3**），本号の抗弁に固有の意義がある。

　更に，4条1項8号に違反せずに登録された商標と類似する商標が自己の肖像・氏名・名称等である場合や，登録後に生まれた人や会社の肖像・氏名・名称等を商標として使用する場合には，そもそも商標登録を無効とすることはできないため，本号の抗弁に独自の意義が見いだされる。

　なお，本号は，商標権設定登録後，不正競争目的で自己の肖像・氏名・名称等を用いた場合には適用されず，商標権侵害を構成する（26条2項）。

(2)　普通名称・記述的商標（26条1項2号・3号）

　指定商品又はその類似商品・役務の普通名称や産地・品質等を普通に用いられる方法で表示する商標（26条1項2号）や，指定役務又はその類似商品・役務の普通名称や役務提供場所・質等を普通に用いられる方法で表示する商標（26条1項3号）には，商標権の効力は及ばない。

　規定の趣旨は，3条1項1号・3号と同様であり，同号違反の過誤登録への対処に用いられる。更に，3条1項1号に違反せずに登録された商標と類似する商標が普通名称である場合や，登録後に普通名称化した場合（⇒第2章第3節**2**(1)(c)）などについて商標権行使を否定するための抗弁として機能する。同様に，3条1項3号に違反せずに登録された商標と類似する商標が産地名等である場合や，登録後に商品の品質を記述する表示と理解されるようになった場合などにおける抗弁としても機能する。

(3)　慣用表示（26条1項4号）

　26条1項4号によれば，指定商品・役務やこれらに類似する商品・役務について慣用されている商標に対しては，商標権の効力が及ばない。3条1項2

号と同趣旨の規定であり，(1)(2)と同様の意義・機能をもつ抗弁である。

(4) 商品等が当然に備える特徴（26条1項5号）

26条1項5号は，商品等が当然に備える特徴のうち政令で定めるもののみからなる商標に対しては，同様に商標権の効力を制限している。4条1項18号に対応する規定である。

(5) 出所識別表示として使用されていない商標（26条1項6号）

26条1項6号によれば，需要者が商品・役務の出所を認識できる態様で使用されていない商標，すなわち出所識別表示として使用されていない商標に対しては，商標権の効力は及ばない。たとえ，形式的には商標の使用（2条3項）に該当する行為が行われていても，それが，出所表示機能を発揮しない態様での使用であれば，商標権者の登録商標が有する出所表示機能とは抵触せず，および出所混同のおそれは生じないため，商標権侵害を認める必要はないのである。

本号は平成26年改正で追加された規定であるが，同改正前も侵害成立要件である「商標の使用」に該当するかが実質的に判断され，**商標的使用**（商標の出所識別表示としての使用）に該当しない場合には，侵害が否定されていた。改正前は，この要件（を構成する具体的事実）について，商標権者と被疑侵害者いずれが主張立証責任を負うのかをめぐって争いがあったものの，本号が26条の抗弁の1つとして規定されたことにより，被疑侵害者が主張立証責任を負う旨が明確となった。

本号の適用を受けて侵害が否定される使用態様として，例えば，次のようなケースがある。商標権者が，包装用容器を指定商品とする「巨峰」・「KYOHO」という登録商標を有していたところ，ブドウの巨峰を入れるために「巨峰」と印刷した段ボール箱を被疑侵害者が製造販売したというケースである。この場合，被疑侵害者は包装用容器たる段ボール箱に「巨峰」というマークを付した以上，形式的には商標の使用にあたる。しかし，当該マークは，段ボール箱の内容物（ブドウの巨峰）を表示するために付されたものであって，包装用容器（段ボール箱）という商品の出所を表示するための使用ではないため，

本号により商標権侵害は否定される（福岡地飯塚支判昭和46・9・17無体集3巻2号317頁〔巨峰〕〈判コレ160〉参照）。あるいは，Tシャツにキャラクターの図柄を描くという行為について，たとえ，当該キャラクターの図柄が登録商標であり，衣服が指定商品とされていたとしても，Tシャツという商品の出所を表示するためではなく，専らTシャツのデザインとして意匠的に利用されているに過ぎないとして，侵害を否定した事例もある（大阪地判昭和51・2・24無体集8巻1号102頁〔ポパイ・アンダーシャツ〕）。

> **Column V4-1** 「商標的使用」
>
> 　26条1項6号は，「『商標的使用』に該当しない場合には，商標権の効力を及ぼすべきではない」という従来の考え方を明文化したものであると説明されることが多い。
>
> 　しかしながら，「商標的使用」に該当しないとされるケースには，本文で紹介したケースのほか，例えば，自社の商品と他社の商品との比較広告において，他社の商品を参照する際にその登録商標を使用する場合や，消耗品の外箱等に当該消耗品の適合機種を表示するために，その機種に係る他者の登録商標を付す場合（東京地判平成16・6・23判時1872号109頁〔brother〕参照）なども含まれる。
>
> 　このようなケースにおいて，商標は他者の商品を特定し，他の商品から識別して，特に当該特定の商品に言及するために用いられており，まさに「需要者が何人かの業務に係る商品又は役務であることを認識することができる態様」により使用されている。このような態様で他者の登録商標を使用している者は，自身の商品の出所識別表示として使用しているわけではないため，依然として「商標的使用」にはあたらないものの，文言上は26条1項6号に該当しない可能性がある。仮にそうだとすれば，このようなケースに対応するために，改正後もなお「『商標的使用』に該当しない場合には，商標権の効力を及ぼすべきではない」という不文の法理自体は維持すべきことになる。

2 先使用権

(1) 総　説

　32条1項によれば，Aが，①他人Bの商標登録出願前から，その指定商品・役務と同一又は類似の商品・役務について，当該商標と同一又は類似の商標を国内で使用している場合に，②その使用が不正競争目的ではなく，③その使用の結果，Bの商標登録出願時にその商標がAの業務に係る商品・役務を

表示するものとして需要者の間に広く認識されており（周知性），かつ，④Aがその商標を継続して使用する場合には，A（及びその業務を承継した者）に対して，当該商品・役務についてその商標を使用する権利（**先使用権**）が認められる。

Bによる商標登録出願時点で，Aが使用することにより既に信用の蓄積した商標が存在するのであれば，その継続使用を認める方が，商標に化体した信用保護を目的とする商標法の立法趣旨に沿うことから設けられた制度である。③の周知性が要件とされているのも，保護に値するだけの信用の蓄積があると認められる場合に限って先使用権を与えるためであり，④の継続的な商標使用が必要とされているのも，商標の使用が長く中断されれば，その間に保護すべき信用が減少あるいは消滅すると考えられるためである。したがって，先使用権の効力は，先使用者Aが実際に使用し信用を蓄積していた商品・役務についての商標の使用を継続できるだけであって，Bの出願時に使用していなかった商品・役務に使用した場合には，Bの商標権を侵害することになる。

また，以上のようにしてAに先使用権が認められ，他方，Bに対しても商標登録が認められると，Aの先使用に係る商標とBの登録商標が併存することになり，需要者に混同のおそれが生じる。そこで，上記のように，先使用権の成立に厳格な要件を課すとともに，商標権者Bから先使用者Aに対し混同防止表示付加請求を行うことが可能とされている（32条2項）。

なお，平成17年改正で，地域団体商標制度（7条の2。⇒ Column V2-1 「団体商標・地域団体商標」）が導入された際，地域団体商標における先使用権も新設された（32条の2）。

(2) 周 知 性

先使用権の成立要件は上記①〜④である。このうち③の周知性に関しては，どの程度の地理的範囲の需要者に広く認識されている必要があるのかが問題となる。

同じく周知性要件をもつ4条1項10号は，大都市をもつ都道府県を除けば，少なくとも1県をこえる範囲で広く認識されている必要があると考えられている（⇒第2章第4節**5**(1)）。4条1項10号において，周知商標は他者の商標登

録自体の拒絶をもたらすところ，これは周知性が認められる地理的範囲をこえた全国的な商標の排他的使用を否定することを意味し（他地域での商標使用に影響を与える），そのような強力な効果を基礎づけるには，狭小地域の需要者にのみ認識されているというだけでは不十分だからである。

これに対して，先使用権は，ある地域での商標の継続使用を認めるのみであり，他地域での商標使用に影響を与えるものではない。それゆえ，たとえ狭い地域であっても，商標の使用により実際に信用が蓄積しているのであれば，当該地域に限っての商標の使用を継続させてもよい。したがって，先使用権の要件として要求される周知性の地理的範囲は，4条1項10号の地理的範囲よりも狭小なもので足りる（東京高判平成5・7・22知財集25巻2号296頁〔ゼルダ〕参照）。

以上のように考えると，先使用権の効力は，他人Bによる商標登録出願時点で，実際にAが周知性を獲得していた地域のみに及び，それ以外の地域で使用すれば，Bの商標権を侵害することになる（但し，裁判例の中には，先使用権の効力は日本全国に及ぶと述べたものもある。大阪地判平成9・12・9知財集29巻4号1224頁〔古潭〕，大阪地判平成25・1・24平24(ワ)6892〔Cache〕）。

3 無効の抗弁

39条は特許法104条の3を準用しており，商標権侵害訴訟においても，**無効の抗弁**が認められる（38条の2は，特許法104条の4と同様に，再審における主張制限も定めている）。特許法104条の3が新設される以前は，商標権侵害の事件でも，最判平成12・4・11民集54巻4号1368頁〔キルビー〕の抗弁が用いられていた（東京地判平成13・9・28判時1781号150頁〔モズライト〕，東京高判平成15・7・16判時1836号112頁〔アダムス〕など）。

商標登録無効審判の請求には除斥期間が設けられている（47条。⇒第3章第2節**1**(1)）。そこで，商標法特有の問題として，この除斥期間を経過した場合には，もはや39条が準用する特許法104条の3第1項の「無効審判により……無効にされるべきものと認められるとき」ということもできないのであるから，同条の抗弁も提出できなくなると考えるべきなのかが問題となる。

一方では，除斥期間の制度趣旨（権利関係の安定）や，無効審判と侵害訴訟の

結論はできる限り一致すべきであることを理由に、抗弁の提出を認めない見解がある。

他方、47条はあくまで無効審判請求を封じるのみで、審判とは別手続である侵害訴訟にまで影響を与えるものではないとして、抗弁の提出は何らの支障なく認められるとする見解がある。

この点につき、最判平成29・2・28民集71巻2号221頁〔エマックス〕〈判コレ162〉は、4条1項10号違反の無効理由に基づく無効の抗弁に関して、「無効審判が請求されないまま上記の期間を経過した後に商標権侵害訴訟の相手方が商標登録の無効理由の存在を主張しても、同訴訟において商標登録が無効審判により無効にされるべきものと認める余地はない」と判示し、原則として除斥期間経過後の抗弁の提出は許されないとする。しかしながら、最高裁は、4条1項10号が、需要者による出所の混同防止とともに、周知商標の主体と商標登録出願人の私益調整をも目的としていることを理由に、同号に該当するにもかかわらず過誤で商標登録が認められた場合に、周知商標の主体に対してまで商標権の行使を行うことは、特段の事情がない限り、「商標法の法目的の一つである客観的に公正な競争秩序の維持を害するものとして、権利の濫用に当たり許されない」とした。周知商標の主体は、除斥期間経過後も、4条1項10号違反の無効理由があることを根拠に権利濫用の抗弁を提出することができるのである。先使用権が認められる周知商標の主体に、重ねてこの抗弁を認める意義がどこにあるかが問われることになろう。

4 権利濫用の抗弁

商標権侵害事件では、他の知的財産権侵害事件よりも**権利濫用の抗弁**が認められることが多い。

その典型的な事案類型の1つは、登録商標の取得経緯に瑕疵があるというケースであった。例えば、最判平成2・7・20民集44巻5号876頁〔ポパイ・マフラー〕〈判コレ161〉は、商標登録出願時に既に世界的に著名であったキャラクターの名称とキャラクターを模した絵からなる商標について商標権を有する者が、当該キャラクターに係る著作権者から許諾を受けてキャラクター商品を販売していた者に対し、商標権侵害を理由とする差止め等を請求した事案に

おいて，この商標は当該キャラクターの著名性を無償で利用しているものにほかならないと述べて，権利濫用を認めた。もっとも，仮に他者の周知・著名な商標を不正目的で使用するための出願であれば，そのような出願は，4条1項19号で拒絶されうるとともに，無効理由ともなりえ（46条1項1号），その場合には，侵害訴訟でも無効の抗弁で対処可能である。

更に，Aによる商標登録出願後に，他者Bの出所を示すものとして全国的に知られるようになった商標について，商標権者AがBに対し商標権を行使した場合に，これを権利濫用とする事案もある（東京地判平成11・4・28判時1691号136頁〔ウイルスバスター〕）。Aの登録商標と同一又は類似の商標について，BがAの商標登録出願後に周知性を獲得した場合には，先使用権は認められない。また，商標権者A自身も商標の使用を継続していた場合，不使用取消審判の対象ともならない。しかしながら，たとえ商標権者Aによる使用が行われていたとしても，実際には，当該商標がBを出所とする表示として全国的に知られている場合に，商標権侵害を認めることは，かえって当該商標が現実に果たしている出所表示機能を害することになる。そこで，このような権利行使は濫用と評価されるのである。なお，同種の事案において，損害賠償額を0とすることで対処した裁判例もある（最判平成9・3・11民集51巻3号1055頁〔小僧寿し〕〈判コレ168〉。⇒第4節**3**）。

4条1項10号の周知商標の主体による権利濫用の抗弁については，**3**を参照。

5 真正商品の流通（商標機能論）

（1）総　　説

2条3項2号は，標章の使用行為の1つとして，商品やその包装に標章を付したものを譲渡等する行為を挙げており，登録商標の付されたものが商標権者に無断で譲渡される度に侵害が成立することになる。

しかしながら，このような場合に権利行使を常に許容すると，商標が付された商品を譲り受けた者はその商品を再譲渡等する際にも権利者の許諾を要し，以降，商品が転々流通する度に商標権者の許諾が必要となる。このような事態になると，市場における商品の円滑な流通が妨げられることになる。他方，商標権者（やその許諾を受けた者）が登録商標を付して譲渡した真正商品について

は，たとえそれが転々流通しても，当該商品の出所は依然として販売元である商標権者自身を示しており，登録商標の出所表示機能は害されていない。また，当該商品の品質管理を行っているのも商標権者自身である以上，品質保証機能も害されていないということができる。

このように，形式的には商標の無断使用行為に該当するものの，実質的には商標の出所表示機能・品質保証機能が害されていないことを理由に商標権侵害を否定する考え方は**商標機能論**とも呼ばれてきた。なお，以上のように，真正商品の自由流通を保障し，商標機能論に基づく商標権の制限を行うべき場合があることは，国際流通のケースでも同様である（⇒(4)）。

もちろん，以上のような考え方が妥当するのは，商標権者（又はその許諾を受けた者）自身が商品に商標を付し，かつ，自らその商品を流通に置いた場合に限られる。したがって，商標権者らが商標を付さずに譲渡した商品に無断で登録商標を付して再譲渡した場合や，商標権者らが自ら商品に商標を付したものの，未だ当該商品の販売を予定していなかったにもかかわらず，他者が無断譲渡した場合（例えば，サンプル品の無断販売，倉庫保管中の商品を盗んで販売）には，商標権侵害が成立する。いずれも，商標権者自身が流通に適した品質であるとの判断をした上で販売された商品であるとの誤認を需要者に生じさせるという意味で，出所表示機能・品質保証機能が害されているといえるからである。

以下，出所表示機能・品質保証機能が害されたと評価できるか否かが特に問題とされてきたケースを取り上げる。

(2) 商品の改変等

(a) **商品の改変**　まず，商品の流通過程において商標権者以外の者が商品に改変等を加えたというケースがある。商標権者らが商標を付して流通に置いた真正商品について，他者が無断で改変を加えたにもかかわらず，元の登録商標が付された状態のまま再譲渡された場合である。

この場合，改変後の商品はもはや商標権者らが譲渡した商品とは異なる商品となっているにもかかわらず，改変後の商品も商標権者が品質に責任を負った上で販売したものであるとの誤解を需要者に生じさせてしまう。つまり，商標権者自身の商品とは異なる商品（改変者の商品）に，商標権者の登録商標が付

されたままとなっているのであるから，このようなケースでは，出所表示機能・品質保証機能を害するとして商標権侵害が肯定される。

例えば，真正商品たるゲーム機本体とコントローラーに改変を加えた上で，改変後の商品を元の登録商標が付されたまま販売する行為は，商標権侵害を構成する（東京地判平成4・5・27知財集24巻2号412頁〔Nintendo〕。そのほか，名古屋高判平成25・1・29平24(う)125〔Wii〕〈判コレ163〉も参照）。

(b) **商品の再包装・詰め替え**　また，2条3項2号によれば，商品の包装に標章を付したものを譲渡等する行為も標章の使用行為に含まれる。そして，真正商品の購入後，包装を解き，商品を小分けし再包装した上で，その包装に登録商標を付して再販売する行為も，小分けと再包装により品質の劣化・異物の混入などの可能性が生じるにもかかわらず，再包装後の商品も商標権者が品質に責任を負った上で販売したものであるとの誤解を需要者に与えてしまう。したがって，出所表示機能・品質保証機能を害する行為として侵害の成立を認めるべきである（福岡高判昭和41・3・4下刑集8巻3号371頁〔HERSHEY'S〕）。

但し，裁判例の中には，具体的事案の下で，商標権者以外の者が小分け・再包装を行ったことを需要者が容易に認識可能であり，出所混同のおそれがなかったと考えられる事案についてまで，侵害の成立を認めたものがあり（大阪地判平成6・2・24判時1522号139頁〔マグアンプK〕），その判旨の妥当性について評価が分かれている。小分け・再包装された商品に対する登録商標の無断使用によって定型的に商標の機能が害されると考えるのか，事案ごとに商標の機能が実際に害されるか否かを個別具体的に判断すべきと考えるのかが見解の分かれ目となる。

更に，包装を解いた上での再包装ではなく，ばら売りされた商品を包装はそのままに更に大きな箱に詰め替えた上で，その箱に登録商標を付したという事案で，商標権侵害を認めた判決がある（最決昭和46・7・20刑集25巻5号739頁〔ハイ・ミー〕）。このようなケースでは，包装が一切解かれていない以上，異物混入等の可能性はなく，商品の品質に対する責任は依然として商標権者であることに変わりがない。確かに，この事案では，箱に詰め直すことで，いったん流通に置かれた商品ではなく未開封の新品であると偽ろうとした点で，品質に誤認を生じさせる行為であるということはできる。しかし，出所表示機能を害

することのない純粋な品質誤認惹起行為は，不競法2条1項20号で処理すれば足りる。このような理由から判決に反対する見解も有力である。

(3) ライセンス契約違反

　商標権者から許諾を受けた者が，ライセンス契約条項に反して商標を付した製品を製造販売するケースがある。このケースでも，出所表示機能・品質保証機能が害されるようなライセンス契約違反については，商標権侵害が成立する。

　例えば，最判平成15・2・27民集57巻2号125頁〔フレッドペリー〕〈判コレ164〉では，製造地制限条項違反が問題となった。最高裁は，まず，「本件契約の本件許諾条項に定められた許諾の範囲を逸脱して製造され本件標章が付されたものであって，商標の出所表示機能を害する」と述べている。更に，「本件許諾条項中の製造国の制限及び下請の制限は，商標権者が商品に対する品質を管理して品質保証機能を十全ならしめる上で極めて重要である。これらの制限に違反して製造され本件標章が付された本件商品は，商標権者による品質管理が及ばず，本件商品と被上告人が本件登録商標を付して流通に置いた商品とが，本件登録商標が保証する品質において実質的に差異を生ずる可能性があり，商標の品質保証機能が害されるおそれがある」と判示し，商標権侵害を肯定した。

　ライセンス契約違反にも様々な類型が存在し，あらゆる契約違反について直ちに商標の機能が害されると画一的に評価することは妥当ではない。ライセンス料支払義務に違反した場合など純粋に当事者間の内部関係に過ぎないケースもあれば，許諾を受けた種類以外の商品を製造し商標を付して販売した場合など，当該商標により商品の出所が本来の製造元ではなく商標権者を示すことにより，明らかに出所表示機能が害されているケースもある。

　製造地制限条項違反については，商標権者の品質管理に服さない場所で製造され販売された以上，その商品は商標権者とは別の製造元に由来する商品といえる。にもかかわらず，付された商標により商品の出所が商標権者を示しているため，出所表示機能・品質保証機能が害されたと評価できるのである。

(4) 並行輸入

外国の商標権者らが商標を付して外国で販売した商品が，我が国の商標権者の許諾を得ることなく輸入されるというケース（**並行輸入**）もある。並行輸入行為も，形式的には2条3項2号の使用行為に該当する。しかし，真正商品の自由流通を保障し，商標機能論に基づく商標権の制限を行うべき場合があることは，国内流通のケースと同様である。

前掲〔フレッドペリー〕によれば，下記①②③の要件を充足する真正商品の並行輸入は，商標の出所表示機能・品質保証機能を害することがなく，商標使用者の業務上の信用及び需要者の利益を損なわず，実質的に違法性がないとして，商標権侵害が否定される。

すなわち，①商標が外国における商標権者（又はその許諾を受けた者）により適法に付されたものであること，②外国における商標権者と我が国の商標権者とが同一人であるか，法律的・経済的に同一人と同視しうるような関係にあることにより，当該商標が我が国の登録商標と同一の出所を表示するものであること，③我が国の商標権者が直接的に又は間接的に当該商品の品質管理を行いうる立場にあることから，当該商品と我が国の商標権者が登録商標を付した商品とが当該登録商標の保証する品質において実質的に差異がないと評価されること，の3つの要件である。

(a) **商標が適法に付されたものであること**　①の要件に関して，ライセンス契約違反があった場合については，(3)参照。

(b) **内外権利者が同一人と評価できること**　②の要件については，同一の登録商標について権利を有する外国の商標権者と我が国の商標権者の間に何らの関係もない場合に，当該商標が付された外国商標権者を出所とする商品が我が国に輸入されれば，我が国の商標権者との間で出所の混同が生じてしまう。このような場合には，我が国の商標権者による権利行使を認めるべきである。但し，外国商標権者を示すものとして世界的に著名な商標が付された商品の輸入に対し，我が国の商標権者が権利行使をしたときには，一定の場合には，権利濫用の抗弁あるいは無効の抗弁により侵害は否定される（⇒**4**）。

②の要件を充足するのは，例えば，我が国の権利者が外国権利者の総販売代理店である場合や内外権利者間に資本関係が存在する場合などである。

(c) **商標権者の品質管理が及んでいること**　　③の要件に関して，最高裁は前述の通り，製造地「制限に違反して製造され本件標章が付された本件商品は，商標権者による品質管理が及ばず，本件商品と被上告人が本件登録商標を付して流通に置いた商品とが，本件登録商標が保証する品質において実質的に差異を生ずる可能性があり，商標の品質保証機能が害されるおそれがある」と判示している。

　従来，並行輸入を許容するためには品質の同一性が必要であると説かれてきたが，最高裁判決は，商標権者による品質管理が及んでいたか否かを問題としている。判旨は，商標権者の品質管理が及ばないことにより，品質において実質的な差異を生ずる「可能性」があれば，商標の機能が害されるおそれがあるとして，商標権侵害の成立を認めており，品質の同一性自体を厳格に判断しているわけではない。つまり，商標権者による品質管理が及んでいない商品である以上，その商品に無断で登録商標が付されれば，結果的に偶然品質が同一であったとしても，商標の機能は害されるということになる。

　例えば商標権者が商品の品質を拡布先の国や地域ごとに分ける形で品質管理を行っている場合に，別の国・地域から異なる品質の製品を輸入する行為等は，商標権者の品質管理が及ばない製品の輸入等をしたことになるため，商標の機能を害し商標権侵害を構成することになる。他方，販売地域の制限が単なる販売政策上の理由で行われたものにすぎず商品の品質管理に関係しない場合や，商標権者自身が品質差のある商品の内国市場での流通を容認していると評価されるような場合は，商品の品質を国・地域ごとに分けるという品質管理が貫徹されていないため，侵害は否定されると考えるべきであろう。

6 その他の抗弁

(1) 不使用の抗弁

　以上のほか，商標権侵害の主張に対し，商標権者が登録商標を使用していないことを抗弁として主張できるのかという議論がある。商標法が商標の使用によって蓄積する業務上の信用を保護する法であるとの理由から，このような抗弁を認めるべきとの主張もある。

　しかしながら，我が国の商標法は未使用商標に対しても排他権を認め，その

排他権の保護の下で商標を独占的に使用することにより将来蓄積される信用をも保護するものである（商標の発展助成機能。⇒第1章第2節 **1**）。そこで，商標法は，不使用取消審判という特別な手続によって，商標権取得後も商標を使用せず信用の蓄積を図ろうとしない商標権者に対処することとしている。そして，第3章第2節 **1** (2)でみたように，不使用取消審判は，商標の不使用があったという一事をもって直ちに商標権が取り消されるわけではなく，過去に一定期間不使用の事実があったとしても，審判請求前に使用されさえすれば，取消しは免れるとされている（50条2項本文）。更に，不使用の事実に加えて他の事情をも勘案して，損害賠償額を0とすることで対応している事例（⇒第4節 **3**）もある。したがって，登録商標を使用していないという一事をもって侵害を否定する不使用の抗弁なるものを認めるべきではない。

他方で，不使用取消審判が現に請求されており，かつ，審判請求登録日前3年以上登録商標が使用されていないがために，商標登録が審判により取り消され，審判請求登録日に遡って商標権が消滅する（54条2項）ことが明らかな場合にまで権利行使を認めることは，信用の形成・蓄積を図っていない権利者に過大な保護を与えることになり妥当ではない。そこで，このようなケースで，差止請求権行使を権利濫用として退けつつ，損害賠償請求権行使については，審判請求登録日前に発生した損害を対象とするものであったことを理由にこれを認容した裁判例がある（東京地判平成31・2・22平29(ワ)15776〔moto〕）。

(2) 登録商標使用の抗弁

第1節 **1** で述べたように，25条は，商標権者が指定商品・役務についての登録商標の使用を独占的に行うことができる旨を定めている（「専用権」）。それゆえ，商標権者 X の登録商標と類似する商標を無断使用していることを理由に商標権侵害を主張された商標権者 Y は，当該類似商標が自身の登録商標でもある場合，原則として，自身の登録商標の使用であることを抗弁として主張することができると解される。25条により登録商標の独占的使用が保障されている以上，たとえそれが他人の商標権と抵触しても，その使用を差し止められることはないためである。29条も他人の商標権との抵触を理由とする登録商標の使用制限までは規定しない。

第5編　第4章　権利の効力と活用

　なお，Xの商標登録出願（の査定時）よりも前にYの商標登録が行われてい
た場合には，Xの商標登録には4条1項11号違反の無効理由が認められるた
め，Yは無効の抗弁（39条，特許104条の3）を主張することもできる。

　また，不競法2条1項1号（⇒第6編第2章第1節）の周知商品等表示主体X
が当該表示について周知性を獲得した後，同一の表示について商標登録出願を
行ったYが商標権を取得した場合に，XがYに対し不競法上の請求を行って
も，Yは登録商標使用の抗弁を提出できると考えられている（⇒第6編第2章第
1節 **3** (5)）。

第4節　商標権侵害に対する救済

1 総　　説

　商標権侵害に対しては，特許権侵害等の場合と同様，差止請求（36条1項）
や損害賠償請求（民709条）等が可能である。また特許法等と同様に，商標権
侵害やその損害額を立証するための様々な制度が用意されている（38条・39
条）。刑事罰も設けられており（78条以下），特に偽ブランド品事件において実
際に活用されている。

2 差 止 め

　差止請求に関しては，著作権法における侵害主体論（⇒第3編第7章第1節
5）と同様の問題を扱った裁判例がある。知財高判平成24・2・14判時2161
号86頁〔Chupa Chups〕〈判コレ165〉は，インターネットショッピングモー
ルの出店者が商標権侵害行為を行っていたところ，商標権者がモールの運営者
に対し，商標が付された商品の展示・販売の差止等を求めた事案で，①管理支
配性，②利益性，③商標権侵害の事実の認識，④合理的期間内での対応がない
ことが認められる場合には，一般論として実質的に商標の「使用」に該当し差
止めが肯定されうることを認めた（結論としては，差止め否定）。①②は，著作権
法分野で用いられる「カラオケ法理」を彷彿させる。

414

第 4 節　商標権侵害に対する救済

3 損害賠償

　商標権侵害に基づく損害賠償請求も特許権侵害等と同様に民法 709 条に基づく請求であり，過失の推定や損害賠償額の算定に関しても基本的に特許法等と同様の規定が存在する（39 条による特許 103 条の準用・38 条）。令和元年改正により，特許法 102 条 4 項，意匠法 39 条 4 項と同様に，38 条 4 項が新設されてもいる。もっとも，TPP 協定が「法定の損害賠償」の導入を求めていたことに対応した平成 30 年 12 月 30 日施行の法改正により，特許法等とは異なる商標法固有の規定として 5 項（令和元年改正前は 4 項であり，同改正により条文番号繰り下げ）が新設されている。同項によれば，商標権侵害が指定商品・役務について登録商標と同一の商標（社会通念上同一と認められる商標を含む）を使用する行為によるものである場合には，商標権者は商標権の取得・維持に通常要する費用に相当する額を損害額として請求することができる。

　損害賠償に関して，38 条 3 項は，商標の無断使用という損害の発生に対し，使用料相当額として一定の金額が賠償されるべきことを推定している。侵害者は使用料相当額が 0 円であることを立証すれば損害賠償責任を免れることができる。前掲最判平成 9・3・11〔小僧寿し〕は，使用料相当額につき，侵害者が「損害の発生があり得ないことを抗弁として主張立証して，損害賠償の責めを免れることができる」と判示している（**損害不発生の抗弁**）。但し，この「損害の発生があり得ないこと」とは，厳密には，使用料相当額が 0 円と金銭評価されることをいい，商標が無断使用されたことそれ自体により損害そのものは発生していると考えられる。

　いずれにせよ，商標権について損害額が 0 円と評価される理由として，最高裁は「商標権は，商標の出所識別機能を通じて商標権者の業務上の信用を保護するとともに，商品の流通秩序を維持することにより一般需要者の保護を図ることにその本質があり，特許権や実用新案権等のようにそれ自体が財産的価値を有するものではない。したがって，登録商標に類似する標章を第三者がその製造販売する商品につき商標として使用した場合であっても，当該登録商標に顧客吸引力が全く認められず，登録商標に類似する標章を使用することが第三者の商品の売上げに全く寄与していないことが明らかなときは，得べかりし利

415

益としての実施料相当額の損害も生じていないというべきである」と述べた。

その上で，本件では，以下のような事情から，この抗弁を肯定し，使用料相当額を０円とした。すなわち，全国的に著名なチェーンの加盟店であった侵害者は，商標権者の登録商標との類似性が肯定された商標自体はほとんど使用しておらず，また，商標権者の登録商標も侵害者の営業地域では全く使用されておらず，一般需要者の間における知名度がなく，顧客吸引力もほとんどなかった。したがって，侵害者の商品の売上げは専らチェーンの著名性，その宣伝広告や商品の品質，登録商標と非類似とされた全国的に著名な標章の顧客吸引力等によってもたらされたものであって，類似性が肯定された商標の使用は売上げに何ら寄与していない（なお，同趣旨の事案において，権利濫用の抗弁で対処した裁判例として，前掲東京地判平成 11・4・28〔ウイルスバスター〕がある。⇒第 3 節**4**）。

このように，最高裁は，特許権等との性質の差異に注意しながら，信用が全く蓄積していない登録商標に関して，使用料相当額を０円と評価した。仮に特許法などにおいてもこのような抗弁自体を肯定すべきとしても，実際に０円と評価される場合は極めて例外的な場合に限られよう（⇒第 2 編第 7 章第 3 節**2**(3)(d)(ii)）。

第5章
同一性・類似性

第 1 節　総　　説
第 2 節　商標の類似性
第 3 節　商品・役務の類似性

第 1 節　総　　説

　ある商標出願が他人の周知商標と**同一・類似**の商標を，当該他人の商品・役務と**同一・類似**の商品・役務に使用するものである場合，商標登録を受けることができない（4条1項10号）。また先願登録商標と同一・類似の商標を，その指定商品・役務と同一・類似の商品・役務に使用するものである場合も同様である（同項11号）。

　また商標権の侵害は，登録商標を指定商品・役務に使用する場合（25条）のみならず，登録商標と類似する商標を指定商品・役務と類似する商品・役務に使用する場合（37条のみなし侵害）にも成立する（⇒第4章第1節**1**）。

　このように商標や商品・役務の**同一性・類似性**は，商標の登録要件や侵害要件等にかかわる重要な概念である。

　商標法は，登録要件（特に4条1項10号・11号）と商標権の効力（25条・37条）の規定により，同一・類似の商標が同一・類似の商品・役務につき無関係の複数の主体により使用され，その結果出所の混同が生じる状況を防ごうとしている。もっとも同一・類似といえない場合にも具体的な混同のおそれが生じる場合には，他の登録阻却事由（4条1項15号）や不競法2条1項1号の不正競争行為に該当しうる点にも留意する必要がある。周知商標については商標法

417

4条1項10号につき非類似の場合にも15号が適用されうるため，登録要件につき類似性が特に問題となるのは4条1項11号についてである。

本章ではこれら登録要件における4条1項11号と侵害要件における，商標の類似性（⇒第2節）と，商品・役務の類似性（⇒第3節）について扱う。これらの規定に関しては，同一と類似の場合で法的効果が異ならないため，以下ではまとめて「類似性」として言及する。

商標法には，これらの規定以外にも「類似」の概念を用いるものがある（例えば登録要件につき4条1項1号・8条等参照）。また規定の趣旨によっては「類似」の範囲が，出所の混同の防止を趣旨とする4条1項11号・37条等と異なる場合があることにも留意する必要がある。例えば4条1項1号の国旗との類似は，国家の尊厳を害する程度に出願商標が国旗と相紛らわしいか否かによって類似が判断される。

更に規定によっては，同一と類似とで法的効果が異なるものもある（例えば商標権の専用権の範囲（⇒第4章第1節），50条及び51条の取消審判（⇒第3章第2節 **1**(2)(3)）等）。

第2節　商標の類似性

1 類似性の判断基準

商標の類否について，商標自体の混同のおそれを基準とする見解もあるが，裁判例は，対比される両商標（出願商標と引用商標，原告登録商標と被告使用標章）が同一又は類似の商品・役務に使用された場合に，取引者・需要者に**出所の混同のおそれを生ずるか否か**，を判断基準としている（最判昭和43・2・27民集22巻2号399頁〔氷山印〕〈判コレ166〉等）。

そして裁判例はこの類否判断の際に，商標が「外観，観念，称呼等によって取引者に与える印象，記憶，連想等を総合して全体的に考察すべく，しかもその商品の取引の実情を明らかにしうるかぎり，その具体的な取引状況に基づいて判断するのを相当」としている（登録要件につき〔氷山印〕，侵害要件につき最判平成4・9・22判時1437号139頁〔大森林〕〈判コレ167〉，最判平成9・3・11民集51

巻 3 号 1055 頁〔小僧寿し〕〈判コレ 168〉等）。

このうち氷山印事件では，X の出願に係る商標（「氷山印」との文字や氷山の図形等を含む商標。指定商品は硝子繊維糸）と，先願登録商標（文字商標「しょうざん」。指定商品は糸）との関係で旧法 2 条 1 項 9 号（現行 4 条 1 項 11 号に相当）の類似性が問題となった。最高裁は，指定商品である硝子繊維糸の現実の取引状況から称呼のみで商標が識別されることがないことを取引の実情として考慮して，外観・観念の相違も鑑み，類似性を否定した。

② 類似性判断と取引の実情

もっとも，商標の類否判断においていかなる**取引の実情**を考慮要素とすべきかを巡っては，裁判例・学説が分かれている。

(1) 裁判例の動向

登録要件における商標の類否の判断において考慮されるべき取引の実情につき，最判昭和 49・4・25 昭 47(行ツ)33〔保土谷化学〕は「その指定商品全般についての一般的，恒常的なそれを指すものであって，単に該商標が現在使用されている商品についてのみの特殊的，限定的なそれを指すものではない」ことを判示している（なお要部観察における取引の実情の考慮については後述 ③ の〔SEIKO EYE〕参照）。

その後の下級審判決では，一方において〔保土谷化学〕の立場を踏襲するものもある。例えば知財高判平成 20・12・25 平 20(行ケ)10285〔CIS〕では，原告の市場シェアや引用商標の権利者が出願商標の指定商品を製造していないこと等から混同のおそれがなく非類似である，との原告の主張が退けられた。

他方，近時の知財高裁の裁判例には，出願商標（登録商標）や引用商標の使用状況・著名性等の局所的・浮動的な事情を類似性判断の考慮要素としている判決も見られる。例えば知財高判平成 22・8・19 平 22(行ケ)10101〔きっと，サクラサクよ。〕は，本件商標（桜の花びらの図の中心に「きっと，」と「サクラサクよ。」の文字を二段に配置）は，受験シーズンに限って専らキットカット商品に用いられることを理由に，引用商標（「サクラサク」の文字商標）との類似性が否定されている。

419

侵害要件における類似性の判断については，浮動的な取引の実情も考慮要素とするものが最高裁判決にもみられる。例えば前掲最判平成4・9・22〔大森林〕では，原告登録商標「大森林」と被告標章「木林森」の類似性を否定した原判決を破棄し差し戻すにあたり，「綿密に観察する限りでは外観，観念，称呼において個別的には類似しない商標であっても，具体的な取引状況いかんによっては類似する場合があ」るとし，類似性を肯定する要素となる取引の実情の一例として原告商標の使用状況等を挙げている。

更に前掲最判平成9・3・11〔小僧寿し〕では，原告登録商標（「小僧」）と被告標章（「小僧寿し」「KOZO SUSHI」等）の類似性につき，被告側のフランチャイズグループ（「小僧寿し」チェーン）の著名性を考慮要素とし，被告商標に接した需要者は当該商品を小僧寿しグループの商品と認識し出所の混同を生じないとして，類似性を否定している（なお被告商標のうち「KOZO」については侵害が肯定されたが，⇒損害額につき第4章4節**3**）。

(2) 学説による評価

これら裁判例の傾向に対して，特に，商標法4条1項11号の判断において浮動的な取引の実情（出願商標の著名性等）を考慮要素として類似性を否定する考え方に対しては，学説上強い批判がある。これらの学説においては，このような場合に登録を許容して両商標の併存を許すことは，現時点で出所の混同のおそれがないとしても，将来，出願商標の著名性が失われる等の事情の変化が生じた場合に出所の混同を生じさせる事態を招きかねないことが懸念されている。また類似性を肯定する際に浮動的な取引の実情を考慮要素とする考え方に対しても，そのような事情は類似性ではなく4条1項15号の混同のおそれの考慮要素とすれば足りることが指摘されている。

他方で侵害判断においては，具体的な事案における妥当性（特に〔小僧寿し〕等の事案への対応）に鑑み，浮動的な取引の実情も考慮要素として類似性を否定する判断はある程度支持されている（これに対して，類似性は肯定した上で権利濫用論（⇒第4章第3節**4**）を活用すべきとする見解もある）。但し原告商標の著名性等を理由に商標権侵害における類似性を広く認めることに対しては，商標権侵害の判断ではなく，不競法2条1項1号の混同のおそれの判断等の考慮要素と

第2節　商標の類似性

することが適切との指摘がされている。

3 類似性の判断手法

商標の類否の判断は、登録要件については出願商標の指定商品・役務の取引者・需要者が、侵害要件については被告商品・役務の取引者・需要者がそれぞれ通常払う注意の下で、時と場所を異にして両商標に接することを想定して（離隔的観察）行うべきものとされている。両商標を並べて対比して観察する手法（対比的観察）ではなく離隔的観察が用いられる理由は、現実の取引状況（特に需要者は両商標を並べて対比するよりも時と場所を異にしてそれぞれに接することが多いこと）により適合するためである。

類否判断においては、商標の構成全体を観察する（全体観察）ことが原則となるが、商標の構成中に特に取引者・需要者の注意を惹く部分がある場合、当該部分を要部として抽出して類似性の判断が行われる（要部観察）ことがある。また結合商標（文字、図形、記号等の組み合わせによる商標。複数の単語からなる文字商標を意味する場合もある）の場合、構成要素を分離して観察する手法（分離観察）が用いられることもある。

但し全体観察があくまで原則であることから、要部観察や分離観察がどのような場合に許容されるかが問題となる。この点につき最判平成20・9・8集民228号561頁〔つつみのおひなっこや〕〈判コレ170〉は、結合商標の一部を抽出してこの部分だけを他の商標との類否判断とすることは、「その部分が取引者、需要者に対し商品又は役務の出所識別標識として強く支配的な印象を与えるものと認められる場合や、それ以外の部分から出所識別標識としての称呼、観念が生じないと認められる場合などを除き、許されない」と判示し、登録商標（「つつみのおひなっこや」）と引用商標（「つゝみ」）の類似性を肯定した原判決を破棄し、差し戻した。

また最判平成5・9・10民集47巻7号5009頁〔SEIKO EYE〕〈判コレ169〉の事案では、出願商標（十字形輪郭内に「eYe」の欧文字と小さい「miyuki」の欧文字を併記した商標。指定商品は時計及び眼鏡等）と引用登録商標（「SEIKO EYE」の欧文字からなる商標。指定商品は出願商標と同一）につき、拒絶審決及び原判決は、出願商標と引用商標とは「アイ（目）」の称呼及び観念を共通にする類似の商

421

標であるとして，4条1項11号該当性を認めた。しかし最高裁は，引用商標が眼鏡に使用された場合に「EYE」の部分は取引者・需要者に強い印象を与えるものでないこと，及び，「SEIKO」が日本において著名な時計等の製造販売業者である引用商標の商標権者（服部セイコー）の商品・商号の略称を表示するものであることから，引用商標は指定商品である眼鏡に使用された場合「SEIKO EYE」全体又は「SEIKO」の部分としてのみ出所識別標識としての称呼・観念を生ずるものであるとして，原判決を破棄し，類似性を否定した。

　このように結合商標の類否判断においては，各構成要素の識別力や独占適応性（例えば〔SEIKO EYE〕では指定商品のうち「眼鏡」における「EYE」の識別力や独占適応性が考慮されている）を考慮し，取引の実情（裁判例では引用商標の使用状況等の浮動的事情も考慮されている）を踏まえて，要部観察や分離観察が妥当すべき場合についての判断が行われている。

> **Column Ⅴ5-1　「類似性」と「混同のおそれ」**
>
> 　「類似性」と「混同」の概念の関係は複雑である。
> 　商標法は出所の混同（によるサーチコストの増加）の防止を目的としている。しかし商標法上，登録要件（特に4条1項11号），侵害要件（37条）において重要な役割を果たしている概念は登録商標及び指定商品・役務との「同一」「類似」であり，条文の文言上「混同」の用語を用いる規定は限られている（4条1項15号・32条2項・51条等・64条）。
> 　もっとも商標の「類似」につき，裁判例は，同一・類似の商品・役務に使用した場合の狭義の出所の混同のおそれを判断基準としている（⇒**1**）。また商品・役務の「類似」についても，同様に混同のおそれがメルクマールとなる（⇒第3節）。そしてこれらの判断基準により類似性が否定される場合にも，4条1項15号の「混同を生ずるおそれ」がなお存在する可能性がある。
> 　商標法4条1項15号，不競法2条1項1号の混同のおそれの判断では，個別具体的な事情（特に引用商標や原告商品等表示の著名性等）に基づき，広義の混同も含めて，混同のおそれの有無が具体的に判断される。これに対して商標法4条1項10号・11号，37条の類似性の判断基準としての混同のおそれは，4条1項15号・不競法2条1項1号等と比較して，より一般的・抽象的な判断として行われるべきものと解されている（但し，裁判例には取引の実情をかなり具体的に考慮するものがあることは前述の通りである）。
> 　例えば未使用の登録商標は，他人により同一の商標が使用されたとしても，不競法2条1項1号で要求される具体的な混同のおそれが生じるとはいえない。しかし商標法上は，特に登録主義による発展助成機能（⇒第1章第2節**1**）の

観点から，未使用の登録商標についても「類似」の範囲にまで4条1項11号による後願排除効や37条の禁止権の効力が認められている。

なお4条1項15号等との差異をより明確にすべき等の理由から，同項11号や37条の商標の「類似」につき，出所の混同ではなく，商標自体を取り違えるか否かを判断基準とすべきとする見解も有力である。

第3節　商品・役務の類似性

判例は，商品・役務の類似性についても，商品・役務自体を取り違えるか否かではなく，それぞれの商品・役務について同一・類似の商標が使用された場合に同一営業主の製造又は販売に係る商品・役務と誤認されるおそれがあるか否かを判断基準としており（旧法事案であるが最判昭和36・6・27民集15巻6号1730頁〔橘正宗〕〈判コレ171〉。同事件では焼酎と清酒（を含むその他の日本酒）が類似の商品に該当すると判断），現在の学説の多くもこれを支持している。

またこの判断の際には，対比される両商品が通常同一の営業主により製造又は販売されていること，需要者や販路・提供態様の共通性等の取引の実情も考慮される。

2条6項で明記されている通り，商品と役務との間で類似性が認められる場合もある。例えば東京地判平成11・4・28判時1691号136頁〔ウイルスバスター〕では，被告商品（ウイルス対策用ディスク）と指定役務（「電子計算機のプログラムの設計・作成又は保守」）の類似性が肯定された。

商標出願時の商品・役務の指定は，政令で定める商品及び役務の区分に従わなければならない（6条2項）。但しこの区分は類似の範囲を定めるものではないため，同じ区分に属する商品・役務が常に相互に類似するものとなるわけではない（6条3項）。

特許庁における登録要件の審査の際には，商標審査基準と類似商品・役務審査基準（類似関係にあると推定される商品・役務をグループ化したもの）に従って商品・役務の類似性が判断されている。

第6編
不正競争防止法

第**1**章
不正競争防止法総説

第1節　不正競争防止法の概要
第2節　不正競争行為に対する法的手段

第1節　不正競争防止法の概要

1 総　説

　事業者間の自由競争は，市場を通じた効率的な資源配分とイノベーションを促進する重要な基盤となっている。しかし商品の出所（⇒第2章）・品質（⇒第5章第4節）を誤認させる表示の使用や，競業者の信用を害する虚偽の事実の告知（⇒第5章第5節）まで許容することは公正な競争を妨げ，市場の機能を阻害するものとなりかねない。

　また他者の事業の成果を模倣し，これにただ乗り（フリーライド）する行為は，原則的には自由競争の範疇として許容される。しかし模倣が情報財の過少供給を生じさせる場合（⇒第3章）や，これに加えて各事業者の自助努力にのみ任せると模倣を防ぐためのコスト（営業秘密の管理等）があまりに過大なものとなる場合（⇒第4章・第5章第1節）については，事業活動の成果を不正に冒用する行為に対する法規制が必要となる。

　不正競争防止法（不競法）は，2条1項各号所定の**不正競争行為**について，当該行為により営業上の利益を害された者の**差止め**（3条）・**損害賠償請求権**（4条）と，不正競争行為に関する**刑事罰**（21条）を定めて不正競争を防止することにより，事業者間の公正な競争秩序（とこれに関する国際約束）の実現を目

426

第1節　不正競争防止法の概要

的とする法律である（1条）。

　また不正競争に関する国際条約の履行のため，外国の国旗（16条）・国際機関の標章（17条）の商業上の使用禁止，外国公務員に対する不正な利益供与の禁止（18条）とこれらに関する刑事罰（21条2項7号）も定められている。

　現行不正競争防止法は，1934（昭和9）年の旧不正競争防止法を平成5年に全面改正したものである。不競法は，国際条約への対応（旧不競法の制定自体条約の批准のためのものである）や国内のニーズを踏まえて改正が度々繰り返されている。

② 不正競争防止法の特徴

(1) 不正競争行為の限定列挙

　日本の不正競争防止法は，事業者の活動の過度の委縮を避ける趣旨から不正競争に関する一般規定を設けず，不正競争

不正競争行為（2条1項）の一覧
1号：周知表示の使用による混同惹起
2号：著名表示の冒用
3号：他人の商品形態を模倣した商品の譲渡等
4号〜10号：営業秘密の不正取得・使用・開示
11号〜16号：限定提供データの不正取得・使用・開示
17号・18号：技術的制限手段の迂回装置の提供等
19号：ドメイン名の不正取得等
20号：品質等誤認表示
21号：虚偽事実告知等による競業者の信用毀損
22号：代理人等による商標の無断使用

行為を2条1項各号の限定列挙により規定している。

　また2条1項各号の規定は，国際条約や国内ニーズを踏まえて特に立法の必要があるとされた行為類型が改正により随時追加される形で形成されたものであるため，規制内容とその趣旨は各号によって様々なものとなっている。

　なお2条1項各号に該当しない不正な競争行為についても，民法709条の不法行為に該当すれば損害賠償請求の対象となる（⇒第7編）。これに対し不競法2条1項各号の不正競争行為については損害算定規定の適用（5条）や，差止請求権（3条）も認められる点が特徴となる。

(2) 競争法における不競法の特徴

　不競法は，独占禁止法や不当景品類及び不当表示防止法（景表法）等とともに

427

に，公正な競争関係の実現を目的とする競争法（経済法）と呼ばれる分野に属する法律である。

独占禁止法や景表法が行政規制を中心とする法律であるのに対して，不競法は不正競争行為により営業上の利益を害される者の民事上の請求権と刑事罰を規定する法律であることが特徴となっている。

また競争法の中でも，消費者の利益の保護を目的とする法律では，消費者団体に一定の訴権を認めているものがある（景表30条，消費契約12条以下）。これに対して不競法は，不正競争行為の防止が消費者の利益の保護に資する場合についても，消費者個人や団体の訴権は認めず，あくまで「営業上の利益」を害された事業者に限って訴権を認めている。

(3) 知的財産法における不競法の特徴（行為規制法）

不競法上の不正競争行為の規制には，事業活動の成果である財産的な価値を有する情報（周知・著名な商品等表示に蓄積された信用・名声，商品形態，営業秘密等）の保護に関するものが含まれており，この点で不競法は知的財産法を構成する法律の1つである。

特許法・著作権法・商標法等は，財産的な価値を有する情報の利用に関する排他権を付与し，これを保護するとともにその取引を可能とする立法形式（権利付与法）を採用している。これに対して不競法は，排他権付与ではなく，特定の行為を不正競争行為として列挙して規制し，この行為に対する民事・刑事の法的手段を規律する立法形式（行為規制法）を採用している（⇒第1編第2章第1節）。権利付与法と行為規制法である不競法との差異の一例は，不競法上の保護を受ける地位（「営業上の利益」（3条・4条））を当事者の合意により事業活動等と分離して独立に取引することができない点としてあらわれる。但し，営業譲渡等に伴って3条・4条の請求主体の地位が結果として移転することはある。

第2節　不正競争行為に対する法的手段

1 民事上の救済（差止め・損害賠償）

(1) 不正競争防止法上の規定

　不正競争行為により「**営業上の利益**」を害される者は，差止請求権（3条。営業秘密に関する消滅時効につき15条参照）や損害賠償請求権（4条。行為者の故意・過失を要件とする）を行使することができる。不競法4条は民法709条（不法行為）の特則であるため，損害賠償請求権に係る消滅時効については民法724条が適用される（但し営業秘密に関する不競法4条但書につき第4章第5節参照）。

　この他不競法は，損害額の算定（5条。特許102条と同様の規定であるが，各項ごとに適用対象となる不正競争行為は異なる）や，当事者の立証活動（例えば7条の文書提出命令），信用回復措置請求権（14条）に関して特許法105条・106条等と同様の規定を設けている（特に営業秘密に関して，立証負担の軽減から平成27年改正により不競法5条の2が新設されている）。なお不競法による保護は登録による公示を前提としないため過失の推定規定（特許103条参照）は設けられていない。

(2) 「営業上の利益」

　3条・4条を含む不競法上の「営業」の概念については，営利目的の事業に限らず，学校法人による私立学校の経営（東京地判平成13・7・19判時1815号148頁〔呉青山学院中学校〕）等，「取引社会における事業活動」を広く指すものと解されている（最判平成18・1・20民集60巻1号137頁〔天理教〕〈判コレ172〉）。但し一般消費者の消費行動や宗教法人の本来的な宗教活動は，「営業」に該当しない（前掲〔天理教〕）。また3条・4条の「利益」も，金銭収入に限らず無形の信用等を含むものと解されている。

　不競法上の請求権者につき具体的に問題となるのは，不競法2条1項各号の趣旨に照らし，原告が各号の保護法益に対応した経済的な利害関係を有する者といえるか否か，の点である。例えば20号（品質誤認表示）に関しては競業者

が広く請求権者となるのに対して（⇒第5章第4節**2**(3)），21号（信用毀損）の場合は信用を毀損された者が請求権者となる。

　事業活動の成果（商品等表示の周知性・著名性，商品形態，営業秘密）の冒用に関する不正競争行為に関しては，冒用された主体（例えば2条1項3号の場合，自己の商品形態を模倣された「他人」）は3条・4条の請求権者となる。これに加えて，冒用された主体と一定の経済的関係を有する者（独占的販売権者等）にまで「営業上の利益」が認められるかを巡っては様々な議論がある（特に1号・2号につき⇒第2章第1節**4**，3号につき⇒第3章第4節参照）。更に学説には公正な競争秩序の維持という観点から競業者一般や需要者，消費者団体等にも広く請求権を認めるべきとの見解もある。

2 刑事罰

　不正競争行為（2条1項各号。但し11号〜16号，19号，21号，22号を除く）については，構成要件がより限定される形で刑事罰が定められている（21条1項・2項）。また国際条約への対応のため，外国国旗の不正使用や外国公務員への贈賄に関する罰則規定も設けられている（21条2項7号）。

　特に営業秘密に関しては，転退職の自由・報道の自由等への配慮から構成要件が特に詳細に定められている（21条1項）とともに，刑事裁判の公開の原則（憲37条1項・82条1項）の下で，被告人の防御権と被害者の営業秘密の保護との調整のため，刑事訴訟法の特則（23条以下）が設けられている。

第2章 他人の商品等表示の不正使用

第1節　周知表示の使用による混同の惹起
第2節　著名表示の冒用

第1節　周知表示の使用による混同の惹起

1 趣　旨

　不競法2条1項1号は，他人（X）の商品等表示として需要者の間に広く認識されている（周知性を有する）ものと同一・類似の商品等表示をYが使用等し，需要者に，Yの商品・営業がX（及びその関連企業等）を出所とするものとの混同を生じさせる行為を不正競争行為として定めている。この場合，Xは，Yに対し差止め（3条）・損害賠償請求権（4条）を行使することができる。

　本号は出所の混同を防止し，Xが獲得した業務上の信用（周知な商品等表示の出所表示機能）を保護するとともに，あわせて需要者の保護をも図るものである。この点で本号による規律は商標法と基本的な目的を同じくし，いわゆる標識法と呼ばれる分野に属する。

　但し商標権は登録を保護の前提条件とし，その効力が日本全国に登録商標・指定商品役務と類似の範囲まで（原則として）定型的に及ぶ（⇒第5編第5章）のに対して，本号による保護は登録を要件とせず，事業者が商品等表示の使用により獲得した識別力（周知性）に応じ，個別事情に照らして具体的な混同のおそれから事業者を保護する点が特徴となる。

431

2 要 件

(1) 商品等表示

(a) 商品等表示の定義 不競法上,「商品等表示」とは「人の業務に係る氏名,商号,商標,標章,商品の容器若しくは包装その他の商品又は営業を表示するもの」と定義されている(2条1項1号括弧書)。標章・商標(商標2条1項)等に該当しないもの(例えば香り等)であっても,「商品又は営業を表示するもの」といえれば(但し⇒(c)参照),商品等表示に該当することとなる。

(b) 「商品」及び「営業」 商品等表示にいう「商品」の概念は,市場で取引対象となる有体物(不動産につき東京地判平成16・7・2判時1890号127頁〔ラヴォーグ南青山〕)・無体物(文字フォントにつき東京高決平成5・12・24判時1505号136頁〔モリサワタイプフェイス〕)を広く意味するものと解されている。また「営業」の概念に関しても,取引社会における事業活動一般と広く解されている点は前述の通り(⇒第1章第2節■(2))である。

(c) 商品等表示該当性の判断 商品等表示該当性は,需要者からみて当該表示が商品の出所又は営業の主体を示すもの(特定の出所を表示するもの)と認識されているか否かによって判断される。

商品等表示該当性が特に問題となるのは,Xが「商品等表示」であると主張するものが,商品や営業の出所の表示ではなく,商品・営業自体を構成する要素と一般的には認識される場合である。例えば,商品の形態(⇒(d)),営業における商品の陳列デザイン(大阪地判平成22・12・16判時2118号120頁〔西松屋〕),店舗デザイン(東京地決平成28・12・19平27(ヨ)22042〔コメダ珈琲〕〈判コレ174〉)等がその例となる。

この場合にX主張の要素が商品等表示に該当するためには,①同種の商品・営業と比較してX主張の要素が特徴的なものであり,かつ,②特定の事業者による使用の結果当該要素が出所表示としての識別力(周知性)を獲得していることが必要とされている。

このような判断枠組みにより商品等表示該当性は実質的には周知性の要件と一体化した判断となっている(例えば否定事例として前掲〔西松屋〕,肯定事例として前掲〔コメダ珈琲〕参照)。特にこの判断においては独占適応性(⇒第5編第2

章第3節**2**）の観点も考慮される。例えば大阪高判平成9・3・27知財集29巻1号368頁〔it's シリーズ〕は，色彩の自由使用に配慮し，家電のシリーズ商品の単色の色彩につき出所表示機能を取得するに至っていないと判断している。また，東京地判令和4・3・11判時2523号103頁〔ルブタン〕は，女性用ハイヒールの靴底に特定の赤色を付したものについて商品等表示該当性を否定した。

(d) **商品の形態の商品等表示該当性**　　従来の裁判例で特に争われてきたのが，商品の形態自体の商品等表示該当性である。

商品の形態は，本来的には出所を表示するものではないが，①当該形態が「客観的に他の同種商品とは異なる顕著な特徴を有しており（特別顕著性）」，かつ，②長期間の独占的使用又は極めて強力な宣伝広告・爆発的な販売実績等により「需要者においてその形態を有する商品が特定の事業者の出所を表示するものとして」周知性を獲得している場合に限っては，商品等表示に該当すると解されている（知財高判平成24・12・26判時2178号99頁〔ベアルーペ〕等）。

更に裁判例では，商品の形態が「商品の技術的な機能及び効用を実現するために他の形態を選択する余地のない不可避的な構成に由来する場合」，当該形態を商品等表示として保護することは，特許権等によらずに商品の技術的な機能・効用自体を半永久的に独占することになりかねないとして当該形態の商品等表示該当性を否定する見解（技術的形態除外説）が有力である（東京地判昭和41・11・22判時476号45頁〔組立式押入れたんすセット〕参照）。

但し技術的形態除外説の下でも，商品の技術的な機能や効用に由来するが不可避的な構成といえない形態には商品等表示としての保護が認められうるため，技術的な機能・効用をどこまで具体的にとらえるかが問題となる（不可避的な構成といえないと判断された事例として知財高判平成28・7・27判時2320号113頁〔練習用箸〕〈判コレ173〉を参照）。また，不可避的な構成といえない場合にも，技術的な機能及び効用に由来する形態については原則として特別顕著性が認められないことを述べる裁判例もある（前掲〔練習用箸〕〔結論としても特別顕著性を否定〕。他方このような形態につき特別顕著性を肯定した事例として知財高判平成30・2・28平29(ネ)10068・10084〔テラレット〕）。

この技術的形態除外説に対しては，特許法等と不競法の趣旨が異なる以上両者の調整は不要であるとの批判説（東京高判昭和58・11・15無体集15巻3号720

頁〔会計伝票〕）もある。

　技術的形態除外説に対する批判説の指摘は，特許法等の存在が直ちに不競法による保護を否定する理由とならないという限りでは正当である（応用美術に関する⇒第3編第2章第2節**4**も参照）。しかし不競法内在的にも，商品等表示の保護は特定の商品・営業につき複数の事業者間での自由競争（複数の出所）が存在することがその前提であることからすれば，商品等表示の保護が同種の商品・営業間の競争自体を不可能とする結果を生じることは，2条1項1号の趣旨に照らして許されない（以上の理解につき東京高判平成13・12・19判時1781号142頁〔ルービック・キューブ〕も参照）。この理解からは，技術的な機能・効用の点で不可欠な形態に限らず，互換性の観点から必要な形態，同種の商品が当然備えるべき特徴（商標4条1項18号も参照）等，競争上似ざるをえない形態については商品等表示としての保護を否定すべきとする考え方が妥当といえよう。

(2) 他 人 性

　不競法2条1項1号に該当するためには，当該商品等表示が行為者であるY以外の「他人の」周知な商品等表示（周知表示）であることが必要である。

　本号にいう「他人」とは，商品・営業の出所となる特定の主体を意味し，法人格の有無を問わない。また単一の主体に限らず，「特定の表示に関する商品化契約によって結束した同表示の使用許諾者，使用権者及び再使用権者のグループ」等，当該表示の出所識別機能・品質保証機能・顧客吸引力を発展させるという共通の目的の下に結束していると評価可能なグループも含まれると解されている（最判昭和59・5・29民集38巻7号920頁〔フットボール〕〈判コレ175〉）。

　Xの周知表示であると同時にYの商品等表示としても一定の周知性を獲得している場合，XとYにいかなる経済的関係もなければ，本号の「他人」に該当する。この場合XとYそれぞれによる表示の使用が混同を惹起すれば双方の行為とも本号に該当し，あとは先使用による適用除外（19条1項3号）等の問題となる。

　他方でXとYが製造・販売等を分業していた，あるいは，前述の商品化に関するグループをかつて形成し同一の商品等表示を使用していたところ，提携関係が解消された後の当該表示の取扱い（X・Yによる使用行為が「他人」の商品

等表示の使用に該当するか，第三者の行為に対して 3 条・4 条の請求権を誰が行使できるか）を巡っては議論がある。

(3) 周 知 性

不競法 2 条 1 項 1 号における他人の商品等表示として「需要者の間に広く認識されている」との要件を周知性の要件と呼ぶ。本号は，商標法と異なり登録を要件としない代わりに，使用による一定の識別力（周知性）の獲得を保護の要件としている。

(a) **判断基準の主体**　本号は Y の行為による出所の混同を規制対象・要件とするものであるため，周知性の判断基準の主体となるべき「需要者」は，Y の表示に接する，Y の商品・営業の需要者であるとされている。すなわち Y の需要者を基準に X の商品等表示の周知性が認められるか否かが判断されるべきと解されている。

(b) **周知性の地理的範囲**　このため本号の周知性の要件に関しては，商標法 4 条 1 項 10 号の場合（⇒第 5 編第 2 章第 4 節 **5** (1)）とは異なり，Y 商品・営業の地域又はこれに近接する地域であれば限定的な地域でも足りると解されている。例えば東京地判昭和 51・3・31 判タ 344 号 291 頁では，神奈川県横浜市周辺で周知性が認められた「勝烈庵」の営業主体による，同県横須賀市における「勝れつ庵」の表示の使用の差止請求が認容された。

他方，ある地域で周知性が認められたとしても，他の地域における周知性が当然に認められるわけではない。例えば横浜地判昭和 58・12・9 無体集 15 巻 3 号 802 頁〔勝烈庵〕〈判コレ 177〉では，「勝烈庵」（横浜市に本店が所在）の周知性は神奈川県鎌倉市内においては認められ同市所在の「かつれつ庵」に対する差止請求は認容されたが，静岡県富士市所在の「かつれつあん」に対する請求については周知性が否定され棄却された。

(c) **周知性の判断基準時**　周知性の判断基準時は，差止請求については事実審の口頭弁論終結時となり，損害賠償請求についてはその対象となる時期に周知性を獲得していることが必要となる（最判昭和 63・7・19 民集 42 巻 6 号 489 頁〔アースベルト〕〈判コレ 27〉）。この場合に Y が X の周知性獲得以前から表示を使用していたとの事情は，先使用に関する適用除外（19 条 1 項 3 号⇒ **3** (3)）

435

で考慮される。

(4) 同一性・類似性

本号に該当するためには，Ｙの行為が他人の商品等表示と**同一・類似**の商品等表示を使用等する行為であることが必要となる。

本号の類似性要件につき裁判例は，「取引の実情のもとにおいて，取引者，需要者が，両者の外観，称呼，又は観念に基づく印象，記憶，連想等から両者を全体的に類似のものとして受け取るおそれがあるか否か」との判断基準を用いている（最判昭和58・10・7民集37巻8号1082頁〔日本ウーマン・パワー〕〈判コレ178〉）。日本ウーマン・パワー事件では，「マンパワー・ジヤパン株式会社」（原告）と「日本ウーマン・パワー株式会社」（被告）につき，取引の実情として需要者の共通性等も考慮し，被告商号と原告商号の類似性が肯定された。

本号では類似性と混同が条文上別の要件であるため，商標法上の商標の類似概念（⇒第5編第5章第2節）とは異なり，本号に係る類似性の判断基準では「混同」の概念は用いられていない。

類似性の判断手法の点では，商標法の場合と同様，対比的観察ではなく，離隔的観察が用いられる。また商品等表示の構成中，特に自他商品識別機能を生ずる特徴的な部分（要部）を抽出し，要部を中心に表示全体を観察する手法が用いられている。登録商標制度を前提に全体観察を原則とする商標の類否判断（⇒第5編第5章第2節**❸**）と比べ，本号の類否判断では要部観察がより柔軟に用いられている。

本号に関しては，実質的な判断の点で混同のおそれの要件が重視され，本号の類似性の要件は緩やかに解される傾向も指摘されている。但し独占適応性の問題や過度の競争制限の回避の観点から，特にＸ表示とＹ表示に共通する要素が記述的な表示や商品の機能・効用に関連する特徴的な形態部分のみである場合等に，混同のおそれの有無を問わずに類似性の要件により本号該当性が否定されるという点で，類似性要件に積極的な意義を見出す見解も有力である。例えば，大阪高判平成17・6・21平16（ネ）3846〔ユニワイヤ〕では省配線システムを巡る事案で「ユニワイヤ」と「エニイワイヤ」の類似性を否定するにあたり，ワイヤが電線等を指す普通名称であることも挙げている。

(5) 商品等表示の使用行為等

本号の適用対象となる行為は，他人の周知な商品等表示と同一・類似の商品等表示を「使用」する行為と，当該商品等表示を使用した商品を「譲渡し，引き渡し，譲渡若しくは引渡しのために展示し，輸出し，輸入し，若しくは電気通信回線を通じて提供」する行為である。

商標法における商標的使用論（⇒第5編第4章第3節 **1** (5)）と同様，商品等表示の使用が出所識別機能を発揮する態様での使用とはいえない場合，本号の「使用」に該当しないと解されている（東京地判平成12・6・29判時1728号101頁〔ベレッタM92F〕〈判コレ179〉）。もっとも，本号における使用該当性の判断は混同のおそれの要件の判断に解消されるとの指摘もある。

(6) 出所の混同のおそれ

本号の「他人の商品又は営業と混同を生じさせる行為」とは，需要者による**出所の混同**を意味する。現実の混同の他，混同のおそれを生じさせる行為を含むと解されている。

また本号の混同は，Yの商品・営業が周知表示の示す主体（X）と同一の主体を出所とするものと誤認される場合（**狭義の混同**）に加えて，X本人ではないがXの関連企業を出所とするものと誤認される場合（**広義の混同**）を含むものと解されている。企業経営の多角化・取引環境の複雑化を踏まえて，周知表示の主体及び需要者を広義の混同から広く保護することが本号の趣旨から適切であると考えられている（⇒なお商標法4条1項15号における広義の混同について第5編第2章第4節 **5** (5)）。

裁判例は，広義の混同に該当する行為として，Yと他人（X）との間に，「いわゆる親会社，子会社の関係や系列関係などの緊密な営業上の関係が存するものと誤信させる行為」（前掲最判昭和58・10・7〔日本ウーマン・パワー〕。事案につき(4)参照）や，「同一の商品化事業を営むグループに属する関係が存するものと誤信させる行為」（前掲最判昭和59・5・29〔フットボール〕。(2)も参照）を挙げている。またこのため，XとYの競業関係は本号該当性の必要条件ではない（前掲〔フットボール〕）。

もっとも裁判例の中には，著名な商品等表示につき，具体的な事情に照らせ

ば広義の混同のおそれも認め難い事案につきなお混同のおそれを認めた裁判例が見られる。例えば最判平成 10・9・10 判時 1655 号 160 頁〔スナックシャネル〕〈判コレ 180〉では，千葉県松戸市で小規模に営業していた「スナックシャネル」と，シャネルグループとに緊密な営業上の関係又は同一の商品化事業を営むグループに属すると誤信されるおそれがあると判断された。このような判断は広義の混同の概念を過度に拡張するものであり，現行法の下では不競法2 条 1 項 1 号ではなく，2 号の適用によるべきであろう。

③ 適用除外等

　2 条 1 項 1 号に該当する行為であっても，19 条 1 項 1 号（普通名称等の使用）・2 号（自己の氏名の使用）・3 号（先使用）に該当する場合には，3 条（差止め）・4条（損害賠償）等や，刑事罰に関する 21 条が適用されない（以下，単に**適用除外**という）。このうち 19 条 1 項 2 号・3 号に該当する場合，周知表示の主体 X は行為者 Y に対して，X の商品・営業との混同を防止する表示を付すことを請求できる（19 条 2 項。**混同防止表示付加請求権**）。

　以下，本号に係る適用除外と解釈論上問題となるその他の抗弁（真正商品の転売・並行輸入，登録商標使用の抗弁）につき**概観**する。

(1) 普通名称等の使用（19 条 1 項 1 号）

　Y の行為が，商品・営業の普通名称や同一・類似の商品・営業につき慣用されている商品等表示（普通名称等）を普通に用いられる方法で表示・使用する行為（19 条 1 項 1 号）は，適用除外の対象となる（商標 26 条 1 項 2 号（普通名称に関する部分）と 4 号も参照）。

　本号の適用除外の趣旨は，普通名称等の使用は出所の混同を通常は生じさせないこととともに，仮に何らかの出所の混同を生じる場合にも普通名称等の使用は独占適応性の観点から許容されるべきことを理由とするものである。例えば新規な商品の普通名称等を X が独占的に使用していたところ，Y が新規参入し競合商品につき普通名称等を用いる場合が考えられる。このような場合に普通名称等の使用を規制することは，同種の商品のサーチコストを増大させ，同種の商品・営業間の競争自体を制限することとなりかねない。

438

第1節　周知表示の使用による混同の惹起

(2)　自己の氏名の使用（19条1項2号）

　Yが自己の氏名を図利加害等の不正の目的でなく商品等表示として使用している場合，Yの行為により混同のおそれが生じるとしても，Xは差止め・損害賠償請求権を行使することができない（19条1項2号）。しかし，Yに対して混同防止表示の付加を請求することができる（同条2項）。

　本号は，自己の氏名を商品等表示として使用する人格的利益に配慮した規定であるが，商標法26条1項1号と異なり自然人の氏名のみを対象とし，自ら選択・変更可能な法人の名称や芸名等は条文上本号の適用対象とされていない。なおXの周知性獲得以前から，法人であるYが使用していた名称等については3号の先使用に該当しうる。

(3)　先使用（19条1項3号）

　Xの商品等表示が周知性を獲得する以前から，同一・類似の商品等表示を使用していた者（又はその者から商品等表示に関する業務を承継した者）にYが該当する場合，当該商品等表示を不正の目的でなく使用する行為は，その結果Xとの出所の混同を生ずるとしても，差止め・損害賠償請求権を行使することはできない（19条1項3号）。しかしXはYに対して混同防止付加請求権を行使できる（同条2項）。

　本号は先使用者による商品等表示の使用の継続の利益に配慮した規定である。本号の適用のためには，Xによる周知性獲得以前から，問題となるYの行為時（⇒判断基準時につき **2**(3)(c)）まで，同一の表示・態様（使用地域，商品・営業の種類）で使用が継続されていなければならない。またYの使用開始時に不正の目的がなくとも，問題となるYの行為時に不正の目的（例えば意図的に混同を惹起してXに損害を与えYが利益を得る目的）が認められれば本号の要件をみたさない。

　このため本号の適用が，Yの使用態様ごとに判断が分かれる場合もある。例えば，Yの店舗（札幌市所在の店舗Aと神戸市所在の店舗B。いずれも2000年に営業開始）による同一の商品等表示の使用につき，Xの商品等表示が2000年時点で神戸市では既に周知であったが，札幌市では周知でなかった（現在は日本全国で周知）場合，Yによる店舗Aでの表示の使用の継続は本号により認めら

439

れるが，店舗Bでの表示の使用は差止請求の対象となりうる。

(4) 真正商品の転売・並行輸入

周知表示の主体により国内外で拡布された真正商品を転売・並行輸入する行為等については，商標権の場合と同様（⇒第5編第4章第3節**5**），2条1項1号についても，出所識別機能・品質保証機能が害されないとして実質的な違法性が否定されている（東京地判昭和59・12・7無体集16巻3号760頁〔ラコステ〕，東京地判平成28・11・24平27(ワ)29586〔TWG〕〈判コレ181〉）。またこのような場合には出所の混同のおそれがないということもできよう。

改変・再包装等に関しても，出所識別機能・品質保証機能を実質的に害するか否かによって違法性・混同のおそれの有無が判断される。大阪地判平成6・2・24判時1522号139頁〔マグアンプK〕では，具体的な態様から周知表示の主体（商標権者）以外の者が再包装・小分けを行ったことを顧客が十分に認識できたことを理由に混同のおそれが否定されている（⇒同判決において商標権については侵害が認められた点につき第5編第4章第3節**5**(2)(b)）。

(5) 登録商標の使用の抗弁

商標権者は，他人の商標権と抵触する場合にも，登録商標を指定商品・役務に使用する権利（専用権）を有し（⇒第5編第4章第1節**1**），当該他人からの商標権侵害訴訟において登録商標の使用であることを抗弁として援用することができる（⇒第5編第4章第3節**6**(2)）。

それでは，周知表示の主体Xの商標権者Yに対する差止め・損害賠償請求訴訟において，Yは自らの行為がYの有する商標権に係る登録商標の使用であることを抗弁として援用することができるであろうか（**登録商標の使用の抗弁**）。

この問題につき，平成5年の全面改正以前の旧不競法6条は，商標権等の行使と認められる行為に関する適用除外を明示的に定めていた。しかし旧法下の裁判例では，商標権の取得経緯やその利用態様が濫用的な事案が多く，旧法6条の抗弁を権利濫用等として排斥する裁判例が多数であった。このような状況に鑑み平成5年改正により旧法6条は削除されている。

しかし現行法の下でも，商標法が商標権に専用権としての効力を認めた趣旨（日本全国において登録商標を指定商品・役務に使用できる地位を保障すること）に鑑み，Y による登録商標の取得やその使用態様に照らし抗弁の援用が権利濫用に該当する場合を除き，登録商標使用の抗弁が認められると解されている。例えば，登録商標使用の抗弁の成立を認めた事例として東京地判平成 26・1・20 平 25（ワ）3823〔FUKI〕〈判コレ 176・182〉，Y の商標取得の経緯に照らして登録商標使用の抗弁の援用が権利濫用に該当すると判断された事例として東京地判平成 15・2・20 平 13（ワ）2721〔マイクロダイエット〕〈判コレ 183〉がある。

なお登録商標使用の抗弁は，登録商標を指定商品・役務に使用する場合にのみ認められ，類似の商標の使用等には及ばない。また商標権につき無効理由が存在し無効審判により無効とされるべきものに該当する場合（特許 104 条の 3 参照）にも，登録商標使用の抗弁は認められない。

4 請求権者

不競法 2 条 1 項 1 号に該当する行為に対して 3 条・4 条の請求権者となるべき「営業上の利益」を有する者は，周知表示が出所として示す主体（すなわち 1 号にいう「他人」⇒**2**(2)）であるとの理解が一般的である。

商品化事業を営むグループやフランチャイズチェーン等のように複数の主体が「他人」に該当する場合，第三者の混同惹起行為に対しては，各人（例えば使用許諾者や被許諾者である製造・販売事業者，フランチャイザーやフランチャイジー）がそれぞれ差止め・損害賠償請求権を個別に行使することができる（前掲最判昭和 59・5・29〔フットボール〕）。

他方で単に流通業者として当該表示の付された商品の流通に関与したに過ぎない者など，表示が示す出所とはいえない者は「営業上の利益」を有するものとはいえない（不正競争 2 条 1 項 2 号に関する事案において，A の著名な商品等表示につき輸入代理店である X の請求が棄却された事案として東京地判平成 12・7・18 判時 1729 号 116 頁〔リズシャルメル〕〈判コレ 186〉参照）。もっともこの点につき，競争秩序維持の観点から請求権者を流通業者等に広く認めるべきとの見解もある。

第6編　第2章　他人の商品等表示の不正使用

第2節　著名表示の冒用

1 趣　旨

　不競法2条1項2号は，他人（X）の**著名**な**商品等表示**と**同一・類似**のもの
を，Yが**自己の商品等表示として使用**等する行為を，不正競争行為と定めてい
る。

　本号は，著名な商品等表示（著名表示）をその希釈化から保護することをそ
の趣旨としており，1号と異なり出所の混同を要件としないことが特徴である。

　事業活動の成果として著名といえる程の多大な識別力を獲得した結果，当該
商品等表示は，個別の商品・営業の出所の表示という意味をこえて，ブランド
イメージ等の独自の財産的価値を有することがある。このような著名表示を第
三者が冒用する行為は，出所の混同を生ずるとはいえない事案であっても，著
名表示とその主体の結びつき・著名表示に係るブランドイメージを弱める（薄
める）場合がある。これを**希釈化**（ダイリューション）と呼ぶ。更にはそのよう
な行為が著名表示のイメージを著しく損なわせる場合（例えば，子供向け高級ブ
ランドの表示をわいせつな商品の表示に使用する場合等）があり，これを**汚染**（ポ
リューション）と呼ぶ。

　これら希釈化・汚染を生じる行為は，他人の事業の成果（業務上の信用の高度
の蓄積による著名表示の財産的価値）を不当に冒用するものであるとして，平成5
年の改正により不正競争行為として追加されている。

　このように本号は，著名表示の主体の財産的利益を希釈化から保護するもの
である。また，事業者に業務上の信用の高度の蓄積を促すという点で間接的に
品質競争等を促進する機能も有する。

2 要件，適用除外等

　2条1項2号の各要件のうち，「商品等表示」及び「他人性」については1
号の場合と同様の解釈となり，また本号に関する適用除外等も，基本的には1
号の場合（⇒第1節）と同様となる。以下では本号について特に問題となる点

442

について解説する。

「混同」を条文上の要件とする1号と異なり，本号では希釈化の有無を直接に問う要件が明示的には設けられていない。そこで，希釈化が実質的には生じない行為にまで本号に該当して過剰な規制となることへの懸念から，以下述べるように，希釈化に関する実質的な判断を各要件の解釈において行うべきとの主張もされている。

(1) 著 名 性

1号の周知性の要件については，出所の混同の防止というその立法趣旨に照らし，限定的な地域・需要者層でもYの表示に接するY商品・役務の需要者につき周知といえれば足りると解されている（⇒第1節**2**(3)）。

これに対して本号による保護は混同のおそれを要件としないため，本号の著名性の要件については，1号の周知性よりも高い知名度が要求されている。例えば，ジーンズの弓型ステッチにつき周知な商品等表示であるが著名とはいえないと判断された事例として東京地判平成12・6・28判時1713号115頁〔LEVI'S〕がある（Xの弓型ステッチにつきその出所を正しく回答した者の割合が15〜29歳までのジーンズ購入者で46％，15〜69歳までのジーンズ購入者で31％，一般消費者で18.3％という調査結果が示された事案）。

著名性の判断基準の主体となるべき需要者層に関しては，必ずしも全需要者や一般消費者において著名であることまでは必要ではなく，Yの表示に接するY商品・営業の需要者を含む一定の範囲の需要者層について著名であれば足りるとの理解が有力である。学校法人Xの名称（青山学院）が学校教育及びこれと関連する分野において著名なものであると認定された事案として東京地判平成13・7・19判時1815号148頁〔呉青山学院中学校〕がある。

但し著名性の地理的範囲については，過剰規制の防止の観点等から全国的に知られていることが必要であるとする見解と，周知性と同様Yの表示が使用される地域を含む一定の地域で知られていれば足りるとする見解に分かれている。このうち後者の見解は，過剰規制の防止の観点は類似性の要件（⇒(2)）や請求権者に係る「営業上の利益」の解釈（⇒(4)）で考慮すべきものとしている。

(2) 類似性

本号における商品等表示の類似性の判断は，基本的には1号に係る類似性と同様の判断となる（⇒第1節**2**(4)）。但し本号の趣旨である希釈化の防止に鑑み，本号の類似性の判断においては，実際に希釈化が生じるといえる程度に類似しているといえるか，「すなわち，容易に著名な商品等表示を想起させるほど類似しているような表示か否か」を判断基準とすべきとする見解が有力である（一般論につき東京地判平成20・12・26判時2032号11頁〔黒烏龍茶〕。但し著名性が否定された事案）。

(3) 自己の商品等表示としての使用

Yが他人の著名な商品等表示と同一・類似の表示を使用していても，当該表示をYの「自己の商品等表示として」使用したものとはいえない場合，すなわち，その使用態様が出所表示機能を発揮する態様での使用に該当しない場合（例えばYの漫画中の表現においてXの著名な商品等表示を用いる行為，Y商品の説明などでXの商品等表示を記述的に用いる行為等），仮に実質的にみて何らかの希釈化や汚染が生じるとしても，本号の不正競争行為に該当しない。

例えば札幌地判平成26・9・4平25(ワ)886〔食べログ〕では，飲食店の口コミサイトの運営者Yが，飲食店Xに関するページ内でXの名称を表示する行為につき，YがXの名称を自己の商品等表示として使用しているとはいえないと判断された。また前掲東京地判平成12・6・29〔ベレッタM92F〕では，実銃の表示をモデルガンに使用した事案につき，出所表示機能・自他商品識別機能を発揮する態様での使用ではないと判断されている。

既に述べた通り，1号に関してもYの行為が出所表示機能を発揮する態様で当該表示を使用していること（商品等表示としての使用）は解釈上要件の1つとされており，実質的には1号の場合と同様の解釈となる（⇒商品等表示を使用した商品の譲渡等の取扱いも含め第1節**2**(5)）。

2号において「自己の商品等表示として」の使用であることが条文上明記されている点については以下のように解されよう。1つには，1号と異なり本号は混同のおそれを要件としていないことが挙げられる。また本号の規制趣旨である希釈化という概念自体も広範なものであるため，仮に希釈化行為（あるい

444

は著名な商品等表示を他人が使用する行為）一般が規制対象となると解されると，表現活動を含む行動の自由に対して重大な委縮を及ぼす危険がある。そこで，このような萎縮を避けるために「自己の商品等表示としての」使用の要件を条文上も明確化しているということもできよう。

(4) 請求権者

2条1項2号に該当する行為に対して3条・4条の請求権者となるべき「営業上の利益」を有する者は，1号の場合と同様，著名表示が出所として示す主体（すなわち2号にいう「他人」）であると解されている（詳しくは1号に関する⇒第1節**4**）。このように2号に係る「営業上の利益」は基本的に1号の場合と同様に解されている。

但し2号に関して，希釈化に関する実質的判断を3条・4条の「営業上の利益」の解釈において行うべきとする見解がある。この見解においては，希釈化による著名表示の主体Xの不利益とYらの表示の選択の自由の制限との衡量を行うべきことが主張されている。

(5) 適用除外等

2条1項2号に関しても，1号と同様の適用除外（19条1項1号（普通名称等）・2号（自己の氏名等），4号（先使用。判断基準時はX表示が「著名」となった時点））が規定され，また同様の解釈上の抗弁（真正商品の転売・並行輸入，登録商標使用の抗弁）が認められている。

もっとも混同防止表示付加請求権（19条2項）については，2条1項1号の場合と異なり，先使用者（19条1項4号）に対しては条文上認められていない。他方，自己の氏名等の使用（同項2号）に関しては，条文上形式的には本号についても付加請求権が認められる。しかし，Yによる表示の使用について混同のおそれがない場合には，特段の混同防止表示を新たに付加させる必要はなく，付加請求は棄却されるべきであろう。

第**3**章
他人の商品形態を模倣した商品の譲渡等

第1節　趣　　　旨
第2節　要　　　件
第3節　適用除外
第4節　請求権者

第1節　趣　　　旨

　不競法2条1項3号は，他人の**商品の形態**を**模倣**した商品を流通に置く行為を規制するものである。

　他者に先駆けて商品を市場に置いた者は，模倣者があらわれるまでの間，市場先行の利益を得ることができる。しかし商品形態の模倣（デッドコピー）は容易であり，そのようなほとんどコストのかからない**フリーライド**を放置すると，すぐに競争上有利な模倣品が市場に出回ってしまい，商品開発者の市場先行の利益の大半が失われてしまうであろう。すると，新商品の開発意欲が減退し，過少生産に陥りかねない。本号は，商品形態の模倣に係る行為を禁止し，このような問題に対処することを趣旨とするものである。

　なお商品の形態については，意匠法や著作権法でも保護しうるが，本号の保護については，出願等の手続を要せず，また商品に係る創作性等の検討も要しない点が特徴である。他方で，後述するように**依拠性**と**実質的同一性**の判断により模倣の有無を判断する点や，日本国内において最初に販売された日から3年を経過すると保護が失われる点（19条1項5号イ）も特徴である。

　本号は平成5年改正によって導入され，その後の実務の蓄積等を踏まえ，明

確性を確保するべく，平成17年改正を経ている。もっとも，上記の改正の趣旨に鑑みると，平成17年改正前の裁判例についても，現行法の検討において参照できよう。

第2節　要　件

1 他人の商品の形態

(1) 商品の形態

2条1項3号の規制対象は他人の商品の形態を模倣した商品の譲渡等である。

商品の形態とは，「需要者が通常の用法に従った使用に際して知覚によって認識することができる商品の外部及び内部の形状並びにその形状に結合した模様，色彩，光沢及び質感」を指す（2条4項）。本号では商品化された具体的な形態が保護対象であり，抽象的なアイデアは商品の形態に含まれない（東京高判平成12・11・29平12(ネ)2606〔サンドおむすび牛焼肉〕）。なお，商品の部分の形態についても，それが独立して取引の対象とならない場合には，原則として商品の形態に含まれないとされる（東京地判平成17・5・24判時1933号107頁〔マンホール用足掛具〕）。

商品の形態には，条文上，通常の使用状態で知覚によって認識可能な商品の内部構造も含まれる（例えば，ショルダーバッグの内部構造について，東京高判平成13・9・26判時1770号136頁〔小型ショルダーバッグ〕）。一方で，認識不可能な内部構造については，いくら投資がされていても，商品の形態に含まれず，保護の対象ではないことになる。商品化に係る投資へのフリーライドを問題視する本号の趣旨からすると，この点は立法論として批判も強い。

また，セット物の商品の形態（大阪地判平成10・9・10知財集30巻3号501頁〔小熊タオルセット〕〈判コレ187〉参照）や，商品の容器や包装の形態（大阪地判平成14・4・9判時1826号132頁〔ワイヤーブラシセット〕）について，一体のものとして商品の形態に該当するか議論がある。条文の文言からすると，使用時にはセットや包装は解体されることから，一体の商品形態として扱うのは適切ではないともいいうる。もっとも，最終的な利用の場面に限らず，流通や贈呈等も

447

使用の一場面として想定されると考えられる。更に，商品取引の場面でのフリーライドによって，先行者の投資回収が妨げられることを問題視していると考えることもでき，いずれも商品の形態に含まれるものと解することも可能であろう。

更に無体物のデザインが商品の形態に該当するかという点については，現行の条文を見る限り，2条1項3号に電気通信回線を通じた提供（同項1号・2号参照）が含まれていないことや，2条4項で「商品の外部及び内部の形状」と規定されていることからすると，保護の対象ではないとも考えられるが（知財高判平成17・10・6平17(ネ)10049〔YOL〕），ソフトウェアの画面の形状等について商品の形態に該当するとした裁判例もあり（東京地判平成30・8・17平29(ワ)21145〔ロイロノートスクール〕），法改正も含め議論がある。

(2) 他 人 性

「**他人の商品の形態**」（他人性）の要件に関しては，特に，商品の共同開発者同士で，相手方による当該商品の譲渡等の行為が本号によって規制されるかという形で，問題となる。この場合，両者とも商品開発に費用と労力を投下しており，当該商品は両者にとって，それぞれ自己の商品と評価されることから，「他人の商品の形態」の模倣に該当せず，差止請求は認められないと考えられている（東京地判平成12・7・12判時1718号127頁〔携帯液晶ゲーム〕〈判コレ188〉）。なお，第三者による模倣品の譲渡等については，共同開発者それぞれが単独で差止請求等を行うことができる（譲渡等をするには双方の許諾が必要である）と考えられており，この点との均衡から，上記と異なり，共同開発者同士でも他方の許諾がなければ当該商品の譲渡等ができないとする見解もある。

(3) 商品の機能確保のために不可欠な形態

商品の機能確保のために不可欠な形態について特定の者に独占させると，商品の形態ではなく，同一の機能等を有するその種の商品そのものの独占を招来することになり，不正競争防止法が維持しようとする適切な競争自体を阻害するおそれがあることから，本号では括弧書で，商品の機能確保のために不可欠な形態を商品の形態から除外している（東京地判平成9・3・7判時1613号134頁

第2節 要 件

〔ピアス孔保護具〕〈判コレ189〉,東京地判平成24・3・21平22(ワ)145・16414〔車種別専用ハーネス〕参照)。

なお,平成17年改正前は,「当該他人の商品と同種の商品(同種の商品がない場合にあっては,当該他人の商品とその機能及び効用が同一又は類似の商品)が通常有する形態を除く」と規定されていたところ,裁判例の蓄積を踏まえ,明確性の観点から,現在の規定に改正されたといわれている。注意すべき点として,平成17年改正前の「通常有する形態」には,商品の機能確保のために不可欠な形態のほか,いわゆる**ありふれた形態**も含まれると理解されていた。平成17年改正後は,条文上ありふれた形態を除外する旨の文言はないが,法改正の目的や,ありふれた形態の創作には特段の投資が必要ないと考えられることに鑑みれば,現行法でも同様の帰結となろう(東京地判平成24・12・25判時2192号122頁〔携帯ゲーム機用タッチペン〕参照。実際に判断した事例として,知財高判平成28・10・31平28(ネ)10051〔青汁〕)。また,ありふれた形態は先行者の商品の形態に依拠しているとはいえないとして,「模倣」(2条5項)に該当しないとする考え方も指摘されている。

2 模 倣

(1) 総 説

本号にいう**模倣**とは,他人の商品の形態に依拠して,これと実質的に同一の形態の商品を作り出すことをいう(2条5項)。**依拠性**と**実質的同一性**の2つの要件に分けられる。

(2) 依 拠 性

本号における模倣は,他人の商品の形態に依拠する必要がある(**依拠性**)。本号の規制が,先行する商品形態に関するフリーライドの防止を目的とするためである。そのため,別個独立に創作された商品の形態については,たとえ同一であっても模倣には該当しない。

(3) 実質的同一性

他人の商品の模倣というためには,他人の商品と実質的に同一の形態の商品

449

第6編　第3章　他人の商品形態を模倣した商品の譲渡等

を作出することが必要である（**実質的同一性**）。

　ここでいう実質的同一性について，裁判例では，「作り出された商品の形態が既に存在する他人の商品の形態と相違するところがあっても，その相違がわずかな改変に基づくものであって，酷似しているものと評価できるような場合には，実質的に同一の形態であるというべきであるが，当該改変の着想の難易，改変の内容・程度，改変による形態的効果等を総合的に判断して，当該改変によって相応の形態上の特徴がもたらされ，既に存在する他人の商品の形態と酷似しているものと評価できないような場合には，実質的に同一の形態とはいえない」と判示されている（東京高判平成10・2・26知財集30巻1号65頁〔ドラゴン・キーホルダー〕）。

　立法当初は，本号の規制対象として，そっくりそのまま模倣するような場合が想定され，実質的同一性の範囲は非常に限定的なものと理解されていたようであるが，現在の実務においては，それよりももう少し広いものと評価されている。

　また，本号は商品の形態の模倣を規制するものであって，商品の機能又は効用をもたらすアイデアを保護するものではないことに鑑み，実質的同一性の判断に際しては，「当該商品の機能ないし効用と不可避的に結び付いた部分において形態の共通性が認められたとしても，そのことをもって，3号にいう形態の実質的同一性を基礎付けることはできない」とする裁判例が見受けられる（東京高判平成16・5・31平15(ネ)6117〔換気口用フィルタ〕）。先述の，商品の機能確保のために不可欠な形態に関する括弧書の趣旨からしても，妥当であろう。

　誰の観点から実質的同一性を判断するかという主観的基準については，本号が他人の投資成果にフリーライドする競争者を規制するものであることから，当業者からみて追加の投資を必要としないといえる程度の実質的同一性を有するか否かを検討すべきとする見解もある。しかし，裁判例においては，意匠法と同様，需要者の観点を指摘するものが多い（前掲〔ドラゴン・キーホルダー〕）。平成17年改正後の2条4項において，商品の形態が需要者に認識されるものであるとされていることも，需要者を基準とすることに親和的である。

3 譲渡等する行為

本号は，他人の商品形態を模倣した商品を譲渡し，貸渡し，譲渡もしくは貸渡しのために展示し，輸出し，又は輸入する行為を不正競争行為としており，模倣行為自体は規制の対象ではない。これは試験研究のための模倣等，規制すべきでない模倣行為まで規制の対象としてしまうことを防ぐためであるとされる。

　もっとも，実際に模倣後に譲渡等がなされるおそれがある場合には，その後の譲渡の予防に必要な措置として，例えば模倣品の生産等を差し止めることも考えられよう（3条2項）。

第3節　適用除外

1 3年の保護期間

(1)　趣　　旨

　2条1項3号の規制は，先行者の投資回収を妨げる後行者のフリーライドを阻止するためのものであり，先行者に十分な投資回収の期間が与えられれば，以降の模倣を不正な競争として禁ずる必要はない。そこで，不正競争防止法は商品形態模倣行為に係る規制について，保護期間を制限している。具体的には，「日本国内において最初に販売された日から起算して3年を経過した商品」を模倣した商品の譲渡等について，適用除外を設けている（19条1項5号イ）。投資回収に必要な期間は商品によって区々であろうが，第三者の予見可能性や迅速な救済の観点から，一律の期間が定められており，またその期間が3年間とされていることについては，国際的なハーモナイゼーションの観点からと説明されている。もし長期の保護を望むのであれば，意匠権の取得を図るべきであろう（なお，平成5年の本号導入時は，意匠登録出願の審査期間が概ね2年ほどであったことから，保護の間隙を埋める役割もあったともいえる）。

第6編　第3章　他人の商品形態を模倣した商品の譲渡等

(2)　保護の終期の起算点

　保護の終期の起算点として，日本国内で最初に販売された日が掲げられているが，これは，我が国での販売の有無を確認しさえすれば保護期間の終期が明らかになる点で便宜に適うことや，我が国の需要者に係る市場において，国内外の商品の供給者を平等に扱うこと等が理由とされている。したがって，ある商品が外国で販売された後国内に輸入・販売される場合にあっては，外国での販売開始日ではなく，国内での販売開始日が基準となる。

　最初の販売については，一般の市場取引を通じての販売に限らず，例えばサンプル出荷等も含むとされている（神戸地決平成6・12・8知財集26巻3号1323頁〔ハートカップ〕）。先行者が投資回収に動き出したときと考えれば，妥当であろう。また，若干のモデルチェンジをする度に起算点が更新されるとなると，共通する商品形態の保護期間の実質的な延長を認めることになり妥当ではない。そのため，このような場合には，保護を求める最初の形態を具備した商品の販売開始日を基準とすべきであろう（販売開始の対象である「他人の商品」該当性につき，同旨を指摘するものとして，東京高判平成12・2・17判時1718号120頁〔建物空調ユニットシステム〕）。

(3)　保護の始期

　不競法19条1項5号イの規定上，保護の終期の起算点は明らかになっているが，保護の始期については定めがない。裁判例では，保護期間が実質的に3年をこえることは適切ではないとして，保護の始期を保護の終期の起算点と一致させて，投下資本の回収が可能となる，「開発，商品化を完了し，販売を可能とする段階に至ったことが外見的に明らかになった時」と解するものがある（知財高判平成28・11・30判時2338号96頁〔加湿器〕〈判コレ191〉）。

❷ 模倣品の善意取得者

　取引安全の見地から，模倣品であることに善意で，かつそのことについて無重過失である模倣品の譲受人が，その模倣品の譲渡等を行う場合に関しては，適用除外とされている（19条1項5号ロ）。模倣品を譲り受けた時点で善意無重過失であればよい。

452

第4節　請求権者

　2条1項3号に該当する行為に対して，3条・4条の請求権者となるべき「営業上の利益」を有する者は，模倣された商品を開発し，市場に置いた者（本号にいう「他人」）である。この点，例えばアイデアを提供しただけの者や，従業員としてデザインのみをした者は，商品形態の作出に費用や労力を投下したわけではないので，請求権者にはあたらないであろう。

　議論のある場合として，まず他人の商品の模倣者が挙げられる。自らも模倣者でありながら，更なる模倣者に対して本号に係る請求をすることができるかという問題である。模倣品である以上，最初の模倣者は自ら商品開発に費用・労力を投下したとはいえないことから，損害賠償請求権を有する者とはいえないとした裁判例がある（東京地判平成13・8・31判時1760号138頁〔エルメス社バーキン〕）。投下資本へのフリーライドの防止という趣旨からすれば適切であろう。しかし，競争秩序の維持を重視し，模倣品を規制すべきであるとの立場からは，最初の商品と模倣品，模倣品と更なる模倣品との間で実質的同一性が認められ，一方で最初の商品と更なる模倣品との間で実質的同一性が認められない場合，更なる模倣品が野放しになることを危惧する指摘もある。

　次に，他人の開発した商品を販売する者が，模倣者に対して本号に基づく請求をすることができるか，議論がある。原則に従えば，販売者は自ら商品を開発し，市場に置いた者ではないので，請求権者ではないことになろう（東京地判平成11・1・28判時1677号127頁〔キャディバッグ〕・東京高判平成11・6・24平11（ネ）1153〔同事件控訴審〕も維持）。しかし，外国企業から国内の独占的販売権を与えられた者（独占的販売権者）等，商品開発者ではないが，模倣品を食い止めたい強いニーズを有する者も想定される。裁判例でも，独占的販売権者のように，自己の利益を守るために，模倣による不正競争を阻止し，独占を維持する必要があり，商品形態の独占について強い利害関係を有する者も，本号の保護主体となりうるとするものがある（大阪地判平成16・9・13判時1899号142頁〔ヌーブラ〕〈判コレ192〉）。更に学説上は，商品開発者の投下資本の回収が流通過程にかかわる者に支えられていることや，公正な競争秩序の維持に資すること

453

等を根拠に，一般の小売業者にも請求権を認める立場もあり，定説をみない。

第4章

営業秘密の不正取得・使用・開示

第1節　総　　説
第2節　営業秘密
第3節　規制される行為類型
第4節　適用除外
第5節　消滅時効

第1節　総　　説

1　趣　　旨

　企業努力で生み出したノウハウやデータ，顧客リスト等は，当該企業にとっ
て競争力の源泉となる有用な情報である。もちろん，当該情報が競合他社に使
用されてしまっては競争上の優位を失うことから，企業は当該情報を企業秘密
として秘匿し，企業努力の成果を守ろうとするであろう。しかし完全に情報を
秘匿することは難しい。産業スパイの例のように，不正に秘密情報が盗み出さ
れる場合に限らず，守秘義務を課した上で開示した相手方から秘密情報が流出
する場合なども考えられる。また，その防止のために企業の負担するコストも
際限ないものとなる。そのため，秘密情報の不正な取得行為や，それを使用し
て競争する行為を放任すれば，有用な情報を生み出そうとする企業のインセン
ティブを損ねる結果となりかねない。一方で，無制限に秘密情報の取得・使用
を規制することは，その情報に接した関係者の営業や転職の自由を強く制限す
ることとなり，適切ではない。そこで，不正競争防止法は，一定の秘密情報を

455

営業秘密として，その保有者とその使用者との利益のバランスを取りつつ，その不正な取得・使用行為を規制することとした。

この点，不正競争防止法による保護がなくとも，例えば営業秘密を開示する相手方と秘密保持契約を締結する，あるいは営業秘密を窃取した第三者の不法行為責任を問うこと等によって，営業秘密を法的に保護することも可能である。しかし前者については第三者効がなく，また後者については金銭賠償に留まる等，限界がある。不正競争防止法による営業秘密の保護は，GATT ウルグアイ・ラウンド対応の要請も踏まえ，一定の秘密情報を営業秘密として適切に保護するための制度として，平成2年に導入されたものである。

なお近時，不正競争防止法による営業秘密の保護は強化される方向にあることにも留意する必要がある。当初は民事規制のみであったが，外国への技術流出が多発する等の問題が生じたことから，刑事規制の導入・強化が進められており（近時，営業秘密に係る平成27年改正前21条1項3号における図利加害目的の有無が争いとなった判例として，最決平成30・12・3刑集71巻6号569頁〔日産自動車〕〈判コレ197〉），また営業秘密の特質に鑑み，民事訴訟に関する救済手続の整備も進められている（⇒第1章第2節**1**）。

2 特許法による保護との関係

技術情報の場合，営業秘密としての保護のほかに，特許出願をして，特許権を取得することも考えられる。そこで，発明として特許出願する場合と，営業秘密として秘匿する場合とを比較してみよう。

まず，発明に該当する技術情報について特許出願すると，特許要件を充足していれば，特許権を取得することができる。しかしその代償として当該発明は公開されてしまい（⇒第2編第4章第3節**4**），当該情報を秘密のまま管理することはできない。また，出願公開制度（⇒第2編第4章第2節**2**）により，特許を受けられない場合でも公開がされる。

次に，技術情報について特許を受けた場合，特許権は絶対権であるから，他者が独自に開発したものであっても，同じ発明の実施である限り，権利が及ぶ。一方，営業秘密としての保護は相対的なものであり，独立して生み出された同様の技術情報の使用等については，保護が及ばない。

次に，特許出願や特許の登録・維持には手続費用がかかる。営業秘密については，そのような手続費用はかからないものの，その管理に大きなコストがかかることがある。

次に，特許権の存続期間は，原則として特許出願の日から 20 年間であるが（⇒第 2 編第 6 章第 5 節**2**），営業秘密の保護については，基本的にそのような制限はない（但し，15 条参照）。

最後に，特許権は財産権であり，その移転や実施の許諾等について，法律上の制度が用意されている（⇒第 2 編第 8 章）のに対して，営業秘密についてはそのような法律上の手当てがない。

第2節　営業秘密

1 総　　説

2 条 1 項 4 号から 10 号は，**営業秘密**に関する不正取得・利用行為を不正競争行為として列挙している。ここでの「営業秘密」については，2 条 6 項で定義されており，その要件をみたさない情報については，これらの規制で保護されることはない。

営業秘密に該当するためには，①**秘密管理性**（「秘密として管理されている」），②**有用性**（「事業活動に有用な技術上又は営業上の情報」），③**非公知性**（「公然と知られていないもの」）の 3 つの要件をみたす必要がある。これらの要件は，営業秘密として不正競争防止法による保護を与えるべき価値ある情報を選別するとともに，第三者に対してどの情報が営業秘密として保護されているかを明らかにし，第三者の情報利用の自由を確保しようとするためのものと解されている。

2 秘密管理性

（1）趣　　旨

営業秘密として保護されるためには，その情報が「秘密として管理」されている必要がある。営業秘密に係る法的保護を受けるには，そもそも事業者による一定の秘密管理に係る努力を要請すべきとされる。また，保護される情報と

457

されない情報の区別を明確化し，情報に接した従業者や第三者がその情報を使用してよいかどうかを判断できるようにすることで，その経済活動の自由を確保する必要もある。これらのことから，客観的に判断可能な要件として，**秘密管理性**が要求されている。

(2) 要　件

秘密管理性の判断に際しては，上記の趣旨に鑑みて，当該情報へアクセスできる者が制限されていること（**アクセス制限**）と，当該情報にアクセスした者が，当該情報が営業秘密であることが客観的に認識可能であること（**客観的認識可能性**）が考慮される。

具体的にどのような場合に秘密管理性が認められるかという点をめぐっては，多くの裁判例がある。これらを見るに，一時はアクセス制限の存在を要求する立場が有力であったが（例えば，東京地判平成 16・4・13 判時 1862 号 168 頁〔ノックスエンタテインメント〕，近時においても，例えば，大阪地判令和 2・10・1 平 28(ワ) 4029〔リフォーム事業〕），最近はアクセス制限を要素としつつ，客観的認識可能性の有無を中心に判断する立場が有力となっているように思われ（例えば，知財高判平成 24・7・4 平 23(ネ)10084・平 24(ネ)10025〔投資用マンション〕〈判コレ 193〉，知財高判平成 26・8・6 平 26(ネ)10028〔パチンコ技術情報〕〈判コレ 194〉，東京高判平成 29・3・21 高刑集 70 巻 1 号 10 頁〔ベネッセ〕，大阪地判平成 29・10・19 平 27 (ワ)4169〔アルミナ長繊維〕），現在の営業秘密管理指針（経済産業省の公表しているガイドライン）においても，秘密管理措置（アクセス制限）を通じて，企業が当該情報を秘密として管理しようとする意思を従業員等が認識可能であるかどうかが問題とされている。

3 有 用 性

営業秘密として保護を受けるには，当該情報が不正競争防止法による保護を受ける価値のあるものでなければならない。そこで不正競争防止法は，営業秘密に該当するためには，当該情報に**有用性**が認められる必要があるとしている。

もっとも現実には，コストをかけて秘密としての管理を行っている情報に有用性が認められないということは稀であろう（有用性が否定された事例として，

第2節　営業秘密

例えば，東京地判平成 14・10・1 平 13(ワ)7445〔クレープミックス〕)。製造ノウハウ等の技術情報に限らず，顧客名簿や仕入れリストといった情報にも有用性が認められる。

なお，いわゆるネガティブインフォメーション（実験失敗のデータ等）についても，それを競争相手が知ることで，無駄な投資を回避することができる点で，事業活動において有用性があると考えられることから，有用性の要件をみたしうると解されている。

但し，例えばある企業が違法行為を行っているという情報については，当該企業において秘密にしておきたいものだとしても，その情報を保護すべき正当な利益はなく，むしろその保護は内部告発等を妨げる結果になりかねない。こういった保有者の正当な業務行為に関係ない情報については有用性を否定し，営業秘密としての保護を与えるべきではないとする指摘もある（地方公共団体の非公開の土木工事設計単価に係る情報について保護を否定したものとして，東京地判平成 14・2・14 平 12(ワ)9499〔公共工事単価表〕)。

4 非公知性

公知の情報は，もはや要保護性を失っているだけでなく，公知の情報に営業秘密としての保護を与えてしまうと，公知である当該情報を利用する第三者の活動を害する可能性がある。そのため，営業秘密に該当するためには，当該情報について**非公知性**が要求される。

上述の趣旨からすると，第三者が当該情報を取得・使用する際に公知であるかが重要であり，その判断基準時は，第三者が各号で規制される行為を行った時ということになる。

当該情報が公知ではないということは，保有者の管理下以外では当該情報の入手が一般に困難である状態を指す。そのため，当該情報を知っている者がいたとしても，その者が守秘義務を負っていれば，その人数にかかわらず，当該情報は公知になっているとはいえない。

なお，市場に一般に流通している商品から**リバースエンジニアリング**によって得られる情報について，非公知性が認められるか問題となる。専門家による多額の費用をかけた長期間のリバースエンジニアリングを行うことではじめて

459

入手できる情報については，非公知とした裁判例がある（大阪地判平成15・2・27平13(ワ)10308・平14(ワ)2833〔セラミックコンデンサー積層機〕〈判コレ195〉）。

第3節　規制される行為類型

1 総　説

不正競争防止法は，営業秘密を取得・利用する行為全てを規制しているわけではなく，情報の自由な流通等についても配慮して，規制対象を明確にしている。具体的には以下の3つの行為類型を規制の対象としている。①営業秘密の不正取得とその後の不正利用，②正当に取得された営業秘密の不正利用，及び③技術上の秘密についての，①及び②の不正使用行為によって生じた物の譲渡等である。

2 営業秘密の不正取得とその後の不正利用

まず，**営業秘密不正取得行為**（窃取，詐欺，強迫その他の不正の手段により営業秘密を取得する行為）と，不正取得行為によって取得した営業秘密を使用・開示する行為が不正競争行為となる（2条1項4号）。

また，不正取得行為が介在していたことについて知っているか，又は重過失により知らないで，営業秘密を取得する行為，及び取得した営業秘密のその後の使用・開示行為も不正競争行為となる（5号）。例えば，何者かに詐取された顧客名簿であることを知りながら，それを取引によって取得する行為や，それを使用して営業する行為は，不正競争行為に該当する。

加えて，不正取得行為の介在について，取得時に善意無重過失で営業秘密を取得した第三者が，後にその介在について悪意・重過失となった場合には，それ以降の営業秘密の使用・開示行為も不正競争行為となる（6号）。発明者と称する者から，善意無重過失で取得した技術情報を使用していたところ（ここまでの行為は5号によっては規制されない），それが詐取されたものであることが判明した場合等がこれにあたる。

第3節 規制される行為類型

3 正当に取得された営業秘密の不正利用

(1) 趣 旨

営業秘密保有者（営業秘密を保有する事業者）からライセンス契約の下，技術情報を開示された場合等，保有者から正当に営業秘密を取得する行為自体については，規制の対象ではない。しかし，そのように正当に取得された営業秘密についても，不正な目的での利用からは保護される必要がある。加えて，正当に取得した者から秘密保持義務違反により流出した営業秘密についても，その後の利用行為を規制する必要があろう。

そこで不正競争防止法は，営業秘密保有者から正当に取得された営業秘密に関しても，一定の場合に営業秘密に係る不正競争行為として規制を及ぼしている。

(2) 規制の対象となる行為

まず，その営業秘密保有者から営業秘密を示された者が，**図利加害目的**（不正の利益を得る目的又はその保有者に損害を加える目的）で営業秘密を使用・開示する行為は，不正競争行為となる（2条1項7号）。保有者から示された営業秘密の使用・開示行為一般を規制することは好ましくないが，図利加害目的を有する使用・開示行為については規制の必要性が高いため，不正競争行為とされている。

次に，営業秘密の図利加害目的での開示，又は秘密保持義務違反による開示（合わせて**営業秘密不正開示行為**と呼ぶ）であること，あるいはそれらが介在していたことについて，悪意又は重過失で，営業秘密を取得し，また使用・開示する行為が不正競争行為となる（8号）。7号の対象である図利加害目的での開示だけでなく，法律上の義務（法律上課される守秘義務のほか，秘密保持契約違反も含む）違反による開示についても，その被開示者による当該営業秘密の取得，使用，開示が規制される点に注意が必要である。

加えて，**2**で述べた不正取得された営業秘密に関する場合と同様に，不正開示行為により善意無重過失で営業秘密を取得した者が，後に悪意・重過失に転じた場合には，その後の使用・開示行為が不正競争行為となる（9号）。

461

(3) 企業と従業者を巡る問題

上記のうち7号の「**示された**」という文言の解釈を巡って，例えば企業の従業者が開発・収集し，企業が管理している営業秘密について，その従業者が独立後図利加害目的で使用する場合に，本号による規制を受けるかが問題となる。これは，従業者が開発・収集した営業秘密が，企業から従業者に対して「示された」と評価できるか否かの問題として議論されてきた。

裁判例では，「従業員が業務上取得した情報であるから，……勤務先……に当然に帰属する」とした上で，従業員によるその使用について，勤務先等から「示された」と評価したものがある（前掲知財高判平成24・7・4〔投資用マンション〕）。

この問題については，職務発明（特許35条）や職務著作（著作15条）等との平仄から，上記裁判例のように，営業秘密の帰属を問題にする考え方のほか，従業者の転職の自由を重視し，従業者が開発・取得した情報については「示された」場合に該当しないとする考え方，あるいは秘密管理の対象となっている情報であることを当該従業者が認識できていたかを検討する考え方もある。

4 技術上の秘密についての不正使用行為によって生じた物の譲渡等 ──

技術上の秘密（営業秘密のうち，技術上の情報であるもの）について，**2** **3** に該当する不正使用行為によって生じた物の譲渡，引渡し，譲渡もしくは引渡しのための展示，輸出，輸入，又は電気通信回線を通じて提供する行為も不正競争行為となる（2条1項10号）。

本号は平成27年改正で追加された行為類型であり，営業秘密を侵害することで生産された物の流通をも規制することで，営業秘密の侵害を抑止することを目的とする。

但し，取引安全の観点から，不正使用行為により生じた物であることについて善意無重過失で当該物を譲り受けた者による譲渡等については，規制の対象としていない（同号括弧書）。

第4節　適用除外

第4節　適用除外

1 取引行為に際して善意無重過失の者の保護

　前述の通り，不競法2条1項6号・9号により，営業秘密不正取得行為の介在や，営業秘密不正開示行為の存在・介在について善意無重過失で営業秘密を取得した者であっても，その後に悪意重過失に転じれば，それ以降の営業秘密の使用・開示行為が規制される。

　しかし，取引行為で営業秘密を取得した者については，取引の安全を確保する必要があることから，善意無重過失で，取引行為によって営業秘密を取得した者が，後に悪意重過失に転じた場合，その取得した権原の範囲内での，以降の使用・開示行為が適用除外とされている（19条1項6号）。例えば5年間の使用許諾の下で営業秘密の開示があった場合において，たとえ取得者が警告を受けて不正取得行為の介在等について悪意となっても，その契約期間内であれば，その営業秘密を使用し続けることができる。一方これをこえた場合には，差止請求や損害賠償請求の対象となる。

2 消滅時効後の2条1項10号該当行為

　後述のように，2条1項4号から9号に該当する営業秘密の使用行為に係る差止請求権は，営業秘密保有者がその事実及びその行為者を知ったときから3年の消滅時効が定められており，また行為の開始の時から20年を経過したときも同様である（15条）。

　この規定により，営業秘密の使用行為が差止めの対象ではなくなった場合，その後の使用行為によって生じた物に係る10号の規制についても及ぼすべきではない。そのため，15条により差止請求権が消滅した後にその営業秘密を使用する行為により生じた物を譲渡等する行為については，適用除外としている（19条1項7号）。

463

第6編　第4章　営業秘密の不正取得・使用・開示

第5節　消滅時効

2条1項4号から10号に規定された不正競争行為により営業秘密を不正に取得・使用・開示された営業秘密保有者は，営業上の利益を侵害され，又は侵害されるおそれがある場合に，3条により，差止請求権を行使することができる。

しかし，営業秘密の不正な使用による事業が行われている場合であっても，それを前提とした雇用関係や取引関係が構築されていくことから，長期間経過した後に差止めを認めることは，その事業を行っている者を中心とした関係者に大きな影響を与えかねない。

そのため，法的安定性確保の観点から，15条では，4号から9号に該当する営業秘密の継続的な使用行為に対する差止請求権について，保有者がその事実及びその不正競争行為を行う者を知った時から3年の消滅時効が定められている。その行為の開始の時から20年を経過したときも同様である（この期間は，平成27年改正前は10年であったが，営業秘密の保護を強化する観点から，20年に延長された）。なお，法的安定性確保が趣旨であることから，一回的な取得・開示行為はこれらの期間制限の対象ではない。

また，15条の規定により差止請求権が消滅した後の，その営業秘密の使用に係る損害賠償請求権も生じないものとされている（4条但書）。

464

第5章

その他の不正競争行為

第1節　限定提供データの不正取得・使用・開示
第2節　技術的制限手段の迂回装置の提供等
第3節　ドメイン名の不正取得等
第4節　品質等誤認表示
第5節　虚偽事実告知等による競業者の信用毀損
第6節　代理人等による商標の無断使用

第1節　限定提供データの不正取得・使用・開示

1 趣　旨

　近時，ビッグデータやAI等の情報技術の発展に従い，データの重要性が高まってきた。しかし，そのようなデータは複製等が容易であり，不正に取得・利用されてしまうと，その影響は甚大である。特に利活用が期待されるデータは，一定の条件の下で外部の者に広く提供されることが期待されており，この場合営業秘密としての保護も困難であるため，安心して他者にデータを提供できないおそれがあった。このような状況に鑑み，平成30年改正において，**限定提供データ**に係る不正競争行為の規制が導入された。もっとも，限定提供データに係る規制は，以下に見るように，データの保有者と利用者のバランスに留意しつつ，全体としてデータの利活用を促進するよう，悪質性の高い行為のみを対象に掲げた形となっている。またそのため，営業秘密に係る不正競争行為と異なり，刑事罰も規定されていない。

2 限定提供データ

限定提供データに係る規制は，限定提供データに関する所定の行為が問題とされるところ，まず限定提供データの定義が問題となる。限定提供データに該当するには，技術上・営業上の情報について，**①限定提供性**，**②相当蓄積性**，**③電磁的管理性**の3つの要件を充足する必要がある（2条7項。なお，営業秘密に係る規制との重複を回避する趣旨で，秘密管理されているものは除かれている。しかし，この文言により，秘密管理されているが非公知性を充足しない情報については，営業秘密にも限定提供データにも該当しないこととなり，保護の間隙が生じるとの批判も強い）。

まず，限定提供データに係る規制の趣旨に鑑み，**限定提供性**，すなわち業として特定の者に対し提供されるものであることが要求されている。例えば特定の会員に向けた会員制データベースなどがこの要件を充足するであろう。一方で，無償で広く公衆に提供されるデータはこの要件を充足しないであろう（⇒19条1項8号ロの適用除外につき**3**参照）。

次に，ビッグデータ等を念頭に置いた規律であることから，有用性を有する程度にデータが蓄積されていることを吟味するため，**相当蓄積性**，すなわちデータが電磁的方法により相当量蓄積されていることが要件とされる。なお，提供されるものが保有データの一部であっても，その一部で相当蓄積性を充足することもあり得よう。

最後に，電磁的方法による管理を要求する**電磁的管理性**は，限定提供データ保有者がそのデータの提供に際して，その管理の意思を外部に対して明確化することで，第三者の予見可能性や経済活動の安定性を確保するための要件とされる。電磁的管理性を充足するには，ID・パスワードによる認証等，電磁的方法によるアクセス制限が必要とされている。

3 規制対象となる行為

限定提供データとの関係で規制される行為は，営業秘密と概ね同様である。違いとして，①限定提供データの不正取得とその後の不正利用類型に関しては，転得事例について，不正取得行為の介在につき悪意で限定提供データを取得等

する行為についてのみ規制の対象としており，また，限定提供データの取得後に不正取得行為の介在につき悪意に転じた場合には，それを開示する行為のみが規制されており，それぞれ重過失の場合，限定提供データを使用する場合は除かれている。

次に，②正当に取得された限定提供データの不正利用類型に関しては，まず保有者からその限定提供データを示された者の規制については，図利加害目的だけでなく，任務違反も要件とされている。転得類型については，①で述べたことと同様の違いがある。

また，限定提供データに関しては，営業秘密に関する2条1項10号に相当する条文がないことにも留意する必要がある。営業秘密の場合と比較して，限定提供データを使用して生み出された物の価値に対して，当該データがどの程度寄与したものか明らかではないためと指摘される。

なお，営業秘密に係る規制と同様に，限定提供データの善意取引取得者につき，適用除外が用意されているほか（19条1項8号イ），無償で公衆に利用可能となっている情報については，自由な利用が想定されることから，それと同一の限定提供データを取得等する行為についても，適用除外の対象としている（同号ロ）。

最後に，時効に関しても営業秘密と同様の規律が用意されている（15条2項・4条但書）。

第2節　技術的制限手段の迂回装置の提供等

1 趣　旨

不競法2条1項17号・18号は，**技術的制限手段**に関する不正行為についての規定である。

コンテンツ提供事業者は，コンテンツに係る対価回収を確実にするべく，コピー管理技術やアクセス管理技術等のDRMを開発・利用しているが，早晩これを無効化する装置等も出回ってしまう。このいたちごっこによるコンテンツ提供事業者の過度の負担を回避し，コンテンツ流通に係る競争秩序を維持する

ため，技術的制限手段に関する不正行為を規制の対象としている。

　なお，著作権法においても類似の規制が設けられている（⇒第3編第7章第3節）。もっとも，本号の規制については，保護期間の経過した著作物や著作物に該当しない映像等に関しても，その複製を規制する技術的制限手段について保護が認められている。この点に関して著作権法との整合性についての問題も指摘される。

② 技術的制限手段

　技術的制限手段とは，電磁的方法により影像もしくは音の視聴，プログラムの実行もしくは情報の処理又は影像，音，プログラムその他の情報の記録を制限する手段であって，①視聴等機器が特定の反応をする信号を記録媒体に記録し，もしくは送信する方式又は②視聴等機器が特定の変換を必要とするよう影像，音，プログラムその他の情報を変換して記録媒体に記録し，もしくは送信する方式によるものをいう（2条8項。なお平成30年改正により，新たに情報の処理や記録を制限する手段も規制の対象となった）。

　①の例としては，DVDに付されたコピーガード信号が，②の例としては，スクランブル放送におけるスクランブルが挙げられよう。

③ 規制対象となる行為

　不正競争防止法は，営業上用いられている技術的制限手段によって制限されている影像の視聴等を，当該技術的制限手段の効果を妨げることによって可能にする装置やプログラム（ここでのプログラムに関連し，最決令和3・3・1刑集75巻3号273頁〔電子書籍影像キャプチャ〕も参照），更に平成30年改正にて追加された指令符号（偽造されたシリアルコード等）の譲渡等提供行為，及び後述する同様の役務提供行為について，不正競争行為として規制を及ぼしている。コンテンツの提供者が，契約等で特定した者に対してのみ視聴等を可能にするような技術的制限手段については18号が適用され，それ以外の場合については17号が適用される。規制の態様は基本的に同様である。

　規制の潜脱を防ぐため，規制の対象となる装置には，それを組み込んだ装置（例えば，スクランブル解除機能を有する回路を組み込んだディスプレイ）や，その装

置の部品一式であって容易に組み立て可能なものが含まれる。加えて規制の対象となるプログラムには，他のプログラムと組み合わされたものも含まれる。

また，無効化以外の他の機能も有する装置等については，影像の視聴等を当該技術的制限手段の効果を妨げることにより可能とする用途に供することを目的とする提供行為を規制する。

さらに上述のように，平成 30 年改正により，技術的制限手段の効果を妨げることで影像の視聴等を可能とする役務の提供も新たに規制の対象となった。

なお，技術的制限手段の解除行為自体は規制の対象とされていない。その理由としては，個々の解除行為自体による影響の小ささや，実効性の欠如等が指摘されている。但し，不正競争防止法上の技術的制限手段が，著作権法上の技術的保護手段にも該当する場合があり，それを回避して行われた複製行為が別途著作権侵害を構成することもある。

適用除外に関して，技術的制限手段の研究開発の必要性に鑑み，試験研究のための例外が設けられている（19 条 1 項 9 号）。

第 3 節 ドメイン名の不正取得等

1 趣 旨

不競法 2 条 1 項 19 号は，**ドメイン名**に係る不正取得行為等を不正競争行為として規制するものである。

ドメイン名とは，インターネットにおいて，個々の電子計算機を識別するために割り当てられる番号，記号又は文字の組合せに対応する文字，番号，記号その他の符号又はこれらの結合をいう（2 条 10 項）。これはインターネット上の住所にあたるものであり，所定の民間団体（例えば .jp ドメインについては JPNIC）により先着順で交付されるもので，同一のドメイン名は付与されない。

このような運用下で，近時のインターネットを介したビジネスの隆盛に伴い，ドメイン名の有する価値が大きくなってきたことから，有名企業や著名な商品の名称，それらと類似するような文字列等をドメイン名として登録し，当該有名企業等の知名度にフリーライドしたり，信用毀損を行ったり，更にはドメイ

469

ン名を不当に高い値段で買い取らせようとする（サイバースクワッティング）等
の事態が生じ，ドメイン名の不正取得は大きな問題となっている。

本号はこのような問題に対応するべく，平成13年改正で導入されたもので
ある。

2 規制対象となる行為

本号では，図利加害目的（不正の利益を得る目的で，又は他人に損害を加える目
的）で，他人の**特定商品等表示**と同一もしくは類似のドメイン名を使用する権
利を取得し，もしくは保有し，又はそのドメイン名を使用する行為を不正競争
行為としている。

図利加害目的としては，①自己の保有するドメイン名を不当に高額な値段で
転売する目的，②他人の顧客吸引力を不正に利用して事業を行う目的，③当該
ドメイン名のウェブサイトに中傷記事や猥褻な情報等を掲載して当該ドメイン
名と関連性を推測される企業に損害を加える目的等が例として挙げられている
（東京地判平成14・7・15判時1796号145頁〔mp3〕〈判コレ198〉。肯定例として知財
高判令和元・5・30平30(ネ)10081・10091〔マリカー〕）。

特定商品等表示とは，「人の業務に係る氏名，商号，商標，標章その他の商
品又は役務を表示するもの」をいうとされており，2条1項1号・2号で検討
される商品等表示と異なり，ドメイン名として考えにくい容器や包装はここに
挙げられていない。また，自他識別機能又は出所識別機能を備えない普通名称
や慣用表示等が用いられる場合は，本号の規制の対象とはならない。

ドメイン名の類似性の判断については，2条1項1号・2号の判断基準が参
考となろう（⇒第2章第1節 2 (4)）。

規制の対象となる行為は，ドメイン名の取得及び保有（取得時に図利加害目的
がなく，取得後に図利加害目的を生じた場合に対応），またその使用である。

なお，その救済として，他の不正競争行為に関する救済と同様，差止請求や
損害賠償請求が想定されているが，ドメイン名の移転請求は認められていない。
但し裁判外の手続ではあるが，JPドメイン名紛争処理方針（JP-DRP）に基づ
き，指定された紛争処理機関（現在は日本知的財産仲裁センター）におけるパネ
ル審理を経て，ドメイン名登録の移転・取消しを求めることができる場合があ

470

る。

第4節　品質等誤認表示

1 趣　旨

　不競法2条1項20号は，商品・役務の原産地や品質等について誤認を生じ
させるような表示を行う行為等を規制するものである。

　本号の趣旨は，商品・役務の原産地や品質等について誤認を生じさせるよう
な表示をして，適正な表示を行う他の事業者より競争上有利な地位に立つこと
を規制し，公正な競争秩序を維持する点にある。

　なお，景表法（⇒第1章第1節 *2* (2)）でも類似の規制が行われているが，本
号による規制は，その不正競争行為に関して，他の事業者による民事上の請求
が認められている点が特徴である。また，地理的表示法（⇒ Column V2-1
「団体商標・地域団体商標」）でも一部重複する規制が行われているが，本号は行
政規制ではない点が異なる。

2 規制対象となる行為

　本号の規制の対象となる行為は，商品や役務，またその広告等について，
「その商品の原産地，品質，内容，製造方法，用途若しくは数量若しくはその
役務の質，内容，用途若しくは数量について誤認させるような表示」をする行
為が典型である（そのような表示をした商品を譲渡等する行為も含まれる）。

　なお，商品等の普通名称等に関する適用除外がある（19条1項1号）。

(1)　原産地，品質等

　本号にいう原産地は，農産物等の産出地だけでなく，工業製品の製造地等も
含む。例えば，日本製ではない時計について，日本製と表示する行為は，虚偽
の原産地表示となる。

　注意が必要な点として，1つの商品について，原材料の産地や加工地，部品
の製造地，完成品の組み立て地等，複数の原産地が想定されることがある。こ

のような場合，どの地が原産地となるかが問題となるが，一般に，その商品に実質的価値が付与された地であるとされている。また，当該基準に照らして，ある商品の原産地が一箇所に限られるわけではない。

裁判例においては，例えば岡山県の工場で生産されたうどんについて，富山県氷見市でうどんの製造がされているかのような表示等が問題となった事例がある（富山地高岡支判平成 18・11・10 判時 1955 号 137 頁〔氷見うどん〕〈判コレ 199〉）。

商品の品質等（品質，内容，製造方法，用途又は数量）についても，その誤認が問題となる。商品の品質等が問題となった裁判例として，牛肉以外に豚肉や鶏肉も混じっていたミンチ肉について，牛肉のみが原料であるかのような表示が問題となった事例（札幌地判平成 20・3・19 平 19(わ)1454〔ミートホープ〕）や，酒税法上みりんに該当しない「本みりんタイプ調味料」について，本みりんであるかのような表示が問題となった事例（京都地判平成 2・4・25 判時 1375 号 127 頁〔本みりんタイプ調味料〕）等が挙げられる。

なお，条文上明記されていないが，商品等の価格や製造時期等についても，本号にいう品質等に含まれるか，議論がある（価格につきこれを否定したものとして，前橋地判平成 16・5・7 判時 1904 号 139 頁〔ヤマダさんよりお安くします〕，創業年につきこれを否定したものとして，大阪高判令和 3・3・11 判時 2491 号 69 頁〔八ッ橋〕）。

(2) 誤認させるような表示

誤認させるような表示に該当するか否かは，その表示の内容や取引の実情等を総合考慮して，取引者・需要者において，誤認（表示から認識される原産地や品質等と，実際のそれらとが異なること）を生じさせるおそれがあるか否かによって判断される。打ち消し表示の付加についても，上記の一要素として考慮され，全体として誤認を生じさせるおそれがあるか否かが検討されることになる。

なお関連して，**比較広告**（例えば，他人の商品と自己の商品を比較して自己の商品の優秀さを強調する広告）について，本号による規制が問題となることがある。通常，比較広告として他人の商品名等が使用される場合，出所識別機能を発揮していないと評価されるため，商品等表示に係る規制（2 条 1 項 1 号・2 号）は

及ばず（⇒第2章第1節**2**(5)），また商品名等について商標登録を受けていたとしても，商標的使用に当たらないという理由で，同様の帰結となることが考えられる（⇒第5編第4章第3節**1**(5)）。しかし，比較結果が客観的事実に沿わない場合には，当該比較広告が品質を誤認させるとして，本号による規制の対象となる場合がある（知財高判平成18・10・18平17(ネ)10059〔キシリトールガム〕〈判コレ200〉）。なお，その態様によっては，別途後述の信用毀損行為に係る規制（⇒第5節）の対象となる場合もありえよう（前掲〔キシリトールガム〕）。

(3) 請求権者

本号に基づく差止め等の請求権者は，営業上の利益を侵害され，又は侵害されるおそれのある者である（3条1項）。本号では，広く競業者一般が請求権者に該当すると考えられている。

一方消費者も誤認によって不利益を被る可能性があるものの，営業上の利益が害されているわけではないため，本号に基づく請求権者ではないとされている。

第5節　虚偽事実告知等による競業者の信用毀損

1 趣　旨

不競法2条1項21号は，競争関係にある者が，客観的真実に反する虚偽の事実を告知する等して，事業者にとって重要な営業上の信用を毀損することにより，競争上有利な地位に立とうとする行為を禁圧し，公正な競争秩序を維持することを目的とする。

このような**信用毀損行為**（**営業誹謗行為**ともいう）は，不法行為（民709条）を構成する場合もあるが，本号は救済手段として（故意過失を問わず）差止請求が可能である点で，より有効な規制手段と位置づけられる。

2 規制対象となる行為

本号の規制は，競争関係にある他人の信用毀損を対象とする。ここでの競争

関係は，双方の営業につき，その需要者又は取引者を共通にする可能性があれば足りる（東京地判平成 18・8・8 平 17(ワ)3056〔ハンガークリップ〕〈判コレ 201〉）。競争関係が認められない場合には，たとえ信用毀損が行われても，それは一般的な不法行為の問題に留まる。

また，本号の規制は虚偽の事実の告知・流布のみを対象とする。虚偽の事実とは客観的真実に反する事実を指す。したがって，客観的真実に合致する告知等は，名誉毀損等を構成することはあるものの，本号の規制対象ではない。また，本号は行為者の主観的事情を要件としていないので，行為者が真実であると信じていたとしても，本号の不正競争行為に該当しうる。

最後に本号は，虚偽の事実の告知等により，他人の営業上の信用を害する行為を規制するものであって，虚偽の事実の告知一般を規制するものではない。したがって，例えば自己の商品に係る誇大広告等の行為については，品質誤認表示（⇒第4節）として規制される場合はあるが，本号の規制対象ではない。

3 権利侵害警告

知的財産権の権利者は，侵害訴訟を提起する前に，**権利侵害警告**を発することがある。しかし結果として権利侵害が否定された場合，権利侵害の事実がなかったにもかかわらず，権利侵害警告を行ったことになり，これは虚偽の事実の告知等に該当しうる。競業者である相手方本人のみに警告する行為については，「競争関係にある他人の営業上の信用」を害するものではないため，本号による規制の対象ではないが，取引先等に対して警告を行う場合には，本号に該当しうる。

この点，競業者の取引先は知的財産権侵害に関する知識を十分に有しないことが多く，警告により容易に取引を停止させてしまうおそれがあり，その場合競業者に大きな損害が生じるおそれがある。したがって，本号による救済を認めるべき場合もある。

しかし，知的財産権侵害の判断は権利者にとっても難しい場合がある。また競業者の取引先自身も侵害者となりえるところ，いきなり取引先に対して侵害訴訟を提起するよりも，事前に警告を行う方が合理的といえる場合もある。そのため，このような告知行為について，知的財産権侵害の事実が結果として否

定された場合に，全て本号に係る責任が生じると解することは妥当ではないと考えられる。

この問題について，裁判例・学説においても，事案に即した柔軟な解決を図るため，損害賠償について警告時の過失の有無を検討するものがある（例えば，東京地判平成 18・7・6 判時 1951 号 106 頁〔養魚飼料用添加物〕，知財高判平成 29・2・23 平 28（ネ）10009・10033〔吸水パイプ〕）。また，諸事情を考慮し，正当な権利行使の一環と評価される場合には，違法性を否定するものもある（例えば，東京高判平成 14・8・29 判時 1807 号 128 頁〔磁気信号記録用金属粉末〕。また知財高判平成 25・2・1 判時 2179 号 36 頁〔ごみ貯蔵機器〕も参照）。

なお，取引先等，相手方競業者以外への訴訟提起（及びそこでの事実主張）に関しては，民事訴訟の提起について原則として不法行為は成立しないものと解されている（不当訴訟に係る最判昭和 63・1・26 民集 42 巻 1 号 1 頁参照）こととの平仄からして，たとえ判決において知的財産権侵害の事実が認められず，結果として虚偽の事実の告知等になったとしても，原則として本号に係る違法性が阻却されると解されよう（前掲東京地判平成 18・7・6〔養魚飼料用添加物〕参照。そもそも仮処分の利用等を差止めの対象とすることが，不正競争防止法上予定されていないことを理由に，申立書の内容を取引先に知らしめることが不正競争に該当しないと言及した事例として，知財高判平成 19・10・31 判時 2028 号 103 頁〔アクティブマトリクス型表示装置〕も参照）。

第 6 節　代理人等による商標の無断使用

不競法 2 条 1 項 22 号は，外国において日本の商標権に相当する権利を有する者の代理人（過去 1 年以内に代理人であった者を含む）が，正当な理由なく，権利者の承諾を得ずに，その権利に係る商標やその類似商標を使用する行為を，不正競争行為と定めている。このような行為は，当該外国企業の国際展開を阻むもので，国際的な不正競争と評価されるものである。本号はこのような行為の禁圧を目的としたパリ条約 6 条の 7 第 2 項に対応するために導入されたものである。

その後我が国が加盟した条約に対応して対象国が増加しており，現在では，

パリ条約の同盟国，WTO加盟国，又は商標法条約の締約国において商標権等を有する者の代理人についての無断使用を規制するものとなっている。

当該商標に係る代理人の商標登録出願や商標登録は要件とならない。

なお，本号についても適用除外が設けられている（19条1項1号・2号）。

第7編
不法行為法・種苗法等による保護

第7編　不法行為法・種苗法等による保護

第1節　不法行為法による知的財産の保護

1 総　　説

　これまで本書でみてきたように，知的財産法は，情報が有する公共財的性格（⇒第1編第1章第1節*2*(2)）を前提に，情報創作へのインセンティブ付与を図るため，一定の情報に対する一定の無断利用行為を排斥する「権利」を情報創作者に付与し，無断利用行為に対して差止め・損害賠償（推定規定の適用）・刑事罰という特別な救済を認めている。他方で，既存情報の利用を許容することによる新たな情報創作の促進という観点や，情報利用にかかわる対抗利益・権利（表現の自由など）との調整・衡量という観点から，権利の及ばない情報の自由利用を保障している。

　そこで，以上の趣旨を強調し，知的財産法による保護が否定された情報は自由利用が完全に保障されるのであって，その情報が無断利用（フリーライド）されたとしても，そのことのみでは，もはや不法行為（民709条）の成立要件たる法益侵害を何ら生じさせないとして，不法行為の成立を否定する見解がある。他方で，知的財産法上の保護を否定する規定の全てが積極的に自由利用を保障する趣旨であるとは限らず，単に知的財産法が定める特別な保護（差止めなど）を否定するに過ぎない規定も存在し，このような規定により保護が否定された場合には，一般法としての不法行為法の適用（損害賠償限りの救済）を柔軟に認めうるとする見解もある。

　但し，いずれの立場でも，知的財産法による保護が否定された情報の無断利用が，他の固有の法益侵害を構成する場合（プラスαの法益侵害が認められる場合）には，当該法益侵害を理由に不法行為の成立を認めることはもとより可能である。

　最高裁は，最判平成16・2・13民集58巻2号311頁〔ギャロップレーサー〕〈判コレ205〉において，競走馬の名称の無断利用行為に対する差止めと損害賠償が問題となった事例で，「競走馬の名称等の使用につき，法令等の根拠もなく競走馬の所有者に対し排他的な使用権等を認めることは相当ではなく，ま

478

た，競走馬の名称等の無断利用行為に関する不法行為の成否については，違法とされる行為の範囲，態様等が法令等により明確になっているとはいえない現時点において，これを肯定することはできない」と述べている。

また，最判平成 23・12・8 民集 65 巻 9 号 3275 頁〔北朝鮮映画〕〈判コレ202〉は，「著作権法は，著作物の利用について，一定の範囲の者に対し，一定の要件の下に独占的な権利を認めるとともに，その独占的な権利と国民の文化的生活の自由との調和を図る趣旨で，著作権の発生原因，内容，範囲，消滅原因等を定め，独占的な権利の及ぶ範囲，限界を明らかにしている。同法により保護を受ける著作物の範囲を定める同法 6 条もその趣旨の規定であると解されるのであって，ある著作物が同条各号所定の著作物に該当しないものである場合，当該著作物を独占的に利用する権利は，法的保護の対象とはならないものと解される。したがって，同条各号所定の著作物に該当しない著作物の利用行為は，同法が規律の対象とする著作物の利用による利益とは異なる法的に保護された利益を侵害するなどの特段の事情がない限り，不法行為を構成するものではないと解するのが相当である」と判示している。

2 不法行為が認められた事例

この最高裁判決自身は，著作権法の「規律の対象とする著作物の利用による利益とは異なる法的に保護された利益」，すなわち，不法行為による保護を享受しうる他の固有の法益として「営業上の利益」を挙げている。

実際に従来の下級審裁判例の多くで，著作物性が否定されたものについて，営業上の利益侵害を主たる理由として不法行為の成立が認められている。そこでは，①他人が費用や労力をかけて創作・収集した情報について，②当該他人が当該情報を用いた営業活動を行っているにもかかわらず，③当該他人と競業関係にある者が，④その情報をデッドコピーしたものを競合地域で販売する，あるいは，殊更に相手方に損害を与えることのみを目的とした行為を行うなど，⑤自由競争の範囲を著しく逸脱する不正な競争手段を用いて，⑥当該他者の営業活動上の利益を侵害したと認められる場合に，情報の無断利用が不法行為とされている（東京高判平成 3・12・17 知財集 23 巻 3 号 808 頁〔木目化粧紙〕，東京地判平成 13・5・25 判時 1774 号 132 頁〔自動車データベース（翼システム）〕〈判コレ

203），大阪地判平成 14・7・25 平 12(ワ)2452〔オートくん〕など）。

　そのほか，図書館司書が除籍基準にあたらない書籍を独断で除籍・廃棄した事件で，著作物が公立図書館で閲覧に供されることにより「著作者が著作物によってその思想，意見等を公衆に伝達する利益」が「法的保護に値する人格的利益」にあたるとした判決もある（最判平成 17・7・14 民集 59 巻 6 号 1569 頁〔船橋市西図書館〕〈判コレ 113〉）。更に，次節で検討するパブリシティ権侵害を理由に不法行為の成立を認めた最判平成 24・2・2 民集 66 巻 2 号 89 頁〔ピンク・レディー〕〈判コレ 204〉もここに列挙することができよう。

　なお，前述のように，知的財産法による保護を否定する規定の趣旨いかんによっては，なお不法行為の成立（損害賠償限りの救済）を柔軟に認めうるとする立場からは，不法行為の成否を判断するにあたり，知的財産権侵害を否定した規定の趣旨も当然に考慮されることになる。

第 2 節　パブリシティ権

1 法的性質

　パブリシティ権とは，人の氏名・肖像等が商品の販売等を促進する顧客吸引力を有する場合に，この顧客吸引力を排他的に利用する権利をいう（前掲最判平成 24・2・2〔ピンク・レディー〕）。法律に明文の規定はないものの，下級審裁判例においては，芸能人の氏名・肖像が無断で商業利用された事案で不法行為の成立を認めた判決（東京地判昭和 51・6・29 判時 817 号 23 頁〔マーク・レスター〕）を嚆矢として，氏名・肖像等が有する顧客吸引力の利用に対して排他的な権利を承認し，損害賠償請求のみならず差止請求を認容するものも存在する（例えば，東京地判平成 2・12・21 判タ 772 号 253 頁〔おニャン子クラブ〕，東京地判平成 10・1・21 判時 1644 号 141 頁〔キング・クリムゾン〕など）。そして，前掲〔ピンク・レディー〕が，最高裁としてはじめてパブリシティ権を承認するに至った。

　もっとも，権利の性質については争いがあり，パブリシティ権は氏名・肖像等という人格的要素に基づく権利である一方，顧客吸引力という財産的・経済的価値の利用を対象とする権利であるため，その法的性質が人格権であるのか

財産権であるのかを巡って長らく議論が続いている（更に，パブリシティ権の根拠を不競法2条1項1号に求める立場もある）。最高裁判決は，パブリシティ権は「人格権に由来する権利」であると述べている。

パブリシティ権の法的性質を人格権と財産権のいずれと捉えるのかという問題は，権利の譲渡・相続可能性，プロダクションによる権利行使の可否，存続期間など個別具体的な問題にも結びついていると理解されてきた。しかし，これらの問題は，権利の法的性質を確定し，そこから演繹的に結論を導けば足りるというものではなく，それぞれの問題ごとのより実質的な検討が必要であろう。

② 侵害判断の基準

従前からパブリシティ権侵害が成立する場面として異論なく認められてきた典型例は，氏名・肖像等それ自体を商品化するケース（ブロマイドやカレンダーなど）や，氏名・肖像等の広告利用（テレビCMなど）であり，これらは氏名・肖像等の有する顧客吸引力それ自体を直接に商業利用する場合である。これに対して，侵害判断が困難となるのが，書籍や雑誌等での利用である。氏名・肖像等が無断利用されていると同時に，批評・解説等が加えられている場合もあり，顧客吸引力の利用のみを目的としているといい難いケースがあるためである。

このようなケースでの侵害判断の基準について下級審では争いがあったが，前掲〔ピンク・レディー〕は，侵害判断の基準として，「肖像等を無断で使用する行為は，①肖像等それ自体を独立して鑑賞の対象となる商品等として使用し，②商品等の差別化を図る目的で肖像等を商品等に付し，③肖像等を商品等の広告として使用するなど，専ら肖像等の有する顧客吸引力の利用を目的とするといえる場合」に侵害を構成すると述べている。これは，パブリシティ権侵害の成立を，典型的な類型である①②③とこれに準じる場合に限定するという趣旨である（金築補足意見参照）。①と③はそれぞれ前述の商品化と広告利用に対応し，②はTシャツやうちわといったグッズなどに氏名・肖像等を利用し，それらの商品の差別化を図る行為であり，①の商品化に近い類型である。このように，最高裁は侵害判断基準をある程度明確化した。但し，特に①商品化の

外延をどこまで広げるのか（例えば，雑誌内の数頁にグラビア写真として肖像のカラー写真を掲載する行為が侵害となるのか），あるいは①②③以外で専ら顧客吸引力の利用を目的とする行為としてどのような行為が侵害となるのかなど，必ずしも明確ではない点もある（なお，金築補足意見では，グラビア写真は①の類型に該当する例に挙げられている）。

3 その他の問題

パブリシティ権を巡っては，その他に権利の主体（著名人に限られるのか，グループが権利主体となりうるのか），権利の客体（最高裁は「氏名，肖像等」と述べているところ，氏名・肖像以外に，声，サインの筆跡，ニックネームやキャッチフレーズ，特有のファッションなど，どこまでが権利の客体に含まれるのか）などの問題もある（なお，権利の主体の問題に関連して，パブリシティ権について独占的利用許諾を受けた者による損害賠償請求を認めた判決として，大阪高判平成29・11・16判時2409号99頁〔Ritmix〕参照）。肖像権・プライバシー権や，著作権・著作隣接権，不正競争防止法など隣接する権利や法律との関係をどのように整理するのかといった重要な問題もあり，残された課題は多い。

第3節　種　苗　法

1 権利の客体と権利取得手続

我が国農業の発展には植物新品種の保護が必要不可欠であるところ，その実現を図るための法律が「**種苗法**」である。シャインマスカットなど我が国の優良品種の海外流出が大きな問題となる中，その防止などを目的に，種苗法に対し令和2年に大改正が行われている。

種苗法は，「**品種**」（2条2項），すなわち「農林水産植物」の個体である「植物体」（2条1項）の集合を保護対象とする。リンゴを例に取れば「ふじ」「王林」「紅玉」などが「品種」に当たる。「品種」は「重要な形質に係る特性」（単に「**特性**」と呼ばれる）によって他の植物体の集合と区別でき，その特性の全部を保持しつつ繁殖させることができるものでなければならない（2条2項）。

482

「形質」とは、たとえば、花の色・大きさ・形といった植物体の特徴であり、「特性」とは、花の色が「赤い」、花の形が「円形」といった形質ごとに現われる性質をいう。形質のうち植物体を区別する上で重要となるものを、農林水産大臣が農業資材審議会の意見を聴いた上で**「重要な形質」**と定め、これを公示している（2条7項）。

　新品種を育成した者は、農林水産大臣に品種登録出願を行い（5条）、「区別性」（3条1項1号）・「均一性」（3条1項2号）・「安定性」（3条1項3号）などの品種登録要件充足の審査（15条）を経た上で、品種登録（18条）を受けることができる。審査に際しては、植物体の現物を実際に栽培したり（栽培試験）、現地調査が行われること（15条2項）が一般的である点が、書面を中心に審査が行われる特許法等と大きく異なる。種苗法においては、植物体が実際に有する特性が重視されているため、現物を用いた試験等により実際に発現した特性を確認することが必要となるためである。出願品種の特性のうち、審査において当該出願品種が実際に備えていると特定された特性（「審査特性」（17条の2第1項））は、品種登録に際して品種登録簿に記載される（18条2項4号）。最終的に、品種登録により**「育成者権」**が発生する（19条1項）。

2 権利の効力

　育成者権侵害を構成するのは、種苗（「植物体の全部又は一部で繁殖の用に供されるもの」。2条3項）の生産・譲渡等、種苗を用いて得られた収穫物の生産・譲渡等、収穫物から生産される加工品（2条4項）の生産・譲渡等である（2条5項）。但し、育成者権の行使は、まず①種苗の無断利用行為（2条5項1号）に対して行うことができ、②収穫物の無断利用行為に対して権利行使ができるのは、①種苗の利用に対して「権利を行使する適当な機会がなかった場合」に限られる（2条5項2号）。更に、③加工品の無断利用行為に対して権利行使ができるのは、①種苗と②収穫物の利用に対して「権利を行使する適当な機会がなかった場合」に限られる（2条5項3号）。このような規律は、「育成者権の段階的行使の原則」（「カスケイド原則」）と呼ばれ、他の知的財産法にはない大きな特徴の1つとなっている。種苗・収穫物・加工品の順に段階的に権利行使を認めることにより、収穫物や加工品の生産・流通の安定性を確保（円滑な流通を

保障）するというのがその趣旨である。

　育成者権の効力は，登録品種及び当該登録品種と特性により明確に区別されない品種について，他者が業として上記の無断利用を行うことを排斥・禁止するというものである（20条）。登録品種と同一品種のみならず，登録品種と特性により明確に区別されない品種に対しても権利の効力が及ぶ。ここでも，植物体の「特性」による区別が重要となるため，従来，侵害判断においても，育成者権者は，比較栽培などを行うことにより，育成者権者・被疑侵害者双方の植物体の現物同士を対比して，同一あるいは明確に区別されない特性を備えていることを立証することが求められてきた（「**現物主義**」）。しかし，現物主義を貫徹すると，品種登録から侵害が起きるまでの間に，登録品種の現物が失われた場合に，侵害立証を行うことができず，権利行使が否定されてしまうなど，育成者権行使が極めて困難になるという問題があった（東京地判平成 26・11・28判時 2260 号 107 頁〔なめこ〕，知財高判平成 27・6・24 平 27（ネ）10002〔同控訴審〕参照）。そこで，令和 2 年改正によって，育成者権者の立証負担の軽減を目的に，現物同士の対比ではなく，品種登録簿に記載された登録品種の審査特性と被疑侵害品種の特性とを対比した結果，両者が明確に区別されないことさえ育成者権者が立証すれば，両者が「特性により明確に区別されない」品種であると推定されると規定された（35条の 2）。被疑侵害者は，現物に基づいて両者の特性の差異を立証してこの推定を覆滅させることで，侵害を免れることができる。登録品種と被疑侵害品種の現物が「特性により明確に区別」されることにつき，被疑侵害者が証明責任を負担することとなったのである。

　また，令和 2 年改正においては，優良品種の海外流出防止を目的に，①育成者権者が望まない国に対する種苗の持ち出しや，②望まない場所での種苗の利用（収穫物の生産）に対する育成者権行使が可能とされた。①を例に制度の概要を説明すると，出願者は，出願に際して，出願品種の保護が図られないおそれがない国を「指定国」とし，「指定国」以外の国に対し種苗等を輸出する行為を制限する旨を届け出ると（21条の 2 第 1 項 1 号），農林水産大臣がこれらの事項を公示することで（21条の 2 第 3 項・4 項），この公示後は，たとえ育成者権者等が適法に譲渡した種苗等であったとしても，これを指定国以外の国に輸出する行為に対し育成者権を行使することが可能となった（21条の 2 第 7 項）。

権利の「消尽」の例外を認める規定である（⇒「消尽」については，第2編第6章第4節**1**）。

更に，改正前は，育成者権者等が適法に譲渡した種苗を取得した者について，原則として，当該種苗を播種して収穫物を得た上で，これを次期作用の新たな種苗として自家で再度播種し，新たに収穫物を得ること（「**自家増殖**」）が許容されていた（旧21条2項・3項）。しかし，本改正により，このような行為に対し育成者権の効力が及ぶこととなり，自家増殖について育成者権者の許諾を要することとなった（旧21条2項・3項の削除）。

第4節　地理的表示法

農林水産物や飲食料品等には，その品質等が生産地の気候・風土等や地域固有の伝統的な生産方法と結びついているものが数多く存在する。このような農林水産物等には，生産地を特定し，生産地と品質等が結びついている旨を特定することができる名称の表示（「**地理的表示（GI：Geographical Indication）**」）が付され，その表示が地域ブランドとして認識されることがある（「夕張メロン」・「神戸ビーフ」など）。「特定農林水産物等の名称の保護に関する法律」（**地理的表示法**）は，地理的表示の使用を保障するとともに，その不正使用を規制することにより，地理的表示の保護を図る法律である。地理的表示は国際的にもTRIPS協定などで保護されており，EUのように保護に積極的な国々もある。

我が国の地理的表示法は登録主義を採用している（6条参照）。「特定農林水産物等」（農林水産物等のうち，特定の場所，地域又は国を生産地とし，品質，社会的評価その他の確立した特性がその生産地に主として帰せられるもの（2条2項））の生産者団体（同条5項。生産工程管理業務（同条6項）を行っていなければならない）は，当該農林水産物等の名称・生産地・特性等を記載した申請書等を農林水産大臣に提出することによって，登録の申請を行う（7条）。申請を行うことができるのは，個々の生産業者ではなく，これを構成員とする生産者団体である。申請を受理した農林水産大臣は，これを公示する（8条）。登録申請の公示後3月以内であれば，何人も意見書を提出することができる（9条・10条）。その後，申請に係る農林水産物等が，特定農林水産物等に該当するか，あるいは，既登録

の特定農林水産物等に該当しないか，申請に係る農林水産物等の名称が，普通名称や既登録商標に該当しないか，あるいは，生産地を特定し，生産地と品質等が結びついている旨を特定することができるかなどといった事項（13条）について，学識経験者の意見を聴取しつつ（11条），審査が行われる。審査の結果，登録が行われる（12条。登録内容は公示される）か，登録が拒否される（13条）。

　登録が行われれば，登録された特定農林水産物等を譲渡等する者は，当該農林水産物等やその包装等に地理的表示を使用することができる（3条1項）。この場合を除いて，何人も，農林水産物等に当該地理的表示やこれに類似する表示，これと誤認させる表示を使用することが原則として許されなくなる（同条2項）。なお，登録された農林水産物等の地理的表示には，併せて登録標章（「GIマーク」）を付すことができる（4条）。地理的表示や登録標章の不正使用に対しては，農林水産大臣による措置命令（5条）・刑事罰（39条・40条・43条）が課される。地域団体商標制度や品質等誤認表示規制（不競2条1項20号）では，権利者や競業者が主体となって請求権を行使する必要があるのに対し，地理的表示法では，行政が主体となって不正使用の取締りを行う点に大きな特徴がある。

第8編
知的財産の国際的保護

第8編　知的財産の国際的保護

第1節　知的財産保護の国際的な枠組み

1　「属地主義の原則」

　情報（技術やコンテンツ）及びそれが化体した商品・サービスの国際取引が著しく増大する中，国際的な知的財産紛争も急激に増加している。このような国境をこえる国際知財紛争に適切かつ迅速に対応するためには，知的財産法制度の国際的調和及びどの国の知的財産法を適用して紛争解決するのかなど錯綜した国際的法律関係を規律する枠組みを確立することが急務となる。

　この問題を考えるにあたっては，伝統的に，知的財産法に関する**属地主義の原則**という考え方が出発点とされてきた。最高裁によれば，属地主義の原則とは，「特許権についていえば，各国の特許権が，その成立，移転，効力等につき当該国の法律によって定められ，特許権の効力が当該国の領域内においてのみ認められることを意味する」（最判平成 9・7・1 民集 51 巻 6 号 2299 頁〔BBS〕〈判コレ 54〉，最判平成 14・9・26 民集 56 巻 7 号 1551 頁〔カードリーダー〕〈判コレ 206〉）。この原則は特許権のみならず他の知的財産権にも当てはまると考えられている。この原則によれば，各国が自国の領域内における知的財産権の成立・移転・効力等を自国の法律によって定めることができ，また，各国が定めた知的財産権の効力はその国の領域内にのみ及ぶ。したがって，例えば日本の特許法に従って特許権を保有していても，外国における特許発明の無断実施をこの特許権で差し止めることはできない。差止めを求めるのであれば，改めて当該国で特許権を取得しなければならないと考えられてきた。属地主義は，知的財産法が各国の産業政策・文化政策と密接に結びついた法であるとの理解に由来するものといえよう。

　実際，東京地判令和 4・3・24 令元(ワ)25152〔コメント配信システム〕は，サーバや複数のユーザー端末がネットワークを介して接続されたシステムの発明について，属地主義の原則から，物の発明の「生産」は特許発明の構成要件の全てを満たす物が日本国内で新たに作り出されている必要があるとして，被疑侵害者のシステムを構成するサーバが外国に存在していたことを理由に，侵

488

害を否定している。他方，知財高判令和4・7・20平30(ネ)10077〔表示装置，コメント表示方法，及びプログラム〕は，外国に存在するサーバから日本国内に所在するユーザーに対してプログラムを配信する行為すなわち「電気通信回線を通じた提供」(特許2条3項1号)について，その行為の全てが日本国の領域内で完結していない面があることは否めないとしつつ，「特許発明の実施行為につき，形式的にはその全ての要素が日本国の領域内で完結するものでないとしても，実質的かつ全体的にみて，それが日本国の領域内で行われたと評価し得るものであれば，これに日本国の特許権の効力を及ぼしても，……属地主義には反しない」と判示し，侵害を肯定した。更に，譲渡の申出行為について，これを日本における実施行為と認めるためには，譲渡行為も国内で行われていなければならないとの立場も存在するところ，東京地判令和2・9・24平28(ワ)25436〔グルタミン酸ナトリウム〕は，製品の譲渡が国外で行われていても，日本国内で行われた譲渡の申出行為に基づき，製品が日本国内に輸入され販売されるのであれば，日本における譲渡の申出に該当するとして，日本特許権に基づく差止めを認めている。このように，近時は，属地主義の厳格適用ではなく，より柔軟な運用を志向するかのような裁判例も登場しつつある。

② 条約による国際的な知的財産権保護の枠組み

　属地主義に基づき権利が各国ごとに効力をもつことを前提に，可能な限り知的財産権の国際的保護を推進しようとすれば，権利取得手続や権利保護の水準についてある程度国際的な調和を図る必要がある。そこで，各国はいくつかの国際条約を締結することによって，知的財産権保護制度の国際的調和を推し進めようとしてきた。このような条約のうち，特許法など産業財産権法分野における国際的保護の根幹をなす重要な条約として「**工業所有権の保護に関するパリ条約（パリ条約）**」(⇒第2編第1章第3節)が，同じく著作権法分野における重要な条約として「**文学的及び美術的著作物の保護に関するベルヌ条約（ベルヌ条約）**」(⇒第3編第1章第3節)があり，これらの条約を前提に，知的財産権の国際的保護の水準を更に高めるとともに権利の実効性を確保することを企図した「**知的所有権の貿易関連の側面に関する協定（TRIPS協定）**」(⇒第2編第1章第3節，第3編第1章第3節)がある。

そのほか，国際的な特許権の取得を簡素化・効率化するために，所定の方式で締約国の1つの受理官庁に出願を行えば，締約国全てにおいて同日に国内出願を行ったのと同様の効力を与える国際出願制度を創設した「特許協力条約(PCT)」（⇒第2編第1章第3節），同様に国際的な商標登録手続・意匠登録手続を簡素化する「標章の国際登録に関するマドリッド協定議定書（マドリッド・プロトコル）」（⇒第5編第1章第3節），「意匠の国際登録に関するハーグ協定のジュネーブ改正協定」（⇒第4編第1章第2節）も存在する。

また，環太平洋地域による経済連携協定である「環太平洋パートナーシップに関する包括的及び先進的な協定（CPTPP・TPP11）」などにも知的財産権関連の条項が含まれている。

第2節　知的財産紛争に関する国際裁判管轄と準拠法

1 総　説

知的財産権を巡る紛争が国境をこえて生じた場合，まず問題となるのは，どこの国の裁判所が管轄を有し（**国際裁判管轄**），どこの国の法を適用して紛争を解決するのか（**準拠法選択**）である。例えば，アメリカでアメリカ人が創作した著作物を，日本人が日本からオーストラリアに存在するサーバに無断でアップロードした結果，複数の国でダウンロード可能となったという事例において，どの国の裁判所がこの著作権侵害訴訟を受理し，どの国の著作権法を適用して紛争解決を行うべきなのだろうか。

情報技術・インターネット技術の急速な進歩により，1つの知的財産権侵害が国境をこえて全世界で損害を発生させうる事態が生じ（「ユビキタス侵害」），更にクラウドコンピューティングにより，サーバが物理的にどこに存在するのかということすら重要な要素とはならない時代を迎えている。現代の知的財産紛争において，国際裁判管轄や準拠法選択の問題がもつ重要性はこれまで以上に大きなものとなっている。

2 国際裁判管轄

知的財産関係事件の国際裁判管轄は，基本的には一般の財産関係事件と同様に扱われ，被告住所地が日本である場合には，日本の裁判所が管轄権を有する（民訴3条の2）。知的財産権の帰属に関する訴えも同様である。また，知的財産権侵害に基づく差止め・損害賠償の訴えや不正競争防止法に基づく差止め・損害賠償等の訴えについては，更に「不法行為に関する訴え」として不法行為地（加害行為地又は結果発生地）が日本国内であれば日本に国際裁判管轄が認められ，日本の裁判所に訴えを提起することができる（民訴3条の3第8号）という考え方が有力である（知財高判平成22・9・15判タ1340号265頁〔モータ〕，最判平成26・4・24民集68巻4号329頁〔眉のトリートメント〕参照）。また，ライセンス契約など知的財産権を対象とする契約に関する訴えは，契約上の債務の履行地が日本国内にあれば，同じく日本の裁判所に訴えを提起することができる（民訴3条の3第1号）。

しかしながら，属地主義の原則とも関連するが，特許権など登録によって発生する知的財産権の存否・有効性に関する訴えは，権利の成立に国家機関の行政処分を要し，権利の存否や有効性については登録国の裁判所が最も適切に判断することができるなどの理由から，国際的には登録国の裁判所が専属管轄を有するという考え方が一般的であり，我が国においても，登録が日本でなされた場合には日本の裁判所に管轄権が専属すると定められている（民訴3条の5第3項）。また，専属管轄の原因となる事由が外国にある場合（外国で登録された場合），被告が日本に住所を有する場合であっても民訴法3条の2は適用されず，日本の裁判所に国際裁判管轄は認められないと考えられている（民訴3条の10）。これに対して，外国で登録された知的財産権につき日本の裁判所で侵害訴訟が提起された場合に，被疑侵害者側の抗弁として，当該知的財産権の無効が主張された場合（⇒第2編第7章第2節 **2**）でも，侵害訴訟における無効判断は訴訟当事者間限りで効力をもつに過ぎず，権利自体を絶対的・対世的に無効とするものではないことを理由に，日本の裁判所も管轄権を有し，判断を下すことができると考えるものが多い（東京地判平成15・10・16判時1874号23頁〔サンゴ砂〕〈判コレ207〉）。

他方，著作権のように登録によらずに発生する知的財産権の存否・有効性については専属管轄とはされていない。

3 準 拠 法

知的財産権侵害の準拠法に関して，前掲〔カードリーダー〕は，特許権侵害について，差止請求と損害賠償請求を区別し，前者については特許権の効力と性質決定した上で，条理により特許権と最も密接な関係がある国である特許権の登録国の法を準拠法とし，後者の損害賠償請求については，不法行為と性質決定し，加害行為の結果発生地の法を準拠法とした（法例11条1項。法の適用に関する通則法の下では，17条がこれに相当する）。他方，著作権侵害については，下級審裁判例において，差止請求につきベルヌ条約5条(2)の「保護が要求される同盟国の法令」（「保護国法」。これを利用行為地の法と解するものが多い）を準拠法としつつ，損害賠償請求は不法行為と性質決定するものがみられる（東京地判平成16・5・31判時1936号140頁〔中国詩〕，東京地判平成19・12・14民集65巻9号3329頁参照〔北朝鮮映画〕，知財高判平成20・12・24民集65巻9号3363頁参照〔同控訴審〕など）。また，不正競争の準拠法については，不法行為と性質決定する裁判例が存在する（東京地判平成3・9・24判時1429号80頁〔銅箔〕，前掲東京地判平成15・10・16〔サンゴ砂〕，知財高決平成21・12・15平21(ラ)10006〔ウルトラマン〕）ものの，差止請求についてこれに反対し準拠法は条理によるとした判決もある（知財高決平成17・12・27平17(ラ)10006〔ソフトブラスター〕）。

知的財産権の成立・帰属に関する準拠法に関しては，職務発明訴訟において最判平成18・10・17民集60巻8号2853頁〔日立製作所〕〈判コレ26〉が，傍論ながら，特許を受ける権利の帰属について属地主義の原則を理由に登録国法を準拠法としている。他方，職務著作に関しては，雇用契約の準拠法によるとされている（東京高判平成13・5・30判時1797号131頁〔キューピー〕，東京地判平成31・2・8平28(ワ)26612・26613〔ジル・スチュアート〕，東京地判令和3・3・18平30(ワ)28994〔放置少女〕）。

また，知的財産権の譲渡については，知的財産権を物権類似の権利と理解した上で，譲渡の原因関係である契約等の債権行為と，知的財産権の変動（「物権変動」）とを区別し，前者については契約の準拠法（法の適用に関する通則法7

第2節　知的財産紛争に関する国際裁判管轄と準拠法

条以下），後者については保護国法・登録国法を準拠法とする考え方が有力である（前掲〔キューピー〕，東京高判平成15・5・28判時1831号135頁〔ダリ〕，東京地判平成19・10・26平18(ワ)7424〔Von Dutch〕，前掲〔放置少女〕など参照）。ライセンス契約の準拠法は通則法7条以下が適用されるが，前掲〔日立製作所〕によれば，職務発明に係る特許を受ける権利の譲渡契約もこれと同様である（⇒第2編第3章第5節）。

事 項 索 引

あ 行

アーカイブ ………………………243
アイデア・表現二分論 ………185, 192, 205
悪意の出願 …………………370, 380
アクセスコントロール ………………297
アクセスプロバイダ ………………308
後知恵 …………………………52
ありふれた形態 ………………………449
ありふれた表現 ………………………195
アンチコモンズの悲劇 ………………19
依拠 …………………185, 221, 290, 449
育成者権 ………………………483
　　──の段階的行使の原則 …………483
意見書 …………………………85
イ号製品 ………………………146
意匠 …………………………334
　　──の類似 …………………353
　　画像の── ………………337
　　組物の── ………………344
　　建築物の── ………………336
　　内装の── ………………344
意匠登録出願 …………………331, 343
意匠登録を受ける権利 ………………330
意匠の国際登録に関するハーグ協定のジュ
ネーブ改正協定 ………………490
意匠法 …………………………9, 197
一意匠一出願の原則 …………………343
一時的蓄積 ………………………222
一事不再理 ………………………102
一出願多区分制 …………………391
一商標一出願の原則 …………………390
一部譲渡 ………………………314
遺著補訂 ………………………209
一身専属性 …………………265, 284, 314
一致点と相違点の認定 ………………50
遺伝子特許 ………………………35
委任省令要件 ………………………60

違法ダウンロード ……………………310
医薬用途発明 …………………………58
医療行為 …………………………39
インセンティブ ………………………183
　　──とアクセスのトレードオフ …19, 179
インセンティブ論 …………………3, 18
インターネット・サービス・プロバイダ
　（ISP） ………………………308
引用 …………………………245
引用発明 …………………………41
　　──の認定に必要な開示 …………44
引用例（引例） …………………………41
　　──の適格性 …………………44
写り込み ………………………241
売上減少による逸失利益 …154, 155, 159
映画の著作物 …………………215, 229
　　──の著作権者 …………………216
　　──の著作者 …………………215
　　──の保護期間 …………………261
映画制作者 ………………………216
映画盗撮防止法 …………………310
永久機関 …………………………32
営業上の利益 ………429, 441, 445, 479
営業秘密 ………………………457
営利を目的としない上演等 ……………251
AI技術 …………………………34
役務 …………………………367
役務商標 ………………………367
演奏権 …………………………222
延長された特許権の効力 ………………143
延長登録無効審判 …………………93
欧州特許条約（EPC） …………………27
応用美術 ………………………197
公に …………………109, 220, 223, 224
汚染 …………………………442
汚染化（ポリューション） …………388, 442
追っかけ配信 ………………………318
音商標 …………………………369, 374

か 行

外観 ……………………………418
外国語書面出願 ………………81
開示要件 ………………………57
海賊版 …………………………310
改変 ……………………………272
　私的領域内での—— …273, 285
改良発明 ………………………20
価格差別 ……………134, 231, 298
拡大先願 …………………46, 339
過失 ……………………………305
　——の推定 …………………153
カスケイド原則 ………………483
画像の意匠 ……………………337
課題 ……………………52, 53, 58
過度の試行錯誤 ………………57
カラオケ法理 …………………300
仮専用実施権 …………………67
仮通常実施権 …………………67
管轄 ……………………147, 186, 303
簡潔性要件 ……………………57
刊行物 …………………………43
刊行物記載（文献公知）……………43
願書 ……………………………80
間接侵害 ……………122, 350, 400
　間接の—— …………………122
間接侵害（著作権）…………302
環太平洋パートナーシップに関する包括的
　及び先進的な協定（CPTPP・TPP11）
　…………………………311, 490
観念 ……………………………418
慣用商標 ………………………372
還流防止措置 ……………231, 298
関連意匠 ………………………333
企業内複製 ……………………236
記載要件 ………………………56
希釈化（ダイリューション）…362, 388, 442
技術常識 ………………………50
記述的商標 ……………………372
技術的形態除外説 ……………433

技術的思想 ……………………30
技術的制限手段 ………………468
技術的範囲 ………………111, 118
技術の保護手段 …………238, 296
技術の利用制限手段 …………297
機能的クレーム ………………114
規範的行為主体 ………………299
旧著作権法 ………………184, 262
教科用図書等への掲載 ………275
狭義の混同 ………………385, 437
教唆 ………………150, 298, 302, 312
強制許諾 ………………………326
行政事件訴訟法 ………………105
強制実施権 ………………165, 179
共同出願違反 ……………67, 68, 99
共同性 …………………………209
共同著作 ………………………208
共同著作物
　——の著作者人格権 ………324
　——の保護期間 …………260, 324
共同発明 ………………………64
業として ……………………108, 400
共有 ………………66, 105, 167, 322
拒絶査定 …………………84, 393
拒絶査定不服審判 ……………95
拒絶審決 ………………………96
拒絶理由 ………………………85
拒絶理由通知 …………………85
寄与度 ……………………157, 160
キルビー判決 …………………148
禁止権 ……………………108, 399
金銭的請求権等 ………………391
均等論 …………………………118
具体的態様の明示義務 ………147
組物の意匠 ……………………344
クラシカル・オーサー ………215
クレーム ………………………23
クレーム解釈 ……………28, 111
クロスライセンス ……………164
経済安全保障推進法 …………21
刑事罰 ……………163, 279, 310, 430

事項索引

継続出版義務 ……………………321
継続的刊行物 ……………………262
経由プロバイダ …………………308
結合商標 …………………………421
結合著作物 ……203, 208, 210, 324
限界利益 …………………156, 160
原作のまま ………………………321
原作品 ……………………226, 254
原始帰属（職務発明）……………74
建築の著作物 ……………………200
建築物 ……………………………275
　——の意匠 ……………………336
原著作物 …………………201, 232
限定提供性 ………………………466
限定提供データ …………………466
原盤権 ……………………………286
現物主義 …………………………484
権利の目的とならない著作物 …190
権利管理情報 ……………………297
権利者不明著作物 ………………326
権利侵害警告 ……………………474
権利制限のオーバーライド ……235
権利制限規定 ……………………234
権利独立の原則 …………………26
権利付与法 ………………………10
権利濫用 …………………152, 304
　——の抗弁 ……………148, 406
権利論 …………………………3, 183
行為規制法 ………………10, 428
合一確定
　——の観点 ………………99, 105
　——の必要 …………………95, 97
効果 ………………………………57
後願 ………………………………61
後願排除効 ……46, 61, 383, 384
工業上の利用可能性 ……………338
工業所有権の保護に関するパリ条約
　→パリ条約
広告宣伝機能 ……………………362
公衆 …………109, 220, 226, 267, 268
公衆送信権 ………………………224

公衆伝達権 ………………………226
口述権 ……………………………223
公序良俗
　——に反する商標 ……………379
　——又は公衆衛生を害するおそれがある
　　発明 …………………………61
更新制度 …………………………399
公正慣行 …………………………247
構成要件 …………………118, 146
公然実施 …………………………42
公知 ………………………………42
　——の擬制 ……………………46
公知技術 …………………………111
　——の除外 …………112, 227, 308
広知性 ……………………………383
高度性 ……………………………30
後発医薬品 ………………136, 143
公表 ………………………………266
公表権 ……………………266, 284
公表名義 …………………………213
公平説 ……………………………138
抗弁
　損害不発生の—— ……158, 162, 415
　登録商標使用の—— ……413, 440
　不使用の—— …………………412
　無効の—— ……148, 351, 405
公用 ………………………………42
小売等役務商標制度 ……………367
国際裁判管轄 ……………………490
国際消尽 …………………133, 227, 298
国際信義に反する商標 …………380
国際調査 …………………………26
国際予備審査 ……………………26
国内優先権 ………………………91
国民経済説 ………………………138
孤児著作物 ………………5, 259, 326
固定 ………………………192, 229
小分け・再包装 …………………409
コンテンツプロバイダ …………308
混同
　——のおそれ …………384, 422

497

事項索引

広義の—— ………………385, 437
混同防止表示付加請求（権）…………404, 438

さ 行

サーチコスト
…4, 362, 371, 373, 374, 376, 382, 385, 386
サービス・マーク ………………367
再間接侵害 ……………………122
最恵国待遇 ……………………26
再審 ……………………………149
裁定 ……………………………326
裁定実施権 ………………165, 179
サイバースクワッティング ………470
再販 ……………………………232
再放送権 ………………………286
再有線放送権 …………………288
差止請求権 …6, 150, 172, 178, 304, 351, 429
　　——の制限 ……………151, 304
査定系審判 ……………………94
サブコンビネーション発明 ……………37
サブライセンス …………………175, 321
サポート要件 …………………58
参加 ……………………………99
参加約束 ………………………216
産業財産権法 …………………9
産業上の利用可能性 ……………38
ジェネリック …………………136
視覚性 …………………………336
自家増殖 ………………………485
色彩 ……………………366, 374, 433
識別力 …………………371, 376, 435
事業の準備 ……………………140
自己使用 ………………………377
　　——の意思 ……………363, 370
自己の商品等表示としての使用 ………444
事実それ自体 …………………191
市場先行の利益 …………………3, 446
市場の失敗 ……………………234, 235
自炊代行 ………………………236
自然権論 ………………………3
自然法則の利用 ………………31

思想又は感情 …………………190
質権 ……………………………166, 316
実演 ……………………………282
実演家 …………………………283
実演家人格権 …………………281, 284
実施 ……………………………109
　　試験・研究のための—— …………135
実施可能要件 …………………57
実施形式説 ……………………140
実施権 …………………………165, 331
実施相応数量 …………………155, 158
実質的拡張変更の禁止 …………97
実質的同一性 …………………449
実施料相当額 …………………154, 161
実施例 …………………………23, 24
実体審査 ………………………84
実名の登録 ……………………327
実用新案 ………………………85
実用新案法 ……………………9
指定役務 ………………………364
指定商品 ………………………364
指定著作権等管理事業者 ………326
私的使用のための複製 …………109, 235
私的録音・録画補償金（請求権）
　　…………………240, 283, 286, 287
自動公衆送信 …………………225
自動複製機器 …………………237
シフト補正の禁止 ……………88
支分権 …………………………218
氏名 ……………………………439
氏名表示権 ……………………268, 284
謝罪広告 ………………………277
写真の著作物 …………194, 226, 255
JASRAC ………………………325
ジュークボックス法理 ………301
修正増減権 ……………………322
従属項 …………………………24
従属説 …………………………124
周知 ……………………………386
周知技術 ………………………53
周知商標 ………………………382

事項索引

周知性 ……………………382, 389, 404, 435
周知表示の使用による混同の惹起 ………431
集中管理 ……………………………316, 325
自由発明 ……………………………………71
重要な形質 ……………………………………483
修理 ……………………………………………132
主従関係 ……………………………………246
主体 ……………………………………………221
出願公開 …………………………81, 344, 392
出願分割 ………………………………89, 392
出願変更 ………………………………90, 393
出所
　——の混同 ……………………385, 437
　——の明示 ……………………248, 258
出所識別機能（出所表示機能）
　………361, 402, 408, 431, 440, 444
出訴期間 ……………………………………105
出版義務 ……………………………………321
出版権 ………………………………………320
出版権消滅請求権 …………………………322
出版物の事前差止め …………………………304
種苗法 ………………………………9, 384, 482
準拠法選択 ……………………………………490
準公知 …………………………………………46
使用 ……………………………110, 367, 368
上映権 ………………………………………223
上演権 ………………………………………222
商業的成功 …………………………………51
商業用レコード ……………283, 285, 298
消極的の登録要件 ……………………365, 378
称呼 ……………………………………………418
使用主義 ……………………………………363
消尽 ……………129, 227, 229, 284, 286, 485
　間接侵害品による—— …………………130
消尽アプローチ ……………………………132
消尽論 ………………………………………351
譲渡権 ………………………227, 283, 285
譲渡担保 ……………………………166, 316
消費
　——の非競合性 …………………………3
　——の非排除性 …………………………3

商標 ……………………………………365, 366
　——の発展助成機能 …………………413
　——の類似性 …………………………418
　公序良俗に反する—— ………………379
　国際信義に反する—— ………………380
商標機能論 …………………………………408
商標公報 ……………………………………393
商標的使用 ……………………………402, 437
商標登録出願 ………………………………390
　——により生じた権利 ………………391
商標登録無効審判 …………………………393
商標法 …………………………………………9
商品 ……………………………………367, 432
　——の機能確保のために不可欠な形態
　………………………………………448
　——の形態 ……………………433, 447
商品・役務の指定 …………………………390
商品・役務の類似性 ………………………423
商品形態模倣 ………………………………446
商品等表示 …………………………………432
情報公開法 ……………………………267, 269
情報提供制度 …………………………………84
証明 ……………………………………………367
消滅 ……………………………………………141
将来の給付請求 ……………………………304
使用料相当額 …………………………308, 415
情を知って ……………………………………295
職務創作 ……………………………………330
職務著作 ………………………………211, 261
職務発明 ………………………………………70
　——に係る通常実施権 …………………73
除斥期間（商標登録無効審判） ……393, 405
所有権 …………………………………………6
侵害の予防に必要な行為 …………………151
侵害者利益 …………………………………159
侵害主体論 ……………………………299, 414
侵害プレミアム ……………………………162
新規事項追加の禁止 ……………………87, 97
新規性 …………………………………40, 339
新規性喪失の例外 …………………………47
信義に反して（著作権法） ………………325

499

事 項 索 引

審決等取消訴訟 ……………………………105
審決予告 ……………………………………101
親告罪 ………………………………………311
審査官 …………………………………………22
審査基準 ………………………………………22
審査経過 ……………………………………111
審査経過禁反言（出願経過禁反言）
　　　……………………………………112, 121
審査請求 ………………………………………84
審査特性 ……………………………………483
真正商品 ……………………………………440
　　──の輸入 ……………………………298
信託 ……………………………………166, 316
真の権利者 ……………………………………68
審判 ……………………………………………94
審判官 …………………………………………22
審判体 …………………………………………95
審判部 …………………………………………22
進歩性 …………………………………………49
信用毀損 ……………………………………473
審理範囲の制限 ……………………………106
数値限定発明 …………………………37, 55
数量制限（違反）……………………171, 173
図面（特許出願書類）………………………80
請求権者（不競法）………………………453
請求項 …………………………………………23
　　──に係る発明 ………………………23
生産 ……………………………………109, 367
生産アプローチ ……………………………132
生産方法の推定 ……………………………147
製造販売承認 ………………………………136
正当な理由 …………………………………323
製法限定説 …………………………………116
世界貿易機関（WTO）……………………26
積極的登録要件 ……………………………365
設計図 ………………………………………201
設計変更 ………………………………………52
絶対的物質クレーム …………………………36
設定登録 ………………………………………86
先願 ……………………………………………60
先願主義 ………………29, 60, 138, 333, 383

戦時加算 ……………………………………262
先出願による通常実施権 …………………351
先使用 ………………………………………439
先使用権 ………………………138, 351, 404
専属管轄 …………………………12, 147, 186
全体比較論 …………………………………293
選択発明 ………………………………………55
前置審査 ………………………………………95
先発医薬品 ……………………………136, 143
先発明主義 ……………………………………60
専門委員制度 …………………………………13
専用権 …………………………………399, 413
専用実施権 …………………………………169
専用品型間接侵害 …………………………125
相違点の判断 …………………………………51
相互主義 ……………………………………263
創作者主義 …………………………………206
創作性 …………………………30, 194, 203
　　──の高低 ……………………………196
創作非容易性 ………………………………340
創作法 …………………………………………10
送信可能化 …………………………………225
送信可能化権 …………………283, 285, 286, 288
相当蓄積性 …………………………………466
相当の対価 ……………………………………76
相当の利益 ……………………………………75
阻害要因 ………………………………………55
属地主義 ……………………………………187
　　──の原則 ……………………………488
素材 …………………………………………204
ソフトウェア関連発明 ………………………33
損害 …………………………………………153
損害賠償請求（権）
　　……152, 169, 172, 177, 305, 320, 351, 429
損害不発生の抗弁 ………………158, 162, 415
存続期間 ………………………………7, 348, 399
　　──の延長登録出願 …………………142
　　特許権の── …………………………142

た　行

題号 …………………………………………272

事項索引

大合議事件 …………………………13
タイプフェイス ……………………200
貸与権 ………………228, 283, 285
ダイリューション →希釈化
多機能型間接侵害 …………………126
多項制 ………………………………23
他人（不競法）………………434, 441
他人性 ………………………………448
単一性要件 …………………………60
単項制 ………………………………23
単純方法の発明 ………………36, 110
団体商標 ………………………370, 377
地域限定特定入力型自動公衆送信 ………252
地域団体商標 …………………370, 377
置換可能性 …………………………119
置換容易性 …………………………119
逐次刊行物 …………………………262
知的財産基本法 ……………………10
知的財産権 …………………………2
知的財産高等裁判所 ……12, 105, 147, 186
知的財産推進計画 …………………10
知的財産戦略大綱 …………………10
知的財産戦略本部 …………………10
知的財産法 …………………………2
知的所有権の貿易関連の側面に関する協定
（TRIPS協定）………26, 187, 489
中古販売 ……………………………230
中用権 ………………………………141
調剤行為 ……………………………137
調査官制度 …………………………13
直接侵害 ………………………122, 123
著作権 ………………………………218
著作権等管理事業者 ………………326
著作権等管理事業法 ………………326
著作権表示 …………………………187
著作権法 ……………………………10
著作者 ………………………………206
　　――の死後における人格的利益の保護
　　　　…………………………278
　　――の推定 ……………………208
著作者人格権 ………………………264

――のみなし侵害 …………………277
著作物 ……………………………189, 190
――の保護範囲 ……………………221
映画の―― ……………………215, 229
建築の―― …………………………200
権利の目的とならない―― ………190
写真の―― ………………194, 226, 255
データベースの―― ………………204
美術の―― …………………………226
著作隣接権（者）…………………281
著名（性）………381, 384, 386, 389, 443
著名表示の冒用 ……………………442
地理的表示（GI）………377, 387, 485
通常実施権 …………………………172
手足論 ………………………………299
DRM …………………………………238
提供 ……………………………220, 267, 268
提示 ……………………………219, 267, 268
抵触関係 ………………………110, 399
訂正 …………………………………148
　　――の再抗弁 …………………148
訂正審決 ……………………………98
訂正審判 ……………………………96
訂正請求 ……………………………101
訂正不成立審決 ……………………98
TPP …………………………………188
データベースの著作物 ……………204
適用除外（不競法）………………438, 445
デジタル消尽 ………………………232
デジタル著作権管理（DRM）………238, 297
手続補正書 …………………………86
デッドコピー ………………………446
テレビジョン放送の伝達権 ………286
展示権 …………………………226, 254
電子出版 ……………………………320
電磁的管理性 ………………………466
伝達権 ………………………………287
　　テレビジョン放送の―― ……286
　　有線テレビジョン放送の―― ………288
同一性 ………………………………417
同一性保持権 …………………232, 272, 284

501

事項索引

同一の構内での送信 ……………224
同意の意思表示を命ずる判決………323, 325
動機づけ ……………………51
当業者 …………………………49
当事者系審判 ……………………94
同時配信 …………………………318
当然対抗……………………176, 320
登録 ……………166, 170, 314, 320, 327
登録査定 …………………………393
登録主義 …………………………363
登録商標使用の抗弁 ……………413, 440
独自創作 …………………………290
特殊パラメータ ……………………37
特性 ………………………………482
独占禁止法 ………………………174
独占適応性 ……………………371, 376
独占的通常実施権 ………………177
独占的販売権者等 ………………453
独占的利用許諾 …………………317
独占的利用権者の差止請求権 …………320
特定電気通信役務提供者の損害賠償責任の
　制限及び発信者情報の開示に関する法律
　　→プロバイダ責任制限法
特定入力型自動公衆送信 …………252
特別顕著性 ………………………371
独立項 ……………………………24
独立説 ……………………………124
独立特許要件 ……………………88, 97
特許
　──の藪 ………………………5, 19
　──を受ける権利 ………………65
特許異議の申立て ………………102
特許異議申立理由 ………………104
特許維持決定 ……………………104
特許協力条約　→PCT
特許権の存続期間 ………………142
特許公報 …………………………86
特許査定 …………………………86
特許出願 …………………………79
　──の取下げ …………………85
　──の非公開制度 ……………21

特許審決 …………………………96
特許請求の範囲（クレーム）……23, 80, 111
特許庁 ……………………………22
特許取消決定 ……………………104
特許法 ……………………………9
特許要件 …………………………28
特許料 ……………………86, 141, 167
特掲 ………………………………315
　翻案権等の── ………………315
ドメイン名 ………………………469
ドラックデリバリーシステム ……144
取消判決の拘束力 ………………107
TRIPS 協定　→知的所有権の貿易関連の
　側面に関する協定
取引の実情（商標法）……………419

な 行

内国民待遇の原則 ………………26
内装の意匠 ………………………344
内部分担表示 ……………………214
二元論（著作権・著作者人格権）……265
2 項と 3 項の併用 ………………160
二次使用料請求権 ……………283, 286
二次的著作物 ………201, 232, 266, 268, 324
　──の保護期間 ………………260
　──の利用に関する原著作者の権利 …233
二重譲渡 …………………………66
二重発明 …………………………139
日本音楽著作権協会　→ JASRAC
ノウハウ …………………………75
除くクレーム ……………………88
のみ品 ……………………………125

は 行

ハーグ協定のジュネーブ改正協定に関する
　出願 ……………………………345
バイオテクノロジー関連発明 ……34
廃棄（等）請求権 ……………150, 304
配給制度（映画）………………229
排他権 ……………………………21, 108
派遣労働 …………………………212

事項索引

発信者情報開示請求権 ……………309
発展助成機能 ………………363, 422
発明 ……………………………29
　──の同一性 ……………………45
　──の要旨認定 ………………28
　単純方法の── ………………36, 110
　ビジネス方法に関する── …………34
　方法の── ……………………36
　物の── ………………………36, 109
　物を生産する方法の── ………36, 110
発明思想説 ……………………141
発明者 …………………………64
発明者主義 ……………………63
発明者名誉権 …………………63
発明未完成 ……………………35
パテントトロール ……………151, 166
パブリシティ権 ………………480
　物の── …………………………8
パラメータ発明 …………………37
パリ条約 ………………………26, 489
　──による優先権 ……………92, 345
　──による優先権に基づく出願 ………393
パロディ ……186, 248, 273, 276, 293
判定 ……………………………94
半導体集積回路の回路配置に関する法律 …9
販売阻害事情 ……155, 157, 158, 161
頒布 ……………………………229
　──された刊行物 ………………43
反復可能性 ……………………35
頒布権 …………………………229
汎用品 …………………………126
PCT ……………………………26, 490
　──国際出願 …………………26
美感 ……………………………336
非享受利用 ……………………242
非公知性 ………………………459
ビジネス関連発明 ………………34
ビジネス方法に関する発明 …………34
美術の著作物 …………………226, 254
美術工芸品 ……………………198
非親告罪 ………………………311

秘密意匠 ………………………345, 351
秘密管理性 ……………………457
秘密特許 ………………………21
秘密保持命令 …………………147
非容易推考性 …………………49
表現 ……………………………192
　──の自由 ……………………183, 193
　──の選択の幅 …………………195
表現上の本質的な特徴 ……………292
標識法 …………………………10, 360, 431
標準規格必須特許 ………………152
標章 ……………………………366
標章の国際登録に関するマドリッド協定議
　定書　→マドリッド協定議定書
品質の誤認を生ずるおそれ ………386
品質誤認表示 …………………471
品質保証機能 ……………361, 408, 440
品種 ……………………………482
フェア・ユース …………………235
不完全利用 ……………………120
不競法上の「営業」………………429
複製権 ……………221, 285, 286, 288
複製権等保有者 …………………321
不行使特約 ……………………265
不使用の抗弁 …………………412
不使用取消審判 ………………394, 413
不使用取消制度 ………………363
付随対象著作物 …………………241
不正競争行為 …………………426
不正競争防止法 …………………9
不正使用取消審判 ………………396
不争義務 ………………………14, 174
普通名称 ……………362, 371, 401, 438
　──化 …………………………372
物質発明 ………………………36
物品の類似 ……………………354
物品性 …………………………334
物理的行為主体 …………………299
不当利得返還請求 ………………163
不登録事由 ……………………341
不特許事由 ……………………61

503

事項索引

部分意匠 ……………………*338, 356*
部分実施 ………………………*157*
不返還条項 ……………………*175*
不法行為 ………………………*478*
プラットフォーマー ……………*232*
FRAND ………………………*152*
フリーライド …………………*426*
プログラム ……*32, 33, 193, 214, 303*
——の著作物 …………………*276*
プロダクト・バイ・プロセス・クレーム
　………………………*37, 56, 115*
プロバイダ ……………………*308*
プロバイダ責任制限法 …………*308*
文学的及び美術的著作物の保護に関するベ
　ルヌ条約　→ベルヌ条約
文化の発展 ……………………*183*
文化庁 …………………………*186*
分割出願 ………………………*89, 345*
文芸, 学術, 美術又は音楽の範囲 ………*197*
文献公知　→刊行物記載
文書提出命令 …………………*147*
分離可能性 ……………………*198*
分離観察 ………………………*421*
分離利用不可能性 ……………*210*
並行輸入 ……*133, 227, 230, 411, 440*
ベルヌ条約 …………………*187, 489*
変更出願 ………………………*345*
編集著作物 ……………………*203*
変名 ……………………………*268*
弁理士 …………………………*22*
放棄 ……………………………*167, 265*
　　特許出願の—— ……………*85*
防護標章 ………………………*384*
方式審査 ………………………*83*
報酬請求権 ……………*7, 283, 286*
幇助 ……………*150, 298, 302, 312*
放送 ……………………………*225, 286*
放送権 …………………………*283, 288*
放送事業者 ……………………*286*
放送同時配信 …………………*252, 318*
法定実施権 ……………*84, 138, 165, 180*

——のリスト化 …………………*70*
冒認出願 …………*68, 99, 139, 331, 391*
方法の発明 ……………………*36*
ホールドアップ問題 ……………*151*
保護の始期 ……………………*452*
保護の終期の起算点 ……………*452*
保護期間 ………………………*259, 451*
保護国法 ………………………*490*
保護範囲 ………………………*196*
補償金請求権（特許法）…………*82*
補正 ……………………………*86*
補正却下決定不服審判 …………*346, 392*
保存行為 ………………………*105*
ボリューション　→汚染化
翻案権 …………………………*232*
——等の特掲 …………………*315*
本質的部分 ……………………*119, 132*
翻訳権 …………………………*232*

ま　行

マーカッシュ・クレーム ……………*37*
マージ …………………………*192, 196*
マドリッド協定議定書（マドリッドプロト
　コル）…………………………*364, 490*
水際取締 ………………………*145*
未知の利用方法 ………………*315, 319*
みなし侵害 ……………………*294*
見逃し配信 ……………………*318*
無効の抗弁 ……………*148, 351, 405*
無効審決 ………………………*101*
無効審判 ………………………*98*
無効不成立審決 ………………*101*
無効理由 ………………………*100*
無審査主義 ……………………*85*
無体物 …………………………*6*
無方式主義 ……………*184, 187, 218, 282*
明確性要件 ……………………*56*
明細書 …………………………*23, 80*
名誉・声望 ……………………*277, 285*
明瞭区別性 ……………………*246*
メタタグ ………………………*369*

504

事項索引

黙示の許諾 ················133
目的限定 ················88
文字フォント ················200
モダン・オーサー ················215
物
　——の発明 ········36, 109
　——のパブリシティ権 ········8
　——を生産する方法の発明 ····36, 110
物同一説 ················115
模倣 ················449
模倣品の善意取得者 ················452
文言侵害 ················118

や 行

薬機法 ················136
　——の製造販売承認 ········144
優先審査 ················84
有線テレビジョン放送の伝達権 ····288
有線放送 ·············225, 287
有線放送権 ············283, 286
有線放送事業者 ················287
有体物 ················6
有用性 ············31, 38, 458
輸入 ················368
ユビキタス侵害 ················490
容易想到性 ················51
要旨変更補正 ················345
用途発明 ················37
　——の新規性 ················45
要部 ················355
要部観察 ············421, 436
要約引用 ·········249, 257, 276

要約書 ················80
予測できない顕著な効果 ········54

ら・わ 行

ライセンサー ················164
ライセンシー ················164
ライセンス ················164
リーチアプリ ················295
リーチサイト ················295
　——規制 ················311
利害関係人 ················99
離隔的観察 ············421, 436
リサーチ・ツール ········20, 135
立体商標 ············369, 373
利得の吐き出し ················159
リバースエンジニアリング ····242, 459
利用可能性
　工業上の—— ················338
　産業上の—— ················38
利用関係 ············110, 349
利用許諾 ················317
利用権者 ················319
利用発明 ············110, 180
リンク ················225
類似性 ···196, 221, 291, 436, 444
累積的な技術の進歩 ················20
レコード ················285
レコード製作者 ················285
録音権 ················283
録画権 ················283
論理付け ················50
ワンチャンス主義 ···282, 283, 286, 287, 318

505

判 例 索 引

大審院・最高裁判所

大判昭和 4・12・16 民集 8 巻 944 頁 ……………………………………………………………… *178*

大判昭和 10・10・5 民集 14 巻 1965 頁〔宇奈月温泉〕 ………………………………………… *152*

最判昭和 36・6・27 民集 15 巻 6 号 1730 頁〔橘正宗〕〈判コレ 171〉……………………… *423*

最判昭和 37・12・7 民集 16 巻 12 号 2321 頁〔炭車トロ等脱線防止装置〕………………… *112*

最判昭和 43・2・27 民集 22 巻 2 号 399 頁〔氷山印〕〈判コレ 166〉………………………… *418*

最判昭和 43・4・18 民集 22 巻 4 号 936 頁〔中島造機〕 ………………………………………… *94*

最判昭和 44・1・28 民集 23 巻 1 号 54 頁〔エネルギー発生装置〕…………………………… *35*

最判昭和 44・10・17 民集 23 巻 10 号 1777 頁〔地球儀型トランジスタラジオ〕〈判コレ 57〉

 ……………………………………………………………………………………………………… *139*

最判昭和 46・7・20 刑集 25 巻 5 号 739 頁〔ハイ・ミー〕 …………………………………… *409*

最判昭和 47・12・14 民集 26 巻 10 号 1888 頁〔フェノチアジン誘導体製法〕〈判コレ 31〉 ⋯*97*

最判昭和 49・3・19 民集 28 巻 2 号 308 頁〔可撓伸縮ホース〕〈判コレ 136〉 ………… *341, 353*

最判昭和 49・4・25 昭和 47(行ツ)33 号〔保土谷化学〕…………………………………… *419*

最大判昭和 51・3・10 民集 30 巻 2 号 79 頁〔メリヤス編機〕〈判コレ 36〉 ………… *106, 396*

最判昭和 52・10・13 民集 31 巻 6 号 805 号〔薬物製品〕……………………………………… *35*

最判昭和 53・9・7 民集 32 巻 6 号 1145 頁〔ワン・レイニー・ナイト・イン・トーキョー〕

〈判コレ 114〉 ……………………………………………………………………………………… *291*

最判昭和 54・4・10 判時 927 号 233 頁〔ワイキキ〕〈判コレ 146〉………………………… *371*

最判昭和 55・1・24 民集 34 巻 1 号 80 頁〔食品包装容器〕…………………………………… *107*

最判昭和 55・3・28 民集 34 巻 3 号 244 頁〔モンタージュ写真第 1 次上告審〕〈判コレ 98・

106〉 …………………………………………………………………………………… *246, 273, 292*

最判昭和 55・12・18 民集 34 巻 7 号 917 頁〔半サイズ映画フィルム録音装置〕………… *90*

最判昭和 57・11・12 民集 36 巻 11 号 2233 頁〔月の友〕 …………………………………… *381*

最判昭和 58・10・7 民集 37 巻 8 号 1082 頁〔日本ウーマン・パワー〕〈判コレ 178〉 ⋯*436, 437*

最判昭和 59・1・20 民集 38 巻 1 号 1 頁〔顔真卿〕〈判コレ 1〉 ……………………………… *8*

最判昭和 59・5・29 民集 38 巻 7 号 920 頁〔フットボール〕〈判コレ 175〉 ……… *434, 437, 441*

最判昭和 60・7・30 無体集 17 巻 2 号 344 頁〔蛇口接続金具〕 …………………………… *99*

最判昭和 61・1・23 判時 1186 号 131 頁〔GEORGIA〕〈判コレ 147〉…………………… *373*

最判昭和 61・5・30 民集 40 巻 4 号 725 頁〔モンタージュ写真第 2 次上告審〕〈判コレ 111・

129〉 ………………………………………………………………………………………………… *277*

最大判昭和 61・6・11 民集 40 巻 4 号 872 頁〔北方ジャーナル〕…………………………… *304*

最判昭和 61・7・17 民集 40 巻 5 号 961 頁〔第 2 次箱尺〕〈判コレ 7〉…………………… *43*

最判昭和 61・10・3 民集 40 巻 6 号 1068 頁〔ウォーキングビーム式加熱炉〕〈判コレ 56〉

 ……………………………………………………………………………………………… *140, 141*

506

判例索引

最判昭和 63・1・26 民集 42 巻 1 号 1 頁 ……………………………………………… *475*
最判昭和 63・3・15 民集 42 巻 3 号 199 頁〔クラブ・キャッツアイ〕〈判コレ 118〉 …*221, 300*
最判昭和 63・7・19 民集 42 巻 6 号 489 頁〔アースベルト〕〈判コレ 27〉 …………… *82, 435*
最判平成 2・7・20 民集 44 巻 5 号 876 頁〔ポパイ・マフラー〕〈判コレ 161〉 ………… *406*
最判平成 3・3・8 民集 45 巻 3 号 123 頁〔リパーゼ〕〈判コレ 39〉 ……………………… *113*
最判平成 3・3・19 民集 45 巻 3 号 209 頁〔クリップ〕 ………………………………… *113*
最判平成 3・4・23 民集 45 巻 4 号 538 頁〔シェトア〕〈判コレ 159〉 ………………… *397*
最判平成 4・4・28 民集 46 巻 4 号 245 頁〔高速旋回式バレル研磨法〕〈判コレ 37〉 ……… *107*
最判平成 4・9・22 判時 1437 号 139 頁〔大森林〕〈判コレ 167〉 …………………… *418, 420*
最判平成 5・2・16 判時 1456 号 150 頁〔自転車用幼児乗せ荷台〕 ……………………… *68*
最判平成 5・3・30 判時 1461 号 3 頁〔智恵子抄〕〈判コレ 84〉 ……………………… *207*
最判平成 5・9・10 民集 47 巻 7 号 5009 頁〔SEIKO EYE〕〈判コレ 169〉 ………… *419, 421*
最判平成 7・3・7 民集 49 巻 3 号 944 頁〔磁気治療器〕 ………………………………… *105*
最判平成 9・3・11 民集 51 巻 3 号 1055 頁〔小僧寿し〕〈判コレ 168〉 …*162, 407, 415, 419, 420*
最判平成 9・7・1 民集 51 巻 6 号 2299 頁〔BBS〕〈判コレ 54〉 …………*129, 133, 230, 488*
最判平成 9・7・17 民集 51 巻 6 号 2714 頁〔ポパイネクタイ〕〈判コレ 82〉 ………*202, 260, 262*
最判平成 10・2・24 民集 52 巻 1 号 113 頁〔ボールスプライン〕〈判コレ 42〉 ………… *118*
最判平成 10・7・17 判時 1651 号 56 頁〔本多勝一反論権（「諸君！」）〕 …………………… *273*
最判平成 10・9・10 判時 1655 号 160 頁〔スナックシャネル〕〈判コレ 180〉 …………… *438*
最判平成 11・4・16 民集 53 巻 4 号 627 頁〔膵臓疾患治療剤〕〈判コレ 55〉 …………… *136*
最判平成 11・7・16 民集 53 巻 6 号 957 頁〔生理活性物質測定法〕〈判コレ 38・65〉
　　　……………………………………………………………………………*36, 110, 151*
最判平成 12・2・18 判時 1703 号 159 頁〔嗜好食品の製造方法〕 ……………………… *106*
最判平成 12・2・29 民集 54 巻 2 号 709 頁〔黄桃の育種増殖法〕 ……………………… *35*
最判平成 12・4・11 民集 54 巻 4 号 1368 頁〔キルビー〕 ……………………………*148, 405*
最判平成 12・7・11 民集 54 巻 6 号 1848 頁〔レールデュタン〕〈判コレ 157〉 ………… *385*
最判平成 12・9・7 民集 54 巻 7 号 2481 頁〔ゴナ書体〕〈判コレ 79〉 ………………… *200*
最判平成 13・2・13 民集 55 巻 1 号 87 頁〔ときめきメモリアル〕〈判コレ 108〉 ………… *274*
最判平成 13・3・2 民集 55 巻 2 号 185 頁〔ビデオメイツ〕〈判コレ 124〉 …………… *306*
最判平成 13・6・28 民集 55 巻 4 号 837 頁〔江差追分〕〈判コレ 115〉 ………………*292, 293*
最判平成 13・10・25 判時 1767 号 115 頁〔キャンディ・キャンディ上告審〕〈判コレ 95〉
　　　…………………………………………………………………………………*210, 233*
最判平成 14・2・22 民集 56 巻 2 号 348 頁〔ETNIES〕 ………………………………… *105*
最判平成 14・3・25 民集 56 巻 3 号 574 頁〔パチンコ装置〕 …………………………… *105*
最判平成 14・4・25 民集 56 巻 4 号 808 頁〔中古ソフト〕〈判コレ 94〉 ……………… *230*
最判平成 14・9・26 民集 56 巻 7 号 1551 頁〔カードリーダー〕〈判コレ 206〉 ………*488, 492*
最判平成 15・2・27 民集 57 巻 2 号 125 頁〔フレッドペリー〕〈判コレ 164〉 ………*410, 411*
最判平成 15・4・11 判時 1822 号 133 頁〔RGB アドベンチャー〕〈判コレ 86〉 …*211, 212, 213*
最判平成 15・4・22 民集 57 巻 4 号 477 頁〔オリンパス〕〈判コレ 23〉 ………………*76, 78*
最判平成 16・2・13 民集 58 巻 2 号 311 頁〔ギャロップレーサー〕〈判コレ 205〉…………*8, 478*

判例索引

最判平成 16・6・8 判時 1867 号 108 頁〔LEONARD KAMHOUT〕〈判コレ 155〉 ………… *382*

最判平成 17・6・17 民集 59 巻 5 号 1074 頁〔生体高分子−リガンド分子安定複合体構造の探索方法〕〈判コレ 70〉 ……………………………………………………………… *172*

最判平成 17・7・14 民集 59 巻 6 号 1569 頁〔船橋市西図書館〕〈判コレ 113〉 ………… *265, 480*

最判平成 17・7・22 判時 1908 号 164 頁〔国際自由学園〕〈判コレ 154〉 ……………………… *381*

最判平成 18・1・20 民集 60 巻 1 号 137 頁〔天理教〕〈判コレ 172〉 ……………………………… *429*

最判平成 18・10・17 民集 60 巻 8 号 2853 号〔日立製作所〕〈判コレ 26〉 ………… *78, 492, 493*

最判平成 19・11・8 民集 61 巻 8 号 2989 頁〔インクタンク〕〈判コレ 53〉 ……… *129, 131, 134*

最判平成 20・4・24 民集 62 巻 5 号 1262 頁〔ナイフの加工装置〕 ………………………………… *149*

最判平成 20・9・8 集民 228 号 561 頁〔つつみのおひなっこや〕〈判コレ 170〉 ……………… *421*

最判平成 21・10・8 判時 2064 号 120 頁〔チャップリン〕 ……………………………………………… *261*

最判平成 23・1・18 民集 65 巻 1 号 121 頁〔まねき TV〕〈判コレ 119〉 ……………………… *221, 301*

最判平成 23・1・20 民集 65 巻 1 号 399 頁〔ロクラクⅡ〕〈判コレ 120〉 ………… *237, 300, 301*

最判平成 23・4・28 民集 65 巻 3 号 1654 頁〔放出制御組成物〕〈判コレ 58〉 ……………… *144*

最判平成 23・12・8 民集 65 巻 9 号 3275 頁〔北朝鮮映画〕〈判コレ 202〉 ……………… *190, 479*

最決平成 23・12・19 刑集 65 巻 9 号 1380 頁〔Winny〕〈判コレ 130〉 ……………………………… *312*

最判平成 24・1・17 判時 2144 号 115 頁〔暁の脱走〕〈判コレ 125〉 ……………………………… *305*

最判平成 24・2・2 民集 66 巻 2 号 89 頁〔ピンク・レディー〕〈判コレ 204〉 ………… *480, 481*

最判平成 26・4・24 民集 68 巻 4 号 329 頁〔眉のトリートメント〕 ……………………………… *491*

最判平成 27・4・28 民集 69 巻 3 号 518 頁〔JASRAC〕 ………………………………………………… *326*

最判平成 27・6・5 民集 69 巻 4 号 700 頁・同 904 頁〔プラバスタチンナトリウム〕〈判コレ 15・41〉 …………………………………………………………………………… *56, 114, 116*

最判平成 27・11・17 民集 69 巻 7 号 1912 頁〔ペバシズマブ上告審〕〈判コレ 59〉 …… *143, 144*

最判平成 29・2・28 民集 71 巻 2 号 221 頁〔エマックス〕〈判コレ 162〉 ………………………… *406*

最判平成 29・3・24 民集 71 巻 3 号 359 頁〔マキサカルシトール最高裁〕〈判コレ 44〉 …… *121*

最判平成 29・7・10 民集 71 巻 6 号 861 頁〔シートカッター〕〈判コレ 61〉 ………… *148, 150*

最決平成 30・12・3 刑集 71 巻 6 号 569 頁〔日産自動車〕〈判コレ 197〉 ……………………… *456*

最判令和元・8・27 集民 262 号 51 頁〔アレルギー性眼疾患治療薬〕〈判コレ 12〉 ……………… *54*

最判令和 2・7・21 民集 74 巻 7 号 1407 頁〔Twitter リツイート上告審〕〈判コレ 105〉 …………………………………………………………………………………… *268, 269, 309*

最決令和 3・3・1 刑集 75 巻 3 号 273 頁〔電子書籍映像キャプチャ〕 ……………………………… *468*

最判令和 4・10・24 令 3(受)1112〔音楽教室上告審〕 ……………………… *221, 300, 302*

知的財産高等裁判所大合議

知財高判平成 17・9・30 判時 1904 号 47 頁〔一太郎大合議〕〈判コレ 48〉 ……………… *109, 123*

知財高判平成 17・11・11 判時 1911 号 48 頁〔偏光フイルムの製造法大合議〕〈判コレ 17〉 ……… *58, 59*

知財高判平成 18・1・31 判時 1922 号 30 頁〔インクタンク控訴審（大合議）〕 ……………… *130*

知財高判平成 20・5・30 判時 2009 号 47 頁〔ソルダーレジスト大合議〕〈判コレ 28・30〉 ……………………………………………………………………………………………………… *88, 97*

判例索引

知財高判平成 24・1・27 判時 2144 号 51 頁〔プラバスタチンナトリウム控訴審（大合議）〕
....*116*

知財高判平成 25・2・1 判時 2179 号 36 頁〔ごみ貯蔵機器大合議〕〈判コレ 67〉........*159, 307*

知財高決平成 26・5・16 判時 2224 号 89 頁〔アップル対サムスン大合議（抗告審）〕〈判コレ
63〉..*147, 152*

知財高判平成 26・5・16 判時 2224 号 146 頁〔アップル対サムスン大合議（控訴審）〕〈判コ
レ 64〉..*130, 152*

知財高判平成 26・5・30 判時 2232 号 3 頁〔ベバシズマブ第 1 審（大合議）〕.............*144*

知財高判平成 28・3・25 判時 2306 号 87 頁〔マキサカルシトール大合議〕〈判コレ 43〉
....*119, 120, 122*

知財高判平成 29・1・20 平 28（ネ）10046〔オキサリプラチン大合議〕〈判コレ 60〉..........*143*

知財高判平成 30・4・13 判時 2427 号 91 頁〔ピリミジン誘導体大合議〕〈判コレ 10・35〉
....*49, 50, 51, 100, 105*

知財高判令和元・6・7 判時 2430 号 34 頁〔二酸化炭素含有粘性組成物大合議〕〈判コレ 68〉
....*160, 162*

知財高判令和 2・2・28 判時 2464 号 61 頁〔美容器大合議〕〈判コレ 66〉........*155, 156, 157*

知財高判令和 4・10・22 令 2（ネ）10024〔椅子式マッサージ機大合議〕.............*158, 159, 161*

知的財産高等裁判所・高等裁判所

福岡高判昭和 41・3・4 下刑集 8 巻 3 号 371 頁〔HERSHEY'S〕.........................*409*

仙台高秋田支判昭和 48・12・19 判時 753 号 28 頁〔蹄鉄〕〈判コレ 69〉................*168*

東京高判昭和 53・7・26 無体集 10 巻 2 号 369 頁〔ターンテーブル〕〈判コレ 134〉.........*335*

東京高判昭和 58・6・16 無体集 15 巻 2 号 501 頁〔DCC〕.............................*383*

東京高判昭和 58・11・15 無体集 15 巻 3 号 720 頁〔会計伝票〕.......................*433*

東京高判昭和 60・10・17 無体集 17 巻 3 号 462 頁〔藤田嗣治〕.......................*246*

東京高判昭和 60・12・4 判時 1190 号 143 頁〔新潟鉄工〕.............................*214*

東京高判昭和 61・10・29 民集 45 巻 3 号 145 頁.......................................*113*

東京高判昭和 61・12・25 無体集 18 巻 3 号 579 頁〔紙幣〕〈判コレ 19〉.................*62*

東京高判平成 2・2・13 判時 1348 号 139 頁〔錦鯉飼育法〕〈判コレ 2〉.................*31*

大阪高判平成 2・2・14 平元（ネ）2249〔ニーチェア控訴審〕.........................*199*

東京高判平成 3・1・29 判時 1379 号 130 頁〔ダイジェスティブ〕.....................*376*

東京高判平成 3・12・17 知財裁 23 号 3 号 808 頁〔木目化粧紙〕.....................*479*

東京高判平成 3・12・19 知財集 23 巻 3 号 823 頁〔法政大学懸賞論文〕...............*272*

東京高判平成 5・7・22 知財集 25 巻 2 号 296 頁〔ゼルダ〕...........................*405*

東京高判平成 5・9・9 判時 1477 号 27 頁〔三沢市勢映画製作〕〈判コレ 91〉.............*217*

東京高決平成 5・12・24 判時 1505 号 136 頁〔モリサワタイプフェイス〕.................*432*

東京高判平成 6・1・27 平 5（ネ）3844...*151*

大阪高判平成 6・5・27 知財集 26 巻 2 号 447 頁〔クランプ〕.........................*153*

東京高判平成 6・10・27 知財集 26 巻 3 号 1151 頁〔ウォール・ストリート・ジャーナル〕
〈判コレ 122〉..*304*

509

判例索引

大阪高判平成 9・3・27 知財集 29 巻 1 号 368 頁〔it'sシリーズ〕·················*433*

東京高判平成 10・2・26 知財集 30 巻 1 号 65 頁〔ドラゴン・キーホルダー〕·················*450*

東京高判平成 10・7・13 知財集 30 巻 3 号 427 頁〔スウィートホーム〕·················*276*

東京高判平成 10・8・4 判時 1667 号 131 頁〔俳句添削〕·················*266*

東京高判平成 10・10・30 平 8(行ケ)201〔制吐剤〕〈判コレ 18〉·················*58*

東京高判平成 10・11・26 判時 1678 号 133 頁〔だれでもできる在宅介護〕·················*210*

東京高判平成 11・6・24 平 11(ネ)1153〔キャディバッグ事件控訴審〕·················*453*

東京高判平成 11・12・22 判時 1710 号 147 頁〔ドゥーセラム〕·················*380*

東京高判平成 12・2・17 判時 1718 号 120 頁〔建物空調ユニットシステム〕·················*452*

東京高判平成 12・3・30 判時 1726 号 162 頁〔キャンディ・キャンディ控訴審〕·················*233*

東京高判平成 12・4・25 判時 1724 号 124 頁〔脱ゴーマニズム宣言〕·················*276*

東京高判平成 12・5・23 判時 1725 号 165 頁〔剣と寒紅〕·················*278*

東京高判平成 12・9・19 判時 1745 号 128 頁〔舞台装置〕·················*292*

東京高判平成 12・10・26 判時 1738 号 97 頁〔生海苔の異物分離除去装置〕·················*120*

東京高判平成 12・11・29 平 12(ネ)2606〔サンドおむすび牛焼肉〕·················*447*

東京高判平成 13・2・28 判時 1749 号 138 頁〔DALE CARNEGIE〕〈判コレ 158〉·················*395*

東京高判平成 13・4・25 平 10(行ケ)401〔即席冷凍麺類用穀粉〕·················*47*

東京高判平成 13・5・30 判時 1797 号 131 頁〔キューピー〕·················*492, 493*

東京高判平成 13・6・21 判時 1765 号 96 頁〔西瓜写真〕〈判コレ 73〉·················*194, 292*

東京高判平成 13・9・26 判時 1770 号 136 頁〔小型ショルダーバッグ〕·················*447*

東京高判平成 13・10・30 判時 1773 号 127 頁〔交通標語〕·················*197*

東京高判平成 13・12・19 判時 1781 号 142 頁〔ルービック・キューブ〕·················*434*

東京高判平成 14・2・18 判時 1786 号 136 頁〔雪月花〕〈判コレ 117〉·················*292, 293*

東京高判平成 14・4・11 判時 1828 号 99 頁〔外科手術表示方法〕〈判コレ 4〉·················*39, 40*

東京高判平成 14・4・11 平 13(ネ)3677・5920〔絶対音感控訴審〕〈判コレ 99〉···*246, 247, 249*

仙台高判平成 14・7・9 判時 1813 号 150 頁〔ファービー人形〕·················*199*

東京高判平成 14・7・31 判時 1802 号 139 頁〔ダリ〕·················*380*

東京高判平成 14・8・29 判時 1807 号 128 頁〔磁気信号記録用金属粉末〕·················*475*

東京高判平成 14・9・6 判時 1794 号 3 頁〔どこまでも行こう〕·················*292*

大阪高判平成 15・5・27 平 15(ネ)320〔育苗ポット〕〈判コレ 71〉·················*173*

東京高判平成 15・5・28 判時 1831 号 135 頁〔ダリ〕·················*493*

東京高判平成 15・7・16 判時 1836 号 112 頁〔アダムス〕·················*405*

東京高判平成 15・10・8 平 14(行ケ)539〔人工乳首〕·················*91*

東京高判平成 16・5・31 平 15(ネ)6117〔換気口用フィルタ〕·················*450*

大阪高判平成 16・9・29 平 15(ネ)3575〔グルニエ・ダイン〕〈判コレ 80〉·················*200*

東京高判平成 16・11・29 平 15(ネ)1464〔創価学会ビラ写真〕·················*246*

東京高判平成 16・12・21 判時 1891 号 139 頁〔回路シミュレーション方法〕·················*32, 34*

東京高判平成 17・3・3 判時 1893 号 126 頁〔2 ちゃんねる小学館控訴審〕·················*300*

東京高判平成 17・3・31 平 16(ネ)405〔ファイルローグ〕·················*301*

大阪高判平成 17・6・21 平 16(ネ)3846〔ユニワイヤ〕·················*436*

510

判例索引

大阪高判平成 17・7・28 判時 1928 号 116 頁〔チョコエッグ〕······199

知財高判平成 17・10・6 平 17(ネ)10049〔YOL〕·······195, 448

知財高決平成 17・12・27 平 17(ラ)10006〔ソフトブラスター〕······492

知財高判平成 18・2・27 平 17(ネ)10100・10116〔ジョン万次郎像〕······207

知財高判平成 18・3・31 判時 1929 号 84 頁〔コネクター接続端子〕〈判コレ 135〉······336

知財高判平成 18・6・29 平 17(行ケ)10490〔紙葉類識別装置〕······53

知財高判平成 18・9・13 判時 1956 号 148 頁〔グッドバイ・キャロル〕······212, 215, 216

知財高判平成 18・9・20 平 17(行ケ)10349〔赤毛のアン〕······380

知財高判平成 18・8・31 判時 2022 号 144 頁〔システム K2〕······315

知財高判平成 18・10・18 平 17(ネ)10059〔キシリトールガム〕〈判コレ 200〉······473

知財高判平成 18・10・19 平 18(ネ)10027〔計装工業会講習資料〕〈判コレ 88〉······214

知財高判平成 18・11・29 平 18(ネ)10057〔豆腐屋〕······194

知財高判平成 18・11・29 平 18(行ケ)10227〔シワ形成抑制剤〕······46

知財高判平成 18・12・6 平 18(ネ)10045〔国語テスト〕〈判コレ 101〉······250

知財高判平成 18・12・26 判時 2019 号 92 頁〔宇宙開発事業団プログラム〕〈判コレ 87〉
······212, 213, 214

知財高判平成 18・12・26 平 17(行ケ)10032〔極真〕······380

知財高判平成 19・5・30 判時 1986 号 124 頁〔インクジェット記録装置用インクタンク〕······90

知財高判平成 19・10・31 判時 2028 号 103 頁〔アクティブマトリクス型表示装置〕······475

知財高判平成 20・1・31 平 18(行ケ)10388〔発光ダイオード付き商品陳列台〕······336

知財高判平成 20・2・7 判時 2024 号 115 頁〔違反証拠作成システム〕······64

知財高判平成 20・5・29 判時 2006 号 36 頁〔コカ・コーラ〕〈判コレ 150〉······374

知財高判平成 20・5・29 判時 2018 号 146 頁〔ガラス多孔体控訴審〕······64

知財高判平成 20・6・24 判時 2026 号 123 頁〔双方向歯科治療ネットワーク〕······32

知財高判平成 20・6・26 判時 2038 号 97 頁〔コンマー〕〈判コレ 153〉······380

知財高判平成 20・6・30 判時 2056 号 133 頁〔シーシェルバー〕······374

知財高判平成 20・9・30 平 20(行ケ)10079〔CAMEL〕······389

知財高判平成 20・12・24 民集 65 巻 9 号 3363 頁〔北朝鮮映画控訴審〕······492

知財高判平成 20・12・25 平 20(行ケ)10285〔CIS〕······419

知財高判平成 21・1・28 判時 2043 号 117 頁〔回路用接続部材〕〈判コレ 11〉······52, 54

知財高判平成 21・6・25 判時 2084 号 50 頁〔ブラザー工業〕〈判コレ 24〉······78

知財高判平成 21・6・29 判時 2077 号 123 頁〔中空ゴルフクラブヘッド中間判決〕〈判コレ 45〉······120

知財高判平成 21・10・20 平 21(行ケ)10074〔INTELLASSET〕······381

知財高決平成 21・12・15 平 21(ラ)10006〔ウルトラマン〕······492

知財高判平成 22・1・28 判時 2073 号 105 頁〔フリバンセリン〕······59

知財高判平成 22・3・24 判タ 1358 号 184 頁〔インターネットサーバーのアクセス管理及びモニタシステム〕······123

知財高裁平成 22・3・25 判時 2086 号 114 頁〔駒込大観音〕〈判コレ 112〉······278

知財高判平成 22・7・14 判時 2100 号 134 頁〔破天荒力〕······195

511

知財高判平成 22・7・15 判時 2088 号 124 頁〔日焼け止め組成物〕〈判コレ 13〉…………*54*

知財高判平成 22・8・4 判時 2096 号 133 頁〔北朝鮮極秘文書〕……………………………………*295*

知財高判平成 22・8・4 判時 2101 号 119 頁〔北見工業大学〕…………………………………………*212*

知財高判平成 22・8・19 平 21(行ケ)10180〔特定の塩の製造方法〕…………………………………*44*

知財高判平成 22・8・19 平 21(行ケ)10297〔Asrock〕…………………………………………………*380*

知財高判平成 22・8・19 平 22(行ケ)10101〔きっと，サクラサクよ。〕……………………………*419*

知財高判平成 22・8・31 判時 2090 号 119 頁〔伸縮性トップシートを有する吸収性物品〕…*59*

知財高判平成 22・9・15 判タ 1340 号 265 頁〔モータ〕…………………………………………………*491*

知財高判平成 22・10・13 判時 2092 号 135 頁〔絵画鑑定証書〕〈判コレ 100〉……*246, 247, 248*

知財高判平成 23・1・31 判時 2107 号 131 頁〔換気扇フィルター〕…………………………………*52*

知財高判平成 23・3・23 判時 2111 号 100 頁〔スーパーオキサイドアニオン〕〈判コレ 9〉…*46*

知財高判平成 23・3・28 平 22(ネ)10014〔マンホール蓋用受枠〕……………………………………*355*

大阪高決平成 23・3・31 判時 2167 号 81 頁〔ひこにゃん〕〈判コレ 132〉…………………………*315*

知財高判平成 23・4・27 平 22(行ケ)10246〔米糠を基質とした麹培養方法〕…………………*38*

知財高判平成 23・5・10 判タ 1372 号 222 頁〔廃墟写真〕………………………………………………*194*

知財高判平成 23・6・23 判時 2131 号 109 頁〔食品の包み込み成形方法〕…………………………*125*

知財高判平成 23・9・8 判時 2136 号 107 頁〔鼻用軟膏〕………………………………………………*51*

知財高判平成 23・10・20 判時 2143 号 125 頁〔堤人形〕…………………………………………………*386*

知財高判平成 23・11・30 判時 2134 号 116 頁〔うっ血性心不全の治療へのカルバゾール化合
物の利用〕……*52*

知財高判平成 23・12・22 判時 2145 号 75 頁〔東芝〕……………………………………………………*240*

知財高判平成 24・2・14 判時 2161 号 86 頁〔Chupa Chups〕〈判コレ 165〉………………………*414*

知財高判平成 24・5・31 判時 2170 号 107 頁〔アールシータバーン〕〈判コレ 145〉……………*370*

知財高判平成 24・7・4 平 23(ネ)10084・平 24(ネ)10025〔投資用マンション〕〈判コレ 193〉
……*458, 462*

知財高判平成 24・8・8 判時 2165 号 42 頁〔釣りゲーム〕〈判コレ 116〉…………………………*293*

知財高判平成 24・9・13 判時 2166 号 131 頁〔Kawasaki〕……………………………………………*377*

知財高判平成 24・10・17 判時 2174 号 94 頁〔建設機械〕〈判コレ 29〉……………………………*96*

知財高判平成 24・10・25 平 24(ネ)10008〔テレビ CM〕〈判コレ 90〉……………………………*216*

知財高判平成 24・12・5 判時 2181 号 127 頁〔省エネ行動シート〕〈判コレ 3〉…………………*31*

知財高判平成 24・12・19 判時 2182 号 123 頁〔シャンパンタワー〕…………………………………*380*

知財高判平成 24・12・26 判時 2178 号 99 頁〔ペアルーペ〕……………………………………………*433*

知財高判平成 25・1・24 判時 2177 号 114 頁〔あずきバー〕……………………………………………*376*

名古屋高判平成 25・1・29 平 24(う)125〔Wii〕〈判コレ 163〉………………………………………*409*

知財高判平成 25・2・1 判時 2179 号 36 頁〔ごみ貯蔵機器〕……………………………………………*475*

知財高判平成 25・12・11 平 25(ネ)10064〔漫画 on web〕〈判コレ 110〉…………………………*277*

知財高判平成 26・3・13 判時 2227 号 120 頁〔KAMUI〕……………………………………………………*102*

知財高判平成 26・3・26 判時 2234 号 99 頁〔渋味のマスキング方法〕……………………………*56*

知財高判平成 26・3・27 平 25(ネ)10026・10049〔粒粒体の混合及び微粉除去方法並びにそ
の装置〕〈判コレ 50〉…………………………………………………………………………………………………*127*

判例索引

知財高判平成 26・8・6 平 26(ネ)10028〔パチンコ技術情報〕〈判コレ 194〉 ……………… 458

知財高判平成 26・8・28 判時 2238 号 91 頁〔ファッションショー〕〈判コレ 76〉 ………… 198

知財高判平成 26・9・17 判時 2247 号 103 頁〔共焦点分光分析〕 ……………………………… 149

知財高判平成 26・10・22 判時 2246 号 92 頁〔自炊代行〕〈判コレ 96〉 ……………………… 237

知財高判平成 27・4・14 判時 2267 号 91 頁〔TRIPP TRAPP 控訴審〕〈判コレ 77〉 ……… 199

知財高判平成 27・5・25 平 26(ネ)10130〔マンション建替え〕〈判コレ 81〉 ……………… 201

知財高判平成 27・6・24 平 27(ワ)10002〔なめこ控訴審〕………………………………………… 484

知財高判平成 27・7・30 平 26(ネ)10126〔野村證券〕〈判コレ 25〉 ………………………… 75, 77

知財高判平成 27・11・12 判時 2287 号 91 頁〔生海苔異物分離除去装置における生海苔の共
回り防止装置〕 ………………………………………………………………………………………… 129

知財高判平成 27・11・19 判タ 1425 号 179 頁〔オフセット輪転機版胴〕 ……………………… 156

知財高判平成 27・11・26 平 26(行ケ)10254〔青果物用包装袋及び青果物包装体〕〈判コレ
14〉 ……………………………………………………………………………………………………… 56

知財高判平成 28・1・14 判時 2310 号 134 頁〔棒状ライト〕〈判コレ 6〉 ……………………… 43

知財高判平成 28・1・27 平 27(ネ)10077〔包装用箱〕…………………………………………… 356

知財高判平成 28・3・30 平 27(行ケ)10054〔モメタゾンフロエート〕 ………………………… 55

知財高判平成 28・7・27 判時 2320 号 113 頁〔練習用箸〕〈判コレ 173〉 …………………… 433

知財高判平成 28・8・10 平 28(行ケ)10065〔山岸一雄大勝軒〕………………………………… 382

知財高判平成 28・9・14 平 28(行ケ)10086〔LE MANS〕 ……………………………………… 395

知財高判平成 28・9・20 平 27(行ケ)10242〔二重瞼形成用テープ又は糸及びその製造方法〕
……… 117

知財高判平成 28・9・21 判時 2341 号 127 頁〔容器付冷菓〕〈判コレ 137〉 ………………… 343

知財高判平成 28・9・28 判タ 1434 号 148 頁〔ロータリーディスクタンブラー錠及び鍵〕〈判
コレ 33〉 ……………………………………………………………………………………………… 102

知財高判平成 28・9・29 平 27(行ケ)10184〔ローソク〕 ………………………………………… 117

知財高判平成 28・10・19 平 28(ネ)10041〔ライブハウス〕 …………………………………… 302

知財高判平成 28・10・31 平 28(ネ)10051〔青汁〕 ……………………………………………… 449

知財高判平成 28・11・8 平 28(行ケ)10025〔ロール苗搭載樋付田植機と内部導光ロール苗〕
……… 117

知財高決平成 28・11・11 判時 2323 号 23 頁〔著作権判例百選〕……………………………… 207

知財高判平成 28・11・30 判時 2338 号 96 頁〔加湿器〕〈判コレ 191〉 ……………………… 452

知財高判平成 28・12・26 平 28(行ケ)10118〔高効率プロペラ〕〈判コレ 8〉 ……………… 44

知財高判平成 29・1・17 判タ 1440 号 137 頁〔物品の表面装飾構造〕 ………………………… 107

知財高判平成 29・2・23 平 28(ネ)10009・10033〔吸水パイプ〕 …………………………… 475

東京高判平成 29・3・21 高刑集 70 巻 1 号 10 頁〔ベネッセ〕………………………………… 458

大阪高判平成 29・4・20 判時 2345 号 93 頁〔石けん百科〕〈判コレ 144〉 ………………… 369

知財高判平成 29・6・14 平 28(行ケ)10037〔重合性化合物含有液晶組成物及びそれを利用し
た液晶表示素子〕 …………………………………………………………………………………… 55

大阪高判平成 29・11・16 判時 2409 号 99 頁〔Ritmix〕 ……………………………………… 482

知財高判平成 30・2・28 平 29(ネ)10068・10084〔テラレット〕 ………………………… 433

513

判例索引

知財高判平成 30・4・4 平 29(ネ)10090〔医薬〕 ……………………………………………………… 139
知財高判平成 30・4・25 判時 2382 号 24 頁〔Twitter リツイート控訴審〕〈判コレ 93〉
………………………………………………………………………… 225, 270
知財高判平成 30・5・24 平 29(行ケ)10129〔ライスミルク〕 ………………………………… 58
知財高判令和元・5・30 平 30(ネ)10081・10091〔マリカー〕 ……………………………… 470
大阪高判令和元・11・7 令元(ネ)1187〔婚礼ビデオ控訴審〕…………………………………… 216
知財高判令和元・11・26 令元(行ケ)10086〔ランプシェード〕 …………………………… 374
知財高判令和元・12・19 平 31(行ケ)10053〔二重瞼形成用テープ〕………………… 99, 174
知財高判令和 2・3・11 金判 1597 号 44 頁〔ライフルホームズ〕〈判コレ 151〉………… 375
知財高判令和 2・8・19 令元(行ケ)10146〔油圧ショベル〕 ………………………………… 374
知財高判令和 2・8・20 令 2(ネ)10016〔チューブ状ひも本体を備えたひも〕………… 166
知財高判令和 3・2・9 令 2(ネ)10051〔ウイルス及び治療法におけるそれらの使用〕……… 137
大阪高判令和 3・3・11 判時 2491 号 69 頁〔八ッ橋〕…………………………………………… 472
知財高判令和 3・3・18 判時 2519 号 73 頁〔音楽教室控訴審〕〈判コレ 92〉………… 220, 302
知財高判令和 3・5・31 令 2(ネ)10010・10011〔Twitter プロフィール〕……………… 271
知財高判令和 3・8・30 判時 2519 号 66 頁〔マツモトキヨシ〕……………………………… 382
知財高判令和 3・12・8 令 3(ネ)10044〔タコの滑り台〕………………………………………… 198
知財高判令和 3・12・22 判時 2516 号 91 頁〔弁護士懲戒請求書〕 ………………………… 248
知財高判令和 4・3・14 平 30(ネ)10034〔ソノレイド〕 ………………………………………… 158
知財高判令和 4・3・29 令 2(ネ)10057〔情報記憶装置控訴審〕 ……………………………… 15
知財高判令和 4・7・20 平 30(ネ)10077〔表示装置，コメント表示方法，及びプログラム〕
………………………………………………………………………… 489
知財高判令和 4・8・8 平 31(ネ)10007〔表示装置控訴審〕…………………………………… 127
知財高判令和 4・10・19 令 4(ネ)10019〔トレース指摘ツイート〕…………………… 271, 276
知財高判令和 4・11・2 令 2(ネ)10044〔スクショツイート TOKAI コミュニケーションズ〕
………………………………………………………………………… 247

地方裁判所

東京地判昭和 38・6・5 下民集 14 巻 6 号 1074 頁〔自動連続給粉機〕 ……………………… 68
東京地判昭和 40・8・31 判タ 185 号 209 頁〔カム装置〕 ……………………………………… 178
東京地判昭和 40・8・31 下民集 16 巻 8 号 1377 頁〔船荷証券〕 …………………………… 191
東京地判昭和 41・11・22 判時 476 号 45 頁〔組立式押入れたんすセット〕 ……………… 433
福岡地裁飯塚支判昭和 46・9・17 無体集 3 巻 2 号 317 頁〔巨峰〕〈判コレ 160〉………… 403
大阪地判昭和 46・12・22 無体集 3 巻 2 号 414 号〔学習机〕〈判コレ 139〉……………… 350
長崎地佐世保支決昭和 48・2・7 無体集 5 巻 1 号 18 頁〔博多人形〕 ……………………… 198
大阪地判昭和 51・2・24 無体集 8 巻 1 号 102 頁〔ポパイ・アンダーシャツ〕…………… 403
東京地判昭和 51・3・31 判タ 344 号 291 頁 ……………………………………………………… 435
東京地判昭和 51・6・29 判時 817 号 23 頁〔マーク・レスター〕…………………………… 480
神戸地姫路支判昭和 54・7・9 無体集 11 巻 2 号 371 頁〔仏壇彫刻〕 ……………………… 198
大阪地判昭和 54・9・25 判タ 397 号 152 頁〔発光ダイオード論文〕 ……………………… 193

判例索引

東京地判昭和 56・2・25 無体集 13 巻 1 号 139 頁〔一眼レフカメラ〕 ……………………………… 125

東京地判昭和 56・4・20 無体集 13 巻 1 号 432 頁〔アメリカ T シャツ〕 ……………………………… 198

横浜地判昭和 58・12・9 無体集 15 巻 3 号 802 頁〔勝烈庵〕〈判コレ 177〉 ……………………………… 435

東京地判昭和 58・12・23 無体集 15 巻 3 号 844 頁〔ステンレス金張製造法等〕 …………………… 75

大阪地判昭和 59・1・26 無体集 16 巻 1 号 13 頁〔万年カレンダー〕 …………………… 193

東京地判昭和 59・9・28 無体集 16 巻 3 号 676 頁〔パックマン〕 …………………………………… 197, 223

東京地判昭和 59・12・7 無体集 16 巻 3 号 760 頁〔ラコステ〕 …………………………………… 440

大阪地判昭和 62・8・26 無体集 19 巻 2 号 268 頁〔BOSS〕〈判コレ 142〉 …………………… 367

京都地判平成元・6・15 判時 1327 号 123 頁〔佐賀錦袋帯〕 …………………… 199

東京地判平成 2・4・25 判時 1375 号 127 頁〔本みりんタイプ調味料〕 …………………… 472

東京地判平成 2・12・21 判タ 772 号 253 頁〔おニャン子クラブ〕 …………………… 480

大阪地判平成 3・5・27 知財集 23 巻 2 号 320 頁〔二軸強制混合機〕 …………………… 112

東京地判平成 3・9・24 判時 1429 号 80 頁〔銅箔〕 …………………… 492

東京地判平成 4・5・27 知財集 24 巻 2 号 412 頁〔Nintendo〕 …………………… 409

大阪地判平成 4・8・27 知財集 24 巻 2 号 495 頁〔静かな焔〕〈判コレ 85〉 …………………… 209

大阪地判平成 6・2・24 判時 1522 号 139 頁〔マグアンプ K〕 …………………… 409, 440

東京地判平成 6・4・25 判時 1509 号 130 頁〔城の定義〕〈判コレ 72〉 …………………… 192

大阪地判平成 6・4・28 判時 1542 号 115 頁〔マホービン〕 …………………… 72

東京地判平成 6・7・1 知財集 26 巻 2 号 510 頁〔101 匹ワンチャン〕 …………………… 230

神戸地決平成 6・12・8 知財集 26 巻 3 号 1323 頁〔ハートカップ〕 …………………… 452

東京地判平成 7・4・28 知裁集 27 巻 2 号 269 頁〔多摩市立図書館〕〈判コレ 97〉 …………………… 244

東京地判平成 9・3・7 判時 1613 号 134 頁〔ピアス孔保護具〕〈判コレ 189〉 …………………… 449

東京地判平成 9・4・25 判時 1605 号 136 頁〔スモーキングスタンド〕 …………………… 201

大阪地判平成 9・12・9 知裁集 29 巻 4 号 1224 頁〔古潭〕 …………………… 405

東京地判平成 10・1・21 判時 1644 号 141 頁〔キング・クリムゾン〕 …………………… 480

東京地判平成 10・2・20 知財集 30 巻 1 号 33 頁〔バーンズコレクション〕〈判コレ 102〉

……………………………………………………………………………………… 248, 253

東京地判平成 10・5・29 判時 1663 号 129 頁〔O 脚歩行矯正具〕 …………………… 178

東京地判平成 10・8・27 知財集 30 巻 3 号 478 頁〔ビッグエコー〕 …………………… 224

大阪地判平成 10・9・10 知財集 30 巻 3 号 501 頁〔小熊タオルセット〕〈判コレ 187〉 …………… 447

東京地判平成 10・10・29 知財集 30 巻 4 号 812 頁〔SMAP 大研究〕 …………………… 207

東京地判平成 10・10・30 判時 1674 号 132 頁〔血液型と性格〕 …………………… 249, 276

東京地判平成 10・12・22 判時 1674 号 152 頁〔磁気媒体リーダー〕〈判コレ 40〉 …………………… 114

東京地判平成 11・1・28 判時 1664 号 109 頁〔徐放性ジクロフェナクナトリウム製剤〕 …… 120

東京地判平成 11・1・28 判時 1677 号 127 頁〔キャディバッグ〕 …………………… 453

東京地判平成 11・4・28 判時 1691 号 136 頁〔ウイルスバスター〕 …………………… 407, 416, 423

東京地判平成 12・2・29 判時 1715 号 76 頁〔中田英寿〕〈判コレ 104〉 …………………… 267

東京地判平成 12・3・17 判時 1714 号 128 頁〔NTT タウンページ〕〈判コレ 83〉 …………………… 204

東京地判平成 12・6・28 判時 1713 号 115 頁〔LEVI'S〕 …………………… 443

東京地判平成 12・6・29 判時 1728 号 101 頁〔ベレッタ MF92F〕〈判コレ 179〉 …………… 437, 444

515

判例索引

東京地判平成 12・7・12 判時 1718 号 127 頁〔携帯液晶ゲーム〕〈判コレ 188〉················448

東京地判平成 12・7・18 判時 1729 号 116 頁〔リズシャルメル〕〈判コレ 186〉················441

東京地判平成 12・8・30 判時 1727 号 147 頁〔エスキース〕················279

東京地判平成 12・9・28 平 11(ワ)7209〔戦後日本経済の 50 年〕〈判コレ 133〉 ···········323

大阪地判平成 12・10・24 判タ 1081 号 241 頁〔製パン器〕〈判コレ 46〉 ··············124, 125

東京地判平成 13・5・25 判時 1774 号 132 頁〔自動車データベース（翼システム）〕〈判コレ
203〉····················479

東京地判平成 13・6・13 判時 1757 号 138 頁〔絶対音感〕················246

東京地判平成 13・7・19 判時 1815 号 148 頁〔呉青山学院中学校〕················429, 443

東京地判平成 13・7・25 判時 1758 号 137 頁〔バス車体絵画〕〈判コレ 103〉··········255

大阪地判平成 13・8・30 平 12(ワ)10231〔毎日がすぷらった〕〈判コレ 107〉··········272

東京地判平成 13・8・31 判時 1760 号 138 頁〔エルメス社バーキン〕················453

東京地判平成 13・9・20 判時 1764 号 112 頁〔電着画像〕〈判コレ 51〉··············123

東京地判平成 13・9・28 判時 1781 号 150 頁〔モズライト〕················405

東京地判平成 14・1・31 判時 1791 号 142 頁〔中古ビデオソフト〕················230

東京地判平成 14・2・14 平 12(ワ)9499〔公共工事単価表〕················459

東京地判平成 14・3・25 判時 1789 号 141 頁〔宇宙戦艦ヤマト〕〈判コレ 89〉··········215

大阪地判平成 14・4・9 判時 1826 号 132 頁〔ワイヤーブラシセット〕 ················447

大阪地判平成 14・5・23 判時 1825 号 116 頁〔希土類の回収方法〕〈判コレ 20〉··········64

東京地判平成 14・7・15 判時 1796 号 145 頁〔mp3〕〈判コレ 198〉··········470

大阪地判平成 14・7・25 平 12(ワ)2452〔オートくん〕················480

東京地判平成 14・9・19 判時 1802 号 30 頁〔青色発光ダイオード第 1 審中間判決〕〈判コレ
22〉····················72

東京地判平成 14・10・1 平 13(ワ)7445〔クレープミックス〕················459

東京地判平成 15・1・20 判時 1823 号 146 頁〔超時空要塞マクロス第 1 審〕··········215

名古屋地判平成 15・2・7 判時 1840 号 126 頁〔社交ダンス教室〕················220

大阪地判平成 15・2・13 判時 1842 号 120 頁〔ヒットワン〕〈判コレ 121〉··········302

東京地判平成 15・2・20 平 13(ワ)2721〔マイクロダイエット〕〈判コレ 183〉··········441

大阪地判平成 15・2・27 平 13(ワ)10308・平 14(ワ)2833〔セラミックコンデンサー積層機〕
〈判コレ 195〉····················460

東京地決平成 15・6・11 判時 1840 号 106 頁〔ノグチ・ルーム〕················276

東京地判平成 15・6・27 判時 1840 号 92 頁〔花粉のど飴〕 ················178

東京地判平成 15・10・16 判時 1874 号 23 頁〔サンゴ砂〕〈判コレ 207〉 ··········491, 492

東京地判平成 15・12・19 判時 1847 号 95 頁〔記念樹フジテレビ〕················273

東京地判平成 16・1・30 判時 1852 号 36 頁〔青色発光ダイオード第 1 審終局判決〕··········76

東京地判平成 16・3・11 判時 1893 号 131 頁〔2 ちゃんねる第 1 審〕················302

東京地判平成 16・4・13 判時 1862 号 168 頁〔ノックスエンタテインメント〕··········458

東京地判平成 16・4・23 判時 1892 号 89 頁〔クリップ〕 ················126

前橋地判平成 16・5・7 判時 1904 号 139 頁〔ヤマダさんよりお安くします〕··········472

東京地判平成 16・5・31 判時 1936 号 140 頁〔中国詩〕················247, 492

判例索引

東京地判平成 16・6・18 判時 1881 号 101 頁〔NTT リース〕・・・・・・・・・・・・・・・・・・・・・・・・220, 228

東京地判平成 16・6・23 判時 1872 号 109 頁〔brother〕・・・・・・・・・・・・・・・・・・・・・・・・403

東京地判平成 16・7・2 判時 1890 号 127 頁〔ラ ヴォーグ南青山〕・・・・・・・・・・・・・・・・432

東京地判平成 16・8・17 判時 1873 号 153 頁〔切削オーバーレイ工法〕〈判コレ 52〉・・・・・・150

大阪地判平成 16・9・13 判時 1899 号 142 頁〔ヌーブラ〕〈判コレ 192〉・・・・・・・・・・・・453

東京地判平成 16・10・29 判時 1902 号 135 頁〔ラップフィルム摘み具〕〈判コレ 138〉・・・・349

東京地判平成 16・12・28 平 15(ワ)19733 等〔アイスクリーム充填苺〕・・・・・・・・・・・・・114

大阪地判平成 17・1・17 判時 1913 号 154 号〔セキスイツーユーホーム〕・・・・・・・・・・・・212

東京地判平成 17・2・10 判時 1906 号 144 頁〔プラニュート顆粒〕・・・・・・・・・・・・・・・・43

東京地判平成 17・3・15 判時 1894 号 110 頁〔グッドバイ・キャロル〕〈判コレ 126〉・・・・・・307

東京地判平成 17・5・24 判時 1933 号 107 頁〔マンホール用足掛具〕・・・・・・・・・・・・・・447

大阪地判平成 17・12・15 判時 1936 号 155 頁〔化粧用パフ〕〈判コレ 140〉・・・・・・・・・・355

大阪地判平成 17・12・18 判時 1934 号 109 頁〔クルマの 110 番〕〈判コレ 143〉・・・・・・・・369

東京地判平成 18・3・31 判タ 1274 号 255 頁〔国語テスト〕・・・・・・・・・・・・・・・・・・・・308

東京地判平成 18・7・6 判時 1951 号 106 頁〔養魚飼料用添加物〕・・・・・・・・・・・・・・・・475

東京地判平成 18・8・8 平 17(ワ)3056〔ハンガークリップ〕〈判コレ 201〉・・・・・・・・・・・・474

富山地高岡支判平成 18・11・10 判時 1955 号 137 頁〔氷見うどん〕〈判コレ 199〉・・・・・・・・472

東京地判平成 19・3・23 平 17(ワ)8359・13753〔ガラス多孔体第 1 審〕・・・・・・・・・・・・・64

東京地判平成 19・4・12 平 18(ワ)15024〔聖教グラフ〕・・・・・・・・・・・・・・・・・・・・・273

東京地判平成 19・4・27 平 18(ワ)8752・16229〔HEAT WAVE〕〈判コレ 131〉・・・・・・・・・・316

東京地判平成 19・5・25 判時 1979 号 100 頁〔MYUTA〕・・・・・・・・・・・・・・・・・・・・・・301

東京地判平成 19・10・26 平 18(ワ)7424〔Von Dutch〕・・・・・・・・・・・・・・・・・・・・・・493

東京地判平成 19・12・14 民集 65 巻 9 号 3329 頁〔北朝鮮映画〕・・・・・・・・・・・・・・・・・492

東京地判平成 19・12・14 平 16(ワ)25576〔眼鏡レンズの供給システム〕・・・・・・・・・・・・123

札幌地判平成 20・3・19 平 19(わ)1454〔ミートホープ〕・・・・・・・・・・・・・・・・・・・・・472

那覇地判平成 20・9・24 判時 2042 号 95 頁〔写真で見る首里城〕〈判コレ 123〉・・・・・・・・304

東京地判平成 20・12・26 判時 2032 号 11 頁〔黒烏龍茶〕・・・・・・・・・・・・・・・・・・・・・444

東京地判平成 21・5・28 平 19(ワ)23883〔駒込大観音像第 1 審〕・・・・・・・・・・・・・・・・278

大阪地判平成 22・12・16 平 22(ワ)4770〔長柄鋏事件〕〈判コレ 141〉・・・・・・・・・・・・・355

大阪地判平成 22・12・16 判時 2118 号 120 頁〔西松屋〕・・・・・・・・・・・・・・・・・・・・・432

東京地判平成 24・3・21 平 22(ワ)145・16414〔車種別専用ハーネス〕・・・・・・・・・・・・・449

大阪地判平成 24・9・27 判時 2188 号 108 頁〔ピオグリタゾン〕・・・・・・・・・・・・・・・・・109

東京地判平成 24・12・25 判時 2192 号 122 頁〔携帯ゲーム機用タッチペン〕・・・・・・・・・・449

大阪地判平成 25・1・24 平 24(ワ)6892〔Cache〕・・・・・・・・・・・・・・・・・・・・・・・・・405

東京地判平成 25・2・28 平 23(ワ)19435・19436〔ピオグリタゾン〕〈判コレ 47〉・・・・・・・126

東京地判平成 25・3・1 判時 2219 号 105 頁〔基幹物理学〕・・・・・・・・・・・・・・・・・・・・210

大阪地判平成 25・6・20 判時 2218 号 112 頁〔ロケットニュース 24〕・・・・・・・・・・・225, 295

大阪地決平成 25・9・6 判時 2222 号 93 頁〔新梅田シティ〕〈判コレ 109〉・・・・・・・・・・・276

東京地判平成 25・12・13 平 24(ワ)24933〔祈願経文〕・・・・・・・・・・・・・・・・・・・・・・221

東京地判平成 26・1・20 平 25(ワ)3823〔FUKI〕〈判コレ 176・182〉・・・・・・・・・・・・・441

517

判例索引

東京地判平成 26・4・30 平 24(ワ)964〔遠山の金さん〕……………………………217

東京地判平成 26・7・30 平 25(ワ)28434〔修理規約〕…………………………192

札幌地判平成 26・9・4 平 25(ワ)886〔食べログ〕…………………………444

東京地判平成 26・9・11 平 26(ワ)3672〔傾斜測定装置〕………………………64

東京地判平成 26・11・28 判時 2260 号 107 頁〔なめこ〕…………………………484

東京地判平成 27・2・10 平 24(ワ)35757〔水消去性書画用墨汁組成物〕………153

東京地判平成 28・2・25 判時 2314 号 118 頁〔神獄のヴァルハラゲート〕…………213

東京地判平成 28・11・24 平 27(ワ)29586〔TWG〕〈判コレ 181〉……………440

東京地決平成 28・12・19 平 27(ヨ)22042〔コメダ珈琲〕〈判コレ 174〉…………432

大阪地判平成 29・1・19 平 27(ワ)547〔バイクシフター〕…………………………369

東京地判平成 29・4・27 平 27(ワ)23694〔ステラマッカートニー青山〕…………207

東京地判平成 29・7・27 平 27(ワ)22491〔マキサカルシトール損害賠償〕…………154

大阪地判平成 29・10・19 平 27(ワ)4169〔アルミナ長繊維〕…………………………458

東京地判平成 30・2・21 平 28(ワ)37339〔沖国大ヘリ墜落事故映像〕……………269

東京地判平成 30・8・17 平 29(ワ)21145〔ロイロノートスクール〕…………………448

東京地判平成 30・12・11 判時 2426 号 57 頁〔ASKA 未公表曲〕…………………267

大阪地判平成 30・12・13 判時 2478 号 74 頁〔表示装置〕…………………………127

東京地判平成 31・2・8 平 28(ワ)26612・26613〔ジル・スチュアート〕…………492

東京地判平成 31・2・22 平 29(ワ)15776〔moto〕…………………………413

大阪地判平成 31・3・25 平 30(ワ)2082〔婚礼ビデオ第 1 審〕…………………216

東京地判令和 2・2・28 平 29(ワ)20502・25300〔音楽教室第 1 審〕……………302

東京地判令和 2・7・22 平 29(ワ)40337〔情報記憶装置〕…………………………15

東京地判令和 2・9・24 平 28(ワ)25436〔グルタミン酸ナトリウム〕………………489

東京地判令和 2・11・3 平 30(ワ)26166〔組立家屋〕…………………………337

東京地判令和 3・2・18 平 30(ワ)28994〔放置少女〕…………………………492, 493

大阪地判令和 3・5・12 平 30(わ)2469〔MONSTER HUNTER 4G〕……………274

東京地判令和 3・12・10 令 3(ワ)15819〔スクショツイート NTT ドコモ〕…………247

東京地判令和 4・3・11 判時 2523 号 103 頁〔ルブタン〕…………………………433

東京地判令和 4・3・24 令元(ワ)25152〔コメント配信システム〕…………………488

東京地判令和 4・5・27 令元(ワ)26366〔ゼンリン住宅地図〕…………………………213

【LEGAL QUEST】
知的財産法〔第2版〕

2018 年 4 月 30 日　初　版第 1 刷発行　　　2024 年 6 月 15 日　第 2 版第 2 刷発行
2023 年 3 月 5 日　　第 2 版第 1 刷発行

著　者　　愛知靖之　前田　健　金子敏哉　青木大也

発行者　　江草貞治

発行所　　株式会社有斐閣
　　　　　〒101-0051 東京都千代田区神田神保町 2-17
　　　　　https://www.yuhikaku.co.jp/

装　丁　　島田拓史

印　刷　　大日本法令印刷株式会社

製　本　　大口製本印刷株式会社

装丁印刷　株式会社亨有堂印刷所

落丁・乱丁本はお取替えいたします。定価はカバーに表示してあります。
©2023, Y. Echi, T. Maeda, T. Kaneko, H. Aoki
Printed in Japan ISBN 978-4-641-17954-7

本書のコピー，スキャン，デジタル化等の無断複製は著作権法上での例外を除き禁じられています。本書を代行業者等の第三者に依頼してスキャンやデジタル化することは，たとえ個人や家庭内の利用でも著作権法違反です。

JCOPY　本書の無断複写（コピー）は，著作権法上での例外を除き，禁じられています。複写される場合は，そのつど事前に，(一社)出版者著作権管理機構（電話03-5244-5088，ＦＡＸ03-5244-5089，e-mail:info@jcopy.or.jp）の許諾を得てください。